KB182894

글로벌기업 크로스보더 인수 · 합병 · 통합 스토리

THE REAL DEAL

CROSS BORDER M&A AND PMI

김정호 저

SAMIL | 삼일인포마인

www.samili.com 사이트 **제품몰** 코너에서 본 도서 **수정사항**을 클릭하시면
정오표 및 중요한 수정 사항이 있을 경우 그 내용을 확인하실 수 있습니다.

프롤로그

한국기업들의 M&A 활동이 이제 국내시장에만 국한되지 않고 Cross Border 형태로 발전하고 있는 상황은 매우 바람직해 보인다. 한국기업들도 외국기업과 동등한 지위에서 Cross Border M&A Deal의 승자가 되기 위하여 무한 경쟁하는 시대가 된 것을 실감하고 있는 듯하다. 한국기업들이 글로벌기업들과 M&A 시장에서 경쟁해야만 하는 만만치 않은 상황이지만 이제는 숙명처럼 받아들여야 한다. 비록 한국기업들이 Cross Border M&A 경험이 많지 않고 아직은 글로벌 네트워크가 부족한 형편이지만 스마트하게 한걸음씩 나아가다보면 향후 글로벌 시장에서 한국기업들의 입지는 더욱 공고해질 것은 분명하다.

세계 금융위기 이후 기업재무구조 개선을 위한 노력, 선택과 집중에 의한 성장 추구, 글로벌 정치경제 판도 변화 등에 의해 M&A 시장 환경이 변화되고 있다. 부동산, 생산설비 등의 유형자산(Tangible Asset)보다도 브랜드, 인적 역량 등의 무형자산(Intangible Asset)에 관심이 높아지고 있다. M&A의 진행 방식도 승자의 저주, 거래무산 등의 리스크를 최소화하기 위한 단계적 진입을 선호하는 추세를 보이고 있다. 무엇보다 주목해야 할 것은 M&A의 큰 흐름의 중심에 Cross Border M&A가 있다는 것이다. Cross Border M&A는 그 절차와 고려해야 하는 사항들이 매우 복잡하다. 또한 다양한 리스크 요인으로 인하여 M&A를 성공하지 못할 확률도 크지만 한국기업들은 미국, 중국, 일본기업들이 Cross Border M&A 시장에서 경험과 경쟁력을 지속적으로 갖추어 가고 있는 상황을 인지하고 이에 뒤쳐지지 않도록 경험과 경쟁력을 갖추어 갈 필요가 있다.

세계경제의 글로벌화(Globalization)와 함께 기업환경의 불확실성이 증가하고 글로벌 과점화 현상이 나타나는 상황에서 Cross Border M&A는 기업이 생존하고 성장하기 위해 필수적인 전략이다. 내수시장의 한계를 극복할 수 있는 유일한 길이 Cross Border M&A임은 분명하다. M&A에서 승자가 되기 위해서는 인수기업과 피인수기업이 처한 시장환경, 그리고 계획하고 있는 M&A의 방향성에 대한 심사숙고가 우선적으로 이루어져야 한다. 또한, M&A의 시너지와 구조조정을 통한 가치 증가분을 과도하게 예상하면 높은 인수프리미엄을 지불하여 M&A를 통한 가치창출이 불가능해지며, 또한 인수 후 통합에 실패할 경우 피인수기업이 가진 역량을 유지, 흡수하지 못해 인수를 통한 가치창출을 못하게 된다는 것을 우선적으로 고려해야 한다.

M&A에서 '승자의 저주'에 빠지지 않기 위해서는 목표기업에 대한 가치평가(Valuation) 작업을 인수 시점에서 세심히 수행하여 Deal이 성사되어야 함은 두말할 여지가 없다. 아울러 인수 후 통합(Post Merger Integration: PMI) 과정의 성공적인 수행을 통해 시너지효과를 확보해야지만 M&A의 성공스토리를 쓸 수 있을 것이다. M&A에서 성공하기 위해서 M&A의 전 과정을 통합적으로 관리해야 하는 데도 불구하고 M&A를 추진하는 기업들이 인수작업에 너무 몰두하다 인수 후 통합의 중요성을 간과하기도 한다. 기업의 M&A전략은 인수/합병/통합의 전체 프로세스에 대해 통합적이고 유기적으로 마련되어야 하고 추진되어야 한다. 인수 후 통합작업이 성공적으로 수행되지 못해 실패한 M&A가 많았다는 교훈을 거울삼아야 한다.

이 책은 다양한 M&A경험을 토대로 엮었다. 그 간의 M&A관련 책자들은 내용이 거의 모두가 이론적이고 사례는 단편적이어서 독자들이 공감하기에 난해한 점이 많았다. 그럴만한 이유가 있다. M&A를 현장에서 경험하지 못한 외부전문가들의 입장에서만 책이 만들어지면 한계점을 드러내기 마련이다. 저자는 이론적인 내용을 단순히 '설명'하는 것이 아니고 M&A현장에서 일어난 다양한 얘기들을 담아내고자 하였다. Cross Border M&A 과정에서 중요한 국제조세(International Taxation)를 포함한 세무와 M&A를 이해하는 데 특별히 요구되는 사항에 대해서는 별도로 정리하여 독자들이 참고토록 하였다. 특히, M&A를 현장에서 접해 보지 못하였거나 단편적인 내용만 습득한 독자들이 인수, 합병 그리고 통합의 전 과정을 소설처럼 읽어가면서 M&A의 다양한 일면들을 쉽게 접하면서 M&A에 대한 통찰력을 얻을 수 있도록 하였다.

Cross Border M&A에서 성공하기 위해서는 성공한 사례와 실패한 사례에서 교훈을 얻어야 한다. 그리고 글로벌 금융회사들의 Best Practice로부터 기꺼이 배워야 할 것이다. 그런 뜻에서 이 책은 중요한 의미를 가지고 있다고 조심스럽게 평가해 본다. 글로벌 금융회사의 Cross Border 인수/합병/통합의 전 과정을 현장에서 직접 경험하고 그런 실제적인 경험을 토대로 Cross Border M&A의 Best Practice에 대한 명쾌한 지침을 제공하고자 했다. 종래에 출판된 M&A에 관한 서적들이 천편일률적으로 이론적이고 교과서적으로 이론과 사례를 설명한 것과는 다르게 스토리를 엮어서 독자들이 쉽게 M&A를 접할 수 있도록 책을 구성한 것은 전례가 없는 시도이다.

하지만 수년에 걸친 노력에도 불구하고 지면의 한계로 여전히 모자람이 많음을 고백한다. 이번에 미처 다루지 못한 내용은 앞으로 계속 보충해 나갈 생각이다. 어찌보면, 책을 펴내는 작업이 나름대로는 독자들에게 M&A에 관한 영감을 주기 위한 작은 몸부림이었지만 스스로 배운 것이 더 많은 것 같아 독자들에게 부끄러운 마음마저 든다.

저자는 이 책을 통해서 페러다임의 대변화가 일어나는 시대를 준비하는 데 도움이 되고 싶었다. 국가자본주의, 기술자본주의, 그리고 금융자본주의의 거대한 파도 앞에 기업들은 국내에 머물면서 소극적 기업활동만 영위하지 않고 글로벌 시장으로 그 범위를 확장해야만 다음 세대의 미래가 있을 것이다. 저자는 현장에서 힘들게 경험하였던 Cross Border M&A가 단순한 얘깃거리로 끝나지 않고 한국기업들이 기업영토를 해외로 확장하는 데 일조할 수 있기를 진심으로 바라는 마음이다. 한국기업들이 파이팅하며, 해외시장으로 성장해 나가고 발전하는 희망을 함께 얘기할 수 있는, 그런 분들이 이 책의 독자가 되었으면 한다.

이 책이 탄생할 수 있도록 많은 영감을 준 선후배 그리고 동료 여러분들께 깊은 감사의 마음을 전한다. 어려운 출판환경에도 불구하고 흔쾌히 출판을 맡아 주신 삼일인포마인 편집부 직원 모두에게 깊이 감사드린다.

끝으로 2020년의 코로나 글로벌 팬데믹(Pandemic)을 이겨내고 2021년에는 한국항공우주산업이 M&A를 통하여 국가경제의 새로운 비전을 제시하고 글로벌 기업으로 성장해 나가는 데 힘을 보탤 수 있기를 기대해 본다.

2021년 5월

저자 올림

저자소개

■ **김정호 CPA/MBA**

현재 한국항공우주산업 주식회사(Korea Aerospace Industries, Ltd)에서 최고재무책임자(CFO)로 근무하면서 M&A Group을 이끌고 있다.

경북 청송에서 출생하였다. 경북대 경영학과를 졸업하고 미국 조지아주립대(Georgia State University) J. Mack Robinson 경영대학원에서 재무학 석사과정(MBA)을 졸업하였다.

KPMG 산동회계법인에서 M&A전문회계사로 근무하면서 한국전력 분할매각 등 다양한 M&A 실사프로젝트에 참여하였고, 자산유동화(ABS)증권과 부실채권(NPL)에 대한 평가업무를 수행하였다.

삼성SDS 경영기획부서와 금융컨설팅그룹에서 근무하는 동안에는 삼성전자를 비롯한 국내외 삼성그룹 계열사들에 대한 해외사업전략을 포함한 다양한 경영컨설팅 업무를 수행하였다.

글로벌 금융회사인 UBS에서 근무하는 동안에는 M&A중개를 포함하여 투자은행 전반에 대한 실무경험을 쌓았으며, 씨티은행에서 근무하는 동안에는 씨티그룹의 한미은행 인수작업에 인수팀리더그룹에 참여하여 씨티그룹의 M&A팀과 함께 한미은행 인수작업을 성공적으로 수행하였다.

또한, 씨티은행 서울지점과 한미은행의 합병 및 통합, 씨티파이낸셜과 씨티리스의 합병 및 통합, ABN AMRO 글로벌 Custody사업부인수 등 씨티그룹의 M&A프로젝트 PMI(Post Merger Integration)매니지먼트 리더그룹에 참여하여 다양한 M&A 및 PMI 업무를 수행하였다.

법무법인 광장(Lee&Ko)에서 근무하는 동안에는 국제조세 및 M&A 전문 회계사로 활동하였다.

공저로 '미국세법의 이해'가 있다.

차 례

차 례

1막

외환위기와 M&A

잘못된 역외투자 1장
헤지펀드의 아시아 공격 2장
아시아 금융위기 3장
금융식민지 4장
사모펀드의 시대 5장
M&A인수전의 시작 6장

그날은 시카고선물거래소(Chicago Board of Trade)에서 수석경제학자로 활동하고 있는 윈디 그라함 교수의 파생시장에 대한 강의가 있는 날이었다. 윈디 교수의 수업은 크리스에게는 늘 새롭고 재미 있었다. 우연한 기회에 윈디 교수가 한국인 2세이며, 교수의 부모님이 100여 년 전 인천 제물포항을 떠나 미국 하와이에 첫 발을 디딘 102명의 미국 이민 최초 세대라는 흥미로운 사실을 알게 되었다. 그리고 윈디 교수의 부모님이 하와이 사탕수수 농장에서 빈곤한 이민 생활을 하는 가운데 윈디 교수가 태어났다는 얘기를 듣게 되면서 그 교수의 수업이 더욱 재미가 있었다. 윈디 교수는 아마 사탕수수 농장에서 일하시던 부모님 덕분에 미국 선물시장의 대가가 되었을 지도 모른다는 생각이 들었다.

크리스는 일주일에 두 번 열리는 윈디 교수의 수업을 놓치지 않으려고 안간힘을 쓰고 있었다. 그날 강의의 주제는 선물환거래(Forward)[1] 였다.

윈디 교수는 선물환거래에 수반되는 비용을 어떻게 결정하는 지에 대한 설명을 하려던 순간이었다. 비지니스스쿨 수업에서는 보기 힘들게 머리를 길게 늘어뜨린 팝아티스트같은 모양새의 백인 남학생이 1992년 유럽의 외환위기에 관한 문제로 화두를 급회전시켰다.

"교수님, 문제의 핵심은 결국 환율이고 환율의 변동성을 자극하는 촉매제가 바로 헤지펀드와 같은 금융시장Player들이라고 봅니다."

윈디 교수는 논점에서 벗어난 화제에 어리둥절해 하면서 학생의 얘기를 존중해 주려고 안간힘을 쓰고 있었다.

"헤지펀드 문제는 다른 시간에 더 깊이 있게 얘기할 기회가 있을 거예요. 좋은 포인트입니다. 일단 얘기가 나왔으니…… 잘 알고 있는 것처럼…… 조지 소로스의 퀀텀펀드(Quantum Fund)가 1992년 영국 파운드화에 대한 투기적 투매를 통해서 영국 파운드화의 환율절하를 유발했고, 일주일만에 10억 달러가 넘는 수익을 실현하는 경이적인 사건이 있었지요. 분명 환율의 움직임을 이용한 헤지펀드의 공격이었습니다. 그런데 헤지펀드의 역할에 대해서는 긍정적인 면과 부정적인 면이 동시에 존재합니다. 즉, 헤지펀드가 세계적인 차원에서 재원을 효율적으로 배분하여 인류의 후생을 증진시킨다는 견해와 세

1) 선물환거래는 거래일로부터 2영업일을 경과한 장래의 일정시점 또는 특정기간 이내에 외환을 일정환율로 매매할 것을 거래당사자간에 약정하는 환거래의 형태를 말한다. 즉, 선물환거래에 있어서 환거래계약은 거래당일에 이루어지지만, 실제 자금의 결제는 미리 약정된 환율에 따라 장래 특정시점 또는 일정기간 내에 이루어지게 된다.

계금융시장의 불안정을 심화시켜 세계경제 발전을 후퇴시킨다는 견해가 맞서고 있지요. 물론 조지 소로스와 같은 인물은 전자를 강조하겠지요. 그런데 환율은 헤지펀드와 같은 투기자본에 의해서만 움직이는 것은 아닙니다. 한마디로 설명할 수 없을 정도로 다양한 경제변수에 의해서 환율은 결정됩니다. 가장 기본적으로는 환율시장도 수요와 공급에 의해서 움직인다는 것입니다. 달러화에 대한 수요가 많다면 달러화의 가치는 상승할 것이고 그 반대도 가능할 것입니다. 따라서 헤지펀드의 공격이 있다고 해도 해당 국가가 효율적으로 자국의 환율 시장을 관리하고 있다면, 다시말해서 통화의 수요와 공급을 효율적으로 통제하고 있다면 외환위기가 일어날 가능성은 줄어들 것입니다."

교수의 설명에 그 백인 학생은 만족스럽지 않은 듯 질문을 계속 이어갔다. 그날 수업은 헤지펀드에 관한 얘기로 정해진 수업 일정을 지나 밤 10시가 넘어서야 마무리되었다.

수업을 마치고 시카고를 가로지르는 고속도로를 타고 화려한 마천루를 뒤로 할 때쯤이면 라디오에서는 어김없이 신종 파생상품에 대한 광고가 숨가쁘게 뿜어져 나왔다. 고속도로가 곡선을 그리는 지점에는 Citigroup, Goldman Sach, Merrill Lynch의 네온사인 광고들이 즐비하게 늘어져 있었고 크리스의 시선을 그 곳으로 향하게 했다.

1장 잘못된 역외투자

홍콩의 제이몬드투자은행으로부터 태국의 바트화와 인도네시아 루피아화 채권에 투자하는 다이아몬드펀드에 대한 투자제안을 받게 되면서 투자결정은 거침없이 진행되었다. 크리스가 다이아몬드펀드의 투자위험에 대해서 피력해 보았지만 이미 때는 늦었고 여의도 금융가에서는 다이아몬드펀드에 대한 투자 열기가 한껏 고조되었다. 그러나 그 열기가 차가운 남극의 얼음이 되어 돌아오는 데는 그리 오래 걸리지 않았다.

크리스는 1995년 시카고대학에서 학업을 마친 뒤, 홍콩에 있는 홍콩투자은행에서 근무를 시작했다. 한국의 금융기관들이 홍콩에 있는 투자은행들을 주간사로 해서 역외금융센터를 통한 해외투자에 열을 올리고 있었다. 크리스가 홍콩투자은행에 근무한 지 2년이 되어 갈 때쯤이었다. 한국종금의 장이사로부터 함께 일해 보자는 제의를 받게 되었다.

1997년 3월 2일, 크리스가 드디어 김포공항에 도착했을 때 한국종금의 장이사가 마중을 나왔다. 크리스가 한국종금에서 맡은 일은 국제부 해외투자 담당이었다. 홍콩투자은행에서 하던 업무의 연장선이었다. 단지 홍콩투자은행에서는 한국 내 기업들의 해외투자를 알선하고 주선하는 일을 주로 했지만 이제는 해외 투자에 대한 결정을 직접 하게 되었다. 투자분석팀과 리서치팀이 크리스를 보조해 주는 구조로 되어 있었다.

그런데 해외투자팀에는 크리스가 맡고 있는 팀 외에도 또 다른 팀이 하나 더 있었다. 이부장이 그 팀을 맡고 있었다. 장이사가 귀띔을 해 주어서 그가 어떤 사람인지는 알고 있던 터였다. 그는 크리스가 한국종금에 합류한 것을 내심 반기지 않는 듯 했다. 장이사에 의하면 크리스가 합류하지 않았다면 해외투자 A팀과 B팀을 모두 총괄하는 총괄팀장이 될 수 있었기 때문이라고 했다. 크리스 팀은 해외 주식(Equities)과 파생상품(Derivatives) 투자를 맡고 이부장이 맡은 팀은 채권(Fixed Income)과 외환(Forex) 투자를 맡았다.

크리스가 한국종금에서 일을 시작한 지 3개월째 되던 날이었다. 홍콩에 있는 제이몬드투자은행으로부터 새로운 펀드투자에 대한 소개를 위해서 방문을 해도 괜찮겠냐는 제안이 왔다. 때마침 크리스는 미국 출장 중이었던 관계로 이부장이 그 연락을 받게 되었다. 이부장은 제이몬드투자은행의 펀드세일즈팀의 방문을 흔쾌히 허락했다.

이틀 후 홍콩에서 제이몬드투자은행의 펀드투자 유치를 담당하고 있던 에드워드챈을 비롯한 다섯 명의 펀드세일즈팀이 한국종금을 방문했다. 이례적인 일이었다. 대개의 경우, 한두 사람으로 구성된 세일즈팀이 투자의향이 있는 업체를 방문하는 것과 다르게 그야말로 한 소대병력이 한국종금을 방문한 것이다. 뒤늦게 이 사실을 알게 된 장이사는 출장 중인 크리스에게 일정을 당겨서 귀국하여 이번 펀드투자건 회의에 참석할 것을 종용했다. 그러나 그러기에는 뉴욕에서의 크리스의 일정이 여의치가 않았다.

제이몬드투자은행 세일즈팀의 펀드투자 설명은 일정대로 진행되었고, 이부장과 투자분석팀, 그리고 시장리서치팀에서 몇 사람이 참석하였다.

에드워드챈은 제이몬드투자은행과 동행한 팀원들에 대한 소개를 하고 난 뒤 준비해 온 펀드투자에 대한 안내자료를 한 부씩 돌리면서 프리젠테이션을 시작했다. 에드워드는 펀드에 대한 자신감을 보이려는 듯 목소리에 한껏 힘이 실려 있었다.

“다이아몬드1호펀드는 현재 성황리에 판매가 되고 있으며 한국에서는 증권사들을 포함한 투자가들이 많은 관심을 보이고 있습니다.”

이어서 에드워드챈은 아시아 금융시장의 최근 동향을 개괄적으로 소개하기 시작했으며 참석한 사람들은 이미 잘 알고 있다는 표정으로 다이아몬드펀드의 실체와 구조에 대한 설명이 나오기를 기다리며 주의가 조금 산만해지는 듯했다.

에드워드는 그런 분위기를 간파하고서는 본론으로 들어가기 시작했다.

“일단 이번 1호펀드의 투자규모는 300억 원이며 지금으로서는 투자금을 모집하는 데 아무런 어려움이 예상되지 않습니다. 그리고 일단 투자금 확보가 일단락되면, 여러분들도 다들 잘 아시는 세계적인 금융기관인 글로벌그룹을 통해 차입(Leverage)을 합니다. 즉, 3,400만 달러를 이 금융기관을 통해 조성하게 됩니다. 그런 후 말레이시아 라부안에 다이아몬드펀드에 대한 회사(Paper Company)[2)]를 설립합니다. 아시다시피 한국과 말레이시아의 조세조약[3]을 이용하여 라부안에 역외펀드[4]를 설립하면 향후 자본에 대한 소득에 대해서 조세를 피할 수 있는 이점이 있습니다."

역외펀드(Offshore Fund)는 투자자가 속한 국가의 조세제도나 운용상의 제약을 피할 수 있고, 조세·금융·행정면에서 여러 가지 이점을 누리려는 목적에서 이용된다. 우리나라에 오는 펀드도 대부분 매매차익에 따르는 과세가 없고, 자산운용상 법적 규제가 없는 버뮤다·아일랜드 등 조세피난처에 본거지를 둔 경우가 많다.

잠시 숨을 고르던 에드워드는 이내 말을 이어갔다.

"거기에다가 제이몬드투자은행도 5,300만 달러를 신주인수[5] 방식을 통해서 투자에 참가합니다. 이렇게 되면 총 펀드투자 규모는 8,700만 달러가 됩니다."

회의에 참석한 사람들은 서로의 시선을 지켜보며 흥미롭다는 표정을 지어 보였다.

에드워드는 만족스러운 표정을 하며 발표를 이어갔다.

"보시는 것처럼 펀딩(Funding)은 무리없이 진행될 것입니다. 이 펀드는 충분한 차입효과[6](Leverage Effect)를 볼 수 있다는 이점이 있습니다. 이렇게 펀딩문제가 해결되고 나면 다음은 당연히 투자처를 찾는 작업이겠죠. 문제가 없습니다. 제이몬드는 그동안 아시아지역에서 매년 두 자릿수의 수익률을 실현해 왔습니다. 수익이 없는 곳에는 우리는 투자하지 않습니다."

---

2) 페이퍼컴퍼니란 글자 그대로 물리적 실체가 없이 서류형태로만 존재해 회사기능을 수행하는 회사를 뜻한다.
3) 조세조약(Tax Treaty)이란 통상 '소득 및 자본에 대한 국제적·법률적 이중과세를 방지하기 위하여 국가 간에 문서에 의하여 체결된 명시적 합의'를 의미한다. 즉, 동일한 소득에 대해 각 국가에서 이중으로 과세되는 것을 막기 위하여 만들어진 것이라는 데 핵심이 있다.
4) 역외펀드(Offshore Fund)는 투자자가 속한 국가의 조세제도나 운용상의 제약을 피할 수 있고, 조세·금융·행정면에서 여러 가지 이점을 누리려는 목적에서 이용된다. 우리나라에 오는 펀드도 대부분 매매차익에 따르는 과세가 없고, 자산운용상 법적 규제가 없는 버뮤다·아일랜드 등 조세피난처에 본거지를 둔 경우가 많다.
5) 신주인수권(新株引受權, preemptive right)이란 회사가 신주를 발행할 경우에 그 전부 또는 일부를 타인에 우선하여 인수할 수 있는 권리를 말한다.
6) 레버리지(Leverage)란 기업이 자본의 수익을 올리고자 할 때, 자기자본에 차입자본을 이용하여 자기지분에 대한 수익을 증대시키는 것을 말한다. 쉽게 말하자면 적은 돈으로 큰 수익률을 얻기 위해 빚을 내는 투자기법을 레버리지라고 한다. 레버리지에는 재무레버리지와 영업레버리지가 있다.

에드워드는 의도적으로 뜸을 들이고 있는 듯했다.

"다이아몬드펀드는 우선 먼저 인도네시아 루피아화 연동채권에 투자하게 됩니다."

에드워드는 다시 숨을 고르고는 다음 페이지로 넘어갔다. 인도네시아의 경제거시지표들과 지난 10년간의 경제성장률을 보이는 차트가 간결하게 정리되어 있었다.

"여기서 보시는 것처럼 인도네시아는 지난 10년간 높은 경제성장률을 보이고 있습니다. 따라서 자본에 대한 수요는 여전히 상당히 높은 편입니다. 채권의 수익률도 지속적으로 두 자리 수를 이어오고 있는 상황이지요."

에드워드는 사람들의 시선을 다시 한 번 확인한 후 말을 이어갔다. 제목이 '주식스왑계약(Stock Swap Contract)'[7)]이라 명명되어 있었다.

"여기를 특별히 주목해 주세요. 본 거래에 수반되는 수수료의 3%를 제외한 제이몬드투자은행의 투자원금은 제이몬드가 주식스왑계약을 통해서 만기에 되돌려 받는다는 것입니다. 투자자들의 수익률을 극대화시키기 위한 제이몬드투자은행의 배려입니다. 다이아몬드투자로 발생하는 수익은 모두 투자자들의 몫입니다. 제이몬드는 거래를 위해 촉진자(Facilitator) 역할만 할 뿐, 투자에서 나오는 수익을 나눠 갖지는 않을 것입니다. 단지 원금만 되돌려 받을 것입니다."

회의 참석자들이 눈이 에드워드의 입가로 쏠리고 있었다.

"물론 펀드의 순자산가치가 하락하여 손실이 발생하면 5영업일 이내까지 투자자들의 추가출자가 이루어지든지 아니면 환매를 해야 합니다."

그러자 이부장이 짧게 그의 말을 이어주었다.

"그야 펀드의 기본 아닙니까"

회의실은 순간 술렁이기 시작했다. 이부장의 입가에는 미소가 소리 없이 만들어지고 있었다. 이부장의 머릿속은 이미 연말에 받게 될 보너스와 내년 초에 있을 조직 개편에

7) 주식스왑계약이란 개별주식, 주식 바스켓 또는 주가지수(equity index)의 성과에 따른 현금흐름을 수취하는 두 당사자간 계약을 가리킨다. 주식스왑에서 일정한 명목금액을 교환하며 실제 원금이 교환되는 것은 아니다.

대한 생각으로 꽉 차 있는 듯했다.

에드워드는 만족스러워하는 이부장을 응시하며 발표를 이어갔다.

"다이아몬드펀드의 두 번째 투자 대상은 타이바트화에 대한 선물환거래[8)]입니다. 다이아몬드의 선물환거래의 상대방은 제이몬드투자은행이 됩니다. 선물환거래는 원금 5,300만 달러의 5배로 설정이 되며 만기 시 바트화 대 달러 환율에 따라 수익률이 결정됩니다. 즉, 바트의 만기 시점 환율이 25.88보다 내리게 될 경우, 즉 바트화가 달러 대비 평가절상이 될 경우 다이아몬드펀드는 이익을 보게 되나 반대로 바트화가 평가절하될 경우는 평가절하분만큼 다이아몬드펀드가 제이몬드투자은행에 설정된 금액을 지불해야 되는 구조입니다."

에드워드는 혹 나오게 될 질문을 미리 봉쇄라도 하려는 듯 발표자료의 페이지를 넘기면서 타이바트화의 10년간의 움직임에 대한 그래프를 보여 주었다.

"여기서 보시는 것처럼 바트화는 미 달러화에 고정(pegging)이 되어 있는 고정환율제를 유지하고 있고 그 간의 경제성장을 바탕으로 바트화의 가치가 계속 절상되어 왔습니다. 그리고 앞으로도 이러한 현상은 계속될 것으로 보입니다."

그의 발표가 마무리 되기도 전에 시장조사팀장인 이차장이 말을 가로챘다.

"시장조사팀의 리서치 결과로도 태국의 바트화 평가절하 가능성은 미미해 보입니다."

곧이어 이부장이 그의 말에 끼어들었다.

"아무래도 제이몬드투자은행이 펀드구조를 잘못 만든 게 아닐까요? 투자자에게는 전혀 손해 볼 게 없는 투자지 않습니까?"

그러자 회의실에 모인 회중들 사이로 한 바탕 웃음이 지나갔다. 분명 다이아몬드펀드의 구조는 이부장의 입맛에 딱 맞아 떨어지는 매력적인 투자처로 보였다. 그날 발표는 화기애애한 분위기 속에서 끝이 났다.

---

8) 선물환거래는 장래의 일정시기를 결제일(Value Date)로 하여 특정통화의 매매계약을 체결하고 결제일이 되면 매매계약시 미리 약정한 환율에 의하여 약정통화를 교환하고 해당 대금을 결제하는 외환거래를 말한다.

크리스가 미국 출장에서 돌아오자 이미 이부장은 다이아몬드펀드에 대한 투자의향서 건 관련해서 내부적으로 승인을 진행하고 있었고 제이몬드투자은행에 조만간 다이아몬드펀드에 대한 투자결정이 마무리 될 것이라는 확신에 찬 회신을 주고 있었다.

장이사가 크리스의 방을 방문했다.

"크리스, 급히 상의할 일이 있네. 혹시 다이아몬드펀드라는 것을 들어 본 적이 있는가? 자네가 미국 출장 중일 때, 홍콩에 있는 제이몬드투자은행의 세일즈팀이 왔다 갔다네."

크리스의 답이 이어졌다.

"아, 예 제이몬드투자은행은 제가 잘 알아요. 그리고 그 투자은행의 세일즈팀장은 에드워드챈이고요. 그런데 왠 다이아몬드는……."

장이사는 설명을 이어갔다.

"제이몬드투자은행에서 이번에 새로운 투자상품을 만들었다네. 그 이름이 다이아몬드펀드라고 하더군. 그 사람들이 우리 회사를 방문했을 때 나도 때마침 회장님이 정부측 인사와 약속이 급하게 생겨서 회장님을 모시는 바람에 펀드소개에 대한 회의에 참석 못 했다네. 이부장이 그 회의를 주관했었어. 그리고 이부장에 의하면 검토해 본 결과 우리 회사에 엄청난 수익을 안겨 줄 수 있는 훌륭한 투자상품이라고 이렇게 투자에 대한 결제 요청을 올렸다네."

그는 잠시 주춤하더니 말을 이어갔다.

"그런데 이부장이 이미 회장님께도 이 번 투자 건에 대해서 보고를 넌지시 한 모양이야. 그리고 이미 회장님도 조속히 펀드에 대한 투자를 했으면 하는 눈치고……그 친구 야심이 많은 사람이라는 건 알고 있었지만. 아무래도 이번 일을 잘 성사시키고 미주지사장 자리라도 꾀어 차려는 속셈 같네. 내년 초에 조직 개편이 있을 듯한데……."

장이사는 말 끝을 흐렸다.

크리스는 장이사가 걱정하고 있는 것이 정확히 무엇인지 몰랐다. 다이아몬드 투자에 대한 걱정인지 조직 개편에 대한 걱정인지 가늠할 수가 없었다. 하여간에 크리스는 일단 다이아몬드펀드가 어떤 상품인지부터 알아 보아야겠다는 생각이 들었다.

“장이사님, 그 펀드에 대해 제가 한 번 검토해 보겠습니다. 혹시, 다이아몬드펀드와 관련된 구조나 상품설명에 대한 자료는 누가 갖고 있는지요?”

그러자 장이사는 크리스의 대답을 기다리기라도 했다는 듯이 말했다.

“개략적인 것은 나도 갖고 있지만 자세한 내용은 이부장이 갖고 있네. 일단 내가 갖고 있는 내용부터 검토해 보게.”

그가 크리스에게 건네준 자료는 파워포인트로 작성된 개략적인 펀드 설명과 로드쇼를 위해 만들어진 듯한 펀드안내서 몇 장이었다. 크리스는 자리에 돌아와서 장이사가 건네준 자료들을 살펴 보기 시작했다. 그런데, 지금까지 경험한 어떤 상품보다 구조가 복잡해 보였다. 크리스는 하는 수 없이 이부장에게 더 상세한 자료를 요청해야겠다고 마음먹고 이부장 방으로 갔다.

“이부장님, 다이아몬드펀드 건에 대한 내용을 이부장님이 가장 잘 아신다고 하시던데……혹 관련 자료를 좀 볼 수 있을까요?”

이부장은 퉁명스럽게 대꾸를 했다.

“그 건은 이미 결제가 올라가서 곧 투자가 이루어질 것인데, 크리스가 무엇 때문에 그러는 거지요?”

크리스는 순간 무슨 변명을 늘어 놓아야 할지 몰라 멈칫했다.

“아, 그냥 어떤 상품인지 궁금해서요. 그리고 제가 잘 아는 사람들이 왔다 갔다는 말도 듣고 해서요.”

크리스의 궁색한 변명에 이부장은 선심이나 쓰려는 냥 한 묶음의 자료를 건네 주었다. 그러나 그가 건네준 자료에도 펀드의 구조에 대한 상세한 내용은 없었다. 홍콩투자은행에서 함께 근무했던 마이클에게 전화를 했다. 마이클은 크리스의 전화를 반갑게 받아 주었다. 마이클은 다이아몬드펀드에 대해 잘 알고 있었다.

“크리스, 홍콩투자은행도 비슷한 상품을 곧 시장에 출시할 계획이야. 여기서는 아시아 채권 관련된 상품들이 유행처럼 번지고 있어. 내가 갖고 있는 자료를 보내줄게.”

마이클은 상품에 관련된 자료들을 팩스로 보내 주기로 했다. 크리스는 홍콩투자은행이 어떤지 궁금했다.

“마이클, 그 곳은 요즘 어때? 그리고 너는 별일 없고?”
“나는 다음 달에 헤지펀드회사인 브리지캐피탈사로 이직을 할 계획이야. 홍콩투자은행은 예전이랑 똑같아. 이제 이 곳에서의 생활이 조금 지루하기도 하고 해서 다른 일을 한 번 해 보려고……그리고 이 곳의 투자은행들은 그 동안 열을 올려온 아시아지역에서 채권투자 비중을 줄이려고 하는 움직임이 있는 것 같아.”

마이클이 헤지펀드회사로 옮긴다는 것은 생각도 못한 일이었다. 그는 미국으로 돌아가서 대형은행에서 근무하고 싶어했기 때문이었다. 아마도 헤지펀드회사로부터 좋은 오퍼를 받은 듯 했다.

이부장이 언뜻 얘기해 준 것과는 달리 펀드구조가 간단해 보이지가 않았다. 크리스의 머릿속은 이부장 방을 방문했을 때 그가 크리스에게 건넸던 말이 불현듯 스쳐 지나갔다.

“이번 펀드 건은 채권투자이고 환거래이니 크리스는 관여할 필요가 없어서 장이사에게 내가 결제를 이미 올렸고……회장하고도 얘기가 끝났네. 그러니 자넨 신경쓸 것 없네.”

그러나 크리스는 펀드의 구조를 파악해 나가면서 이 펀드의 구조는 단순한 채권거래나 외환거래가 아님을 알 수 있었다. 분명히 구조화(Structured)된 거래였다. 크리스는 펀드 구조의 중요한 포인트를 하나 둘 잡아가기 시작했다.

루피아화연동채권 부분을 면밀히 살펴 보는 순간, 제이몬드투자은행의 펀드 신주인수권에 대한 의구심이 생기기 시작했다.

“제이몬드투자은행이 자선단체도 아닌데, 왜 펀드에 자금을 출자한 후 만기 시에 수익금액에 관계 없이 원금만 되돌려 받는 일종의 마이너스 펀딩을 해주는 걸까?”

크리스는 혼자 중얼거리고 있었다.

대개의 경우처럼 증권사가 신용으로 일반 주식투자자에게 돈을 빌려 주고 주식을 사도록 권고하는 모양과 다를 것이 없었다. 한 가지 차이점이 있다면 일반 주식투자자에게 증권사가 돈을 빌려 줄 때는 특정한 주식을 살 것을 권고하지는 않지만 이 펀드의 경우는 루피아연동채권이라는 대상이 이미 정해져 있는 것이었다. 크리스의 머릿속은 복잡해지기 시작하면서 여러 생각들이 스쳐 지나갔다.

'자본시장 정보의 비대칭', '제로섬(Zero Sum)[9], 게임이론[10]'……

순간, 낮에 홍콩투자은행의 마이클과 전화 통화에서 그가 통화 마지막에 던진 말이 크리스의 머리를 망치로 때리는 것 같았다.

"홍콩에 있는 투자은행들이 아시아채권 비중을 줄이려 해."

마이클의 말이 산울림이 되어 크리스의 머리를 맴돌았고 잠시 후, 온몸이 전기에 감전된 듯했다.

"혹시 제이몬드투자은행이 자기네들이 현재 보유하고 있는 루피아채권에 대한 포지션(Position)을 줄이거나 처분하려는 목적이 있는 것은 아닐까?"

크리스는 다시 중얼거리고 있었다.

"그렇다면 이것이 의미하는 것은 무엇일까? 문제는 제이몬드투자은행뿐만 아니라 홍콩에 있는 많은 투자은행들이 앞다투어 이런 움직임을 보이고 있다는 건 분명 단순한 문제가 아니야. 뭔 일이 벌어지고 있는 것이 분명해."

크리스는 펀드의 구조에 삽입되어 있는 선물환거래 부분을 훑어 보기 시작했다. 태국바트화가 평가절상되거나 현 상태을 유지한다면 분명 펀드투자자들에게는 지난 10년 동안 동남아금융시장이 보여주었듯이 환상적인 수익률을 안겨줄 것이다. 그러나 만에 하나 태국바트화가 평가절하되는 상황이 발생하게 되면 사정은 180도로 반전될 수 있는 시나

9) 제로섬(Zero Sum)은 게임이나 경제 이론에서 여러 사람이 서로 영향을 받는 상황에서 모든 이득의 총합이 항상 제로 또는 그 상태를 말한다.
10) 게임이론(Game Theory)은 사회 과학, 특히 경제학에서 활용되는 응용 수학의 한 분야이며, 생물학, 정치학, 컴퓨터 공학, 철학에서도 많이 연관된다. 또한 게임이론은 참가자들이 상호작용하면서 변화해가는 상황을 이해하는데 도움을 주고 그 상호작용이 어떻게 전개될 것인지 어떻게 매순간 행동하는 것이 더 이득이 되는지를 객관적으로 분석해주는 이론이다.

리오는 충분히 가능해 보였다. 그러나 태국바트화가 평가절하되는 상황은 태국정부가 고정환율제에서 변동환율제로 전환해야만 하는 급박한 상황에서만 가능한 일이기 때문에 현재의 태국 경제 상황으로는 희박해 보이기는 했다.

그러나 크리스는 왠지 모르게 펀드의 구조가 투자자들에게 너무도 유리하게만 되어 있다는 것이 계속 마음에 걸렸다. 크리스는 자본시장에서의 머니게임이란 "제로섬(Zero Sum)"이라는 것을 아마 비즈니스스쿨에서 철저히 교육을 받은 탓인지도 모르겠다는 생각을 애써 하면서도 불안한 마음을 지울 수가 없었다.

"제이몬드투자은행이 태국바트화에 대한 포지션을 줄이기 위한 건 아닐까…… 만약 그런 의도가 있다면 왜 포지션을 줄이려고 하는 길까?"

크리스의 의구심은 눈덩이처럼 커져 가고 있었다. 시간이 얼마나 흘렀을까? 크리스가 사무실에 걸려 있는 벽시계를 무의식적으로 쳐다 보았다. 시계 침이 밤 11시 30분을 가리키고 있었다.

다음날 아침, 크리스는 출근하자 마자 시장조사팀 사무실로 향했다. 이차장은 크리스를 보고 반가운 듯 아침인사를 건넸다. 그는 늘 크리스에게 시카고대학 출신이 왜 한국종금 같은 곳에 입사를 했는 지 이해가 되지 않는다고 술자리에서 말을 건네곤 하던 인물이었다. 크리스는 급한 마음에 별 대꾸도 없이 이차장에게 최근 동남아시아 시장동향에 관한 보고서를 요청했다.

"이차장님, 지난 6개월 간의 동남아시아 시장 분석 자료를 볼 수 있을까요? 급히 검토할 건이 있어서요."

이차장이 건네 준 보고서는 한국종금에서 작성한 것 같지 않고 외부 기관으로부터 구입한 것 같았다. 절반은 번역이 되어 있었지만 절반은 아직 영문인 상태로 되어 있었다. 시장리서치팀이+라고는 하나 매일 하는 일은 외부기관에서 내 놓은 보고서를 번역하는 일을 하고 있는 듯했다.

'동남아시아 자본시장 최근 동향'이라는 제목으로 보고서는 번역되어 있었다. 그 보고서에 의하면 태국은 1983년 이후 복수통화바스켓제도[11]를 시행해 왔으나 환율변동폭이 미미하여 사실상 미 달러화에 고정된 환율체제를 유지해 오고 있었고, 태국경제는 1985년부터 향후 10여 년 동안 연평균 9%대의 고성장을 지속하고 있었다. 그러나 1996년에는 경제성장률이 5.9%로 하락하면서 경기 둔화의 조짐을 보이고 있다는 분석을 내놓고 있었다.

보고서 내용을 읽어 내려 가던 중, 크리스의 시선을 잡아 당긴 것은 '태국경제의 구조적인 문제'에 관한 내용이었다. 가장 눈에 띄는 것은 경상수지 적자가 누적되고 있다는 내용이었다. 그간의 높은 경제성장률과는 대조적으로 지난 10년 동안 경상수지가 매년 국내총생산(GDP) 대비 5.08%에서 8.10%의 높은 수준의 적자를 기록하고 있었다. 경제성장이 생산성 증가보다는 인건비 상승에 따른 소비지출에 의해서 이루어지고 있다는 분석 내용은 분명 좋은 징조가 아닌 것 같았다.

크리스는 혼잣말로 중얼거리고 있었다.

"태국 바트화의 강세(평가절상 내지 고평가)가 경상수지와 같은 경제기초 여건에 바탕을 두지 않고 있다는 것은 언제든 바트화에 대한 평가가 곤두박질 칠 수 있다는 것 아닌가……."

크리스의 표정은 점점 굳어져 가고 있었다. 크리스의 시선은 자본이동에 대한 분석내용으로 재빠르게 옮겨 갔다. 보고서에 의하면 태국정부는 경상수지 적자를 보전하기 위하여 단기 자본을 대거 유치했으며, 이는 1980년대 후반 이후 태국정부가 의욕적으로 추진한 금융과 자본자유화 정책에 따라 이루어지고 있다는 분석을 하고 있었다. 단기자본 중심의 자본자유화 정책을 우선적으로 추진함으로써 해외로부터 단기자본이 대거 유입되었다는 것이다. 이와 함께 당시 장기 경기침체로 인한 초저금리 상태하에서 새로운 투자처를 물색하던 일본계 자금이 고금리를 유지하고 있던 태국 금융시장에 대거 유입되었다는 분석도 함께 내놓고 있었다.

크리스의 불안감은 사그라들지 않고 있었다.

11) 복수통화바스켓제도는 자국과 교역 비중이 큰 나라의 통화 등을 바스켓(basket)으로 묶고, 해당 통화의 가치가 변하면 교역가중치에 따라 자국통화의 환율에 반영하는 환율제도를 말한다.

"그렇다면 단기자본은 언제든 급속하게 빠져나갈 수 있다는 얘기가 아닌가? 이건 분명 외채부문에 적신호가 될 수 있어……."

크리스는 보고서의 마지막 부분으로 시선을 옮겨 갔다. 태국의 금융시스템에 관한 내용이었다. 개발도상국가들에서 흔히 볼 수 있듯이 태국도 대내외 충격에 취약한 외채구조를 갖고 있다는 언급과 함께 금융기관들은 대출심사기능 등 리스크 관리능력을 제대로 갖추지 못하였을 가능성이 크다는 지적을 하고 있었다. 특히 금융기관들은 단기자금을 차입하여 부동산 등 장기자산에 경쟁적으로 대출하고 있다는 지적도 있었다.

크리스의 머리는 점점 무거워져 가고 있었다. 이러한 현상은 자금의 조달과 운용상에 심각한 만기불일치(Maturity Mismatch) 문제를 발생시키는 가운데 해외로부터 유입된 단기자금이 주식과 부동산 등 자산시장으로 흘러 들어가면 자연스럽게 자산거품(Asset Bubbles)을 만드는 수순을 밟는다는 논리적 유추를 할 수 있었다. 보고서에서는 여기에 대한 구체적인 언급은 없었지만 태국정부가 과도한 부동산투자를 억제하기 위하여 1995년에 금융긴축정책을 발표하였으며, 금융긴축정책이 추진되자 부동산가격이 급락하였고 건설업체와 부동산개발업체의 도산이 크게 증가하여 관련대출이 상당 부분 부실화되었다는 내용이 짤막하게 간신히 지면을 차지하고 있었다.

보고서를 읽어 내려가던 크리스는 왠지 모를 불안감이 엄습해 오는 것을 느꼈다.

"태국의 경상수지 적자가 계속되고 있고 외채가 증가하고 있는 상황에서 부동산가격이 일시에 하락한다면 금융기관의 대출이 부실화되는 것은 불을 보듯 뻔한 일이 아닌가? 그리고 이러한 상황이 지속된다면 분명 단기성해외자금(Hot Money)의 이탈현상이 일어날 것이고 그런 현상이 지속된다면 고평가상태를 유지하고 있는 바트화의 평가절하 압력은 가중될 것이 뻔한 일이야. 거기에다가 그 동안 저금리인 일본 엔화를 차입하여 태국 금융자산에 투자(Yen Carry Trading)[12]하였던 투자세력이 바트화 금융자산을 일시에 처분하고 달러를 매입하게 되면 바트화의 평가절하는 삼척동자도 점칠 수 있는 시나리오지 않은가 말이야."

12) 캐리트레이드(Carry Trade)는 저금리로 조달된 자금으로 다른 국가의 자산에 투자하는 거래를 뜻한다. 이자가 싼 국가에서 돈을 빌려서 이자가 비싼 국가에 예금하여 차익거래를 하거나 수익률이 높을 것으로 예상되는 국가의 주식이나 부동산에 투자하여 수익을 추구하는 것이다.

크리스는 갑자기 온몸의 피가 일시에 얼굴로 모여드는 듯했다.

"아니야, 내가 지금 너무 예민하게 반응하고 있는지도 몰라. 다시 한 번 처음부터 검토해 보는 것이 좋겠어."

크리스는 애써 냉정을 찾으려 하고 있었다. 그러나 크리스의 머리는 온통 부정적인 생각으로 채워지고 있었다.

"태국 바트화가 무너지면 다이아몬드펀드의 환거래는 엄청난 손실을 보게 될 거야. 거기에다가 취약한 금융시스템은 태국만의 문제가 아니지 않은가? 분명 도미노 현상이 일어나겠지. 태국의 문제는 인도네시아 및 주변 국가들로 번지게 될 것이고, 루피아연동채권에서의 손실도 충분히 가능한 시나리오야."

크리스의 머릿속은 동남아시아의 위기가 프로그램화 되어 버린 듯했다.

"다이아몬드펀드는 분명 제이몬드투자은행의 전략적인 상품일지도 몰라."

크리스는 혼잣말로 중얼거리면서 마이클이 전화 통화 중에 던졌던 말을 다시 재생하려고 안간힘을 쓰고 있었다.

"나는 다음 달부터 너도 잘 알고 있는 브리지캐피탈 헤지펀드로 직장을 옮겨. 요즘 홍콩에 있는 투자은행들은 아시아국가들의 채권을 축소하려고 해. 왠지는 나도 모르겠지만……."

크리스의 머릿속은 온통 "다이아몬드"로 꽉 차 있었다. 다이아몬드가 조약돌로 바뀔 수 있는 상황을 크리스는 떨쳐 버릴 수가 없었다.

크리스는 우선 먼저 장이사에게 전화를 했다.

"그런데 장이사님, 아무래도 다이아몬드펀드 건에 대한 투자는 포기하는 것이 좋을 듯합니다."

크리스는 짧게 결론부터 얘기했다. 그리고는 그 동안 크리스가 분석한 내용을 자세히 설명해 주었다. 장이사는 잠시 생각에 잠기는 듯 하더니 크리스의 눈을 응시했다.

"역시 자네는 이 분야에서 최고의 전문가야. 분명, 자네라면 제대로 분석을 할 줄 알았지……그런데 투자 건 관련해서는 문제가 단순하지 않은 것 같네."

크리스는 장이사가 무슨 말을 꺼내려는지 알 수가 없었다. 크리스가 의아하다는 표정을 짓자 장이사는 말을 이어갔다.

"여의도 바닥에 있는 증권사, 투신사, 그리고 종금사들이 이미 다이아몬드펀드에 투자를 하기로 결정했다고 하네. 그리고 우리 회장님도 이번 투자에 참가하기로 결정을 한 상태네. 오늘 아침에 이부장과 회장실에 갔었는데 회장님이 매우 만족해 하고 계시더라고. 훌륭한 투자 건을 연결했다고 이부장을 한껏 치켜 세우시더군. 내가 회장님께 자네 생각을 한 번 얘기는 해 보겠네만……결정을 바꾸기는 힘들 것 같은 분위기야."

크리스는 온몸에서 일시에 힘이 빠져나가는 것 같았다. 크리스는 정신을 가다듬으려 애를 썼지만 장이사에게 불편한 심정을 들어내 보이고 말았다.

"장이사님, 이건 말도 안됩니다. 어떻게 이렇게 큰 딜을 제대로 분석도 하지 않고 그렇게 쉽게 결정하시는 거지요. 그것도 다른 종금사들과 같이 그룹으로요?"

장이사는 크리스의 불평이 자신을 향한 것이 아니라는 것을 잘 알고 있었다.

"미안하네. 때로는 일들이 명확한 근거도 없이 정치적으로 결정이 되고 마는 것이 조직의 생리인 것 같네. 이번 건에 대해서 업계에서 군집행동(Herd Behavior)을 보이니 더욱 반대하기가 어려운 형국이 되어버렸지 뭔가……그리고 회장님의 체면도 있고 해서……이부장은 지금쯤 휘파람을 불고 있겠지……이미 화살은 활을 떠나 과녁을 향하고 말았네. 별 일이 없기만을 기원해야지……."

크리스는 다른 말을 할 수가 없었다.

2장 헤지펀드[13]의 아시아 공격

크리스의 분석은 빗나가지 않았다. 홍콩의 투자은행들이 바트화채권과 루피아화채권을 처분하고 있는 와중에 국제적 헤지펀드의 공격이 거침없이 가해지자 바트화와 루피아화의 가치는 곤두박질 치기 시작했고 바트화와 루피아화의 가치가 유지될 것을 가정으로 구조화된 다이아몬드펀드의 손실은 걷잡을 수 없게 되었다.

크리스의 걱정을 비웃기라도 하듯, 3개월 만에 다이아몬드펀드는 수익률이 치솟으며 다이아몬드펀드4호가 출시되었고 인기리에 팔려 나갔다. 여의도에 있는 증권사, 투신사, 종금사 등 투자를 하지 않은 금융기관이 거의 없을 정도였다.

인도네시아 루피아화나 태국의 바트화의 움직임은 지난 몇 개월 간에 별다른 변동을 보이지 않고 있었다. 오히려 유명한 투자은행들은 아시아시장의 전망에 대해서 긍정적 의견을 계속 내어 놓고 있는 지경이었다.

1997년의 6월은 일찍부터 여름의 폭염을 만들어 내고 있었다. 장이사는 한국종금 홍콩지사 방문에 크리스와 동행하고자 했다. 크리스는 홍콩 생활이 그립던 차여서 흔쾌히 허락을 하고는 홍콩에 있는 마이클에게 전화를 했다.

"마이클, 그동안 별일 없었지? 모레 홍콩으로 출장을 가게 되었어. 가능하면 모레 저녁식사나 같이 하는 거 어때?"

마이클이 난색을 표했다.

"크리스, 모레 저녁은 약속이 있어서 힘들고 모레 점심은 괜찮을 것 같아. 요즘 일이 너무 많아 저녁에 시간을 내기가 어려워. 사실 업무상 저녁약속이 있어."

---

13) 헤지펀드(Hedge Fund)는 소수의 투자자들을 비공개로 모집하여 주로 위험성이 높은 파생금융상품을 만들어 절대수익을 남기는 펀드를 말한다.

마이클은 브리지캐피탈로 이직한 지 얼마 되지가 않아 아직 여유가 없어 보이는 것 같았다. 아마도 홍콩투자은행에서 주로 했던 파생트레이딩 업무와 헤지펀드를 운용하는 업무가 많이 달라서 그럴 지 모른다는 생각이 들었다.

"그래, 괜찮아. 이번에 만나면 홍콩 얘기나 많이 해 주라. 내가 도착하면 연락할게."

크리스는 마이클을 만나기 위해서 약속한 레스토랑으로 총총 걸음을 옮겼다.
마이클은 반갑게 크리스를 대해 주었지만 피곤한 얼굴 빛은 감추지 못하고 있었다.

크리스가 먼저 말을 건넸다.

"그래 헤지펀드 일은 할만 해? 잘은 모르지만 새롭고, 재미있을 것도 같은데……."

"색다른 일이라 재미는 있는데, 아직 뭐가 뭔지 잘 모르겠어……내가 맡고 있는 일은 역외금융시장에서 아시아지역 통화를 관리하고 있는 일인데, 지금은 태국의 바트화를 많이 차입하고 있는 중이야."

크리스의 호기심이 발동하고 있었다.

"헤지펀드가 바트화를 차입한다면 분명 용도가 있을 건데. 바트화를 끌어 모아서 어디에다 쓸려는 거지? 혹시 바트화에 대한 공격을 생각하고 있는 건 아니겠지?"

마이클은 크리스의 말에 짐짓 놀라는 표정을 짓고 있었다.

"투자 목적으로 바트화를 차입하는 거겠지. 그런 용도 같긴 한데 나는 아직 확실히 모르겠어."

마이클은 말꼬리를 흐리고 있었다.

"태국 바트화의 절하를 위해서는 어떻게 해야 할까? 태국 외환시장에서 바트화를 대규모로 공매도(Short Sale)[14]하는 시나리오를 생각해 볼 수 있겠지. 1990년에 소로스의 퀀

14) 공매도(short selling, shorting)는 글자 뜻 그대로 '없는 것을 판다'는 의미이다. 개인 혹은 단체가 주식, 채권 등을 보유하지 않은 상태에서 매도하는 행위를 말한다. 매도한 주식·채권은 결제일 이전에 구해 매입자에게 갚아야 한다. 주가하락이 예상되는 시점에 시세차익을 내기 위한 한 방법이다. 공매도는 매도 증권의 결제를 위해 대차거래 등을 통해 해당 증권을 사전에 차입하였는지 여부에 따라 무차입공매도(naked short selling)와 차입공매도(covered short selling)로 구분된

텀펀드(Quantum Fund)가 역외시장에서 파운드화를 차입해서 영국시장에서 파운드화를 매도하고 마르크화를 매입(Short Sale)했었던 것처럼 말이야. 왜 우리가 Chicago대학에서 공부할 때 같이 이 주제로 Term Paper도 했었잖아."

마이클은 오히려 크리스에게 질문을 던지고 있었다.

"그런데 정말 바트화는 왜 차입하는 거지?"

크리스는 어조가 흥분되어 갔다.

"그야 내가 정확히 알 수는 없지만 내가 생각하고 있는 시나리오가 말이 안 되는 것이 아니야. 공매도만으로는 바트화에 대한 공격이 충분하지 않을 수 있다는 판단에서 그렇게 할 수 있지 않을까 바트화를 차입해서 그 자금을 외환선물 증거금으로 활용하여 선물환 매도를 하면 바트화 매도 공세는 200%의 효과를 거둘 수 있다는 계산이 나오는 거야. 즉, 바트화의 현물과 선물을 동시에 팔아치워 버리면 바트화외환시장에서 바트화의 초과공급으로 바트화는 맥을 못 추게 되겠지."

크리스는 각본에도 없는 시나리오를 쓰고 있었다. 크리스는 마이클과 얘기를 하면서 시카고대학에서 프로젝트를 함께 하던 때로 돌아 가는 것 같은 기분이 들었다. 그런 자신의 모습이 재미있다는 생각이 들었고 질문을 이어 갔다.

"혹시 달러를 매입하고 있지는 않아? 바트화가 달러에 연동(Peg)되어 있으니 당연히 달러를 매입해야 헤지펀드의 공격이 성공을 거두겠지. 그런 후, 일단 바트화 가치가 하락한 후에 바트화를 구입해서 역외시장에서 차입한 바트화 자금을 청산하게 되면 막대한 이익을 보는 식으로 말이야."

다. 국내주식시장에서는 원칙적으로 공매도가 허용되지 않는다. 다만, 증권시장의 안정성 및 공정한 가격형성을 위하여 대통령령으로 정하는 방법에 따를 경우 이를 할 수 있다. [1] 여기서 대통령령으로 정하는 방법이란 차입공매도일 것, 거래소 업무규정에 따라 정하는 가격을 적용할 것(업틱룰, up-tick rule), 해당 매도 주문이 일반매도인지 공매도인지 여부를 표시할 것, 투자중개업자는 투자자로부터 해당 주문이 결제 가능한지 여부를 확인할 것, 상장주식을 공매도한 경우 공매도 잔고를 금융위원회와 한국거래소에 보고할 것 등이다. [2] 즉, 차입공매도는 가능하다는 의미이다. 한편 매수계약이 체결된 상장증권을 결제가 이루어지기 전에 매도하는 경우나, 유상증자, 신주인수권부사채의 권리행사 등으로 인해 결제일까지 해당 주식이 상장되어 결제가 가능한 경우에는 공매도로 보지 않는다.

크리스는 마이클과 대화를 해 나가면서 자신의 시나리오를 완성해 가고 있었다. 크리스의 계속되는 추리에 마이클은 며칠 전에 회사동료로부터 그 동안 저금리인 일본 엔화를 차입해서 투자한 태국금융자산을 처분하고 있다는 얘기를 들었던 것이 언뜻 기억이 났다. 하지만 모든 시나리오를 간파하고 있기라도 하는 듯한 크리스에게 그런 정보를 줄 수는 없었다.

"그럴 가능성이 있을 거야."

마이클은 다시 말을 얼버무리고 있었다. 그리고는 크리스의 계속되는 질문을 피하려는 듯 화제를 바꾸었다. 두 사람은 서울에서 만나기로 약속하고 헤어졌다. 크리스는 한국으로 돌아 오는 비행기 안에서 장이사에게 마이클과 만난 얘기를 하며 자신의 시나리오를 얘기했지만 장이사는 잠을 청하고 싶어했다.

홍콩 출장을 다녀 온 지 한 달이 지나고 있을 무렵인 1997년 7월 2일, 마침내 일이 터지고 말았다. 크리스가 사무실에 도착하자 이미 회사는 아수라장이 되어 있었다. 긴급속보로 타진된 외신기사가 사무실 여기 저기를 나뒹굴고 있었다. 아침 11시가 되자 국내 신문사들도 앞을 다투어 태국 발 외환위기에 대해서 보도하기 시작했다. 신문은 온통 동남아시아의 외환위기에 대한 기사로 넘쳐나고 있었다.

크리스는 사무실 방 앞에 뒹굴고 있는 호외를 집어 들고는 속보를 읽어내려 갔다.

"태국정부가 환율제도를 변동환율제도(Floating Exchange Rate System)[15]로 변경하고 IMF에 긴급 자금 요청을 할 것으로 알려지고 있습니다. 미 달러당 25바트의 비율로 고정(Peg)되어 있던 태국 바트화는 환율제도 변경이 실시된 오늘 오전 이후 미 달러에 비해 당일 하루 만에 20% 폭락을 보이고 있습니다. 태국 주식시장은 폭락하고 있으며, 태국 최대 금융회사인 파이낸스원이 파산직전에 있는 것으로 알려지고 있습니다. 태국당국은 바트화 투매조달원인 역외세력의 바트화 차입억제 및 외환시장개입에 적극적으로

15) 변동환율제(flexible exchange rate)는 환율제도의 일종으로서 통화 가치가 외국환시장에 따라 변화하는 체계를 말한다. 변동환율제를 택하는 통화를 변동환율이라고 부른다. 반대는 고정환율제이다. 변동환율제의 경우 환전 시 통화의 가격이 자동적으로 조절되기 때문에 경제 상황에 급작스런 충격이 올 경우 위험성이 줄어든다. 외국인 투자자 및 기업의 투자 시에도 상대적으로 유리할 수 있다. 그러나 확실성과 예측성이 불가능하다는 점에서 고정환율과 비교해 단점도 있다. 이는 의도적으로 자국 통화를 절하하려는 노력에 따라 조절될 수 있기 때문에 반드시 맞지 않다고 지적하는 학자들도 있다.

대응하겠다는 발표를 하고 있습니다만 역부족일 거라는 관측이 지배적입니다……."

신문 기사 내용을 읽어 내려가던 크리스는 심장이 멈춰진 듯했다. 그리고는 참았던 숨이 한꺼번에 터져 나왔다. 크리스는 냉정을 찾으려고 안간힘을 쓰면서 남은 기사를 계속 읽어 내려갔다.

"그 동안 태국정부는 외국투자자에 대한 바트화표시대출을 금지하고, 역외금융시장에서의 바트화 차입금리를 상당히 높게 인상할 것으로 발표했습니다. 홍콩금융계에 따르면 차입금리가 수백 퍼센트 대로 상승할 것이라는 관측도 나오고 있습니다……아울러 태국정부는 외환보유고를 투입하여 환율을 방어해 온 것으로 알려지고 있는데 1997년 5월 첫 2주간 태국의 외환보유고는 230억 달러이던 외환보유고가 현재 25억 달러까지 격감한 것으로 알려지고 있습니다. 태국정부는 동남아 각국 중앙은행과 함께 외환시장 공동개입을 통한 바트화 지지노력도 병행하고 있는 가운데 싱가포르, 말레이시아, 홍콩 통화 등과 함께 선물환계약 형태로 시장에 적극적으로 개입하고 있었습니다. 또한 기존 상업어음(CP)[16] 등에 투자한 외국투자가들의 중도환매를 불허하고, 바트화 투매에 대응하여 국내 상업은행들로 하여금 바트화 매각을 자제하도록 권고하는 설득 작업도 펼치고 있었습니다. 그러나 이 모든 작업에도 불구하고 태국의 외환보유액이 급격히 감소되는 가운데 헤지펀드의 태국 바트화 투매현상은 지속되었고 결국에는 태국정부는 1997년 7월 2일이 되자 13년간 유지해 온 복수통화바스켓제도를 포기하고 시장평균환율을 기조로 하는 관리변동환율제로 이행하였습니다. 문제의 핵심은 엄청난 자본을 투입한 헤지펀드의 공격인 것 같습니다. 이번 동남아시아의 환율공격에 가담한 헤지펀드는 수백 개에 이를 것이라는 전망이 조심스럽게 흘러 나오고 있습니다."

크리스는 더 이상 신문기사를 읽어 내려 갈 수가 없었다. 왜냐하면 더 이상의 신문 기사 내용은 불필요한 내용인 듯했다. 장이사 방으로 달려갔다. 이미 그 곳에 회장과 함께 장이사가 심각한 표정을 하고는 얘기를 나누고 있었다. 그 곳에는 이부장의 모습은 보이지 않았다. 장이사가 크리스를 자리에 앉히고는 애써 태연한 척하면서 말을 꺼냈다.

"그렇지 않아도 회장님과 다이아몬드펀드 건에 대해 협의를 하고 있던 중이었네. 자네

16) 상업어음은 융통어음에 반대되는 개념이다. 융통어음이 직접적인 상거래 없이 돈을 만들 요량으로 발행하는 어음이라면 상업어음은 진짜 상거래의 결과로 발행한 어음을 의미한다. 진정한 의미의 어음이라고 할 수 있는데, 그래서 흔히 진성어음이라고도 한다. 또 물대어음이라고도 한다.

도 알고 있는 것처럼 연초부터 한보, 진로, 대농 등 국내 굴지의 재벌들이 부도를 내고 있는 상황이야. 그리고 오늘 기아가 부도를 낼 수 있다는 통보를 받았네. 이런 상황에서 제이몬드투자은행 측으로부터 펀드손실을 보전하라는 요청을 받았네."

장이사의 말이 채 끝나기도 전에 크리스는 흥분된 어조로 장이사의 말을 막았다.

"장이사님, 그 건이라면 재고의 가치조차 없습니다. 태국바트화가 변동환율제로 전환하면 향후 바트화에 대한 헤지펀드의 투매 공격은 더욱 가속화 될 것이고 바트화의 평가절하 규모는 예측하기가 힘들 정도입니다. 그리고 태국이 무너진 이상 인도네시아를 비롯한 주변 동남아시아 국가들의 외환위기는 시간 문제입니다. 그러니 이제 다이아몬드펀드에 대한 미련은 버리셔야 합니다."

크리스의 말은 다소 격앙되어 있었다.

"알았네. 우리 생각도 같은 생각이야. 문제가 커지지 않도록 조치를 취할 것일세."

"장이사님 마진콜[17]에 응하시면 안됩니다. 물론 제가 확신을 할 수는 없지만 앞으로 상황이 더욱 악화 될 것입니다."

그러나 회장과 장이사는 크리스의 말에 동감을 하면서도 쉽게 받아들일 수가 없는 처지에 있었다. 한마디로 한국종금은 사면초가에 직면한 것이다. 국내재벌의 부도 사태가 이어지고 있는 상황에서 역외금융에서의 부적절한 투자가 금융당국과 주주들에게 노출될 시 경영층의 퇴진은 물론이고 최악의 경우 한국종금의 파산을 피하기는 어려운 상황이 될 수가 있기 때문이었다.

1995년 단자회사에서 종합금융사로 전환됨에 따라 외환업무를 취급할 수 있게 되면서부터 대규모 단기차입금을 해외에서 들여와서 국내기업에 장기로 대출하면서 짧은 기간 동안 괄목할 만한 성장을 해 온 한국종금의 최대 위기가 온 것이다. 그 동안 원화의 고평가 상황에서 정부의 암묵적인 보장을 배경으로 한국종금을 포함한 국내 금융기관들이 능력 이상으로 해외자금을 차입해 오던 관행이 한계를 드러내는 시기가 온 것이다.

17) 마진콜(margin call)은 금융시장에서 자기자금 비율이 투자 이전에 정해 놓은 유지 증거금 비율보다 떨어졌을 때, 자기자금 비율을 초기 증거금 비율까지 올려야 하는 것을 의미한다.
증거금이란 투자 거래를 원하는 투자자가 브로커에게 주는 소정의 증거금으로, 초기 증거금과 유지 증거금으로 나뉜다.

장이사는 흥분되어 있는 크리스를 달래려는 듯 어깨를 툭 치며 크리스의 말에 동조한다는 의미로 고개를 끄덕여 보였다.

"알았네, 걱정말게. 우리가 심사숙고한 후에 결정하겠네."

크리스의 예상은 빗나가지 않았다. 헤지펀드의 다음 공격 대상은 인도네시아였다. 태국정부가 헤지펀드에 항복을 선언하고 난 뒤, 얼마 되지 않아 인도네시아 정부도 고정환율제도를 완전 폐지하고 결국 자유변동환율제로 전환하였다. 헤지펀드의 루피아화에 대한 투매 공격은 계속되었고 인도네시아의 루피아화는 30% 이상 폭락하면서 인도네시아 정부 또한 결국 IMF 구제금융을 신청하게 되었다. 인도네시아는 태국과는 달리 물가상승률이 낮았고, 무역수지 또한 9억 달러의 흑자를 보이고 있었으며, 200억 달러의 외환보유고를 보유하고 있는 상황이었다. 그러나 한 가지 문제점은 기업들이 미 달러에 대한 루피아화의 평가절상을 너무 즐기고 있는 듯했다. 기업들은 경쟁적으로 단기 미 달러부채를 차입하고 있었으며 계속된 루피아의 평가절상으로 자동적인 환차익의 꿀맛에 너무 젖어 있었던 것이다.

국내 언론은 헤지펀드에 대한 관심을 보이기 시작했다. 동남아시아의 외환위기 관련 기사 내용에는 '헤지펀드'라는 단어가 자주 등장하고 있었다. 크리스는 마이클이 궁금해졌다. 마이클이 근무하고 있는 브리지캐피탈도 이번 공격에 가담했을 것이라는 생각이 들었다. 크리스는 마이클에게 전화를 했다. 그러나 며칠째 마이클의 전화는 부재중 메시지만 돌아 갈 뿐 통화를 할 수는 없었다.

3장 아시아 금융위기

동남아시아 금융시장에서는 헤지펀드와의 전쟁이 계속되고 있었다. 헤지펀드의 다음 목표는 홍콩달러였다. 동남아시아의 외환위기, 일본엔화의 약세, 중국경제의 성장률 둔화, 인민폐의 고평가 등은 홍콩달러의 평가절하를 목표로 삼는데 충분한 여건을 만들어 주고 있었다. 헤지펀드는 홍콩외환시장과 홍콩주식시장을 동시에 공격하고 있었다.

한국내 사정은 조금 호전되어 가는 듯했다. 그러나 기아그룹의 부도처리 문제는 미궁을 헤어나오지 못하고 있었다. 1997년 7월 15일자로 신문 일면을 차지했던 '기아그룹의 부도위기'가 보도된 지, 두 달이 지나고 있었으나 기아그룹처리 문제는 실타래를 풀지 못하고 있었고 이로 인해 기아그룹 문제는 한국의 대외신인도마저 들썩이게 하고 있었다. 동남아 외환위기와 기아사태가 맞물리면서 한국금융기관들의 단기외화자금 만기연장 또는 재사용계약이 급격히 축소되고 있었고, 외국 빚을 적기에 상환하지 못하는 금융기관들이 속출하기 시작한 상황이었다.

크리스의 하루 일과는 국내 및 해외 신문 보도 내용을 읽고 분석하는 것이 되어 버렸다. 크리스는 한 신문사의 사설 내용을 읽어내려 가고 있었다. 사설은 1970년대 브라질과 아르헨티나에서 발생한 남미의 외환위기, 1992년 유럽의 외환위기 및 1994년 멕시코의 페소화 위기를 비교 설명하면서 아시아의 외환위기에 대한 조심스러운 분석을 내 놓고 있었다.

"1990년대 들어서면서 아시아의 국가들은 경제발전을 위한 재원을 확보하기 위해 자본시장을 개방하면서 아시아로 국제금융자본의 대이동이 시작되었다. 그런데 아시아 국가들은 경제성장 과정에서 금융부문의 내재적인 취약성을 극복하지 못한 상태에서 위험관리 능력을 적절히 갖추지 못하고 있었다. 이런 상황에서 아시아 각국은 경쟁적으로 단기차입금을 도입하여 부동산 및 주식에 비유동적이고 위험성이 높은 자산에 과잉투자를 하여 자산가격의 거품을 야기했다. 자산가격의 거품 붕괴는 곧 투기자본의 공격 대상이 되고 금융시장이 요동치면서 대출채권의 부실화가 심화되는 결과를 낳았다. 금융기관 재무구조의 악화는 금융경색으로 이어지고 국가 신인도의 급속한 하락을 부추기게 되고 단기 외화자금의 상환요구와 함께 통화가치의 절하압력이 가중되면서 외환보유고가 소진되어 가게 되었다. 이러한 상황을 헤지펀드와 같은 국제적 투기자본이 놓칠 리가 없다."

신문사설은 동남아시아 외환위기의 원인을 헤지펀드에 의한 '투기적 공격이론'과 은행자금의 갑작스런 인출로 인한 '인출사태이론'으로 차별하려는 시도를 하고자 했지만 크리스는 이론적 차별이 무의미하다는 생각이 들었다. 외환위기는 국제적 투기자본에 의해서 촉발될 수 있고 외환문제가 심각해지면 자본의 대규모 인출이 일어날 것이기 때문에 구별하는 것은 의미가 없는 듯했다.

전화벨 소리가 울려댔다.

"크리스, 급히 내 방으로 좀 와주게."

장이사의 목소리는 불안해 보였다. 크리스는 전화를 끊자마자 장이사 방으로 급히 달려갔다. 장이사의 얼굴이 상기되어 있었고 안절부절 못하는 모습이었다. 장이사가 먼저 말을 꺼냈다.

"우리가 자네 말을 믿었어야 했네."

장이사는 모든 것을 포기한 사람처럼 고개를 떨구며 말을 이어갔다.

"다이아몬드펀드 건 말일세. 제이몬드투자은행의 요청에 따라 펀드손실을 메우기 위해서 추가 투자를 했었다네. 어쩔 수 없는 결정이었어."

크리스는 순간 앞이 캄캄해지는 것을 느꼈다.

"장이사님 어떻게 그런 결정을……태국 바트화와 인도네시아 루피아화가 변동환율제로 전환하고 평가절하되고 있는 상황에서 어떻게 그런 결정을 하셨습니까? 투자손실을 최소화하는 것이 지금으로서는 최선책이라고 지난번 말씀드렸지 않았습니까?"

장이사는 난처한 표정을 지으며 말을 이어갔다.

"자네도 알다시피 국내기업들이 부도가 이어지는 마당에 역외시장에서 대규모 투자손실을 입었다고 발표가 나면 우린 그야말로 끝장이네. 그리고……."

장이사는 망설이고 있었다. 크리스의 눈빛을 살피던 그는 용기를 내어 말을 이어갔다.

"사실 그 동안 한국종금이 이 정도 성장할 수 있었던 것도 정부의 역할도 컸다네. 정부가 이래저래 보증 역할을 하지 않았다면 우리가 어떻게 자금조달을 할 수 있었겠나? 공식적이 아니더라도 말이야. 정부 쪽 일은 이부장이 맡아서 해 왔지. 그래도 우리가 역외금융을 자유로이 할 수 있었던 것은 감독당국의 건전성 감독을 피해 나갈 수 있었기 때문이었어. 그런 상황에서 우리는 지푸라기라도 잡는 심정으로 동남아시아의 위기가 곧 회복되기를 바라면서 다이아몬드펀드에 희망을 걸 수 밖에 없었다네. 최소한 원금이라도 건져야 하지 않겠느냐는 것이 회장님의 생각이셨지. 그런데 일이 이 지경이 되고 보니 이제는 모든 것이 끝장난 것 같네. 자네한테는 면목이 없구만……."

크리스는 그의 얼굴에서 끝없는 절망만 남아 있음을 느낄 수 있었다. 크리스를 방에 남겨 두고 방문을 열고 나가는 장이사의 뒷모습은 연민의 감정마저 들게 했다.

10월이 되자 국내 금융시장과 외환시장은 급속히 경색되어 갔다. 국가신용등급이 하향조정되고 외국인 투자자금이 주식시장을 빠져 나가면서 주가가 급락하기 시작했다. 거기에다 금융기관과 기업의 해외차입이 전면 중단되면서 외화자금 이탈 현상은 가속화되어 원화환율이 가파르게 상승하면서 외환보유고도 급격히 감소하기 시작했다. 정부는 금융시장안정대책을 연이어 쏟아 냈지만 무너진 대외신인도 앞에서는 백 약이 무효인 듯 보였다.

크리스는 맥없이 하루하루 주식시황과 외환시장을 지켜보고 있어야만 했다.

여의도바닥에 종금사 구조조정이 임박했다는 소문이 나돌기 시작했다.

밤공기가 제법 쌀쌀해져 가는 1998년 10월의 마지막 날이었다. 크리스는 밤 11시가 넘도록 사무실을 떠나지 않고 있었다. 크리스의 머릿속은 온통 한국종금이 파산 처리될 경우 업무배임 혐의로 형사처벌될 장이사에 대한 생각뿐이었다. 재무총괄부장(CFO)을 맡고 있는 장이사에 대한 처벌은 불을 보듯 뻔한 것이었다. 크리스는 장이사를 구출할 수 있는 방법을 찾고 싶었다. 크리스는 다이아몬드펀드로 인한 엄청난 손실을 제이몬드투자은행으로부터 어느 정도 회복할 수만 있다면 장이사에게 도움이 될 수 있을 거라는 생각이 들었다.

크리스는 일주일 째 밤을 새면서 자료를 뒤지고 생각을 정리해 가고 있었다. 흩어졌던 생각의 파편들이 하나 둘 모아지고 정보의 조합이 어느 정도 만들어지는 듯했다.

"그래 한 번 해보자. 가만히 앉아서 당할 수만은 없어. 한국종금은 어쩔 수 없겠지만 장이사님이라도 구출해야 해."

시간은 밤 12시가 넘어가고 있었지만 크리스는 장이사에게 전화를 했다.

"장이사님 지금 좀 만날 수 있을까요? 만나 뵙고 급히 말씀드릴 게 있습니다."

장이사는 크리스의 부탁에는 거절하는 법이 없었다. 크리스는 장이사의 아파트가 있는 역삼동으로 향했고 집근처에 있는 삼겹살집으로 들어갔다. 소주 한 병과 삼겹살 2인분을 시키고는 크리스는 장이사를 향해 지난 일주일 동안 정리해 온 생각들을 쏟아 내기 시작했다.

"장이사님 다이아몬드펀드는 문제가 있습니다. 아니 우리가 문제를 만들어내야 할 것 같아요. 우리가 문제를 제기한다면 제이몬드투자은행에서도 완전히 무시하지는 못할 것 같아요. 그래서 혹시 우리회사가 파산되더라도 장이사님의 책임은 줄어들 수 있을 것 같아요. 저는 이제 한국종금은 관심 없어요. 장이사께서 다치지 않으시면 좋겠다는 생각입니다."

장이사의 졸린 눈이 갑자기 휘둥거래졌다.

"그래, 어떻게 한다는 얘기지?"

크리스의 말은 이어졌다.

"제이몬드투자은행을 고소하는 겁니다. 불법투자유치 혐의로 말이에요. 제이몬드투자은행의 다이아몬드펀드는 분명 불순한 의도를 갖고 투자자들에게 손해를 떠넘긴 거예요. 제이몬드는 태국 바트화 그리고 인도네시아 루피아화에 대한 헤지펀드의 공격을 미리 알고 있었어요. 태국 바트화에 대한 공격에는 상당히 많은 헤지펀드가 가담을 했어요. 일종의 클럽딜(Club Deal) 형태로 말이에요. 그런데 그들의 공격에 실탄을 제공한 것은 다름아닌 제이몬드투자은행이라는 사실이에요. 바트화와 루피아화의 평가절하를 유도하기 위해서 제이몬드투자은행은 역외금융시장에서 헤지펀드에게 바트화를 차입해 주고 또한 외환시장에서 바트화 선물환 매각을 도와 주기 위한 바트화 증거금 또한 조달해 주었지요. 이를 간접적으로 뒷받침하는 자료로서 아시아 리스크지에 의하면 1997년도 동남아 금융거래 중 바트화와 루피아화 부분 거래를 제이몬드가 가장 많이 한 것으로 되어 있어요. 한편, 한국에 와서는 두 통화의 평가절하는 없다고 허위로 포장하고 자신들이 가지고 있던 바트화와 루피아화에 대한 포지션을 한국종금을 비롯한 한국의 투자자들에게 전가시키면서 거액의 투자를 유도한 것입니다. 대개의 경우 세계적으로 내노라하는 투자은행들은 헤시펀드 하나 둘쯤은 갖고 있기도 하지만 대체투자(Alternative Investment)[18] 라는 부서를 통해서 다른 헤지펀드들과도 긴밀한 유대관계를 가지고 있어요. 요즘은 좋은 투자처가 있으면 다른 헤지펀드들과 함께 행동하는 소위 말하는 클럽딜이 점점 늘어가는 추세입니다. 어떠세요? 이런 상황이니 한 번 소송을 붙어 보는 것도 괜찮지 않을까요?"

순간 장이사의 눈이 번득였다.

크리스는 흥분된 어조로 말을 계속 이어갔다.

"제가 그 동안 제이몬드투자은행과 주고 받은 서류와 많은 회의 기록을 살펴보았어요. 한 가지 재미 있는 사실은 제가 참석하지 못했던 첫 미팅을 제외하고는 홍콩에서 사람들이 오지 않고 제이몬드투자은행의 한국지사 직원들이 대부분 저희 회사와 업무를 진행했더군요."

크리스는 진지하게 말을 이어갔다.

"그렇게 되면 제이몬드입장에서는 '고정사업장[19](Permanent Establishment)'이라고

18) 대체투자란 주식, 채권 등 전통자산 외에 새로운 투자대상, 즉 사모투자펀드(PEF), 헤지펀드, 부동산, 벤처, 기타 실물 등을 말한다. 대체투자 시장은 글로벌 금융위기 이후 급성장했다. 연기금 등 기관투자자들이 금융위기 과정에서 주식, 채권 등 전통자산을 통해 손실을 입으면서 부동산, 실물 등 금융위기로 가치가 크게 하락하고 전통자산과는 다른 위험과 수익속성을 가진 대체투자로 관심이 옮겨갔기 때문이다.
19) 고정사업장이란 외국기업이 사업의 전부 또는 일부를 수행하는 국내의 고정된 사업장소를 말하는 것으로서, 외국법인의 국내원천소득에 대한 납세의무의 이행방식을 결정짓는 요소뿐만 아니라 사

하는 세무 문제가 제기될 수 있어요. 국세청 입장에서 보면 다이아몬드펀드에서 생긴 수익의 상당 부분이 한국지사가 수행한 역할에 기인하기 때문에 제이몬드 한국지사에게 돌아 가야 한다는 논리가 성립될 수 있어요. 그리고 그런 문제가 불거지게 되면 또한 다이아몬드펀드의 '수익적소유자 (Beneficial Owner) 문제도 발생하게 됩니다. 즉, 다이아몬드펀드가 조세회피지역에 만들어졌다고는 하나 소위 말하는 '검은머리외국인[20]'인 국내자본이 펀드에 흘러 들어 갔고 그로 인해 그 펀드에서 발생한 소득에 대한 실질적인 수혜자가 조세회피지역[21](Tax Haven)인 라부안에 설립된 회사가 아니라 국내 거주자가 될 수도 있고 상황에 따라서는 제이몬드홍콩법인이라는 것이 문제가 될 수 있습니다. 그렇게 되면 홍콩은 한국과 조세조약이 체결되어 있지 않기 때문에 제이몬드홍콩법인은 상당한 세금을 국세청에 납부해야 합니다. 다시말해, 말레이시아와 한국간의 조세협정은 사실상 유명무실해지게 되는 것입니다. 무엇보다도 이런 문제는 제이몬드투자은행으로서는 간과할 수 없는 골칫거리가 될 수 있습니다. 한 번 싸워 볼만 하지 않으세요. 제 생각에는 절대 손해보는 장사는 아닌 것 같은데요."

장이사는 짐짓 놀라는 표정을 지었다.

"크리스, 어떻게 이런 모든 것들을 생각했지? 나는 자네가 투자쪽으로만 밝은 줄 알았는데……."

크리스는 장이사의 말에는 아랑곳하지 않고 말을 계속 이어갔다.

"장이사님, 회사는 이제 어쩔 수 없는 것 같아요. 금융회사 구조조정 얘기가 얼마 전부터 나오고 있는 상황이고, 파산이든 영업정지든 일이 터지고 말겠죠. 제가 보기엔 한국

업소득의 과세 또는 비과세를 결정하는 요건이다. 고정사업장은 ① 사업장이 존재할 것(장소적 개념), ② 그 사업장소가 고정되어 있을 것(기간적 개념), ③ 그 고정된 사업장소를 통해 사업이 수행(기능적 개념)되어야 할 것을 요건으로 한다. 하지만, 상기 요건을 미충족할지라도, ① 종속대리인을 두고 반복적으로 그 권한을 행사하는 자를 두고 있는 경우, ② 국내 연락사무소가 실질적으로 당해 외국법인의 영업을 수행하는 경우, ③ 국내 연락사무소가 본사가 아닌 관계회사 등 타 회사를 위한 활동을 하는 경우는 고정사업장으로 본다.

20) 검은 머리를 한 외국인, 즉 외국국적을 취득한 한국인을 지칭하는 말이다.

21) 조세회피지역은 세금이 면제되거나 현저히 경감되는 국가나 지역을 의미한다. 보통 해당 국가 등이 기업의 유치 등을 목적으로 세금을 낮추거나 면제하지만, 조세회피지역은 단속이 어려운 점을 이용하여 특정기업 등이 해당 국가에 페이퍼컴퍼니 등을 설립하고 자금의 돈세탁을 위하여 이용하거나, 본국의 세금 징수에 대해 합법적 조세회피 또는 불법적 탈세를 하기 위하여 이용된다. 조세회피 지역이라고도 한다.

종금이 회생할 가능성은 없어 보여요. 하지만 저는 장이사님이 다치지 않았으면 좋겠어요. 그 동안 국내 기업 대출쪽보다는 해외 투자쪽을 많이 관여해 오셨으니 다이아몬드펀드 건을 물고 늘어진다면 분명 경영정상화를 위해 최선의 노력을 했다는 명목으로 법원에서 참작이 될 수 있을 것도 같아요. 가만히 앉아서 당할 수는 없잖아요."

크리스는 장이사의 눈에 눈물이 고이는 것을 보았다. 크리스는 그날 밤 장이사와 소주 5병을 나눠 마시고는 새벽 5시가 넘어서야 헤어졌다.

4장 금융식민지

동남아시아의 외환위기는 한국으로 전염되었다. 크리스는 다이아몬드펀드의 손실을 줄이기 위해 안간힘을 써보았지만 가라앉고 있는 큰 배를 멈출 수는 없었다. 국내 금융기관들의 무분별한 역외투자는 부실을 더욱 키우게 되었고 국내기업들의 방만한 경영이 그 한계를 드러내면서 결국 한국도 외환위기를 피해갈 수 없었다.

11월에 들어서자 한국의 금융시장은 파국을 향해 전력질주를 하고 있는 듯했다. 기아의 부도처리 이후 국제금융시장에서 한국의 국가부도설은 더욱 무게가 실리고 있었다. 외환보유고는 급격히 감소하여 바닥을 보이고 있었고 일본계, 유럽계 및 미국계 은행들의 자금인출(Bank Run)이 급물살을 타고 있었다.

마침내 11월 21일, 정부는 당면한 금융, 외환위기를 극복하기 위해 IMF에 긴급자금을 요청하기로 결정하였음을 공식적으로 발표하였다. 그리고 12월 3일에는 IMF의 캉드쉬 총재가 방한하고 정부와 IMF측은 IMF긴급자금지원과 한국정부의 이행사항 등을 담은 의향서(Letter of Intent)에 서명하고 대국민담화문이 발표되었다. 금융식민지시대의 검은 그림자가 서서히 드리워지고 있었다.

12월 16일이 되자 IMF의 권고를 받아들여 환율의 일일 변동폭을 폐지하고 자유변동환율제를 채택하게 되자 환율은 축적되었던 압력을 못 이기고 터지는 불화산처럼 일시에 상승하고 말았다. 한국의 외환위기는 이제 현실이 되어버린 것이었다.

대국민담화문이 발표되기 전 날이었다. 한국종금 앞으로 한 장의 통지서가 정부로부터 도착했다. '영업정지처분명령'이라는 한국종금에 대한 사형선고장이 마침내 도착한 것이었다. 이유는 한국종금은 회생이 불가능한 것으로 결정되었다는 내용이었다.

통지 사실을 직원들에게 채 알리기도 전에 오후가 되자 회사내부는 심하게 술렁거리기

시작했다. 크리스는 하루 종일 사실 확인을 하고자 하는 사람들의 전화를 받느라 정신이 없을 지경이었다.

오후 4시가 되자 간부급 직원들의 긴급회의가 소집되었다. 회장의 얼굴은 참담해 보였다.

"오늘 날짜로 한국종금은 문을 닫게 되었습니다. 오늘 아침에 정부로부터 통지서를 받았습니다……여러분 그동안 수고 많으셨습니다."

회장은 통지서를 읽어 내려가는 것 외에는 아무 말도 없이 회의실에 들어선 지 5분도 채 되지 않아서 회의실 앞문을 통해서 사라졌다. 장이사는 회장의 뒤를 따라 방을 나갔고 그 곳에 모인 사람들은 그들의 뒷모습을 멍하니 바라만 보고 있을 뿐 아무런 말이 없었다.

크리스는 자기방으로 돌아와 짐을 싸기 시작했다. 1년도 채 되지 않은 시간들이 10년이 지난 세월 같다는 생각이 들었다. 장이사와 홍콩에서 만나서부터 한국종금에서 근무하면서 일어났던 일들이 주마등처럼 지나갔다. 크리스는 세계적인 금융기관에서 배우고 경험한 것을 한국종금에서 실현해 보고자 하는 욕심이 있었다. 장이사는 그런 크리스의 꿈을 좋아했었다. 그러나 이제는 그런 크리스의 꿈은 한국종금과는 꿀 수가 없게 되어버렸다.

크리스 방문을 노크하는 소리가 났다. 장이사였다. 축쳐진 어깨를 한 장이사는 크리스를 꼭 안아 주었다. 북받쳐 오는 설움을 애써 감추려고 하는 듯했다.

"크리스, 고맙네. 자네한테는 정말 미안하네. 함께 오래도록 일하고 싶었는데……나는 청산인으로 선임되어 회사와의 질긴 인연을 조금 더 해야 할 것 같네."

"다시 만날 수 있겠죠. 제가 가끔 연락 드릴께요. 그런데 제이몬드 건은 어떻게 되는 건가요?"

"소송건은 계속 진행할 수 있을 것 같네. 자네 덕분에 일이 잘 처리되면 나한테는 도움이 많이 될 것 같기도 하네."

"잘되었네요. 장이사님 건강하세요. 다시 만나게 되면 그 때는 정말 다시 멋지게 한 번 해보시죠."

크리스는 한국종금 건물을 빠져 나왔다. 지난밤 세차게 불어대던 겨울 바람에 한국종금의 간판이 반쯤은 떨어져 나가고 없었다. 한국종금 건물을 뒤로 하고 크리스는 맥없이 여의도 길을 걸어가고 있었다. 발길을 어디로 향해야 할지 몰랐다. 칼날 같은 바람이 여의도를 휘감으며 굉음을 내고 있었다.

크리스의 발걸음을 멈추게 하는 무엇이 있었다. 황량한 여의도 거리 저쪽 넘어 금융감독원 근처에 늘어서 있는 사람띠가 눈에 들어 왔다. 크리스는 아무생각 없이 그곳으로 발걸음을 옮기고 있었다.

'외환위기를 극복합시다……금모으기운동'이라 적혀 있는 푯말이 눈에 어렴풋이 들어왔다. 며칠 전부터 TV방송에서 광고하던 금모으기운동이 전개되고 있는 듯했다.

1907년 2월, 일제하에서 대구에서 시작된 국채보상운동이 다시 재현된 것 같았다. 크리스의 어머니가 가끔씩 들려 주던 할아버지에 대한 얘기가 머릿속에 떠올랐다. 크리스의 할아버지는 일제강점기 동안 독립운동가로 활동하였고 대구에서 시작된 국채보상운동을 주도한 인물이었다. 결국 그 일로 인해 일본경찰에 끌려 가서 고문을 당하고 옥고를 치르게 되었다.

크리스는 자신도 모르는 사이 금을 팔려는 사람들의 행렬 한 가운데 서 있었다. 아마도 할아버지의 혼령이 그렇게 하라고 시킨 것 같았다. 크리스가 팔 수 있는 것은 약혼반지 하나뿐이었다. 한국종금의 파산과 함께 크리스의 결혼도 파경에 이르게 되었다. 더 이상 약혼반지가 크리스에게는 아무런 의미를 주지 못하고 있었다. 크리스의 약혼반지는 용광로에 들어가 녹아버릴 것이다. 한국종금에 대한 기억도 그리고 그녀에 대한 기억도 모두 녹아 흔적도 없이 사라질 것이다. 그러나 그 반지는 얼마 후 새로운 모습으로 나타나 새로운 약속을 얘기할 것이고 새로운 꿈을 꿀 수 있도록 할 것이다.

금모으기에 동참하는 크리스는 새로운 세계을 향한 도전장을 내밀고 있었다.

며칠째 저녁 9시 뉴스에서는 한국정부와 IMF와의 합의 내용에 대한 보도가 이어졌다.

"정부는 IMF와의 합의에 따라 고금리 정책으로 전환하여 외자유입을 촉진하는 정책을

표방하고 있습니다. 한편, 경제성장률을 적정수준으로 낮추고 재정긴축을 함으로써 경상수지적자를 해소하고 외환보유고를 확충하는 정책도 펴고 있습니다."

세계적으로 외환위기가 터진 국가에게 천편일률적으로 적용해 온 IMF의 방식이었다. 뉴스를 지켜보고 있던 크리스는 혼잣말로 중얼거리고 있었다.

"고금리정책은 분명 국내금융기관이 해외로부터 많은 자금을 유치할 수 있도록 해주는 것은 분명해. 특히, 실질금리가 0%에 가까운 일본자금이 두 자리 수가 넘는 한국의 고금리를 향해 돌진할 것은 자명해 보여. 그러나 항시 자금을 필요로 하는 기업과 특히 중소기업에게는 취약이나 다름 없지 않은가? "

크리스의 그런 생각을 지지라도 하려는 듯 논설위원의 논평이 뉴스 마지막에 이어졌다.

"IMF는 한국의 외환위기는 단기유동성부족에서 발생한 것인데도 불구하고 강도 높은 고금리 및 재정긴축 정책을 요구하고 있습니다. IMF의 금융구조개혁 프로그램은 한국에서의 기업부실과 금융부실의 악순환을 단절하고 금융부문의 건전성을 조속히 회복해야 한다는 데 초점이 맞추어져 있습니다. 그리고 과도한 공적자금 투입에 따른 납세자의 부담을 최소화하기 위하여 시장원리를 바탕으로 신속하고 과감하게 금융기관의 구조조정을 추진해야 한다는 것은 설득력이 있어 보입니다."

이와 함께 정부는 자력갱생이 가능한 금융기관의 부실채권을 조속히 정리하고 부실금융기관의 인수·합병을 추진할 것을 약속했으며, IMF 기업구조개선 프로그램은 외환위기의 원인제공자로 한국 대기업의 방만한 경영을 지목하면서 대기업에 대한 강도 높은 기업구조조정을 권고하고 있습니다. 이를 위해서 정부가 구제금융을 지원하지 말 것과 채권은행단의 자발적인 채무조정을 통해서 기업구조조정을 추진할 것을 원칙으로 내세웠습니다. 그러나 여기서 우리가 한 가지 짚고 넘어가야 할 것이 있습니다. IMF의 권고에 따라 과도한 금융구조개혁과 기업구조개선은 생존 가능한 기업을 도산시키고 대량실업을 발생시켜 심각한 사회적, 경제적 문제를 발생시킬 수 있음을 간과해서는 안될 것입니다."

앞으로 다가올 격변의 시간들을 감지한 것일까 크리스는 그날 밤 잠을 이룰 수가 없었다.

5장 사모펀드[22]의 시대

IMF구제금융하에 초긴축재정이 진행되자 부실기업들이 여기저기서 쓰러지기 시작했다. 정부로부터 구제금융을 받지 못한 금융기관과 기업들이 살아남을 수 있는 유일한 길은 '외자유치'였다. 그런 절박함을 사모펀드(Private Equity Fund)들이 놓칠리 없다. 국제적인 사모펀드들이 대거 국내시장으로 진출하게 되었다.

대한은행의 강부장은 런던에서 열리는 투자유치 로드쇼를 준비하느라 잠을 설쳐야 했다. 지난 주 프랑크푸르트에서는 아무런 성과가 없이 행사를 치른 터라 긴장감은 여느 때 못지 않았다.

'내일 열리게 되는 로드쇼에서 투자자(Institutional Investor)를 찾지 못하면 우리는 끝장인데…….'

강부장의 머릿속은 복잡했다.

오전 9시, 이윽고 세계적인 금융기관들이 한자리에 모였다. 강부장은 준비해 온 자료를 배포한 후 대한은행에 대한 소개를 먼저 했다. 그리고는 한국 경제의 성장 가능성과 한국 금융시장의 비전에 대해서 발표를 했다. 발표를 시작한 지 40여 분이 지나고 있었다. 회의실의 한 가운데 자리를 차지하고 있던 영국계 투자은행의 직원이 질문을 던졌다.

"현재 대한은행은 회생 가능한가요? 대한은행에는 정부의 공적 자금이 투입이 안된 것으로 알고 있는데……불투명한 것이 너무 많지 않을까요?"

---

22) 사모펀드는 비공개적으로 소수의 투자자로부터 돈을 모아 기업을 사고 파는 것을 중심으로 운영되는 펀드로 제약이 없고 고수익이지만 위험율이 큰 것이 특징이다. 불특정다수를 대상으로 하는 공모펀드와는 달리 회원들의 구성이 제한적 이다. 부도위기의 기업을 싼 가격에 사서 전문경영인을 세운 후 정리해고 등의 방식을 통해 기업의 가치를 높여 다시 파는 펀드이다. 노동력 악화 등의 문제점이 나타나며 특히 기업의 인수합병을 통해 기업가치를 높이는 방식이기 때문에 생산성의 증가가 없다.

그의 질문이 끝이 나자 기다렸다는 듯이 회의실이 삽시간에 웅성거리기 시작했다. 강부장은 어설픈 영어로 대한은행의 자산건전성과 한국 금융시장의 전망에 대해 다시 설명을 시도했다.

"여러분, 한국 금융시장은 전망이 밝습니다. 한국의 기업들이 현재 유동성위기로 어려운 상황이지만 이 고비만 지나고 나면 한국경제는 다시 살아날 것입니다. 그리고 대한은행의 회생은 말할 것도 없습니다."

강부장의 말에 회의실의 분위기가 침착해지는 듯했지만 어느 누구도 긍정적인 질문을 던지고 있지 않았다. 결과는 참담했다. 그날도 한 건의 투자도 성사되지 못한 것이었다.

국내 금융기관의 구조조정 폭풍이 몰아치고 있던 시기라 어느 금융회사도 선뜻 투자를 하겠다고 나서지를 않았다. 며칠 간의 로드쇼는 아무런 성과가 없이 끝이 났고 서둘러 귀국을 해야 했다.

대한은행에서는 경영층 내부에서 은행경영권을 놓고 심한 갈등이 벌어지고 있었다. 강부장의 로드쇼가 실패로 끝나고 귀국한 지 일주일이 지나고 있었다. 한 통의 전화가 강부장 앞으로 걸려왔다. 카레온의 한국 담당이사인 스티브였다. 스티브는 한인 2세로 강부장과는 친분이 있는 사이였다. 그가 강부장에게 전화할 때는 한국말과 영어를 반반씩 섞어 가며 영어가 서툰 강부장을 배려해 주었다.

"강부장님 안녕하세요. 지난번 유럽에서 진행한 로드쇼는 괜찮았어요?"

스티브는 로드쇼의 결과를 알고 있었지만 강부장의 심기를 불편하게 하지 않으려고 그냥 가벼운 질문을 던졌다.

"스티브, 미국으로 돌아간다는 소문이 있더니 아직 한국에 있었군. 지난번 로드쇼는 별 성과 없이 끝이 났네. 발등의 불을 끄기는 해야겠는데 말이야. 그런데 웬일이야, 스티브가 전화를 나한테 다하고."

"강부장님, 사실은 대한은행 지분인수 건으로 연락 드렸어요."

강부장은 머리 끝이 서는 듯했다.

"카레온이 지분참여라도 하겠다는 소리야?"

"맞습니다."

강부장은 스티브와 헤어진 뒤 서둘러 은행장실로 올라갔다. 흥분한 나머지 이행장이 전화를 받고 있다는 생각을 하지 못했다.

"행장님, 되었습니다. 이제 우리는 살았습니다."

전화를 받고 있던 이행장은 강부장을 물끄러미 보고는 한 쪽 손으로 소파를 가리켰다. 강부장은 그 때서야 이행장이 전화를 받고 있다는 것을 깨닫고는 살며시 소파에 기대어 앉았다. 이행장은 서둘러 전화를 끊고는 소파 쪽으로 다가왔다.

"무슨 일이야? 뭐가 살았다는 소리야?"

"행장님, 카레온이 대한은행 지분에 참여하겠다는 의사를 밝혀 왔습니다."

"정말인가? 그래 어디까지 얘기가 된 거지?"

"그렇지 않아도 조금 있다가 스티브를 만나기로 했습니다. 구체적인 것은 만나서 얘기할 것입니다."

"그래. 수고 많았네. 강부장이 우리은행을 살린 거야. 스티브와 만나고 난 후에 다시 얘기하도록 하지."

"네 알겠습니다."

대한은행은 정부의 공적자금 투입 대상에 포함되어 있지 않은 은행으로 분류되어 있었기 때문에 자구책이 없으면 생존할 수 없는 처지였다. 그러나 국내투자자로부터 추가자본을 조달한다는 것은 불가능해 보였다. 외국계 자본을 유치하는 것만이 유일한 생존 수단이었다.

강부장은 스티브를 3년 전 미주지역 로드쇼에서 처음 만났다. 그런 후 스티브가 한국으로 오게 되었고 한국 실정을 모르는 차에 강부장은 스티브에게는 중요한 한국의 인맥이었다.

두 사람이 마침내 만나게 되었다.

"카레온이 지분투자를 하겠다는 건에 대해서 좀 더 구체적으로 얘기해 줄 수 있겠나?"

"네. 말씀드린대로 카레온이 대한은행의 지분을 인수할 생각이 있습니다. 그런데 문제는 인수방식입니다."

"인수방식이 왜?"

"카레온은 구주를 인수하는 대신에 제 3자 인수방식을 통해서 자본금 참여를 원합니다. 우리는 대한은행의 잠재성을 높이 평가하고 있습니다만 대한은행이 현재 자본잠식이 심각한 상태여서 구주를 인수하는 것은 저희들에게는 설득력이 없습니다."

강부장은 고개를 끄덕여 보였다.

"자네 말은 충분히 논리적이네. 그런데 제 3자 인수방식을 통한 지분인수는 기존주주들을 설득해야 하는 문제가 있지. 물론 그 문제는 우리쪽에서 해야 할 일이네만. 일단 내부적으로 회의를 거쳐야 할 문제이네. 그런 후 이사회에 이 안건에 대한 결정을 올리도록 하겠네. 혹 공식적으로 지분투자에 대한 의향서(Letter of Intent)를 보내줄 수 있겠나?"

스티브는 기다렸다는 듯이 대답을 했다.

"물론입니다."

1999년에 접어들어 대한은행은 대우부도사태로 대우채권이 부실화되면서 자본잠식이 심각한 상태에 놓여 있었다. 1998년 9월까지 진행된 정부의 금융산업 구조조정의 칼날을 간신히 피해 오고 있던 대한은행에게는 대우그룹의 부도사태는 부실금융으로 가는 직격탄이 되었다. 그러나 기존주주들이 자본증식에 대해 회의적인 반응을 보이고 있어 새로운 주주가 나타나지 않는 상황에서는 대한은행의 운명은 하루 앞을 장담할 수 없는 상황이었다.

마침내 이사회가 열렸다.

"일반투자자를 대상으로 공개적인 공모를 하는 것도 한 방법일 수 있습니다."

이사회 멤버 가운데 한 사람이 말문을 열었다.

"아닙니다. 현재 주식시장이 어떤지는 다들 잘 알고 있지 않습니까? 공개적인 모집이 실패로 돌아갈 경우 우리는 회복할 수 없는 치명타를 입게 될 것입니다. 말하자면 우리 살림살이가 파탄 직전에 있다고 일반인들에게 알리는 꼴이 될 것이라는 말입니다."

이행장은 공개모집에 대해서는 반대의견을 피력했다.

"저도 그렇게 생각합니다. 일반투자자를 대상으로 공개모집 하는 것은 성공하기 힘든 상황입니다. 기관투자가들도 나서지 않는 마당에 말입니다."

결국, 이사회에서는 공개모집에 대한 안건은 채택되지 못했다. 대우그룹의 부도사태로 인한 자본잠식이 심각한 대한은행의 주식을 일반투자자가 나선다는 것은 누가 봐도 실현 가능해 보이지 않았다. 결국 이사회는 해외예탁증서[23](Global Depository Receipts)를 발행하는 방식으로 유상증자를 실시할 것을 결정하였다.

기존의 대주주였던 삼성그룹과 아메리카은행은 대한은행에서 발을 빼고 싶어했기 때문에 신주인수권을 포기했다. 카레온이 대한은행의 신주를 모두 인수할 수 있는 첫 단추는 끼워진 셈이었다. 그러나 카레온이 대한은행의 신주를 인수하는 데 해결해야 할 또 다른 걸림돌이 있었다. 카레온은 사모펀드(Private Equity Fund)이다 보니 금융기관의 지분을 인수할 수가 없었다. 금융감독원 규정에 따르면 금융기관이 아닌 사모펀드가 금융기관의 지분을 인수할 수 없도록 되어 있었다. 이제 공은 카레온으로 넘어갔다. 대한은행이 아닌 카레온이 풀어야 하는 문제였다.

강부장에게 전화가 왔다.

"강부장님, 스티브입니다. 대한은행 신주인수권 문제는 시간이 조금 더 필요할 것 같습니다."

---

23) 주식예탁증서란 글자 그대로 주식을 예탁해 놓았다는 증서로 해외증권시장에서 유통되는 유가증권의 한 형태로써 국내 상장회사가 발행주식을 팔아 자금조달을 하려고 한다면 원주(국내에서 발행된 주식)를 해외투자자들에게 직접 넘겨주는 것이 원칙이라고 합니다. 그러나 국내에서 발행된 주식을 외국시장에서 유통하게 되면 상대적으로 거래비용 및 상장유지 비용이 많아지고, 특히 투자자들이 주주권 행사 및 배당금 지급 등에서 언어나 법률 또는 거래관습의 차이에 따라 피해를 입는 등 여러 가지 애로사항이 발생할 가능성이 높기 때문에 이와 같은 불편함을 해결하고 상장주식을 보다 원활히 유통시킬 수 있도록 하기 위해 등장한 것이 주식예탁증서라고 한다. 해외증시에서 주식을 매각하고 싶은 국내상장회사는 국내에서 발행된 원주를 은행에 맡기고 대신 주식을 맡겼다는 주식예탁증서를 받아 이를 외국증시에 상장시켜 투자자들에게 파는 것이다.

스티브의 목소리가 가라앉아 있었다.

"잘 알고 있네. 아무래도 금융기관으로 분류되어 있는 회사랑 컨소시엄(Consortium)[24)] 을 맺는 방법밖에는 없을 것 같네만."

"그렇지 않아도 그런 방향으로 작업 중에 있습니다. 금감원에서도 긍정적인 반응을 보이고 있어요. 물망에 오르고 있는 투자은행이 몇 군데 있긴 한데 우리로서는 지금까지의 관계를 생각해야 할 부분이 있기 때문에 카레온 회장이 직접 접촉하고 있는 중입니다. 그러니 조금만 기다려 주십시오. 궁금해 하실 것 같아서 연락을 드리는 겁니다."

결국, 카레온은 JP모건투자은행과 컨소시엄을 통해서 금융기관으로 인정받고 2000년 11월, 대한은행의 새로운 대주주가 되었다. 헤지펀드의 아시아 공격이 있은 지 3년, 이제는 사모펀드의 한국 진출 전주곡이 울리고 있었다.

카레온의 지분참여가 최종적으로 확정되던 날, 가을 비가 추적추적 내리고 있었다. 강부장은 대한은행건물의 발코니 밑에서 박차장과 함께 비를 피하며 담배연기를 길게 들이마셨다.

"박차장, 그 동안 수고 많이 했어. 이제는 한숨 돌려도 되겠지. 오늘은 내가 술을 한잔 살 테니 마음 놓고 한잔 하자."

강부장은 구사일생한 대한은행이 자랑스럽기만 했다. 그날 술자리에는 두 사람 외에 영문도 모른 채 몇 사람이 더 합류를 했다. 강부장은 기분이 한껏 올라 있었다. 술을 마시는 동안에 그 동안 숨가쁘게 지나온 일들이 주마등처럼 지나갔다. 그날 얘기는 대우그룹이 부도처리되고 대우그룹채권이 종잇조각이 되던 순간으로 거슬러 올라 갔다. 평소 친하게 지내던 김과장은 서초지점에서 근무하고 있었는데 강부장의 대학교 후배였다. 그는 그 동안 일어난 일에 대해서 아무 것도 모르고 있는 듯했다.

"강부장님, 대우그룹과 우리 은행 간에 무슨 일이 있었나요? 사람들이 요즘들어 대우그룹 얘기를 많이 하던데……."

---

24) 컨소시엄(Consortium)은 2가지 이상의 개인 또는 회사, 단체, 정부의 협동체(협회)로 공통의 활동에 참여하는 목적을 지니며 공통의 목적을 달성하기 위해 그들의 자원을 투입한다.

강부장은 누군가 그런 질문을 해 주기를 내심 기다리고 있었다. 가장 어려운 고비를 넘겼으니 옛 일을 떠올리는 것은 분명 좋은 술 안주가 될 수 있었다.

"그래 오늘은 내가 기분도 좋고 하니 그 동안 무슨 일이 있었는지 얘기해 줄게."

강부장은 한껏 폼을 잡고는 얘기를 이어갔다.

"1998년 초 정부와 주요 기업들간에 기업개혁 5대 원칙이 합의되었고 이를 바탕으로 4월부터 구체적으로 국내기업의 구조조정대책이 진행되었어. 내용인즉, 5대 기업인 삼성, 현대, 대우, LG, SK그룹은 자기 책임하에 5대 구조조정에 대한 원칙을 추진하는 걸로 결정하고 정부와 약속을 했어."

강부장은 채권단 회의가 있을 때마다 대한은행 대표로 참석했던 터라 그 당시 일을 똑똑히 기억하고 있는 듯했다. 강부장의 말은 계속되었다.

"그런데 대우그룹은 그런 약속에도 불구하고 구조조정보다는 확장경영을 계속 진행했지. 간이 큰 건지……시대가 바뀐 것을 몰랐는지……물론 대우그룹은 자신이 있었는지 모르겠지만 말이야. 그러나 그러다가 결국 시장으로부터 신뢰를 상실해 버린 거지. 결국에는 1999년부터 자금부족현상이 심각해지고 대우그룹측이 약속한 6월 말 삼성자동차와의 빅딜도 무산되자 시장의 신뢰는 회복할 수 없는 지경이 되고 말았지."

김과장은 강부장의 얘기가 흥미롭다는 듯 시선을 강부장의 입술에 집중하고 있었다.

"그런데 말이야. 급기야 금융기관들은 대우그룹의 회사채 만기연장을 중단하게 되었어. 예전과는 상황이 많이 달라졌는데 대우그룹의 경영자는 해외 출장만 다녀서 그런지 국내 사정을 몰랐었나봐. 채권금융기관들이 하염없이 부채를 연장해 줄 것으로 기대한 것 같아. 결국, 대우그룹은 부도위기에 몰리기 시작했지."

강부장은 잠시 숨을 고르고는 말을 이어갔다.

"7월 경이 되자 대우그룹은 대우자동차 및 주식회사 대우를 중심으로 그룹을 재편하고 여타 계열사들을 해외 매각하는 등의 내용을 포함한 종합적인 구조조정대책을 발표하면서 채권금융기관들에게 단기여신의 만기연장과 함께 자금지원을 요청하는 백기를 들어 항복선언을 하게 되었어. 그러나 이미 때는 늦었지. 시장의 반응은 냉혹했어. 대우그룹

의 구조조정안이 현실성이 없다는 이유로 채권단은 부정적인 평가를 내려 버렸어."

박차장도 강부장으로부터 그런 얘기는 처음 듣게 된 참이라 점점 결론이 궁금해졌다. 강부장은 이번에는 같이 소주잔을 비우자고 제안했다. 일시에 소주잔 부딪치는 소리가 났다. 강부장은 만족스러운 표정을 지으며 말을 이어갔다.

"8월이 되자 대우그룹은 더 이상 자체적으로 구조조정추진이 불가능하다는 판단을 내리고 기업개선작업을 주채권은행인 제일은행에 신청하게 되었지. 그리고 채권금융기관 협의회는 대우 등을 포함한 12개 계열사를 워크아웃 대상으로 결정하게 된 거야."

이차장이 서글픈 표정을 지으며 대화에 끼어 들었다.

"세계는 넓고 할 일은 많다고 하면서 한때는 한국의 젊은 사람들에게 용기와 도전정신을 심어 주었던 대우의 아성이 그렇게 허무하게 무너졌군요."

네 사람은 누가 제안을 하지도 않았지만 동시에 소주잔을 치켜 들었다.
"대우의 회생을 위하여 그리고 우리의 젊음을 위하여!!"

김과장이 고개를 갸우뚱거리며 강부장에게 질문을 던졌다.
"그런데 대우의 워크아웃하고 우리 은행과는 무슨 관계가 있어요?"

강부장은 김과장의 어깨를 툭 치며 말했다.

"아직도 모르겠냐? 우리 은행도 채권단에 포함되어 있었지. 따라서 대우가 워크아웃이 되면 채무재조정이 이루어져야 하고 이로 인해 우리 은행이 갖고 있던 대우채권의 상당부분을 탕감해 주어야 하는 운명이었다는 거지. 우리 은행에게 그로 인한 손실액은 엄청난 것이었어. 우리 은행은 다른 은행에 비해 상대적으로 대우채권이 자산에서 차지하는 비중이 높았기 때문에 치명적이었지."

김과장은 장난끼 섞인 표정을 지어 보였다.

"그런데 강부장님, 카레온이 주주가 되면 이제 우리 은행은 다른 은행에 인수합병되지 않는 건가요? 요즘 계속 은행간 합병 얘기가 많이 나오던데……."

강부장의 얼굴이 일순간 심각해졌다.

"그것이 간단한 문제가 아니야. 사모펀드에 대해서 얘기 들어봤냐? IMF외환위기를 겪으면서 IMF와의 합의에 따라 우리나라도 자본시장을 개방하게 되었지. 그런 와중에 사모펀드가 앞을 다투어 한국에 진출하게 되었고 카레온도 세계적으로 유명한 사모펀드 중의 하나야. 뮤추얼펀드[25]가 공모방식으로 투자자를 모집하는 것과는 달리 사모펀드는 사모방식으로 투자자를 모아서 특정 기업에 투자를 하게 되는데, 문제는 그 투자기간이 대략 3년에서 5년 정도 밖에 안 된다는 거지. 카레온 같은 경우에는 3년을 주식보유 만료기간으로 잡고 있으니 3년 뒤가 되면 대한은행의 새로운 주인이 나타난다고 봐야 해."

한동안 아무런 말이 없던 이차장이 말문을 열었다.

"카레온이 일대주주가 되면 현재의 경영층은 바뀌지 않을까요? 사모펀드의 경우에는 자기네들 사람으로 경영층을 포진시킨다고 하던데."

"카레온 같은 경우에는 국내에서 지분참여를 처음하는 경우이기 때문에 현재의 경영층을 쉽게 교체하지는 못할 것 같아. 대신에 주식보유기간인 3년 안에는 최대의 수익률을 달성하기 위해서 분명 어느 정도의 구조조정은 할 걸로 예상이 되긴 해. 미국계펀드인만큼 혜택을 받는 사람은 엄청난 혜택을 받을 것이고……우리 같은 사람들이야 별 차이가 없을 거니까 당신은 별 걱정 안해도 될 듯해, 어떻게 되겠지 뭐. 오늘은 걱정을 접어 두고 기분 좋게 한 잔 하자고."

그날 저녁, 대한은행의 많은 직원들이 새로운 주인을 맞이하게 된 것을 축하하기 위해서 술잔을 높이 들었다. 한편으로는 앞으로 다가올 변화에 대한 두려움을 떨쳐버리고자 또 술잔을 꺾고 있었다. 술잔 속에는 차마 꺼내지 못한 묘한 감정들이 녹아 있는 듯했다.

---

25) 뮤추얼펀드(mutual fund)는 주식회사 방식으로 운영되는 펀드를 뜻한다. 보통 뮤추얼펀드는 개방식 투자신탁이다. 일반적인 펀드는 계약형이다. 은행에 예금을 하면 이자가 붙고, 예금을 찾고 싶으면(통장을 해지하고 싶으면) 은행에 가서 찾는다. 대부분의 펀드도 이와 비슷하게 투자를 해서 수익이 나면 이익을 나눠 갖게 되고, 투자금을 찾고 싶으면 펀드에서 투자금을 찾으면 된다. 계약을 맺고, 계약을 해지하는 것과 같은 구조다. 물론 은행에 저축한 사람은 은행 운영과는 무관하듯이, 투자한 사람과 투자한 자금이 운영되는 방식과는 상관이 없다. 반면에 뮤추얼펀드는 주식회사 방식으로 운영된다. 예를 들어 A기업 주식을 A기업에서 매매하는 것이 아니라 증권거래소에서 사고 팔듯이, 뮤추얼펀드도 뮤추얼펀드에서 매매하는 게 아니라 거래소에서 매매한다. 그리고 A기업 주식을 가진 사람은 자신이 가진 지분만큼 A기업 운영에 권리를 가지고 있듯이, 뮤추얼펀드도 뮤추얼펀드에 투자한 지분만큼 운영에 대한 권리를 가진다.

6장 M&A인수전의 시작

헤지펀드의 공격으로 국내 금융시스템의 한계가 드러나고, 부실 기업과 금융기관의 회생을 사모펀드가 맡게 되었다. 하지만 사모펀드는 투자한 기업으로부터 목표수익률을 달성하고 회수기간이 도래하면 떠나버린다. 그런 후, 역외사모펀드의 뒤를 이어 글로벌 금융회사들이 국내시장에 진출하였고 본격적인 Cross-Border M&A의 서막이 올랐다.

2003년 8월, 대한은행의 지분 동향을 예의주시하고 있던 강부장은 한참을 컴퓨터화면에서 시선을 뗄 수가 없었다. 스탠다드은행이 대한은행 지분 9.99%를 삼성그룹으로부터 인수한 것이다.

강부장은 급히 은행장에게 보고를 하기 위해서 은행장실로 올라갔다.

"강부장, 무슨 일이라도 생겼어? 얼굴은 왜 그리 벌겋게 되어가지고……."

강부장은 가쁜 숨을 몰아 쉬며 말문을 열었다.

"행장님, 스탠다드은행이 아무래도 대한은행을 인수할 것 같습니다. 삼성그룹이 갖고 있던 지분 9.99%를 오늘 아침에 인수했습니다. 아무도 예상치 못한 일입니다."

이행장의 얼굴이 일시에 굳어졌다.

이행장은 못 마땅하다는 표정을 지으며 강부장에게 지시를 내렸다.

"강부장, 시장상황을 계속 관찰해 주게. 일단 어떻게 된 상황인지 파악부터 좀 해 봐야겠네."

강부장은 행장실을 나오면서 어깨 너머로 이행장이 급히 어디론가 전화를 거는 소리를 들었다.

오후가 되자 대한은행의 M&A 가능성이 제기되기 시작하면서 대한은행의 주가가 급물살을 타며 상승하기 시작했다. 증권시장에서는 대한은행의 주식이 M&A테마주가 되면서 사람들의 입에 오르내리기 시작했다.

10월이 되자 대한은행 지분을 소유하고 있던 카레온의 3년 의무 보유기간이 2004년 11월 15일에 만료된다는 소식이 나돌면서 대한은행의 매각 가능성은 무게를 더해 가고 있었다. 거기에다 카레온이 지분인수 대상자를 찾기 위해 물밑 협상에 착수했다는 소문도 나돌기 시작했다. 매스컴에서는 카레온이 국내외 은행, 투자펀드 등을 대상으로 활발한 접촉을 진행 중인 것으로 보도하고 있었다. 카레온은 국민은행과 HSBC, 글로벌은행, 스탠다드은행 등 국내외 은행뿐 아니라 미국계 할부금융회사인 GE캐피탈, 투자은행인 ABN 암로, 싱가포르 투자펀드인 테마섹 등에게도 인수의사를 타진하고 있다는 구체적인 내용이 실리고 있었다. 어느 조간신문에서는 카레온이 인수가격을 올리기 위해 "작업"을 하고 있다는 조심스런 분석을 내놓기도 했다.

대한은행의 지분매각 협상이 본격화됐다는 소식이 전해지면서 한때 뉴브리지캐피털이 대주주인 제일은행도 거대 다국적은행인 HSBC가 인수하기 위해 적극 나설 것이라는 설이 무성하게 나돌기도 했다. 당시 국내외에서는 외국계 자본의 국내 시장 진출에 대한 우려가 높아지면서 국민은행과 공동으로 인수전에 참여하는 테마섹이 대한은행을 인수할 가능성이 있다는 예측이 제기되는 등 대한은행을 둘러싼 매각설은 매일 신문과 텔레비전의 일면을 차지하고 있었다.

대한은행 인수의향서 제출 및 실사과정은 비밀리에 진행되고 있었다. 테마섹과 스탠다드은행, 글로벌은행 등이 약간의 시차를 두면서 그럴 듯한 배경설명과 함께 유력한 인수후보자로 부상했다.

"강부장님 스탠다드은행이 인수하게 되는 걸까요?"

박차장이 강부장에게 넌지시 질문을 던졌다.

"글쎄, 현재 상황은 그래 보이지만 끝까지 가봐야 알겠지. 일단 이번에는 사모펀드가 인수하기는 힘들어 보여. 글로벌금융기관이면 좋을텐데 말이야. 국내금융기관이 우리를 인수할 경우, 인수 당하는 측의 직원들이 힘들어지는 것이 불 보듯 뻔한 일이잖아. 그런

사태는 벌어지지 않았으면 좋겠는데……."

"국내금융기관이 인수할 여력이 있을까요?"

"맞아. 현재 상태에서는 우리를 인수할 만큼 자금력이 있는 국내금융기관은 없어 보여. 그러고 보면 외국계 금융기관이 인수를 하긴 할 터인데, 누가 될지는 잘 모르겠어. 카레온이 글로벌은행과 관계가 좋으니 일단 그 쪽에 손을 들어 줄 것도 같고."

"글로벌은행이 인수하는 게 최선일지는……모르겠어요."

박차장은 복잡한 생각을 털어 버리려는 듯 머리를 흔들어 보였다.

며칠이 지난 후 강부장의 분석을 비웃기라도 하듯이 스탠다드은행이 대규모 실사단을 투입해 대한은행에 대한 정밀 실사에 들어간다는 소문이 들리기 시작했다. 신문들은 앞다투어 스탠다드은행이 한국 소매금융시장에 대한 투자를 확대할 계획을 제시하면서 유력한 인수후보로 점치고 있었다.

연일 카레온의 대한은행 지분 매각 관련 보도는 뉴스에서 스탠다드은행의 행보가 선두를 장식하고 있었다.

"22일 금융계에 따르면 3파전 양상을 보이고 있는 대한은행 인수전에서 현재 스탠다드은행이 다소 유리한 입장인 것으로 전해지고 있습니다. 로스 스탠다드 부회장이 최근 한국을 방문, 대한은행에 관심이 있다고 공식 언급하는 등 적잖은 노력을 기울이고 있는 것으로 분석되고 있습니다. 지난 8월 삼성그룹으로부터 대한은행 지분 9.99%를 매입한 스탠다드은행은 2대 주주에 올라서 추가 지분확대에도 관심이 많은 것으로 알려지고 있습니다."

MBC뉴스 김하나입니다.

뉴스는 인수전의 후발주자들에 대해서도 뉴스 시간을 할애하고 있었다.

"뒤늦게 인수전에 뛰어든 글로벌그룹도 무시할 수 없는 존재입니다. 글로벌그룹의 부회장도 지난달 한국 금융회사에 관심이 많다며 이왕이면 경영권까지 갖는 것이 바람직하다고 밝히는 등 적극성을 보이고 있습니다. 그러나 글로벌그룹의 경우는 글로벌은행이 이미 한국 내에서 자리를 잡은 상황이어서 중복점포 등의 문제가 발생할 소지가 있는 것으로 보입니다. 한편 테마섹 홀딩스도 최근 국민은행과 함께 인도네시아 BII은행 인수에 참여하는 등 아시아 금융시장 진출을 적극 모색 중이어서 변수로 남아 있습니다. 특히 국민은행장이 테마섹과 함께 대한은행 및 다른 국내은행의 지분인수에 참여하겠다고 밝히고 있어 대한은행을 둘러싼 인수전은 막판까지 치열한 접전이 예상됩니다. 반면 HSBC는 사실상 대한은행 인수를 포기한 상태로 보이며, HSBC홀딩스 회장은 한국이 매력적인 시장이라면서도 한국 금융기관 인수는 너무 비용이 많이 든다고 언급하면서 대한은행 인수를 사실상 포기했음을 시사했습니다. 그러나 우리은행이나 제일은행 등에는 여전히 관심을 두고 있는 것으로 알려지고 있습니다."

대한은행을 둘러싼 인수 경쟁자들의 윤곽은 드러났지만 문제는 인수가격이었다. 미국계 사모펀드인 카레온이 보유한 지분의 시가총액은 약 9억 달러로 여기에 경영권 프리미엄을 포함할 경우 매각액은 10억 달러에 이르렀다. 인수 경쟁이 치열할 경우 가격이 더욱 올라갈 가능성도 배제할 수 없는 상황이었다.

11월에 들어서자 스탠다드은행은 인수가격을 제시해 놓고 카레온과 신경전을 벌이고 있다는 소문도 간간이 들리기 시작하면서 스탠다드은행은 자금력에 한계가 있을 것 같다는 의문이 제기되었다.

스탠다드은행으로서는 전세계 스탠다드은행의 전체자산 규모 중 20%에 해당하는 인수딜이기에 인수가격은 스탠다드에게는 초미의 관심사가 될 수 밖에 없었다. 거기에다 9.99%의 대한은행 지분을 선점한 상태였기 때문에 인수전에 마땅한 경쟁자가 없을 것이라는 자만심을 보이고 있었다.

주식시장에서 대한은행의 주가는 계속 상승하여 연초 주당 6,000원 대비 12,000원을 상회하고 있었다. 지난 8월의 스탠다드은행의 지분매입 소식은 M&A 가능성에 대한 투자자들의 투자 심리를 자극시켰고 카레온의 지분매각 임박설은 주가의 추가상승을 위한 촉매제로 작용하고 있었던 것이다.

한편, 외국계은행들이 금융시장의 발전가능성이 높은 한국을 동북아의 금융거점으로 삼기 위해 전국적인 지점망을 갖춘 대한은행 인수 전에 배수진을 칠 것이라는 분석이 주식시장에서 흘러 나왔고 그 때부터는 글로벌그룹의 행보가 조금씩 주목을 받기 시작했다.

역외펀드(Offshore Fund)와 국제금융

헤지펀드는 다양한 전략으로 투자수익률을 달성한다. 조지 소로스의 퀀텀펀드(Quantum Fund)는 금리, 경제정책, 인플레이션 등 매크로 변수들간의 불일치를 이용하는 글로벌매크로(Global Macro) 전략을 통해 막대한 수익률을 달성하는 것으로 잘 알려져 있다. 한편, 사모펀드는 투자전략에 따라 벤처캐피탈(Venture Capital), 바이아웃(Buyout), 메자닌(Mezzanine) 및 부실채권투자(Distressed Debt Investing)로 구분할 수 있는데, 국내PEF 바이아웃을 유도하기 위해 도입되었기 때문에 바이아웃 형식의 투자방식이 진행되었다.

대개의 경우, 불안한 글로벌 금융환경을 이용하여 헤지펀드가 우선적으로 투자기회를 포착하여 금융시장에 진입하고, 그런 뒤 부실기업들이 금융위기를 겪게 되는 상황에서 사모펀드가 부실기업을 인수하여 구조조정을 통해 부실기업을 재생시키고 투자수익을 달성하게 된다.

헤지펀드 – 국제적 자금 흐름의 통로?

90년대 들어 국제적인 금융혼란이 생길 때마다 국제적인 투기성 단기 부동자금, 즉, 핫머니(Hot Money)가 그 배후로 지목받고 있는 것을 본다. 핫머니의 대표주자로 꼽히는 것이 바로 헤지펀드이고 한국도 자본시장이 완전히 개방된 상태 하에 놓이게 된 만큼 단기성 자본의 유출입이 가져오는 시장교란 가능성이 높다. 원래 헤지(Hedge)라는 말은 가격이 변하거나 또는 인플레로 말미암아 어떤 자산의 가치가 떨어지게 됨으로써 입게 되는 그러한 손실 위험을 회피한다는 의미이다. 그래서 헤지펀드(Hedge Fund)는 그러한 목적으로 사용하는 자금이라는 뜻이다. 그러나 이러한 원래 뜻과는 달리 헤지펀드는 위험회피가 목적이 아니라 고위험을 무릅쓰고 고수익을 추구하는 투기성 자금을 일컫는 말로 사용되고 있다.

미국의 경우 100명 미만의 투자가들이 모여 자금을 조성하면 보고의무를 비롯한 증권관리위원회의 규제를 거의 받지 않고 투자활동을 할 수 있다. 그러나 100명 미만의 숫자 제한 때문에 1인당 투자자금도 매우 커야 하므로 보통 100만달러 이상의 순자산을 보유하거나 25만달러 이상의 연소득이 있는 부자들이 모여 헤지펀드라는 투자클럽을 설립한다. 규제를 거의 받지 않아도 되기 때문에 고수익·고위험 자산을 대상으로 투자하고 또한 대규모 자금을 금융기관으로부터 최대한 빌려서 투자하는 등 매우 공격적으로 투자하는 투자패턴을 보인다. 특히 각종 금융선물을 비롯한 파생금융상품의 경우 거래금액의 10% 정도만 있으면 계약을 체결할 수 있기 때문에 자기자본의 10배가 넘는 투자가 가능하고 따라서 헤지펀드가 동원할 수 있는 자금력과 그로 인한 영향력은 상당하다. 각국의 중앙은행이 보유하고 있는 가용 외환보유고는 이들의 자금규모에 비하면 대응능력을 발휘하기 어려운 것이 현실이다.

현재 전세계적으로 약 4,000개가 넘는 헤지펀드가 활동하고 있는 것으로 알려져 있는데 1990년대 들면서 개발도상국들의 금융시장이 개방되고 일본의 거품붕괴 이후 대량의 자금이 헤지펀드로 발길을 돌리게 되면서 국제금융시장은 이러한 헤지펀드가 주도하는 핫머니로 인해 투기장화되는 추세를 보이고 있다. 전세계를 하나로 묶는 컴퓨터 연결망과 같은 기술의 발전도 헤지펀드들이 세계시장을 휘젓도록 하는 데 기여하고 있다.

헤지펀드 가운데 조지 소로스의 퀀텀펀드는 가장 널리 알려진 대표적인 펀드이다. 1992년 영국의 파운드화가 폭락했을 때와 1994년 멕시코 금융위기, 그리고 태국의 바트화 폭락 사태의 배후에 헤지펀드가 주도하는 핫머니의 움직임이 있었고 최근 이러한 헤지펀드의 움직임을 규제하자는 여론이 국제금융시장에서 공론화되고 있다. 그러나 자본의 완전한 이동을 지향해온 그 동안의 국제적인 흐름에 역행하는 규제조치가 당장 마련될 것으로 보이지는 않는다. 한편, 헤지펀드가 선진국의 여유자금을 개발도상국으로 이동시키는 통로 역할을 하는 긍정적인 측면도 무시할 수는 없다. 헤지펀드의 부정적인 면만을 부각시키는 것보다 각 나라는 헤지펀드의 공격에 방어할 수 있는 금융시스템을 마련하고 금융체질을 건강하게 만드는 것이 더욱 중요할 것이다. 돈이 되는 곳으로 자본이 이동하는 속성을 억지로 막는 것만이 모든 문제를 해결할 수는 없는 듯하다.

한편, 국내에 도입된 헤지펀드는 국내에 등록해 판매할 수 있는 역내 헤지펀드(onshore hedge funds)이다. 현재 국내법은 해외에서 설정된 역외 헤지펀드(offshore hedge funds)를 국내 일반 투자자들에게 직접 판매하는 것은 원칙적으로 금지하고 있다. 다만 연기금 및 금융회사 등 전문투자자들은 감독기관에 등록한 역외 헤지펀드에 한해 직접 투자할 수 있다. 일반 개인들은 50인 미만의 소수투자자만을 대상으로 판매하는 사모 재간접 헤지펀드에 투자할 수 있다. 한국형 헤지펀드의 도입으로 국내 투자자들은 국내법 하에 등록되어 규제를 받는 역내 헤지펀드에 직접적으로 투자할 수 있게 되었다.

사모펀드 – 기업가치 재창조자?

공화당의 유력한 대권주자인 미트 롬니(Mitt Romney)의 배후에는 베인 캐피탈이라는 사모펀드 회사가 있다. 베인 캐피탈은 유명한 경영 컨설팅 회사인 베인 앤 컴퍼니에서 스핀오프한 세계에서 가장 큰 사모펀드 중 하나인데, 1984년도에 미트 롬니가 공동 창업한 투자회사이다. 롬니가 정치적으로 공격을 받는 가장 큰 이유는 바로 베인 캐피탈을 운영하면서 그가 멀쩡한 미국 기업들을 인수하기 위해서 무리한 부채를 지고 미국의 척추역할을 하는 노동자들을 대량 해고한 후에 다시 되판 회사들을 통해서 개인적으로 막대한 이익을 챙겼다는 주장들 때문이다. 미국인들은 사모펀드에 대한 오해 때문에 롬니에 대해 상당히 부정적인 감정을 가지고 있다. 마찬가지다. 국내에서도 사모펀드에 대한 부정적인 인식을 바탕으로 론스타를 떠 올린다. 사모펀드에 대해 이해의 폭을 넓히는 것이 바람직하다.

사모펀드는 소수의 투자자로부터 유치한 자금을 증권거래소에서 거래되지 않는 회사들에게 지분투자되는 자산의 한 종류이다. 즉, 사모펀드는 상장기업 중 부실화된 기업이나 상장되지 않은 기업의 자산을 전부 또는 일부를 구매하여 그 기업의 소유권을 장악한 후, 구조조정을 통하여 매출 또는 이익을 개선한 후 재상장시키거나 다른 기업에 매매하는 사업을 전개한다.

사모펀드들이 투자하는 대부분의 기업들은 동종업계의 기업들보다 실적이 좋지 않으며, 어떤 회사들은 파산하기 일보직전인 회사들이다. 사모펀드로부터 자금을 유치하여 회사 상태가 개선된 사례는 많다. 사모펀드는 강력한 구조조정과 경영개선을 실시하여 기업을 회생시키게 된다. 어찌보면 곤경에 빠진 기업이 자구책으로 재생할 수 없는 일을 사모펀드가 맡아서 하게 되는 셈이다. 그래서 기업의 수익성, 혁신성을 높이고, 투자자 입장에서는 투자기간 안에 높은 회수율을 달성토록 한다.

그렇다면 사모펀드는 어떻게 그 목적을 달성할 수 있을까?

사모펀드는 부채를 가지고 기업을 인수한다. 바로 LBO(Leveraged Buyout)라는 것인데, 이는 사모펀드들이 기업인수를 하는데 사용하는 가장 흔한 방법이다. LBO란 기업매수자금을 매수대상기업의 자산을 담보로 해서 차입금을 조달하는 방법인데, 간단하게 설명하면 레버리지(Leverage)란 '빌린돈(=부채)'이다. 즉, LBO는 기업을 인수할 때 100% 자기자본만으로 인수하는 것이 아니라 자금을 빌려서 매입하는 것을 의미한다. 1,000억 원 가치의 기업을 인수하는 데 자기자본 300억 원과 금융기관으로부터 차입한 700억 원을 사용하는 게 LBO이다. 보통 피인수회사의 자산을 담보로 자금을 빌리기도 하고, 인수거래(Deal)의 규모가 커서 빌려야 하는 액수가 크면 피인수회사와 인수하는 회사의 자산을 공동 담보로 하기도 한다. 그런데 재미있는 것은 사모펀드의 자금상황과 관계없이 자금을 차입해서 인수를 진행한다는 것이다.

예를 들어, 해마다 100억 원의 수익을 내고 있는 제조업체가 있다고 하자. 그리고 한 사모펀드가 이 회사를 1,000억 원에 인수하는 (즉, PER = 10) 시나리오를 가정해 보자. 차입(Leverage)을 했을 때와 그렇지 않은 시나리오는 수익률에 상당한 차이가 발생한다.

우선 먼저, 레버리지를 한 시나리오를 보자. 사모펀드가 300억 원은 직접 투자하고, 나머지 700억 원은 빌려서 1,000억을 만들어 이 회사를 인수한다. 그 이후 3년 동안 이 회사는 계속 해마다 100억 원의 수익을 낸다고 가정하자. 이 회사의 주인인 사모펀드는 3년 동안의 수익 300억 원을 전부 다 빚을 갚는 데 사용한다. 즉, 700억 원의 채무 중, 아직 400억이 남아 있다. 단순화를 위해서 이자는 여기서 고려되지 않았다. 3년 뒤에 사모펀드사가 이 회사를 다른 가공업체에 수익의 10배인(초기 인수가격과 동일함) 1,000억 원에 다시 매각한다. 회사를 팔아서 받은 1,000억 원 중 400억 원은 남은 채무를 변제하는 데 사용하고 600억 원이라는 돈이 사모펀드의 손에 떨어지는데, 초기 투자금액 300억의 2배의 수익을 얻게 되었다.

다음으로는, 자기자본만 투자한 시나리오이다. 즉, 레버리지없이 사모펀드가 1,000억 원을 직접 다 자기자본만으로 투자해서 회사를 인수한다. 그 이후 3년 동안 해마다 발생하는 100억 원의 수익을 고스란히 챙기고 다시 1,000억 원에 이 업체를 다른 가공업체에 판다. 채무가 없는 상황에서 사모펀드는 1,300억 원(3년 동안의 수익 300억 + 매각 가격 1,000억)이라는 자금이 생기는데, 초기 투자금 1,000억 원의 30%인 수익률을 실현하게 된다.

사모펀드들이 레버리지를 선호하는 이유가 명확해진다. 실제적으로 사모펀드가 전성기에는 거의 90% 수준까지 레버리지를 한 경우도 있었다. 경기가 좋아지면 레버리지 금액도 높아질 수 있다. 만약에 사모펀드가 매우 강도높은 구조조정을 통해서 회사의 년수익을 200억 원을 실현했다면 이 회사를 1,000억이 아니라 2,000억에 매각할 수도 있었을 것이다. 더 높은 수익율을 실현할 수 있다는 얘기가 된다.

부채를 이용해서 기업을 인수하는 방법 자체에는 전혀 도덕적이거나 법적으로 문제가 될 부분은 없다. 자본은 어떻게 활용하느냐에 따라 그 결과가 달라질 뿐이다. 중요한 것은 파산위기에 처한 기업을 다시 회생시키는 사모펀드의 위력이다. 파산위기에 처해 있는 기업들을 인수하면서 가장 먼저 하는 작업은 비용절감이다. 비용절감을 하면서 비즈니스에 불필요하거나 필요 이상으로 회사에 비용을 많이 발생시키는 사업군들을 제거하는데, 이런 과정에서 어쩔 수 없이 많은 직원들이 해고된다. 사모펀드는 기업인수, 비용절감, 인력해고, 그리고 재상장이라는 프로세스를 거치게 된다. 이러한 일련의 과정에서 많은 고통도 따른다. 그러한 변화의 과정을 겪어야 하는 기업의 임직원들에게는 고통이며, 사모펀드에 투자한 투자자들에게는 인내의 시간이기도 하다.

사모펀드 투자자들 입장에서 보면, 투자자들은 모두 지분투자자들이기 때문에 사모펀드가 인수한 기업의 실적이 향상되지 않으면 수익을 실현할 수 없을 뿐 아니라 투자한 원금 손실도 가능하다. 실제적으로, 사모펀드의 투자로 인한 실패 사례도 많다. 산업은행의 중소기업과 중견기업의 회생을 지원하기 위해 만든 1,000억 원 규모의 KDB턴어라운드 PEF가 첫 투자대상 기업인 재봉기 생산 전문업체 썬스타의 자금 사정이 악화되면서 경영난을 겪고 있어 투자 손실을 보고 있으며, 아이스템파트너스의 한국토지신탁 인수는 초기 매입가격이 높아 수년째 차익실현이 지연되고 있기도 했다. PEF의 재매각 실패는 단순 수익뿐 아니라 명성에 악영향을 끼쳐 신규 투자자금 유치에도 영향을 받고 만약에 계약기간을 넘길 경우 소송에 휘말릴 수 있는 리스크도 있게 된다.

물이 한 곳에 너무 오래 고여 있으면 썩기 마련이다. 때로는 물을 담은 용기를 바꾸어야 하고 때로는 새로운 물을 넣어 주어야 한다. 기업의 생리도 마찬가지다. 바뀐 기업 환경에 따라 스스로 변화하지 못하고 부실해진 상태에서는 외부의 힘이 필요하다. 외부의 역할을 하는 것이 바로 사모펀드의 몫이라고 볼 수 있다. 사모펀드가 기업을 회생시켜 다시 팔아서 돈을 버는 것 또한 자유경제 시스템에 근간을 두고 있다. 최근에 외국계 PEF인 어피니티와 KKR이 OB맥주를 AB인베브에 매각하면서 PEF에 대한 부정적인 국민정서를 바꿔놓았다. 어피니티와 KKR은 OB맥주에 전문경영인을 투입, 획기적인 전략을 통해 기업의 가치를 제고함으로써 4조 원의 매매차익을 실현하는 기록을 세운 것은 많은 시사점을 준다.

사모펀드제도가 2004년에 국내에 도입 후 연평균 29% 이상의 높은 성장세를 보이며 급성장하였다. 2013년 12월 말 기준 총 237개사로 총출자약정액이 44조 원에 이르고 있다. 그런데 국내 사모펀드회사들의 피투자기업 보유기간이 상대적으로 짧은 2~3년(해외의 경우 5~10년) 정도로 추정되어 '기업가치제고', 즉 경영권의 적극적인 참여로 기업의 펀더멘털 제고를 통한 성장수익은 그리 크지 않다. 그러나 해외의 대표적인 사모펀드회사인 Blackstone, KKR, 칼라일 그룹은 수익률의 절반 이상이 '가치제고'에 의한 수익창출을 실현하고 있는 것은 우리들에게 많은 시사점을 주고 있다.

| 주요 PEF의 최근활동 및 예상활동 |

사모투자회사	최근 투자활동	2014년 후 예상활동
MBK Partners	ING생명 인수 완료	테크펙솔루션 매각 진행, C&M 매각 준비
IMM PE	할리스커피, 포스코특수강, 한진해운신항만	농우바이오, 현대상선 LNG사업부문 우선협상자
보고펀드	동양생명 인수, 에누리닷컴 인수 시도	연기금 펀드 조성, LIG손보 딜 참여, 아이리버 매각
칼라일	약진통상 인수	ADT캡스 인수 확정, 추가투자 집행
KKR	이노션 투자검토, 60억 달러 아시아펀드 조성	OB맥주 매각
어피니피	로엔엔터 인수, 블라인드 4호펀드 조성	OB맥주 매각
한앤컴퍼니	한진해운 벌크선 사업부 인수	코웰이홀딩스 IPO로 투자금 회수
큐캐피탈	동부익스프레스, 광주은행 인수 시도	정책금융공사 블라인드 펀드 조성
스카이레이크	새블라인드 펀드 조성	포스코에너지 매각 및 신규투자 진행
KTB PE	정책금융공사 펀드 조성, 동양매직 인수 포기	전진중공업 매각 실시, 동부익스프레스 협상 진행

Source : 더벨M&A List

역외펀드와 과세

역외펀드는 지분투자 대상국이 아닌 제3국에서 조성된 펀드를 말한다.

역외펀드는 투자자가 속한 국가의 조세제도나 운용상의 제약을 피할 수 있고, 조세·금융·행정면에서 여러 가지 이점을 누리려는 목적에서 이용된다. 국내에 진출하는 펀드도 대부분 국내 투자로 인한 매매차익에 따르는 과세가 없고, 자산운용상 법적 규제가 없는 버뮤다·아일랜드 등 조세피난처에 본거지를 둔 경우가 많다. 간단히 말해, 역외펀드는 외국 투자자들에 의해 역외에 설립되는 헤지펀드나 사모펀드를 말한다.

일반적으로 헤지펀드는 사적으로 조직되고 전문투자관리자에 의해 운용되며 일반대중에게는 널리 이용되지 않는 집합투자기구를 포괄하는 용어로 사용되며, 대체로 the Cayman Islands, the Bahamas, the British Virgin Islands, Panama, the Netherlands Antille과 같은 조세피난처에 역외펀드(offshore fund)로 설정된다. 외국의 헤지펀드나 PEF는 세금이전혜택(pass-through taxtreatment)을 위해 통상 유한파트너(limited parternerships) 또는 유한책임회사(limited liability companies)의 형태로 설립되며, 미국에서 유한파트너십(LP) 또는 유한책임회사(LLC)에 대해서는 통상 동업기업 과세방식(또는 파트너십 과세방식이라 함)으로 과세된다. 미국세법에 의하면 파트너십 자체에 대해서는 과세하지 아니하고 파트너에게 과세상의 지위에 따라 소득세 또는 법인세를 과세하도록 하고 있다. 다시 말하면 파트너십 자체는 도관(conduit)으로 취급하고, 파트너십의 소득은 파트너에게 직접귀속(pass-through)되어 과세한다.

우리나라의 경우, 사모투자전문회사(Private Equity Fund: PEF)는 간접투자자산운용업법(이하 간투법이라 한다)에 의한 간접투자기구의 하나로서 회사의 재산을 주식 또는 지분 등에 투자하여 경영권 참여, 사업구조 또는 지배구조의 개선 등의 방법으로 투자한 기업의 가치를 높여 그 수익을 사원에게 배분하는 것을 목적으로 사모의 방식으로 설립된 상법상 합자회사를 말한다. PEF는 간투법 개정에 의하여 2004년 12월 도입되었는데, 그 취지는 무엇보다 IMF 외환위기 이후 론스타 등 해외의 거대 펀드들이 국내 주요 금융기관, 기업 등을 매입하여 경영정상화 후 재매각함으로써 거액의 차익을 실현하였고, 그 과정에서 해외자본에 의한 국내금융기관 지배·국부유출 등의 논란이 발생하게 되면서 막강한 해외자본에 대한 국내자본의 건전한 육성 필요성이 제기됨에 따라 이에 부응하고자 도입되었다.

외국의 경우 PEF는 통상 기업인수·합병을 전문으로 차입매수(Leveraged Buyout) 펀드와 단기시세차익을 목적으로 하는 헤지펀드로 구분되는데, 우리가 도입한 PEF는 전자에 속한다. PEF 이전에도 사모M&A투자회사가 유사한 기능을 수행하고 있었으나 그 성과도 미미하고 근본적으로 무한책임사원(General Partner)과 유한책임사원(Limited Partner)의 구조가 아니어서 별도로 PEF제도를 도입하게 된 것이다. 간투법상 간접투자기구에는 PEF 외에 투자신탁과 투자회사가 있는데, 이들은 수익자 평등의 원칙이 엄격히 적용되어 위험 선호도가 다른 투자자 간에는 동일한 펀드에 가입할 수 없는 한계가 있으나, PEF는 위험 선호도가 다른 투자자들이 파트너십(Partnership) 계약에 따라 자유로운 형태의 손익분배·지분계약을 체결하고 동일한 펀드에 가입할 수 있다는 점에서 그 특징이 있다.

국제거래는 통상적으로 상품과 용역(무형자산 포함) 거래로 구분할 수 있는데, 국가와 국가간 외환거래가 자유화되면서 각종 펀드 및 자본의 국제거래가 상당히 증가하게 되었다. 특히, 전세계적으로 조성되는 펀드가 천문학적인 숫자에 이르고, 한국에서 조성되는 펀드규모도 크게 증가하면서 펀드에 대한 공정한 과세가 요구되고 있다. 그런데 현재 국내세법은 국내에 진출하는 외국계펀드에 대한 조세회피방지규정을 제대로 갖추고 있지 못해 한국의 과세권이 침해되는 결과를 초래했고, 다른 한편으로는 외국에 진출한 법인이 조세를 이연하는 것을 방지하기 위해 내국인에게 적용하는 조세피난처세제(Controlled Foreign Corporation: CFC Rule)[26]와 같은 규정이 체계를 갖추지 못해 국내에서 운용되는 펀드와 역외에서 운용되는 펀드 간에 과세상의 형평문제를 야기하기도 했다.

역외펀드를 둘러싼 최근의 세무이슈를 살펴보자. 차입매수(LBO)를 통해 펀드가 M&A를 하는 전형을 보면, 투자자펀드가 인수목적회사(Special Purpose Company: SPC)를 설립하여 이를 통해 기업인수에 필요한 자금을 차입한다. 그런 후, SPC에 투자한 자본금과 차입금을 합쳐 기업을 인수하게 된다. 차입을 하기 위해서 인수대상 기업의 주식이 담보로 제공된다. 그리고 인수가 이루어진 후, 차입금 상환을 위해 인수된 기업의 현금

26) 내국법인은 해외에서 벌어들인 외국소득에 대한 거주지국의 합산과세를 회피하기 위해 세부담이 적은 조세피난처에 외국자회사를 설립하고 그곳에 국외원천소득을 유보시킴으로써 역외유보된 소득에 거주지국의 과세권이 미치는 것을 차단할 수 있다. 이처럼 소득의 역외유보는 거주지국의 고세율이 적용되는 내국법인의 국외원천소득을 인위적인 방법으로 저세율이 적용되는 외국자회사에 이전함으로써 세부담을 줄인다는 점에서 조세회피행위의 한 부류에 속한다. 이에 대해 외국자회사의 각 사업연도 말 현재 배당 가능한 유보소득 중 내국법인에 귀속될 금액은 내국법인이 배당받은 것으로 보도록 규정하고 있다.

창출력에 따라 인수금융 차입금을 인수한 기업으로 합병, 유상감자, 배당의 형태로 이전하게 되는데 이를 차입금 푸시다운(Debt push-down)이라 한다. 우선 먼저, 인수금융을 조달한 SPC가 인수대상기업에 '합병'되면 인수대상기업의 부채가 갑작스럽게 늘어나게 된다. 법적인 측면에서 보면 갑작스럽게 늘어난 부채로 인해 재무적 위험에 빠지도록 했다는 비난이 합병에 동의한 인수대상기업의 이사회에게 돌아 갈 수 있다. 즉, 많은 논란의 여지가 있는 배임죄의 소지가 있다는 것이다. 한편, 배당에 대해서는 과세당국이 과세 입장을 밝혔다. 결국, 차입금을 회수하는 유일한 방법은 유상감자를 통해서이다. 인수대상기업에서 유상감자를 실시한 뒤, 발생하는 감자환급금으로 회수하는 것이다. 새로운 방법도 최근에 논의되고 있다. 매도자가 M&A를 실시하기 전에 회사 자산을 담보로 차입금을 유치하는 벤더파이낸싱(Vendor Financing)이나.

한편, 최근에 과세당국은 배당금의 수익적 소유자(Beneficial Owner)를 국외에 있는 역외펀드라고 과세입장을 밝혔다. M&A를 위해서 국내에 설립하게 되는 SPC는 인수하게 되는 기업의 모회사가 되는데, 인수기업은 자회사로서 인수가 종결된 후에 배당금을 모회사에 지급하게 된다. 모회사는 지급받은 배당금으로 인수 시 차입한 차입금을 상환하게 된다. 그리고 국내 법인세법에 따르면 모회사가 지분 100%를 보유한 자회사로부터 받는 연결납세제도[27]를 통해서 배당금에 대해서는 과세되지 않는다. 즉 배당소득으로 취급되지 않는다. 그런데 이에 대해 과세당국이 국내에 M&A를 위해 설립한 SPC는 배당금의 수익적 소유자가 아니라 실질 과세원칙의 관점에서 배당금의 실제 소유자는 해외에 있는 사모펀드라는 것이다. 따라서 국내 법인간에 적용되는 법인세법이 적용될 수 없다는 것이다. 그런데 2012년 1월 대법원은 론스타가 스타홀딩스를 매각해서 양도차익을 챙기자 국내세법에 따라 과세했다. 이 사례를 시발점으로 대법원은 이후 10여 건의 외국투자자가 투자 수익을 챙겨나가는 경우 펀드가 설립된 국가가 한국과 조세조약을 체결하지 않았다면, 국내 세법에 따라 과세해야 한다고 판결을 내린 바 있다.

그렇다면 사모펀드 투자자입장에서 어떻게 해야 한다는 말인가? 기존의 '원천징수특례규정'에 의해서 해외에 설립한 사모투자펀드(PEF)의 LP가 수익적 소유자(Beneficial owner)가 되고, LP 거주지국과 한국의 조세조약 체결 여부에 따라 혼합비율(Blended

27) 연결납세제도(Consolidated tax return)란 내국법인으로서 모(母)회사와 자(子)회사가 경제적으로 결합되어 있는 경우 경제적 실질에 따라 해당 모회사와 자회사를 하나의 과세단위로 보아 소득을 통산하여 법인세를 과세하는 제도를 말한다. 2008년 12월 26일에 법인세법 개정 시 도입하였으며, 1년간의 유예기간을 거쳐 2010년 1월 1일 이후 개시하는 사업연도부터 시행되었다.

Rate)을 적용해 과세하게 되는 원칙에 따라야 하는가? 아니면, 대법원 판결에 따라 과세하는 방향을 고려해야 하는가? 역외펀드 과세기준을 바꿀 경우, 문제는 복잡해진다. 원천징수특례규정이 유명무실해질 가능성도 점쳐지는 가운데, 한국과 조세조약이 체결되지 않은 국가에 PEF를 설립해 투자했던 운용사들이 타격을 받게 될 것이다.

과세당국이 과세입장을 바꾸어 대법원 판결을 기준으로 재과세를 시도할 경우, 직접적인 손해는 매각자인 외국계 PEF가 아닌 인수자가 부담하게 된다. 국내법상 원천징수 규정에 의거해 양도차익 등에 대한 납세의무는 매각자가 아닌 인수자가 지게 돼 있다. 매각자로부터 세금을 받을 수 있을지에 관한 내용은 매각자와 인수자 사이의 문제인데, 이미 투자자금을 회수한 PEF들이 대부분 청산절차를 거쳤다는 점을 고려하면, 인수자가 추가 과세액을 전부 부담할 가능성이 높다. 과세입장을 바꾸면서 무슨 실익을 얻을 수 있을지 의문이 가는 대목이다.

앞으로 국내에 투자하는 해외 PEF의 구조도 변할 것이다. 그 동안 운용사들은 케이만 제도 등에 PEF를 설립해서 투자했지만, 앞으로 한국과 조세조약을 맺고 있는 국가에 펀드를 설립해 투자할 확률이 높다. 한국과 조세조약을 체결하지 않은 홍콩이나, 조세조약이 있다고 해도 양도소득세 면제 규정이 없는 싱가포르나 호주 등에 거주하고 있는 투자자의 경우 미국, 영국, 벨기에, 몰타 등 한국과 조세조약을 맺고 있는 국가에 우회적으로 펀드를 설립하고 투자하는 전략을 예상할 수 있다.

LP의 거주국가가 어디든 국세청은 이들 펀드의 투자 수익에 대해 세금을 매길 수 없게 될 수도 있다. 이는 PEF 투자로 발생하는 국내원천소득에 대해 한국이 과세권을 포기하는 것과 다름 없다. 일시적으로 10여 건의 사례를 통해 조세 수입이 다소 증가할 수 있지만, 궁극적으로는 PEF 투자수익에 대한 조세수입이 감소하는 부정적인 효과가 나올 수 있다. 그렇다고 과세방식을 시시때때로 바꿀 수도 없다. 과세의 예측가능성이 확보되지 않고서는 국내에 아무도 투자를 하려 하지 않을 것이기 때문이다. 조세가 국가간의 물적, 인적 교류를 방해해서는 안되며 자본의 흐름을 억지로 막아서는 국가경제 전체적 관점에서도 도움이 되지 않을 것이다.

2막

인수(ACQUISITION)

2003년 겨울, 글로벌은행의 연말 파티가 열리고 있었다. 서울지역에 2개의 새로운 지점을 개설할 수 있게 되면서 다른 해와는 달리 연말파티 분위기가 한층 고조되어 있었다.

가수 이문세 씨가 파티 공연 중에 흥을 내지 못하는 관중을 향해 유머 섞인 멘트를 던졌다.

"제가 그 동안 많은 공연을 했지만 이렇게 조용한 관객은 처음 보네요."

그의 말에 아랑곳 하지 않고 관객들은 침묵으로 일관하고 있었다. 그러자 그가 또 다를 분위기 반전을 위해서 재시도를 했다.

"저 이제 그만 집으로 갈까요?"

마침내 관중들은 한바탕 웃음을 터뜨렸다. 그의 위트가 마침내 성공하는 순간이었다. 그의 공연은 무척이나 힘들어 보였다. 지극히 보수적인 은행원(Banker)들의 흥을 돋우는 것은 쉬운 작업이 아닌 듯했다.

200여 명이 모인 파티에 참석한 직원들은 아무도 그것이 글로벌은행의 직원으로서 즐기게 되는 마지막 연말 파티라는 것을 모르고 있었다. 행사가 마무리 되어 갈 즈음, 은행장의 2003년도 실적에 대한 발표가 있었다. 이어서 말미에는 Q&A 시간도 할애가 되었다.

그때 누군가 마이크를 잡더니 행장에게 질문을 던졌다.

"글로벌그룹이 한국시장을 너무 소극적으로 보고 있는 것은 아닙니까? 일년에 2개씩 지점을 늘려서 어느 세월에 한국 내에서 시장점유율(Market Share)을 제대로 확보하겠습니까?"

그의 질문은 크리스의 질문을 대신하고 있었다.

크리스는 글로벌은행에 문을 두드리면서 M&A의 가능성을 일찌감치 점치고 있었다. 하지만 크리스도 인수합병 후 겪게 될 통합의 대장정에 대해서는 가늠할 수가 없었다.

1장 Target을 선정하라

2003년 6월, 뉴욕에 있는 글로벌그룹의 M&A팀은 M&A에 관한 모든 업무를 신속히 진행하기 위해서 M&A팀장이 그룹회장에게 바로 보고할 수 있는 조직체계를 갖추고 있었다.

리차드는 M&A 업무를 총지휘하고 있는 인물로 그의 명성에 대해서는 월스트리트에 널리 알려져 있었다.

아침 9시, 리차드는 한국에서 대한은행에 관한 대략적인 재무분석 보고서가 도착했다는 얘기를 듣고 급히 회의를 소집했다. 회의에는 법률, 회계, 세무팀도 참석하였다.

리차드가 말문을 열었다.

"오늘 이렇게 급히 회의를 소집한 것은 그 동안 논의해 오고 있던 대한은행 인수건 때문입니다. 잘 알고 있는 것처럼 글로벌그룹은 아시아시장에 대한 전망을 밝게 보고 있습니다. 특히나 한국시장은 이미 교두보가 확보되어 있는 상황이어서 딜을 진행하기 용이합니다."

그가 '교두보'라고 하는 것은 글로벌은행을 가리키고 있었다.

그의 말이 이어졌다.

"현재 한국에서는 IMF 외환위기 덕분에 인수대상 물건들이 시장에 나오고 있는 상황입니다. 그리고 우리가 인수대상 물망에 올리고 있는 회사는 몇 개 있습니다만 지금까지 분석해 본 바로는 대한은행이 현 단계에서 가장 매력적인 인수대상자입니다. 대한은행의 최대 지분을 소유하고 있는 칼레온은 우리와 우호적인 관계도 유지하고 있지요."

"자, 이제 본론으로 들어 갑시다. 오늘 제가 말씀드릴 내용은 대한은행을 인수할 경우 현금으로 할 것인지 아니면 주식교환 방식으로 할 것인지를 논의하고자 합니다. 물론 한국에 가서 실사작업을 구체적으로 해 봐야 하겠지만 저희 팀에서 일차적으로 분석해 본 결과는 적어도 대한은행을 인수하기 위해서는 3조 원 정도는 소요될 것으로 예상합니다. 최근 우리가 성사시킨 딜 중에서 가장 큰 규모가 될 것 같습니다."

질문이 여기 저기에서 터져 나왔다. 50대 중반을 넘어 보이는 노신사가 먼저 말문을 열었다.

"딜 규모가 그 정도면 세금 문제도 만만치 않겠군요. 그동안 미국 내에서 주식교환 방식으로 딜을 진행해 와서 세금 문제는 그리 중요치 않았는데, 이번 딜은 해외거래이고 딜 규모도 크니 세심하게 살펴봐야겠습니다. 혹 세금 부분에 대한 특별한 요청 사항이 있는지요?"

리차드는 그가 누군지 쉽게 알아차릴 수 있었다. 글로벌그룹 내에서 M&A관련 세무에 관한 한 "걸어 다니는 M&A세무사전"이라는 별명을 가진 아놀드였다.

"아놀드, 구체적으로 딜이 진행이 되면 상세한 내용은 파악하도록 하지요."

법률팀의 M&A 담당변호사인 캐티가 질문을 이어 갔다.

"아시다시피 그 동안 계속되어온 M&A딜을 증권감독국(SEC)에서는 곱지 않은 시선으로 보고 있어요. 내실을 좀 다진 후에 새로운 M&A를 하라는 지시를 보내고 있어요. 한국 쪽 금융감독당국은 어떤 움직임이 있는지에 대해서도 예의 주시할 필요가 있을 것 같습니다."

캐티가 적절한 포인트를 짚어 주고 있었다.

"맞습니다. 그 부분에 대해서 캐티가 계속 Follow up해 주세요."

리차드의 말이 이어졌다.

"외부관계기관의 협조를 얻어 내는 것도 중요하지만 내부적인 동의를 얻어 내는 것이 지금으로서는 먼저입니다. 일단 이번 딜에 대해서 이사회의 승인을 얻어 내지 못한다면 지금 우리가 진행하고 있는 논의는 의미가 없을 것입니다. 그래서 일단 이번 금요일로 예정되어 있는 이사회에서 이번 딜에 대한 개괄적인 논의가 이루어지도록 할 계획입니

다. 다른 질문 없습니까?"

잠깐의 침묵이 흐른 뒤, 리차드의 말이 이어졌다.

"그렇다면 닉이 현금결제방식(Cash Deal)과 주식교환방식(Stock Deal)에 대해서 설명을 하고 오늘 회의는 마치도록 하겠습니다. 다른 의견이 있으면 설명 중간에도 언제든지 말씀해 주시길 바랍니다. 닉, 그러면 준비한 내용을 설명하도록 하세요."

닉은 리차드가 아끼는 팀원으로 이제 서른 다섯을 갓 넘긴 젊은 친구였지만 딜스트럭처링에 타고난 재주를 인정받아 2년 전에 리차드가 투자은행에서 스카우트를 했었다.

닉은 준비한 파워포인트 프린트물을 돌리며 설명을 하기 시작했다.

"우선 먼저 현금거래에 대해 설명하도록 하겠습니다. 우리가 고려해야 할 가장 중요한 것이 인수프리미엄(Acquisition Premium)[28]에 대한 리스크입니다. 즉, 우리가 지불한 인수프리미엄에 대한 위험에 대해서는 인수자인 우리가 감수해야 합니다. 주식거래의 경우에는 인수대상기업의 주주와 그 위험을 나눠 갖게 되는 구조와 달리 더 큰 위험이 있다는 얘기입니다."

아놀드는 잘 알고 있다는 표정을 짓고 있었지만 다른 사람들은 흥미로운 듯 숨소리를 낮추고 있었다. 닉은 잠시 목구멍에 걸린 침을 고르려는 듯 큼큼거리고는 설명을 이어갔다.

"좀 더 자세히 설명을 드리겠습니다. 만약에 우리가 대한은행을 3조 원에 인수하는데, 지불하게 되는 인수프리미엄이 1조 원이라고 가정합시다. 그런데 여기서 1조 원은 시장에서 형성되어 있는 2조 원을 상회하는 소위 말하는 인수프리미엄입니다. 그런데 인수프리미엄은 인수을 당하는 인수대상기업의 주주들이 요구하는 몫입니다. 인수를 하는 우리 주주들이 기대하는 수치는 아닙니다. 우리 주주들이 요구하는 것은 그 이상의 숫자입니다. 이것을 우리는 Shareholder Value Added(SVA)라고 하는데, 즉 인수프리미엄 이상의 시너지효과에 대한 가치를 말합니다. 만약에 우리가 대한은행을 인수함으로써 기대할 수 있는 시너지효과의 가치가 우리가 지불하게 되는 인수프리미엄 가치를 상회할 수 없

28) 피인수기업에 대한 추정가치와 인수기업이 피인수기업을 인수하는 데 실제로 지불한 금액의 차이를 말한다.

다면 우리는 현금거래에 대한 이사회의 동의를 얻어 낼 수가 없을 것입니다. 말하자면, 우리가 시너지효과에 대한 확신이 있어야 현금거래 딜을 이사회에 승인요청할 수 있게 되겠지요."

닉은 다시 숨을 몰아 쉬더니 설명을 이어갔다.

"만약에 그렇지 못하다면 주식교환 딜을 생각해 볼 수 있습니다. 지금부터는 주식교환 방식에 대해서 설명을 하도록 하겠습니다. 만약에 인수프리미엄을 상회하여 기대되는 시너지효과 가치가 똑같이 1조 원이라고 가정합시다. 그런데 우리는 딜의 시너지효과를 확신할 수 없어서 100% 현금거래를 하지 않고 인수가의 50%는 신주를 발행하였다면 어떻게 될까요?"

닉의 갑작스러운 질문에 모두 숨을 죽이고 있을 뿐이었다. 닉의 말이 이어졌다.

"기대되는 1조 원의 시너지효과는 우리 주주만의 몫이 될 수가 없겠죠. 즉 1조 원의 50%인 5,000억만이 우리 주주들이 누릴 수 있는 시너지효과가 됩니다. 나머지 50%는 신주를 인수한 인수대상주주들에게 돌아가게 되는 것입니다. 물론 위험관리 측면에서 보면 네거티브 시너지효과가 발생했을 경우가 된다면 그 위험을 인수대상주주들과 나눌 수 있기 때문에 그 위험을 절반으로 줄일 수 있게 되는 겁니다."

리차드가 닉의 말 중간에 끼어 들었다.

"현금거래냐 주식거래냐는 단순한 문제가 아닙니다. 여러 가지 관점에서 검토해 봐야 할 것입니다. 물론 인수대상기업의 주주들이 현금거래를 우리 의지와는 관계없이 원할 수도 있을 것입니다. 그런 경우에는 우리가 무작정 주식거래를 주장할 수가 없게 될 수도 있어요. 인수의향이 있는 것은 우리만이 아닐 것이기 때문에 인수 건이 매력적일 경우에는 딜 조건을 우리 입맛에만 맞도록 할 수는 없게 되는 거죠."

리차드는 닉이 계속 설명을 이어 갈 수 있도록 고개를 끄덕여 보였다. 그러자 닉은 준비한 자료의 페이지를 넘기며 설명을 이어갔다.

"우리가 딜을 진행하는 입장에서는 현금거래가 단순한 반면 이사회를 설득하려면 시너지효과에 대해서 충분히 설명을 할 수 있어야 할 것입니다. 한편, 주식거래를 선택하게

된다면 시너지효과가 인수대상기업의 주주들에게 이전될 가능성이 있기 때문에 그에 따른 기회비용 또한 설명을 할 수 있어야 합니다."

리차드는 고개를 끄덕여 보였고 늑은 자신감을 보였다.

"그런데 한 가지 더 고려해야 할 것이 있습니다. 바로 주식시장의 반응입니다. 시장의 반응을 무시할 수가 없습니다. 최근에 이루어진 많은 딜의 결과를 살펴보면 주식거래가 이루어진 경우에는 인수기업의 주가가 하락하는 경우가 많았습니다. 시장에서의 주식거래는 곧 인수기업이 인수합병으로 인한 시너지효과에 대해 부정적이라는 인식을 갖고 있기 때문입니다. 분명 이사회는 이런 부분에 대해서도 우려를 보일 것입니다. 자신들의 주가가 떨어지기를 원하는 주주는 없을 테니까요."

일 주일이 지난 뒤 2차 회의가 M&A팀 회의실에서 다시 열렸다. 4년 전쯤에 한국의 카드회사 인수딜을 협상 막판 단계에서 실패한 기억 때문인지 회의에 참석한 사람들은 이번 대한은행 딜의 전망을 밝게 보고 있지 않은 눈치였다. 그런 의구심을 일시에 종식시키려는 듯 리차드는 다소 강한 어조로 회의를 진행했다.

"먼저 지난 금요일 최고경영자 회의에서 나온 내용에 대해서 간단히 정리해 드립니다. 한마디로 글로벌회장은 이번 딜에 대해서 확고한 의지를 갖고 있습니다. 아시아지역은 성장 일로에 있고 글로벌그룹의 성장전략에 아시아시장의 확대는 핵심전략입니다. 아시아시장에서 중국과 인도는 핵심국가입니다. 그런데 중국시장 진출을 위해서 한국시장은 전초기지가 될 수 있습니다. 이번 대한은행 딜은 향후 중국시장에서 M&A를 진행하는 데 많은 도움을 줄 것입니다."

리차드의 확신에 찬 어조는 회의실의 분위기를 일시에 바꾸어 놓고 있었다. 리차드는 최고경영자회의에서 언급된 내용에 대해서 늘어 놓기 시작했다.

"회의실에서의 분위기는 이번 딜을 매우 중요하게 생각하고 있었습니다. 우선 먼저 시장의 반응을 조심스럽게 지켜보기를 원하면서도 감독당국과는 물밑 작업을 진행하기를 원하고 있어요. 이번 딜은 한국에서, 아니 아시아지역에서 우리가 해 온 어느 딜보다 규모면에서 가장 크고 중요한 딜이 될 것이라는 지적이 있었습니다. M&A팀에게 특별한 주문이 있었습니다. 그리고 그만큼 인수프리미엄을 산정하는 데 각별한 신경을 써야 한다는 것과 시너지효과의 극대화를 위해서 더 큰 관건은 현재 운영되고 있는 글로벌은행과의 성공적인 통합이라는 지적이었습니다. 통합팀의 각별한 신경을 필요로 한다는 지적도 있었습니다."

리차드가 잠시 말을 멈추자 회의실에는 일순간 술렁임이 지나갔다. 리차드는 말을 계속 이어갔다.

"통합작업에 대해서는 여러분이 큰 염려를 하지 않아도 됩니다. 여기에 모인 여러분들은 통합프로젝트에는 참가를 하지 않을 것입니다. 그러나 통합팀이 구성되고 나면 여러분과 많은 커뮤니케이션을 해야 할 것인 만큼 통합작업에도 여러분의 협조를 부탁드립니다. 자, 오늘은 세무쪽과 회계쪽에서 잠재적인 이슈를 정리했으니 얘기를 들어 보도록 하겠습니다."

회의실에는 리차드도 그 동안 보지 못했던 새로운 인물들이 몇몇 눈에 띄었다. 그래서인지 리차드는 아놀드와 회계를 담당하고 있는 키이스를 회의참석자들에게 소개했다.

"소개를 해주셔서 감사합니다. 저는 M&A관련 세무자문을 맡고 있는 아놀드입니다. 아직 정확한 딜의 구조가 결정되지 않아서 구체적인 내용을 말씀드릴 수는 없습니다만 지난번 회의에서 언급된 현금거래 및 주식거래와 관련된 내용을 개괄적으로 설명토록 하겠습니다."

"우선 먼저, 인수자인 우리 입장에서 세무상 가장 바람직한 인수방식은 현금거래라고 볼 수 있습니다. 왜냐하면 세무목적상 현금으로 인수대상기업의 지분을 인수할 경우에는 인수기업의 자산을 재평가할 수가 있으며 그로 인해 발생하는 영업권(Goodwill)에 대해서는 감가상각을 할 수 있기 때문에 세무상 혜택을 볼 수 있게 됩니다. 현재 세법상 영업권은 15년에 걸쳐 정액법으로 감가상각할 수가 있습니다. 물론 지분을 매각하는 입장에서는 우리로부터 현금을 수취할 경우, 양도소득(Capital Gain)에 대해 세금을 한국 국세청에 내야 할 가능성이 있습니다."

리차드가 다른 사람들의 이해를 돕기 위해서인지 아놀드의 말에 끼어 들었다.

"아놀드, 매각하는 쪽의 세금 문제에 대해서 우리가 걱정할 필요는 없는 거 아닌가요?"

“좋은 질문입니다. 그런데 문제가 그렇게 간단하지 않을 수도 있습니다. 왜냐하면 우리가 지금까지 진행해 온 딜을 보면 매각하는 쪽에서는 납부하게 되는 세금만큼의 비용을 인수가에 포함시키려는 의지를 보여 왔기 때문입니다. 그럴 가능성을 이번 딜에서도 배재할 수는 없습니다. 제가 그 동안 지켜 본 딜에서 종종 그런 일이 있었습니다.”

“그렇군요. 중요한 포인트입니다.” 리차드가 맞짱구를 쳐주었다.

“그리고 지분을 매각하는 쪽에서 세금 부분이 매각 의사결정의 중요한 요인이라면 ‘현금거래’보다는 ‘주식거래’를 하려고 할 것입니다. 인수기업인 우리로부터 인수대가를 주식으로 받게 되면 세금 문제는 피할 수가 있습니다. 즉 주식거래는 양도소득에 대한 세금을 이연시키는 효과가 있습니다. 다시 말하면, 완전히 세금이 면세가 된다는 얘기는 아니고 대가로 받은 주식을 처분하여 양도소득을 실현할 때까지 세금 납부가 연기된다는 이야기입니다.”

리차드가 다시 끼어 들었다.

“주식거래는 우리가 원하는 방식이 아니라면 어떻게 되나요? 좋은 방법이 없을까요?”

“물론 가장 좋은 방법은 현금거래를 하되 세금을 납부하지 않아도 되는 구조라면 쌍방이 행복한 딜이 될 수 있겠지요.”

아놀드의 말은 느리고 조금은 어눌했지만 중요한 포인트를 모두 짚어 주고 있었다.

리차드는 회계담당자인 키이스를 소개하고는 다시 자신의 자리로 돌아갔다.

키이스의 발표가 시작되었다.

“저도 오늘은 개략적인 내용만 정리하도록 하겠습니다. 그리고 딜이 구체적으로 진행이 되면 자세한 것은 그때 다루도록 하겠습니다. 먼저 현금거래(Cash Deal)에 관련된 회계처리에 대해 말씀드리면, 현금거래는 매수법(Purchase Accounting Method)으로 회계처리됩니다. 우리는 흔히 줄여서 피갭(P GAAP)이라고 부릅니다. 기본적으로 취득한 자산과 부채는 공정가액(Fair Market Value)으로 기록되고 인수가와 공정가액의 차이는 영업권(Goodwill)으로 분류되어 회계처리됩니다. 한편, 지분풀링법(Pooling of Interests)이라고 불리는 방식은 극히 제한적으로 적용됩니다. 현금거래가 아닌 주식거래가 90%

이상 이루어질 경우 등 많은 조건이 충족되어야 하기 때문에 현실적으로는 적용되는 예가 많지 않습니다. 참고적으로 이 방식이 적용된다면 두 기업간의 장부가액으로 회계처리가 이루어지기 때문에 영업권과 같은 차이는 발생할 수가 없게 됩니다."

리차드가 테이블 앞으로 나오면서 몇 마디를 덧붙였다.

"제가 보기에 회계처리의 차이는 단지 피상적인 것으로 시장은 회계처리 문제로 민감한 반응을 보이지는 않을 것 같군요. 제 생각에는 딜이 일단 성공적으로 완결되고 나면 아마도 회계 쪽에서 할 일이 많아 질 것 같군요."

키이스가 얼굴을 찌푸리며 말을 이어갔다.

"그렇지 않아도 저희는 2년 전의 멕시코은행 인수 건과 관련한 회계처리 문제로 아직도 골머리를 앓고 있습니다. 자산과 부채를 공정가액으로 평가하고 그에 따른 영업권을 처리하는 회계가 생각보다 쉬운 작업이 아닙니다."

"가장 심각한 문제라고 하면 예를 들어 어떤 것이 있을까요?" 리처드가 질문했다.

"인수기업의 자산과 부채를 개별적으로 평가하여 공정가액으로 평가한다는 것은 현실적으로 거의 불가능하고 그렇게 하려면 엄청난 비용이 들기 때문에 대부분의 경우 포트폴리오 식으로 평가를 하고 관리해 나갑니다. 그런데 은행대출의 경우, 만기가 다르고 적용되는 이자율이 다르기 때문에 대출의 만기가 돌아왔을 때 그런 자산의 변동을 따라가는 것이 어렵다는 얘기입니다."

"잠시 듣기만 해도 복잡해 보이는 군요. 더 이상 얘기 듣다가는 딜을 못할 것 같은데요."

리차드의 농담에 회의실 여기저기에서 웃음이 새어 나왔다.

"이제는 경험이 있으니 쉽게 하겠죠. 아니면 내년이면 키이스가 다른 부서로 옮길지도 모르겠군요."

리처드는 키스를 위로하려 안간힘을 쓰는 듯했다.

리차드는 대한은행 외에도 한국 내 인수대상 은행을 몇 개 더 선정해 놓은 상태였다.

딜을 성공적으로 성사시키기 위해서는 항상 대체할 수 있는 대상이 필요하다. 또한 인수 협상에서의 협상력을 높이기 위해서도 복수의 인수대상자를 확보하고 있는 것은 M&A의 필수라는 것을 리차드는 잘 알고 있었다.

대한은행 인수를 위한 인수팀 회의가 시작된 지 한 달이 지날 때쯤이었다. 대한은행의 대주주인 카레온 측으로부터 인수의사를 타진하는 전화가 걸려 왔다. 그러나 리차드는 정중히 인수의사가 없음을 밝히며 속내를 보이지 않고 있었다. 그러나 이제부터 문제는 시간이다. 카레온이 인수의사를 타진하기 시작한 이상 가능한 많은 금융기관과 인수의향을 위해서 접촉할 것이 분명했기 때문이었다.

리차드의 예상은 빗나가는 법이 없었다. 카레온은 한국내외의 은행, 투자펀드 등을 대상으로 인수의향을 타진하면서 활발한 접촉을 시도하고 있었다. 카레온은 국민은행과 HSBC, 스탠다드차타드 등 국내외 은행뿐 아니라 미국계 할부금융회사인 GE캐피탈, 투자은행인 ABN암로, 싱가포르 투자펀드인 테마섹 등에도 인수의사를 타진하고 있었다.

리차드는 닉에게 대한은행에 대한 분석을 서둘러 마무리 할 것을 주문하고 그룹회장을 찾아가 임시이사회를 열 것을 요구했다. 글로벌그룹회장은 리차드의 요구대로 임시이사회를 주선하였다. 모든 것이 급박하게 돌아가고 있었다. 리차드에게는 대수롭지 않은 일이 되어 버렸지만 이사회에서는 혹시 나오게 될 질문에 답을 하기 위해서 철저히 준비를 해야 했다.

임시이사회가 열렸다. 이번 이사회 회의에는 닉도 동행을 했다. 리차드는 준비한 자료를 펼쳐보이며 발표를 하기 시작했다.

"최고경영자회의에서 제기된 대한은행 인수 건에 대해서 말씀 드리겠습니다. 그 동안 M&A팀에서는 한국에서 인수대상자를 물색해 오고 있었습니다. 대상인수 기업 중에서 글로벌그룹의 성장전략과 맞아떨어지는 Target은 대한은행이라는 잠정적인 결론을 바탕으로 대한은행에 대한 딜 분석을 진행해 왔습니다. 현재는 대한은행의 최대주주인 카레온의 주식 보유기한 만료일이 다가옴에 따라 향후 대한은행의 1대 주주는 누가 될 것인지에 대해 우리 못지 않게 한국 및 해외 금융시장이 관심을 보이고 있습니다."

리차드는 잠시 숨을 고르면서 다음 페이지를 넘겼다.

"그렇다면 대한은행이 인수대상으로 가지고 있는 매력은 무엇일까요? 대한은행은 M&A 대상, 혹은 사업파트너로서 여러 가지 매력을 갖고 있는데, 첫째는 한국 내 은행권 최상위 수준의 자산건전성[29]과 자본적정성[30]을 유지하고 있습니다. 둘째는 중소기업 여신에 대해서 위험관리 능력이 우수한 것으로 알려져 있습니다. 그리고 셋째는 한국 은행권 경쟁구도에서 대한은행은 나름대로 경쟁력을 갖춘 은행으로 평가받고 있습니다."

리차드는 다시 잠시 숨을 몰아 쉬고는 숫자가 가득 채워진 도표와 차트를 보이면서 설명을 이어갔다.

"여기에 나타난 수치는 2003년 6월 말 기준입니다. 대한은행의 요주의 이하 여신비율과 고정 이하 여신비율은 각각 3.1퍼센트와 1.9퍼센트, 그리고 Coverage Ratio는 88.7퍼센트로 한국 내 은행권에서는 최상위 수준입니다. 또한 이번 달 초에 하이브리드 채권 발행과 신형 우선주의 보통주 전환이 성공적으로 진행되어 자본적정성 면에서도 발전된 모습을 보여 주고 있습니다. 그리고."

리차드의 말을 가로채며 이사회 멤버 중 한 사람이 질문을 던졌다.

"리차드가 알고 있는 것처럼 우리가 가장 중점적으로 봐야 할 부분이 바로 중소기업대출입니다. 그것에 대한 상황은 어떻습니까?"

리차드가 예상했던 질문이었다.

"맞습니다. 대한은행 인수에 중요한 변수가 중소기업대출이 될 것입니다. 글로벌은행이 중소기업대출사업을 몇 년 전에 접은 걸 기억하실 겁니다. 그만큼 한국 내에서 중소기업대출은 쉽고도 어려운 사업입니다. 그런데 대한은행은 이 분야에 좋은 모습을 보여

29) 자산건전성분류기준은 미래의 상환가치에 따른 자산분류방식으로서 99년 말부터 시행되는 자산건전성 정도에 대한 새로운 분류기준을 말한다. 금융기관의 자산 운용상 부담하고 있는 신용위험의 정도에 대한 평가를 통해 부실자산(dishonored assets)의 발생을 사전 예방하고 이미 발생한 부실자산의 조기 정상화를 촉진함으로써 금융기관 자산운용의 건전화를 도모하기 위해 마련한 제도이다.

30) 자본적정성은 금융기관이 자산의 부실 등으로 영업과정에서 발생할 수 있는 손실을 흡수하기 위해 확충해 놓고 있는 자기자본의 정도를 말한다. 일반적으로 금융기관은 자기자본 규모가 클수록 영업상 발생할 수 있는 손실에 대처해 나갈 능력이 더 많은 것으로 평가되기 때문에 금융기관의 보유 위험자산 규모에 비하여 어느 정도 자기자본을 확충해 놓고 있는지가 금융기관의 생존을 결정하는 중요한 요소가 된다. 금융기관 중 은행의 자본적정성 정도는 국제적으로 통일된 국제결제은행(BIS)기준의 자기자본비율로서 주로 판단한다.

주고 있습니다. 어찌 보면 대한은행의 가장 매력적인 부분이라고도 할 수 있습니다. 대한은행에서 중소기업 여신은 전체 여신 중 37퍼센트의 큰 비중을 차지하고 있습니다. 그리고 그 중 48퍼센트가 신용대출 형태이나, 고정 이하 여신비율은 0.55퍼센트로 국내 은행기관 전체 고정 이하 여신비율 1.88퍼센트보다 현저히 낮은 수준입니다. 어떻습니까? 이 수치들은 대한은행이 중소기업 여신에 대한 위험관리 능력이 우수한 것을 말해 줍니다. 물론 정확한 것은 실사를 통해서 검증되어야 할 것입니다만."

리차드의 자신감 있는 설명에 이사회 멤버들은 숨을 죽이고 있었다.

"그러면 다음으로는 대한은행의 경쟁력에 대해서 언급을 하겠습니다. 어찌 보면 대한은행의 한국 내 은행권의 경쟁구도에서 대한은행의 가장 큰 매력을 찾아 볼 수 있을 것 같습니다. 현재 한국은 2003년 상반기까지 대규모 은행들의 합병으로 인해 은행권은 국민, 신한, 우리, 하나은행의 빅 4와 외환, 제일, 대한은행 등의 중급 은행 및 지방은행의 경쟁 구도로 전환되었습니다. 이미 잘 알고 있지만 글로벌은행을 통한 한국에서의 틈새시장 전략은 쉽지 않은 상황이 되고 있습니다. 그런 점을 생각해 볼 때 자산규모, 점포수, 가격협상 능력 등에서 상대적으로 열등한 위치에 있는 중급 은행들의 입지는 갈수록 어려워질 거라고 판단됩니다. 따라서 중급 규모 은행들의 선택은 합병을 통한 규모의 경제를 확보할 가능성이 높아 보이며 이 과정에서 대한은행은 우리의 인수대상으로 적합하다고 보입니다."

리차드는 페이지를 넘기면서 이사회 멤버들의 눈치를 살피고 있었다. 리차드의 말은 점점 더 힘이 실리고 있었다.

"대한은행이 갖고 있는 매력과 글로벌그룹의 아시아 시장에 대한 전략은 잘 맞아떨어지고 있습니다. 그리고 지금은 행동하기에 적절한 때라고 봅니다. 우리가 지금껏 유럽이나 아시아 시장에서 M&A를 전략적으로 추진해 온 것과 같은 맥락에서 이번의 대한은행 인수는 아시아시장 진출전략으로서는 필수적인 것으로 볼 수 있습니다."

"그런데 2년 전에 남미시장에서 우리는 혹독한 대가를 치른 걸 기억하실 겁니다. 남미지역 지점들의 신용위기는 고스란히 본점으로까지 영향을 끼쳤었는데 그에 대한 대비책은 어떤지요?"

검은 안경을 낀 이사회 멤버가 퉁명스러운 말투로 물어왔다.

"예 잘 알고 있습니다. 남미에서 얻은 대가를 교훈삼아 해외지점을 현지법인화시키는 전략으로 현재 수정하고 있습니다. 따라서 대한은행 인수 후 지점이 아닌 현지법인형태로 운영될 것입니다. 거기에다 현 시점에서 우리의 다음 타깃은 중국시장임을 고려할 때, 대한은행을 한국시장에 적합한 현지화·토착화하는 시험을 해보는 것은 전략적 면에서 매우 중요합니다. 중국은 여전히 국가위험(Country Risk)도[31]가 높기 때문에 중국은행을 인수할 경우 현지법인 형태로 가야 할 테니 말입니다. 남미시장에서 경험한 것처럼 해외의 지점이 파산할 경우, 글로벌그룹은 그에 대한 책임을 피할 수 없으며, 대한은행의 현지법인화가 갖는 중요한 의미는 중국시장에서의 현지화를 위한 선행적 시험 무대가 될 수 있다는 것입니다."

리차드의 말이 채 마무리되기도 전에 질문이 흘러나왔다.

"3년 전에 인수한 글로벌은행의 상황은 어떤가요?"

리차드는 그의 질문이 너무 광범위하다는 생각이 들었지만 적절히 정리를 하여 대답을 해야 했다.

"현재 글로벌은행은 한국이 IMF외환위기를 거치면서 기업금융이 많이 성장을 했습니다. 소비자금융도 꾸준히 성장하고 있지만 지점 확장을 위해서는 금융감독당국으로부터 승인을 받아야 하는데, 그것이 상당히 어려운 상황입니다. 따라서 대한은행 인수는 일시에 그런 한계 상황을 극복하는 동시에 현재 한국에서 불고 있는 프라이빗뱅킹(Private Banking) 사업을 활성화시켜 한국 내 고객의 종합자산 서비스에 대한 욕구를 충족시켜 줄 수 있을 것으로 보입니다."

이사회 멤버들은 만족스러운 표정을 짓고 있었다. 그러나 리차드는 쐐기를 박기라도 하려는 듯 목소리를 한껏 높였다.

---

31) 국가위험도는 자금을 차입하는 민간기업이나 개인이 속한 나라의 자금상환에 대한 위험도를 말한다. 특정국가에 대한 투자나 여신을 제공할 경우 그 나라의 정치·경제·사회적 여건에서 발생할 수 있는 채권회수상의 어려움을 나타낸다. 국가위험은 보통 채무국의 외채상환능력부족, 전쟁이나 내란, 수출입규제 등에서 비롯된다. 따라서 국가위험도를 평가할 경우 그 나라의 정치·경제 전반에 대한 종합적인 분석이 필수적이다.

"대한은행의 인수는 한국 내에서 순위권 내 은행으로의 진입과 이를 통한 전면적인 소매금융(Retail Banking)의 전개에 있을 것입니다. 또한 향후에 전개될 일본 및 중국 내 영업에 대비한 테스트시장(Test Market)으로서 다양한 상품과 기법을 시험하는 장이 될 것입니다. 우리가 경험한 것처럼 금융부실 문제가 완전히 치유되지 않았고 본격적인 은행인수에는 너무 많은 비용이 소요되는 일본의 경우에는 현재와 같이 대금업 및 신용카드 위주의 소비자 금융에 주력하고, 중국의 경우 시장의 안정성이 확인될 때까지는 전략적 제휴에 무게를 둘 수 밖에 없습니다. 따라서 상대적으로 시장안정성이 우수하고, 5,000만이 넘는 인구의 유효 구매력에 따른 소매금융시장의 성장성이 높으며, 종합자산관리 등에 대한 수요가 급증하고 있는 한국시장은 확실한 성과를 보장할 것으로 보입니다. 마지막으로 한 가지 더하자면, 현재 영업중인 글로벌은행과 대한은행을 합병한다면 상당한 시너지효과를 낼 수 있을 것입니다. 현 단계에서는 대한은행 인수에 대한 승인을 이사회에 정중히 요청하는 바입니다."

리차드의 발표는 30분 동안 지속되었고 마지막 말을 뒤로 한 채, 리차드와 닉은 회의실을 나왔다.

리차드는 자신의 방으로 돌아오는 길에 닉에게 몇 가지 주문을 했다.

"앞으로 임시이사회를 몇 차례 더 가져야 할지 모르네. 이사회에서 추가적인 질문이나 요청 사항이 계속 이어질 것이야. 그러니, 자네는 한국 쪽에 연락해서 필요한 정보를 계속해서 입수하고 이사회의 질문에 빈틈없이 답할 수 있도록 준비해 주게."

리차드는 마치 앞으로 전개될 상황을 훤히 꿰뚫어 보고 있는 듯했다. 닉은 자리로 돌아오자마자 한국과 홍콩으로 이메일을 보냈다.

2장 War Room의 긴장이 시작되다

크리스가 미국 출장을 마치고 인천공항에 도착하기가 무섭게 전화벨이 울리기 시작했다. 크리스는 여행용가방을 가진 채로 글로벌은행으로 향했다. 크리스의 예상은 빗나가지 않았다. 글로벌그룹의 대한은행 인수(Acquisition) 작업이 11월 19일 자로 본격적으로 시작되었다. 사무실의 분위기는 예전과 다름 없이 차분해 보였으나 오후 2시가 되자 인수작업을 위한 실사(Due Diligence) 작업 팀이 발표되었다. 그리고 오후 6시가 되면서, 인수팀리더(Acquisition Team Leader)들의 첫 회의가 극비리에 소집되었다.

그곳에서의 분위기는 사뭇 달랐다. 아시아태평양지역점(Asia Pacific Region) 및 한국 인수작업에 참여하는 팀리더들과 앞으로의 일정에 대한 대략적인 소개가 있었다. 갑작스러운 회의 소집 탓인지, 참석자들은 긴장과 흥분된 눈빛을 감추지 못하고 있었다. 크리스는 외환위기 당시, 한국종금이 파산되기 직전의 분위기와 너무 비슷하다는 느낌이 들었다. 파산이냐 인수냐가 문제가 아니고 새로운 변화에 대한 두려움과 설렘으로 참석자들은 그렇게 숨을 죽이고 있는 것이었다.

지난해 가을, 뉴욕본사의 요청으로 대한은행에 대한 제한적 실사가 극비리에 진행된 적이 있었기 때문에 크리스는 어느 정도 짐작은 하고 있는 상태였다. 회사내부적으로 극비사항으로 그간의 진행 상황에 대해서 아무도 모르고 있었던 터였다. 그 동안 글로벌그룹의 국내 금융회사에 대한 몇 차례의 인수 시도 탓인지, 혹자들은 이번 인수 작업도 또 다른 해프닝이 될 것 같다고 점치기도 했다. 하지만 금융 환경의 변화와 국내금융시장에서 글로벌은행의 영업력 한계를 극복하기 위해서 이번 인수는 그르칠 수 없는 순리라는 의견도 만만치 않았다.

인수팀리더들의 회의는 War Room이라고 불리는 인수상황실에서 매일 진행되는데, 갑작스럽게 통보를 받은 탓인지 인수팀리더로 지목된 부서장들은 어리둥절한 표정을 짓고 있었다. 어디에서부터 무엇을 어떻게 진행해야 할지 아무도 정확히 알고 있는 사람은

없었다. 당장 내일부터 실사작업이 시작된다는 주문이 본사로부터 내려졌지만 무엇을 해야 할지를 모르고 있었다.

War Room에서는 뉴욕본사의 M&A Team 수장인 리차드에 의해서 극도로 긴장된 상태로 회의가 진행되었다. 세계 최고를 자랑하는 글로벌그룹의 M&A팀이 한국에 온 것이다. 또한 세계 각국에서 모여든 업종 전문가들(Sector Specialist)은 또다른 강한 인상을 주고 있었다. War Room에서의 시간들은 글로벌그룹의 힘이 어디에서 오는지를 느끼게 하였다.

War Room에서 각 팀리더들의 보고가 진행되면서, 많은 논쟁이 오고 갔으며, 때로는 질타가 있기도 하고, 웃음꽃이 피기도 했다. 회의에서 결정되는 것은 극비에 부쳐졌고, 따라서 회의에 참석한 제한된 사람만이 진행상황을 알 수가 있었다. 그곳에서 오고 가는 모든 의사결정 사항들은 인수가격에 영향을 줄 수 있기 때문에 외부로 유출된다면 인수전쟁에서 치명타를 맞을 수 있다. 뉴욕에서 온 평가(Valuation)팀은 실사 작업을 통해서 확인된 사실들을 인수가를 결정하는 평가모델에 하나 둘씩 반영하고 있었다. 글로벌은행의 인수팀리더들은 아시아태평양 지역점에서 온 팀리더들과 긴밀한 협조체계를 유지해야 하며, 지역점의 팀리더들은 뉴욕팀들에게 보고하게 되어 있었다.

뉴욕에서 실사작업에 대한 매뉴얼이 전달되었고, War Room에서 회의가 있고 난 다음날, 오후 6시가 되자 크리스는 밤새 파악한 내용들을 대충 수습하고 글로벌은행 9층에 있는 War Room으로 향했다. 하룻밤 사이에 새로운 사람들이 많이 눈에 띄었다. 새로운 팀원들에 대한 소개를 할 여유도 그곳에는 없어 보였다. 누가 누군지 관심도 없는 듯했다. 글로벌은행의 행장은 심각한 얼굴로 감독관 역할을 하고 있었다.

그가 무겁게 입을 열었다.

"자, 오늘까지 파악한 결과를 발표해 주시죠."

그러자 신용수신부서의 인수팀리더 역할을 하고 있는 한 상무가 입을 열었다.

"현재 크레딧 관련자료들을 보고 있습니다만 자료가 불충분하여 특별한 이슈 사항을 찾지 못했습니다. 다만, 대한은행은 중소기업대출이 총 대출에서 차지하는 비중이 상당히 큰 것으로 보입니다. 관련된 자세한 자료는 요청한 상태입니다."

그의 보고는 간단하고 명료했다. 왠지 행장은 많은 정보를 얻지 못한 것에 대해서 못마땅해 하는 듯 보였다.

다음은 김전무의 차례가 되었다.

"공시된 재무제표를 검토하고 있는 중입니다. 자세한 분석을 하기 위해서는 원장(General Ledger)을 열람해야 합니다. 데이터 요청 목록에 포함은 시켜 놓았지만 Target으로부터 협조를 받을 수 있을는지는 확실치 않습니다."

크리스는 김전무가 보고하고 있는 동안 행장의 눈치를 살피고 있었다. 그의 얼굴은 점점 달아오르고 있는 듯했다. 때마침, M&A팀의 수장인 리차드가 김전무의 구원타자로 등장했다.

"그렇겠군요. 일단 원장이 있어야 재무제표의 숫자들을 확인 대조할 수 있을 것 같습니다. 그리고 향후에도 필요한 데가 많이 있을 듯하니 원장을 확보하는 것이 중요한 것 같습니다."

다음은 O&T(Operations & Technology)부서 이상무의 보고가 이어졌다.

"Target은 하나의 원장시스템을 갖고 있습니다. 현재 글로벌은행은 기업금융과 소비자금융의 별개의 시스템이 존재하는 것과는 달리 하나의 원장시스템은 상대적으로 단순한 편입니다. 그리고 오퍼레이션 기능에 대해서는 정보가 부족한 상태입니다만 조직적인 측면에서 상품에 따라 조직이 구성되어 있는 듯합니다."

그 다음은 인사, 자금업무, 법률에 관한 보고가 이어졌지만 행장의 입맛에 맞는 보고를 하는 팀리더는 아무도 없는 듯 보였다. 팀리더들이 속도를 내지 못하고 있는 데 대해 행장은 불편한 마음을 감추고 있는 것이 분명해 보였지만 예전과는 달리 큰 소리를 지르지 못하고 있었다. War Room에서의 보고 내용은 전화선을 타고 뉴욕까지 전달되고 있었기 때문이다.

리차드의 부사수 역할을 하고 있는 닉은 회의가 진행되고 있는 동안 계속 무언가를 열심히 노트하고 있었다. 간간이 뉴욕에서 던지는 질문에 대해서는 리차드가 대부분 대답을 해 주었고 Yes/No가 필요한 부분에 대해서는 담당부서장들이 확인을 해 주고 있었다. 리차드의 M&A팀 베이스캠프는 여전히 뉴욕에 있었고 한국에는 원정캠프가 마련되어 있는 셈이었다.

리차드는 회의가 마무리되는 시점에 업데이트가 된 실사메뉴얼(Due Diligence Manual)을 각 팀리더들에게 이메일로 전달하겠다는 말과 함께 실사보고서(Due Diligence Report)의 제출기한을 지켜줄 것에 대한 당부의 말을 전했다. 팀리더로 지명된 부서장들의 얼굴빛은 한껏 어두워 보였고 긴장된 분위기는 회의 내내 이어졌다. 크리스도 압박감을 느끼기는 마찬가지였다. 2주 안에 실사메뉴얼에 따라 필요한 내용을 파악하고 100페이지가 넘는 보고서를 작성해야 하는 작업은 분명 큰 부담이었다.

시간이 흘렀다. 실사를 진행한 지 일 주일이 넘어가자 War Room에서 부서장들의 보고 내용이 활기를 띠기 시작했다. War Room은 발 디딜 틈이 없을 정도로 새로운 사람들로 채워지고 있었다. 글로벌그룹의 해외지점 및 지사에서 모여든 세계 각국의 분야전문가들! 모든 것이 한글로 작성되어 있는 자료들이 하나하나 영문으로 바뀌어가고 복잡하게 얽힌 실타래들이 풀려가고 있었다. 산발적이고 얽혀 있던 자료들이 각 분야 전문가들의 손놀림을 통해서 마법처럼 취합되거나 해체되고 있었다.

닉의 손놀림이 현란해지기 시작하면서, 스프레드시트로 만들어진 그의 인수가 결정 모델은 시트수 90개를 넘기고 있었다. War Room에서는 팀리더들과 뉴욕의 M&A팀과의 토의보다는 뉴욕과의 컨퍼런스콜이 더 많은 시간을 잡아 먹기 시작했다.

리차드의 보고가 이어졌다.

“인수가는 우리가 예상했던 범위를 크게 벗어나지 않습니다. 중소기업대출(SME Loans) 등 몇 가지 확인 사항이 남아 있지만 지금으로서는 60% 고개를 넘었으니 그 쪽에서 일을 진행하는 데 별 무리가 없을 것으로 보입니다. 팀은 이제 내일 뉴욕으로 철수합니다.”

리차드는 뉴욕과의 컨퍼런스콜에서 자신감을 보이고 있었다.

3장 Due Diligence가 종료되다

크리스가 실사팀원들과 함께 실사가 진행되고 있는 Data Room에 도착했을 때는 이미 많은 사람들이 실사업무를 진행하고 있었다. 생각했던 것보다 많은 사람들이 투입되어 있었다. 이곳저곳에서 꽤나 익숙한 얼굴들이 크리스의 시선에 들어 왔다. 실사작업을 위해 데이터룸이 개방되는 시간은 2주간. 그 이후에는 특별한 경우를 제외하고는 필요한 데이터를 열람할 수가 없다는 경고성 문구가 데이터룸 입구에서 크리스의 시선을 잠시 고정시켰다. 그런데 막상 Data Room에서는 필요한 정보가 거의 없는 듯했다. 실사팀원들의 스트레스는 거기에서부터 시작되었다. 매일 실사 작업에서 발견된 중요 이슈에 대해서 인수팀리더들에게 보고해야 하는데 자료의 부족은 그야말로 스트레스였다.

오후가 되자 홍콩에서 온 로버트가 Data Room을 방문했다. 로버트는 글로벌은행이 2년 전에 추진했던 다른 M&A 딜에서도 한국담당으로 한국을 다녀간 바 있었다. M&A와 같은 주요한 이슈에 대해서는 한국에서 뉴욕으로 바로 보고를 하는 것이 아니라 홍콩에 있는 지역점을 통해서 이루어지다 보니 홍콩에 있는 지역점 담당자들의 한국방문이 잦았다. 크리스를 보자 로버트는 익살스러운 표정을 지으며 반갑다는 인사를 했다. 로버트의 말은 무척 빨랐기 때문에 그가 하는 말을 조금이라도 집중하고 있지 않으면 금새 내용을 놓치기가 일수였다. 그도 이번 딜의 중요성을 알고 있어서인지 긴장된 모습을 감추지 못하는 듯 보였다. 로버트는 크리스가 자신의 말을 이해하고 있는지에 대해서 가끔씩 확인을 하곤 했다.

"크리스, 인수가 확정될 때까지 나와 얘기할 것이 많을 듯해요. 일단 한국에서는 당신이 있으니 모든 것을 당신이 알아서 해 주고, 특별한 이슈사항에 대해서는 나한테 보고를 해주면 내가 뉴욕으로 보고토록 하지요. 오늘은 Game Plan에 대해서 얘기를 좀 하도록 하지요. 내 말이 무슨 말인지 알겠지요?"

Data Room에서의 시간은 너무 빨리 지나가고 있었다. 필요한 정보가 제대로 준비되

어 있지 않은 탓에 이곳저곳에서 불만이 터져 나오기 시작했다. 급기야는 대한은행 측에 불만을 토로하고 추가 요청 사항에 대해서는 목록을 만들어 따로 제출하였다. Target에서 의도적으로 정보를 충분히 제공하지 않고 있는 듯했다. 추가요청 사항 목록은 늘어만 갔고 M&A를 주간하는 증권사직원은 추가 요청 목록을 점검하는 일에 힘겨워하고 있었다.

War Room에서의 보고는 긴장감이 더욱 높아지고 있는 가운데, 실사작업을 위한 데이터의 한계를 극복하기 위해 급기야 대한은행의 경영진과 인터뷰 일정이 잡혔다. 인터뷰를 위해 각 팀별로 주어지는 시간은 30분 남짓 되었다.

인수팀리더들에게 필요한 정보를 확보할 수 있는 기회가 온 것은 분명했지만 30분의 시간은 너무 짧은 시간이었다. 하지만 그 동안의 노력으로 모아진 정보의 파편들을 끼워 맞추는 데는 절호의 기회가 왔다.

크리스는 고민 끝에 김전무에게 한 가지 제안을 했다.

“전무님, 인터뷰에 사용할 Q&A 항목을 작성하는 것이 어떻겠습니까? 일단 우리로서는 실사보고서를 작성하는 것이 중요하니 실사보고서에 포함될 내용에 대해서 질문사항으로 만들고 그에 대한 답을 듣는 형식으로 하면 어떻겠습니까? 토의식으로 진행해서는 얻어 낼 것이 별로 없을 것 같습니다. Yes/No의 답만 얻으면 보고서 작성에는 문제가 없을 것 같습니다.”

김전무는 크리스의 제안에 찬성했다.

“좋은 생각이네. 지금 다른 팀들은 이미 인터뷰를 진행하고 있긴 하네만 자네 생각이 맞는 것 같아. 우리가 먼저 만들어서 아직 인터뷰를 진행하지 않은 팀들에게 가이드라인을 만들어 보도록 하세.”

크리스는 김전무가 무슨 말을 하려는지 알고 있었다.

“제가 일단 우리 팀이 해야 할 질문 사항을 정리해 보겠습니다. 그런 후, 다른 팀들에게는 같은 접근을 하면 어떻겠냐는 제안을 하시면 될 것 같습니다. 시간이 없으니 내일 아침까지 제가 우리 질문을 만들어 보겠습니다.”

다음 날, 매니지먼트에 질문서가 전달되었고 다른 팀들에게도 같은 방식으로 접근할 것을 종용하는 이메일이 실사팀원들에게 전달되었다.

인터뷰는 신라호텔 회의실에서 이루어졌다. 김전무와 크리스는 질문할 내용을 챙겨 서둘러 신라호텔로 향했다.

"크리스, 질문 사항은 모두 챙겼지?"

김전무의 확인습관이 발동한 것이다.

"예, 그런데 이번에 대한은행을 인수하기는 할까요? 신문에서는 스탠다드은행이 유력한 것으로 나오던데요."

크리스는 화제를 잠시라도 다른 곳으로 돌리고 싶었다. 지난 밤에 질문사항을 정리하면서 한잠도 자지 못했던 터라 긴장감을 조금이라도 떨쳐버리고 싶었다.

"모르겠어. 뉴욕에서 저렇게 난리를 치는 것을 보면 인수를 하려고 하는 것 아니겠어. 그런데 크리스, 한 가지 당부할 게 있네. 오늘 인터뷰하면서 말이야(잠시 뜸을 들였다). 오늘 인터뷰 상대는 예전에 나랑 같이 근무를 했던 사람이야. 내 생각에는 글로벌그룹이 대한은행을 인수한 후에도 그 사람은 경영층에 남아 있을 가능성이 있네. 그러니 오늘 인터뷰를 하면서 너무 공격적으로 하지 않는 것이 좋을 듯하네. Target이라고는 하나 어찌 될지 알 수 없는 형국이야. 인수가 결정되고 나면 글로벌은행과 대한은행의 합병은 당연한 수순이 될 것 같으니 말일세. 그러니 자네도 이 부분을 생각하고 있는 게 좋을 거야."

크리스도 어느 정도 예상은 하고 있던 바였다. 하지만 김전무의 말은 왠지 모를 불안한 앞날에 대한 전조등 같다는 생각이 들었다. 대한은행과 글로벌은행이 합병할 가능성은 그리 어렵지 않은 추측이었지만 대한은행의 경영층이 남게 된다는 것은 또 다른 국면이 된다는 것을 크리스는 알고 있었다. 그날 인터뷰는 냉랭한 분위기 속에서 어느 쪽이 Target인지 모를 정도로 이상한 기운이 감도는 가운데 진행되었다.

실사작업에 허락된 시간이 모두 지나갔다. War Room에서는 뉴욕 M&A팀과 마지막 회의가 진행되고 있었다.

마침내 리차드가 뉴욕에 마지막 보고를 끝내고, 크리스는 김전무와 함께 회의실 문을 나오고 있었다. 크리스를 부르는 소리가 들렸다. 닉이었다.

크리스는 닉쪽으로 다가갔고, 김전무는 감옥을 탈출하는 사람마냥 총총걸음으로 회의실을 빠져나갔다.

"혹시 빠진 내용이라도 있나요?"

긴장된 모습의 크리스가 조심스럽게 말을 건네는 모습이 재미라도 있는 듯 닉은 빙그레 웃고 있었다.

닉이 크리스의 어깨를 치며 말을 걸어왔다.

"나 모르겠어? 시카고의 긴머리 팝아티스트 말이야?"

닉이 말을 이어갔다.

"미안해, 나는 처음부터 너를 알아 봤지만 일에 집중을 해야 했기 때문에 아무런 말을 할 수가 없었어. 너는 정말 변한 것이 없네. 진작에 말을 했었어야 하는데."

그는 시카고대학 동창생이었다.

"아, 그 닉? 세상에 난 정말 몰랐어. 정말 반가워. 세상 정말 좁다. 네가 이렇게 머리를 짧게 하고 있으니 전혀 다른 사람 같아 보여."

"그런데, 내일이면 뉴욕으로 간다면서. 그럼 오늘 저녁 식사라도 같이 하자. 너를 이렇게 만났는데 그냥 헤어지기는 너무 아쉽다."

"그래, 그렇지 않아도 그런 생각을 하고는 있었어. 정리 좀 하고 1시간 뒤에 로비에서 보자."

두 사람은 로비에서 만났고, 크리스는 글로벌은행 길 건너편 새로이 오픈한 이태리안 레스토랑으로 닉을 안내했다.

"닉, 네가 이렇게 멋있는 사람이 되어 있을 줄 몰랐어. 학교 다닐 때도 머리를 좀 깎고 다니지 그랬어. 나는 솔직히 네가 괴짜인줄로만 알았지. 이렇게 글로벌그룹의 M&A전문가가 되어 있을 줄은 꿈에도 생각 못했어."

"글쎄, M&A일은 얌전해 가지고는 할 수가 없어. 과감하고 때로는 배짱도 있어야 하는 일이야. 내부적으로는 이사회 승인을 받으려면 실력만 가지고도 안되고 정치적인 작업도 필요해. 그리고 외부적으로는 Target과 협상을 진행하는 게 만만치 않은 작업이야. 인수물건을 가진 상대와 관계도 지속적으로 유지하고 있어야 하고, 그들의 의중을 늘 파악하고 있어야만 해. 거기다가 인수경쟁자는 어떤 딜에서나 만나게 되는데, 그들의 강점과 약점을 파악하는 것도 매우 중요한 일이야. 너도 알고 있겠지만 글로벌그룹은 별동부대인 M&A팀이 CEO직속 부서로 따로 있지. 일 년에도 수 십 건의 M&A를 진행하니 일도 굉장히 많은 편이야. 그리고 어떨 때는 동시에 여러 딜을 해치워야 해. 스트레스도 엄청 심해. 그래서 그 동안 너한테 말 한마디도 못 했던 거야.

"몇 년 뒤엔 너도 리차드처럼 되는 거야?"

"하하하, 글쎄! 내가 하는 일은 나 혼자서 하는 것은 아니야. 뉴욕에서 인수프리미엄 및 시너지효과 분석을 위해서 모델링 작업을 전문으로 하는 친구가 함께 작업을 하지. 인수가를 결정하는 모델링 작업은 매우 중요해. 인수프리미엄을 높게 산정해서 우리가 너무 많은 대가를 지불하면 M&A팀의 평가는 좋게 날 리가 없잖아."

인수작업이란 단순한 숫자 놀음이나 근사한 문서 작업이 아니라는 것을 새삼 느낄 수 있는 시간이었다.

다음 날, 뉴욕 M&A팀은 예정대로 서울을 떠났고, 2주간 진행된 실사작업은 데이터룸이 폐쇄되면서 종결되었다. 그리고 세계 각국에서 모여 들었던 분야전문가들도 하나둘씩 돌아갔다.

오후가 되자 인수팀리더들의 실사결과보고서가 내부메일을 통해서 모아지고 있었다. 크리스도 서둘러 보고서를 마무리하고 김전무와 마지막 검토 작업을 했다.

"크리스, 그 동안 수고 많았네. 자네 덕분에 무사히 일을 마무리 지을 수 있었네. 일단 우리가 할 수 있는 일은 다했으니 며칠 간 휴가를 내고 좀 쉬게나. 아 참, 오늘 6시에 인수팀리더들을 위해 행장이 파티를 준비했다고 하는데, 참석할 건가?"

김전무의 표정은 밝았다.

"네, 그렇지 않아도 홍콩에서 온 로버트가 파티에 함께 참석하자고 해서 그럴 계획입니다. 이번 기회에 사람들도 알아두면 괜찮을 듯하고요. 다들 이메일을 통해서는 친해졌는데, 얼굴을 보지 못했거든요."

그날 파티에는 그 동안 실사작업에 투입되었던 사람들이 거의 모두 참석한 듯 많은 사람들이 레스토랑을 가득 메웠다. 중국 퓨전식의 음식과 무제한 제공되는 맥주. 글로벌은행의 행장은 한껏 기분이 고조되어 있었고 참석한 사람들은 성공적인 실사작업의 스토리를 나누며 막연한 기대감으로 들떠 있는 듯했다. 그날은 그렇게 그들만의 축하파티가 소박하게 열리고 밤이 깊어 갔다.

4장 인수가 결정되다

1월 26일, 설날이 막 지나고 출근하자 한 통의 이메일이 그 동안의 평화스럽던 정적을 깨고 날라왔다. 홍콩의 로버트로부터 온 이메일이었다. 글로벌그룹 이사회에서 1월 25일자로 대한은행에 대한 인수를 최종적으로 승인했다는 내용이었다. 김전무는 급히 크리스를 찾았다. 그 동안의 진행 상황에 대해서 전혀 모르고 있었던 눈치였다.

"이사회에서 결정되었다네. 그리고 2차 실사 작업이 극비리에 진행될 것이니 준비하고 있게."

한 동안 아무런 지시가 없던 터라 글로벌은행 내부직원들도 대한은행에 대한 인수가 불발탄으로 끝이 난 것으로 결론을 내리고 있었고 메스콤에서도 잠잠하던 차였다. 일주일 전에 카레온의 대한은행 인수 지분 매각이 1년 뒤로 미루어질 수 있다는 조심스러운 예측만이 나돌고 있었다.

"김전무님, 아직 게임이 끝난 게 아니었군요. 2차 실사라고 하면 무엇을 해야 하는지? 지난번에 다 끝이 난 걸로 알았는데요."

"이번 실사는 극비리에 진행되는 거네. 실사장소도 극비리에 알려 줄 걸세. 백부장이랑 함께 가도록 하게. 지난번과는 달리 뉴욕에서 원하는 몇 가지 사항만 확인하면 될 걸세. 시간은 단 4일 동안이네. 각별히 유념해야 할 것은 절대로 이 사실이 외부에 알려져서는 안되네."

크리스는 백부장과 함께 쪽지에 적힌 메모를 갖고 Data Room이 마련된 건물로 향했다. 건물 안은 썰렁한 분위기로 1차 실사 때와는 사뭇 다른 분위기였다. 크리스가 한 구석에 자리를 차지한 지 1시간이 지나자 준범감시를 맡고 있던 글로벌은행직원 두 사람이 합류했다. 그리고는 아무도 오지 않았다.

리차드가 심각한 얼굴로 입을 열었다.

"실사결과는 우리가 예상했던 것과 그리 차이가 나지 않은 것 같네. 지금으로서는 이 딜을 중단시킬만한 사유는 없어 보이는데, 자네 생각은 어때?"

"제가 보기에도 그렇게 보여요. 딜을 계속 진행하는 데 큰 문제는 없어 보입니다."

닉은 노트북에서 시선을 떼지 않으며 대답하고 있었다.

"다음 주 화요일에 매니지먼트회의가 예정되어 있어. 그 회의에서 이번 실사결과와 인수가격을 제시해야 하네. 그리고 예정대로 이사회에 이번 딜의 승인을 정식으로 요청하게 될 걸세. 그런데 발표자료 준비는 잘 되어 가고 있는가?"

"여기 한 번 보시죠. 첫 번째 스프레드시트는 인수프리미엄을 포함한 인수가격에 대한 정보를 한눈에 볼 수 있도록 정리했습니다. 다른 시트들과 연결이 되어 있어 뒤에 이어지는 정보가 변경이 되면 물론 인수가격을 나타내는 셀의 숫자가 자동으로 업데이트되도록 해 놓았습니다."

닉이 만든 스프레드시트는 200개가 넘어간 듯 보였다.

"매니지먼트회의에서는 인수가결정방법에 대한 전반적인 흐름만 설명을 하고 중요한 변수나 요인들에 대해서 특별히 지적하는 방식으로 발표자료를 파워포인트로 준비하면 될 것 같네. 그리고 스프레드시트는 값만 복사해서 증빙자료로 제출토록 하면 되겠네. 그리고 이사회에서는 파워포인트 발표자료만 있으면 충분해. 그리고 이번 회의부터는 닉이 이사회에서 인수가격(Pricing) 관련된 사항은 직접 발표를 하게. 지난번 매니지먼트회의에서 M&A팀의 기능에 관한 컨트롤을 강화하기 위해서 Pricing 매니저를 따로 두기로 결정했다네. 그 결정에 대해서 나도 동의했고 닉을 추천했지."

닉은 갑작스러운 리차드의 제안에 놀라는 기색을 보였다.

"이제 자네가 한번 해 볼 때가 되었어. 걱정하지마. 내가 Backup을 할 테니. 내용을 대충 한번 정리해 보세."

"알겠습니다. 일단 현재 상황에서 정리된 내용을 설명해 보도록 하겠습니다. 기본적으로, 대한은행의 가치를 산정하기 위해서 현금할인모형(Discounted cash flow method)[32]을 사용하였으며 대한은행의 추정 재무제표를 작성하기 위해 먼저 2003년 이전 과거 몇 년간의 사업부별 그리고 계정별 성장률을 예측했습니다. 그리고 성장률에 대한 정보는 마켓리서치팀이 제공한 정보와 비교를 해서 최종적으로 결정했습니다. 다음으로는 이러한 성장률을 바탕으로 향후 5년간 대한은행의 재무제표를 추정했습니다. 물론 추정재무제표는 실사작업을 통해서 확인된 숫자들에 바탕을 두고 있습니다. 그런 후 추정재무제표를 이용하여 대한은행의 잉여현금흐름(Free Cash Flow)을 계산했습니다. 마지막 단계는 가정한 성장률 하에 나온 잉여현금흐름을 적정한 할인율(WACC)로 적용하여 주당 가치를 산출했습니다. 여기에서 할인율을 대략 10에서 13퍼센트로 적용하고 경영권 프리미엄 10퍼센트를 가정하면 현재 우리가 목표로 삼고 있는 인수가가 산정됩니다. 물론 성장률은 외부변수에 따라 달라질 수 있기 때문에 인수가격의 민감도분석(Sensitivity Analysis)[33]도 실시했습니다. 결과적으로, 공개 매수가격은 시장가격에 10퍼센트 내외의 프리미엄이 적용되는 것으로 일반적으로 가정하면, 앞에서 계산한 적정 PBR에 경영권 프리미엄 10퍼센트를 적용해 보면 우리가 현재 목표로 삼고 있는 인수가격이 적정한지 테스트해 볼 수 있습니다. 계산에 따르면 현재의 목표인수가에 근접하고 있는 것으로 보입니다."

리차드는 만족스러운 표정을 짓고 있었다.

"괜찮은 것 같네. 그런데 아마 우리가 내부적으로 결정한 인수가격이 현재 주가와는 어떤 관계가 있는지에 대한 질문이 나올 것으로 예상되네. 혹 최근 주가에 대한 자료는 살펴보았는가?"

리차드의 가상 질문에 닉은 자신 있게 준비해 둔 자료를 읽어 내려갔다.

"예, 우리가 현재 상태로 목표하고 있는 주당 인수가격은 향후 약 3개월간에 예상되는 대한은행 평균 종가 대비 8퍼센트의 프리미엄과 과거 3개월간의 평균 종가 대비 13퍼센트의 프리미엄을 반영한 수준입니다."

32) 현금할인모형인 현금흐름접근법(Discount Cash Flow)을 사용하여 미래 영업현금흐름의 현재가치를 구한다.
33) 민감도분석이란 수학적 모형의 결과치가 입력되는 변수에 따라 어떻게 변화하는지를 분석하는 것을 말한다.

리차드는 만족스러운 표정을 짓고는 손가락으로 오케이 사인을 만들어 보였다.

"좋았어. 인수프리미엄에 대한 것은 그 정도면 될 것 같네. 그런데 자네도 알고 있는 것처럼 이사회에서는 인수프리미엄보다 더 중요하게 생각하는 것이 시너지효과이지. 인수프리미엄 10%를 지불하고도 충분한 시너지효과를 우리가 누릴 수 있다면 인수프리미엄에 대한 정당성은 충분히 설명될 것이니 말일세. 시너지효과에 대한 분석은 어떻게 정리되어 있지?"

리차드는 이사회에서 나올 질문을 모두 알고 있는 듯했다.

닉의 설명이 계속되었다.

"우선 먼저, 시너지효과의 상대성이론에 대해서 언급하려 합니다. 현재 지목되고 있는 인수경쟁자인 스탠다드은행이 인수를 할 경우와 우리가 인수했을 때의 시너지효과는 다르게 나타날 수 있습니다. 즉, 여러 가지 이유 중에서 스탠다드은행은 기업금융이 글로벌은행만큼 규모나 질적인 면에서 강하지 않기 때문에 소비자금융이 강한 대한은행을 인수한다고 해도 우리가 기대할 수 있는 만큼의 시너지효과를 창출하기는 어려울 것 같습니다. 아마도 이런 분석이 우리가 스탠다드은행보다 인수프리미엄을 조금 더 지불하고도 대한은행을 인수할 수 있는 경쟁우의를 설명할 수 있습니다."

리차드는 닉이 좋은 포인트를 잡고 있다고 생각했다.

"우리가 기대할 수 있는 시너지효과는 구체적으로 어떤 것이 있는가?"

리차드는 닉에게 리허설을 하는 기회를 주고 있는 듯했다.

"대한은행과 글로벌은행의 합병으로부터 기대되는 시너지효과라는 제목으로 자료를 정리해 두었습니다. 우선 먼저 이러한 합병을 통해서 직접적으로 기대되는 '하드(Hard) 시너지'로 비용절약(Cost Savings)을 들 수 있습니다. 현재 소비자금융의 경우 지점의 중복은 없는 것으로 보이기 때문에 양 은행의 지점 통폐합에 따른 비용과 수익의 감소에 기인되는 상쇄효과는 고려하지 않았습니다. 비용절약은 주로 딜링룸의 통합, 관리기능의 통합, 직원의 감원, 마케팅비용의 감소 등에서 기대되고 있습니다. 특히, 직원의 감원은 통합과정에서의 자연적인 감소(Attrition)와 신규채용금지(Hiring Freeze)를 통해서 목표를 달성할 수 있을 것입니다. 통합과정의 초기에는 시스템비용 및 구조조정비용 때문에 비용절감 효과를 기대하기는 어려울 것 같습니다만 통합 후 3년이 지난 시점에서 그 효과는 나타나는 것으로 분석되고 있습니다."

"시스템관련 비용은 어떤가?"

리차드의 질문이 이어졌다.

"시스템비용은 글로벌은행이 현재 사용 중인 지역점의 시스템을 한국으로 이전해야 하는 감독당국의 요구사항 때문에 상당한 시간과 비용이 소요될 것으로 예상됩니다."

"오케이. 시스템이전은 금융당국의 요구사항이니 피할 수가 없겠지. 소프트시너지(Soft Synergy)는 어떤가?

"예. 소프트시너지 측면에서 수익증가(Revenue Enhancements)에 대한 분석입니다. 이 부분은 외부적인 변수에 의해 달라질 수 있는 부분이기 때문에 예상에 어려움이 많이 따르는 시너지입니다만 이번 딜에서는 다른 딜에서보다 명확한 소프트시너지 요인이 파악되고 있습니다. 대한은행은 소비자 금융고객군을 상당히 많이 갖고 있기 때문에 글로벌은행이 충분히 누리지 못한 규모의 경제를 실현할 수 있을 것으로 예상됩니다. 우선 먼저, 가장 큰 수익시너지는 파생거래에서 비롯될 것입니다. 한국시장에서 파생거래는 폭발적으로 증가하고 있는 추세인 데 반해 그 동안 글로벌은행의 경우 파생거래의 포지션 관리의 제한으로 인해 고객과의 파생딜을 제한할 수 밖에 없었습니다. 이번 딜은 이러한 한계상황을 극복하게 함으로써 수익증가에 크게 기여할 것으로 보입니다. 다음으로는 기업금융 입장에서 자본 대비 여신한도를 늘릴 수 있으며 신디케이션론과 같은 거래를 늘림으로써 수수료 수입이 증가할 것으로 예상됩니다. 그리고 또 다른 수익증가 요인으로는 현재 글로벌은행이 약한 부분인 중소기업대출(SME Loans) 부분을 대한은행이 강점을 갖고 있기 때문에 교차세일즈(Cross Selling)로 인한 수익증가도 예상됩니다."

"좋아 보이네. 다른 시너지효과는 없겠는가?"

리차드는 흡족한 표정으로 닉을 주시하고 있었다.

"업무개선(Process Improvement)을 통해 예상되는 시너지효과가 있습니다. 글로벌은행과 대한은행간에 교환할 수 있는 Best Practice가 존재합니다. 대한은행은 한국 내 사정에 맞는 모기지 업무프로세스를 갖고 있는 반면, 글로벌은행은 한국 내 새로운 상품개발에 탁월한 기능을 갖고 있습니다. 이러한 업무 개선 프로세스는 향후 통합은행의 수익 및 비용시너지 창출에 긍정적인 요인이 될 것입니다."

닉은 잠시 숨을 가다듬고는 계속 말을 이어갔다.

"마지막으로 재무조정(Financial Engineering)시너지도 기대되고 있습니다. 통합은행은 자본금의 최적화를 통해서 자본조달 비용(Funding Cost)을 감소시킬 수 있으리라 예상되며, 신용등급의 개선효과로 인해서 부채조달율(Borrowing Rate)도 낮아질 것으로 예상됩니다."

닉은 스프레드시트를 옮겨 가면서 시너지효과별 숫자를 보여 주었다.

"브라보, 완벽하네. 일단 그 정도면 충분 이상이네. 그룹회장이 이번 딜에 대해서 특별한 애정을 갖고 있으니 딜이 성공하는 것은 시간 문제 같네. 2주 뒤엔 대한은행장도 뉴욕을 방문하기로 되어 있네. 보고서는 다음 주 월요일까지 준비가 되어야 하네. 지난 멕시코 딜에 사용했던 자료를 참고하면 도움이 될 거야. 마지막 한 가지! 투자수익률도 확인해 보았지?"

리차드가 이사회에서 늘 질문받는 내용을 놓치지 않았다.

"물론입니다. 5년 안에 12%의 ROI(Return on Investment)는 쉽게 달성할 것 같습니다."

M&A팀의 보너스와 특별인센티브를 결정하는 중요한 지표였다.

"그리고 이사회에서 시너지효과를 얘기하면서 잊어서는 절대 안되는 멘트가 있네. 시너지효과를 제대로 맛 보려면 글로벌은행과 대한은행의 통합이 성공적으로 이루어져야 한다는 것을 반드시 언급해야 하네. 이 말은 우리한테는 보험과 같다네. 나중에 일이 잘못되면 화살의 방향을 통합은행의 매니지먼트한테로 돌릴 수 있도록 해둬야 해."

닉은 이번 딜을 통해서 이사회에서 발표를 할 것을 생각하니 가슴이 벅차 오르는 것을 느꼈다.

5장 인수작업이 종료되다

2004년 2월 20일이 되자 인수협상에 주도적으로 참가한 정부 고위 관계자의 발표가 있었다.

"글로벌그룹이 카레온의 대한은행 보유 지분을 인수하기로 합의했다."

글로벌그룹의 카레온 지분 인수가 공식적으로 최종 확인되었다.

그 동안 가파르게 상승하던 대한은행의 주가는 글로벌그룹의 인수 소식과 함께 그 동안의 인수 재료가 주가에 모두 반영된 탓인지 하루 종일 별 움직임을 보이지 않았다. 문제는 스탠다드은행이 보유하고 있는 대한은행 지분 9.99%의 행방이었다.

며칠이 지나지 않아 스탠다드은행 관련 내용이 신문에 실리기 시작했다.

"대한은행 인수 경쟁에서 글로벌그룹에 밀린 스탠다드은행이 요즘 웃고 있습니다. 경쟁 실패자에서 졸지에 글로벌그룹의 대한은행 인수 키를 쥔 주인공으로 위상이 탈바꿈했기 때문입니다. 스탠다드은행이 보유하고 있는 대한은행 지분 9.99%의 향배가 글로벌그룹 인수 성공에 결정적인 역할을 하게 되리라는 분석 때문입니다."

스탠다드은행은 마치 세간의 이 같은 눈초리를 즐기는 분위기였다. 지난 3월 초, 재경부와 스탠다드은행 주최로 '2004 서울 국제 크레딧뷰로 컨퍼런스'가 열린 자리에서 컨퍼런스 참석 차 서울에 온 카이 나고왈라 스탠다드은행 기업금융그룹 총괄이사는 기자간담회에서 글로벌그룹의 대한은행 인수와 관련된 질문에 묘한 답변을 하고 있었다.

"결혼을 발표했다고 결혼이 완성된 것은 아니지 않은가! 결혼식장에 신부가 들어와야만 비로소 알 수 있다. 글로벌그룹은 단순히 대한은행을 인수하겠다는 의도를 밝힌 것에 지나지 않는다. 앞으로 어떻게 될지는 아무도 모른다. 스탠다드은행은 주주로서 다양한

가능성을 염두에 두고 고려 중이다."

인수전을 둘러싼 마지막 신경전이 치열하게 전개되고 있는 것이었다.

더욱이 스탠다드은행이 런던과 홍콩에서 지난해 실적을 발표하면서 인수합병을 통한 규모의 증대를 모색할 주요 지역으로 중국과 남아프리카와 함께 한국을 명시하자 '대한은행에 대한 강력한 인수의지를 드러낸 것'이라는 분석이 나오고 이번 협상은 끝까지 가봐야 알 수 있다는 분위기로 반전되기도 했다.

스탠다드은행의 공격적 발언은 연일 계속 되었다.

"일이 어떻게 진행되든 최후 승자는 스탠다드은행이 될 것이다."

글로벌그룹이 대한은행 인수에 실패한 후 재협상이 시작되면 또 한번의 기회를 얻게 된다는 점에서 스탠다드은행은 당연히 승자가 될 것이라는 얘기였다. 한편, 스탠다드은행은 글로벌그룹이 제시한 가격에 보유 지분을 팔아도 엄청난 시세차익을 얻게 되니 손해볼 게 없다는 배짱을 보이고 있었다. 스탠다드은행의 이름이 종종 언론지상에 오르내리는 것을 즐기고 있는 것 같기도 했다. 결과적으로 '홍보 효과'도 누리고 있는 셈이었다. 한국에 진출한 지 30년 가까이 되지만, 기업금융만 하느라 일반인들에게 이름이 별로 알려지지 않았던 스탠다드은행으로서는 '꿩먹고 알먹는' 호기였던 것이다.

스탠다드은행이 배짱을 부리는 데는 이유가 있었다. 글로벌그룹이 은행법상의 동일인 주식보유 한도(10%)를 초과하여 대한은행 주식을 취득 및 보유하고자 금감당국에 승인을 신청하면서 발표한 대한은행의 인수 방식 때문이었다. 글로벌그룹은 최소 80%에서 최대 100% 지분을 확보한 후 상장을 폐지하겠다고 밝혔다. 인수 후 상장폐지를 해야 하기 때문에 적어도 80% 이상 지분 확보가 필수적인 상황이 되었다. 만약 80% 이상 매입하지 못하면 글로벌은행의 대한은행 인수는 불발탄이 돼 버린다.

80% 이상 지분을 매입해야 하는 데는 이유가 있었다. 대주주 지분이 80%를 넘으면 지분분산 규정에 걸려 관리종목이 된다. 이후 1년간 이를 해결하지 못하면 바로 상장폐지로 이어진다. 결국 지분 80%만 갖고 있으면 이사회결의 등 절차를 거치지 않고도 상장폐지가 가능해지는 셈이다. 물론 상장폐지 계획을 굳이 밝히지 않고 카레온 지분 36%만 먼저 사들여 경영권을 인수한 후 추가적으로 주식을 매입해 상장폐지를 시도할 수도 있었다.

그러나 이 경우 주가변동에 대한 리스크가 상당히 있게 된다. 그래서 상장폐지를 염두에 둔 인수라면 처음부터 밝히는 경우가 정석인 것이다.

문제는 글로벌그룹이 '지분을 80% 이상 매입하지 못하면 인수를 하지 않겠다'는 조항이 인수조건에 있었다. 스탠다드은행이 키를 쥐고 있다는 인식은 바로 이 80%를 못 넘기면 딜이 깨지는 상황에서 비롯된 것이었다. 스탠다드은행이 보유하고 있는 대한은행 지분은 9.99%. 스탠다드은행이 공개매수에 응하지 않아 글로벌그룹이 스탠다드은행 보유 지분을 단 한 주도 매입하지 못한다 해도 나머지 지분을 다 사들이면 90% 이상이 된다. 그러나 이 시나리오는 말처럼 쉬운 일이 아니다. 결국, 스탠다드은행의 지분을 손에 넣어야 인수가 성공하는 형국이 된 것이다. 그래서 스탠다드은행의 향방이 초미의 관심사가 되어버린 것이다.

스탠다드은행은 공식적으로 발표를 했다.

"결정된 것은 아무것도 없다. 글로벌그룹 역시 우리에게 어떠한 언급이나 제의도 해오지 않았다."

글로벌그룹을 압박해 오고 있었다. 매스컴에서는 여러 가지 시나리오가 흘러나오고 있었다.

우선, 스탠다드가 글로벌그룹이 제시한 공개매수(Tender Offer)[34] 가격에 지분을 팔 경우, 스탠다드은행은 7개월만에 1,300억 원 가까운 시세차익을 얻게 된다. 시세차익을 보고 들어간 게 아니라 하더라도 아주 성공한 투자가 되는 셈이다.

두 번째로 스탠다드은행이 매수가격을 높이기 작전에 들어갈 경우, 글로벌그룹에 지분을 넘긴다 하더라도 순탄하게 넘기지 않을 가능성이 제기된다. 게다가 글로벌은행의 공개매수가격이 알려진 이후, 일부 기관과 외국인 세력이 도리어 대한은행 주식을 사들인 것으로 나타났다. 더 높은 가격으로 협상하려는 의도가 아니겠느냐는 게 일반적인 해석이다. 한편, 일부 금융권 관계자들은 '스탠다드은행이 다른 주주들과 연합해 그린메일[35]

34) 공개매수(Tender Offer)란 불특정 다수인에 대하여 주식 등의 매수의 청약을 하거나 매도의 청약을 권유하고, 유가증권시장 밖에서 당해 주식 등을 매수하는 것을 말한다. 매수의 대상으로는 상장 또는 코스닥 등록법인이 발행한 유가증권으로서 의결권 있는 주권이나 전환사채권, 신주인수권부사채권, 신주인수권을 표시하는 증서, 교환사채권이다. 매수방법으로는 매수, 교환, 입찰, 기타 유상 양수도 포함한다.

(Green Mail)을 시도할 수도 있다'는 의심도 조심스럽게 흘러나왔다. 물론 스탠다드차타드 측은 이같은 시선을 단호하게 거부했다. 단기 시세차익을 노리고 들어간 게 아닌데 돈 좀 더 받으려고 그런 수를 쓰겠는가라는 얘기였다. 이 경우에도 리스크가 존재한다. 글로벌그룹이 이들 지분 없이도 80%를 채울 가능성을 배제할 수 없기 때문이다. 조금 더 높은 값을 받으려다 자칫 '낙동강 오리알'이 될 수도 있는 상황이 될 수도 있다는 얘기다. 때문에 '스탠다드은행이 유리한 패를 쥐고 있는 것은 사실이지만 그렇게 엄청난 패는 아니다'는 분석도 나오고 있었다. 글로벌그룹이 지분 80% 매집에 성공하고 대한은행 상장을 폐지해 버리면 스탠다드은행은 출구가 없어지는 꼴이 되어 버린다. 글로벌은행이 100% 모두 갖겠다며 나머지 지분에 대해 2차 공개매수를 할 수 있겠지만 가격은 훨씬 낮아질 수도 있나. 반대로 80%만 인수하겠나면 스탠나드은행 보유 시분은 장롱 속에 쳐박히는 형국이 되어 버린다. 비상장기업 2대주주로 남고 배당을 받을 수도 있겠지만 스탠다드차타드은행으로서는 엄청난 기회비용이다. 또 일단 비상장주식이 되면 주당 가격은 떨어진다.

세 번째 시나리오는 공개매수에 응하지 않고 적극적으로 딜 깨기에 나설 경우이다. 스탠다드은행이 딜을 깨보겠다며 공개매수에 응하지 않을 경우는 어떻게 될까? 지난해 8월 스탠다드은행이 대한은행 지분을 사들인 것은 향후 대한은행 인수를 위한 포석을 깔아놓는다는 의미였다. 인수경쟁에서 패했지만 스탠다드은행은 여전히 대한은행에 대한 미련을 버리지 못하고 있는 것으로 알려지고 있다. 스탠다드은행이 어떻게든 이번 딜을 깨고 재협상을 하고 싶어하지 않겠느냐는 의심의 눈초리도 이 때문에 금융시장에서 흘러나오고 있었다. 그러나 이것 또한 쉽지 않은 시나리오다. 10% 이상 우호지분을 확보하기 위해서는 다른 주주들에게 보장해 줄 확실한 당근이 있어야 하지만 현재로서는 별로 내세울 게 없다. 기껏 글로벌은행보다 높은 가격에 사주겠다는 정도인데, 이게 가능하려면 스탠다드은행이 새로운 인수주체가 돼야 한다. 물론 현 상황에서 재협상이 시작된다 해도 스탠다드은행이 대한은행을 가져갈 수 있으리라는 보장은 없다. 금융계에서는 스탠다드은행이 자금력에 있어 글로벌그룹보다 열세에 있다는 것이 지배적인 분석입니다.

마지막으로 가능한 시나리오는 공개매수에 응하고도 딜이 깨질 경우이다. 스탠다드은

35) 그린메일은 기업사냥꾼(green mailer)이 대주주에게 주식을 팔기 위해 보낸 편지라는 뜻이다. 즉, 기업사냥꾼들이 상장기업의 주식을 대량 매입한 뒤 경영진을 위협해 적대적 M&A를 포기하는 대가로 자신들이 확보한 주식을 시가보다 훨씬 높은 값에 되사들이도록 강요하는 행위이다. 미국에서는 1990년대 이후 세법과 소송문제로 사실상 사라지게 되었다.

행이 순조롭게 공개매수에 응한다 해도 지분 80%가 채워지지 못해 딜이 깨질 가능성도 당연히 있다. 이 경우 스탠다드은행은 무리수를 두지 않고서도 새로운 기회를 얻을 수 있게 된다. 게다가 일단 딜이 깨지면 글로벌그룹은 향후 6개월간 대한은행 인수전에 뛰어들지 못하는 상황이 된다. 결과적으로 스탠다드은행은 최고 유력 후보가 빠진 상태에서 유리한 고지를 점령할 수 있게 되는 것이다.

금융계에서는 이번 딜의 향방을 여러 각도에서 점치면서 인수 결과에 대해서 초미의 관심을 보이고 있었다.

크리스에게 반가운 이메일이 하나 와 있었다. 닉으로부터 연락이 온 것이다. 한국의 금융당국이 대한은행 인수를 승인한 마당에 모든 것이 성공적으로 마무리 되어 가고 있다는 암시를 주는 것 같았다.

크리스는 아직 공개매수가 남아 있는 상황에 닉이 서둘러 이메일을 보내 온 것이 이상하다는 생각이 들었다. 크리스는 저녁이 되자 닉에게 전화를 했다.

"닉, 잘 있지?"

"이번 딜은 스탠다드은행에게 넘어가는 것 아니야? 이쪽에서는 스탠다드가 공개매수에 참가하지 않을 경우에는 딜이 불발탄이 될 거라는 예측이 지배적이야. 그 동안 네가 수고를 많이 했는데 말이야."

"크리스, 걱정하지마. 이미 딜은 다 끝났어. 스탠다드은행은 자금력 문제로 대한은행을 인수하지 못해. 스탠다드은행에서는 일단 대한은행의 51% 지분만 인수하기를 원하고 있는 중인데 가능성이 없어 보여. 그리고 인수가를 우리보다 낮게 부르고 있는 상황이어서 설득력이 없어 보여. 그리고 오히려 카레온이 스탠다드은행을 설득하고 있는 상황이야. 결국 스탠다드은행은 공개매수에 응하게 될 거야."

닉의 말이 이어졌다.

"너도 알고 있는 것처럼, 스탠다드은행이 대한은행을 인수할 경우 대한은행이 스탠다드은행의 전세계 비중에서 차지하는 비중이 25% 정도가 되지. 따라서 거의 본사 역할을 한국에서 하게 될 거야. 그렇게 되면 경영층이 교체될 확률은 상당히 높아. 반면에 글로벌그룹이 대한은행을 인수하게 되면 현재의 경영층이 유임될 가능성이 높아서 대한은행의 경영층도 그렇게 되길 바라고 있어. 글로벌그룹은 지역화(Regionalization) 전략에서 현지화(Localization) 전략으로 바꾸고 있는 마당이어서 현지의 경영층을 당분간 활용할 계획이거든. 이렇게 되면 너한테도 도움이 되지 않을까? 더 큰 조직에서 너의 꿈을 펼칠 수 있잖아."

"그래, 괜찮을 거야. 그런데 현지화를 한다는 얘기는 나도 잘 알고 있어. 그렇다면 이제는 한국에서 사업을 지점형태가 아닌 지사형태로 가져갈 것 같구나."

크리스의 말에 닉은 맞짱구를 쳐 주었다.

"그래, 맞아. 바로 그거야. 앞으로 아시아 지역도 남미와 마찬가지로 현지법인 형태로 바꾸어 나갈 거야. 국가위험(Country Risk)이 있는 지역들은 모두 현지법인 형태로 바꾸어 본사의 위험을 줄인다는 것이 큰 맥락이야."

대한은행의 공개매수시기가 임박했다는 소문과 함께 주가는 어느 증권사가 예측한 공개매수가에 근접하고 있었다. 카레온이 공개매수의 성공을 위해서 협상을 주도하고 있다는 소문이 들리기 시작했고, 스탠다드은행은 결국 공개매수에 참여하기로 결정했다.

그런데, 스탠다드은행이 공개매수에 참여하기로 결정한 지 몇 시간 전이었다. 이번에는 독일계 은행인 도이체방크가 대한은행의 지분을 8% 가까이 매집했다는 것이 알려졌다. 무위험 수익을 올리려는 의도인 것 같았다. 마침내 공개매수 발표는 토요일인 주말에 발표되었다. 공개매수는 성공적으로 이루어졌고 글로벌그룹은 대한은행의 80%를 웃도는 지분을 인수하는 데 성공했다.

공개매수가 성공했다는 발표가 나자마자 여기저기서 이메일이 날아 왔다.

"크리스, 공개매수에 대해서 원천징수(Withholding Tax)[36]가 있다는데 맞는 얘기인가요? 그렇다면 누가 원천징수를 해야 하는지? 거래소에서 거래되는 주식을 매도하는 데는 한국에서는 세금을 내지 않는다고 하는데 어떻게 된 거지요?"

36) 원천징수란 상대방의 소득 또는 수입이 되는 금액을 지급할 때 이를 지급하는 자(원천징수의무자)가 그 금액을 받는 사람(납세의무자)이 내야 할 세금을 미리 떼어서 대신 납부하는 제도이다.

뉴욕에 있는 라이언으로부터 연락이 왔다. 라이언은 미국투자자들의 한국 주식투자를 위한 뉴욕창구를 맡고 있었다.

"맞아요. 공개매수는 거래소를 통해서 이루어지는 거래가 아니기 때문입니다. 다시말해 장외거래(Over the counter trade)[37]라는 얘기입니다. 현재 한국세법에 의하면 장외거래에 대해서는 세금을 면제해 주지 않아요. 그리고 외국인 투자자들에 대해서는 조세조약상 면제가 되지 않으면 주식 양도에 대한 세금문제는 발생하며, 원천징수 문제는 공개매수를 주관한 증권사에게 책임이 있어요. 우리가 신경쓸 문제가 아닙니다. 명확해졌는지요?"

"오케이. 다른 세무이슈는 없을까요?"

"물론 증권거래세 있는 것은 알고 있지요?"

"물론입니다."

뉴욕에서 온 이메일을 처리하고 있는 동안 강부장으로부터 연락이 왔다. 의견서를 받았다는 통보와 함께 의견서의 내용을 검토해 줄 것을 요청하였다. 공개매수를 위한 인수업무(Underwriting)[38]에 대해 자문받은 건과 관련된 비용 문제 처리에 대한 의견서였다. 김회계사에게 전화를 했다.

"안녕하세요. 김회계사님. 몇 가지 확인할 게 있어 연락드렸습니다."

"예. 뭐든 말씀해주세요. 요즘 많이 바쁘시죠?"

김회계사는 늘 호탕하게 대해 주었다.

---

37) 장외거래(Over-the-counter)는 주식, 채권, 상품선물, 파생금융상품과 같은 투자자산을 거래소(exchange)를 거치지 않고 양 당사자가 직접 거래하는 것을 의미한다.

38) Underwriting refers to the process that a large financial service provider(bank, insurer, investment house) uses to assess the eligibility of a customer to receive their products(equity capital, insurance, mortgage, or credit). The name derives from the Lloyd's of London insurance market. Financial bankers, who would accept some of the risk on a given venture(historically a sea voyage with associated risks of shipwreck) in exchange for a premium, would literally write their names under the risk information that was written on a Lloyd's slip created for this purpose.

"골드만삭스에 지불한 비용이 대한은행의 비용으로 인정될 수 있으려면 은행의 수익활동에 직접적으로 연관이 되어야 한다는 의견에 대해서는 동감합니다. 그렇지 못한 경우에는 당연히 주주들의 몫이 되고요. 그런데 비용을 회사와 주주 몫으로 나누는 것이 현실적이지 못해요."

"그럴 수 있겠군요. 그 점에 대한 제 의견은 비용이 은행에 효익을 가져다 주었다면 은행의 비용으로 처리할 수 있다는 것인데 현실적으로 비용을 나누어 본다는 것이 어려울 수 있군요."

"그리고 지불한 비용이 주주들을 위해 사용되었다면 결국 배당으로 처리되는 거지요?"

"맞습니다. 그리고 한 가지 더 생각해 볼 수 있는 것은 기업활동이 주주들을 위해서 이루어지는 것이라는 관점에서 특정주주를 위해 사용된 비용이 아니라면 은행의 비용처리도 가능하리라 봐요. 단, 이와 관련된 증빙을 충분히 갖춰야 할 것 같아요."

"잘 알겠습니다. 협의해 보겠습니다."

기업인수매뉴얼

이제는 Cross-Border M&A!

1990년대 이전 우리나라의 M&A는 시장의 불완전성, 소유와 경영의 미분리, 기업성장에 필요한 재원조달 창구의 미비, 정부주도형 경제정책으로 인해 타율적 M&A, 계열기업 간에 합병이라는 특징을 가지고 있다. 매수자 중심의 시장이 형성되어 주된 M&A 동기가 부실기업 구제 및 재무구조 개선이라는 점에서 외국과는 다른 형태로 M&A 시장을 형성했다. 이러한 역사적 배경은 M&A에 대한 인식을 저해해 왔으며 M&A 활성화에 큰 장애요인이 되고 있다. 우리나라 M&A는 1960년대 말 정부주도하에 시작되었는데, 산업화정책에 따라 외국 차관을 상환하지 못하는 부실기업의 대출금 회수가 목적이었다. 1980년대 초까지는 M&A가 지속적으로 증가하였는데 1982년 기업결합 건수는 288건으로 급격히 증가하였고, 그 후에는 점차 감소하다가 1994년 이후 다시 증가하였다. 이러한 추세는 1992년 이후 기업 규제가 완화되고 국경 없는 무한경쟁시대의 생존을 위해 산업구조가 개편되면서 다양한 산업 분야에 진출하려는 기업들의 노력 때문인 것으로 해석된다.

1990년대 이전 M&A 시장의 특징을 정리해 보면 다음과 같다.

첫 번째, 1990년대까지 우리나라의 M&A는 정치·경제적 특수한 환경으로 인해 자율적인 합병이 이루어지지 못하고 60년대 말에서 80년대 중반까지 세 차례에 걸쳐 정부에 의해 타의적으로 이루어졌다. 1차는 60년대 말 산업화정책 시도에 따라 주로 일본에서 차관을 들여와 생산을 가동한 기업 가운데 원리금을 상환하지 못하는 기업들의 대출금 회수를 목적으로 정부주도하에 진행되었다. 2차는 70년대 말 공장설비에 대한 과잉투자 및 중복투자를 조정하기 위해 기업의 청산이나 인수보다는 동종업체 간의 합병에 중점을 두고 진행되었다. 3차는 80년대 초 해외건설업의 부실수주와 해운업의 경영부실로 인하여 건설업과 해운업에서 산업구조조정이 필요하여 부실업체들을 제3자에게 매각하는 수단으로 활용되었다.

두 번째, 산업구조의 효율화를 위해 동일 부분의 중복투자를 피하고 부실기업을 정리하는 과정에서 경영성과나 재무상태가 우수한 대기업에 부실기업을 인수하도록 종용하였다. 이 때 정부가 인수기업에 대해 각종 금융지원을 해주었기 때문에 이들 기업들은 피합병기업을 헐값에 인수하면서 저렴한 금리로 금융특혜를 받아, 인플레이션 이득과 기업

확장에 필요한 재원을 조달할 수 있었다. 이 시기에는 정부 지원을 받기 위해 M&A를 하는 기업들이 많았다.

세 번째, 대기업 위주의 불균형적 성장전략으로 M&A 시장은 매수자 중심으로 형성되었다. 장외시장 거래가 불가능하고 정리가 시급한 기업들을 대기업들이 인수하는 방식의 M&A가 많아 거래금액 및 조건들이 인수기업에 유리하게 결정되고 있었다. 또한 대부분의 주식을 대주주가 소유하고 있는 경우가 많아, 거래대금이 회사로 유입되지 않고 대주주 개인에게 돌아가 M&A 시장을 비경제적으로 만드는 하나의 요소가 되었다. 소유와 경영이 분리되지 않고, 주식이 대주주에게 집중되어 있어, 주식 취득 시 공개매수 방법으로 시장경쟁원리에 따라서 M&A가 이루어지고 있는 미국의 M&A 시상과는 많은 차이가 있었다.

마지막으로는 계열기업 간의 합병이 많이 이루어졌다. 1981년과 1996년 사이에 기업결합 건수 3,342건 중 계열기업 간에 이루어진 기업결합이 1,422건으로 전체의 42.5%로 나타났다. 또한 기업집단에 속해 있는 기업들의 총자산 합계액이 30위 이내인 대규모 기업집단 내의 기업결합은 1,415건으로 전체의 42.3%로 나타났다. 이 중 49.4%가 계열기업 간에 기업결합으로 이루어진 것으로 나타났다. 이는 외국에 비해 대단히 높은 비율이다. 계열기업 간 또는 대규모 기업집단 내의 합병은 대개 기존의 관계회사가 경영이 부실한 경우 이를 구제하거나 그룹차원의 조직 재정비, 재무구조 개선 등을 이유로 이루어져왔다. 이러한 특징은 최근에도 동일하게 나타나고 있다.

우리나라의 자본시장은 1991년 12월까지는 외국인 전용 수익증권과 코리아펀드 등을 통한 간접증권투자만 허용해오다가 1992년 1월 3일부터 제한적으로 외국인 직접투자를 허용했다. 1998년에는 외국인 투자유치 촉진을 위해 행정 규제를 완화하였고 이때부터 외국인에 의한 적대적 M&A가 가능해졌다.

1997년 외환위기 이후, M&A 관련 규제 완화, 외국자본의 유치 노력, 그리고 산업구조조정 등의 요인으로 국내에서의 M&A가 크게 증가하였는데 2006년 거래규모 기준으로 20.8조 원을 기록하였으며 거래건수는 603건에 달하였다. 그러나 당시 GDP 대비 전체 M&A 비중은 3.3% 정도로 8% 이상을 유지하는 다른 선진국에 비하면 상대적으로 낮은 수준이었다. 1997년 외환위기 이전에는 비경제적 동기로 인한 M&A가 대부분이었다면, 외환위기 직후 정부의 적극적인 산업구조조정 정책과 해외투자 유치 방안의 일환인 외국기업의 국내기업인수 유도에 의해 국내시장에서의 In-bound M&A가 크게 증가하였다. 구조조정이 완료된 2000년 초부터는 기업의 경제적인 동기로 인한 자발적인 M&A가 수를 이루기 시작하였으며, M&A는 기업전략 및 산업구조 변화요인의 주요한 수단으로 자리 잡게 되었다. 또한 2006년부터는 대기업을 중심으로 점차적으로 Cross-Border M&A 가운데 국내기업의 해외기업인수가 차지하는 비중이 크게 높아지고 그 규모 또한 커지고 있다.

2012년 국내기업의 기업결합 건수는 543건으로 2011년에 비해 26% 증가하였으나, 거래금액은 2011년 대비 35% 감소한 19.7조 원이었다. 2011년에 비해 계열사 간 비중이 대폭 증가하여 전체의 40.5%고 거래건수는 113건에서 220건으로 전년대비 2배 정도 증가하였다.

기업인수 작업가이드라인

M&A 프로세스에 대한 구조화 접근법

	인수전략수립	목표기업선정	목표기업실사	목표기업인수	조직통합	조직관리
주요활동	· 사업전략입안 · 성장전략입안 · 인수조건정의 · 전략실행방안	· 목표기업확인 · 목표기업선정 · 인수의향서 발행 · M&A 계획개발 · 비밀유지약정서 제안	· 실사실행 · 확인사실문서화 · 기초통합계획 입안 · 인수협상안 도출	· 인수형태결정 · 인수조건확정 ✓법적 ✓구조적 ✓재무적 · **핵심인력 및 통합팀 확보** · 인수확정	· 통합작업실행 ✓조직 ✓프로세스 ✓인적자원 ✓시스템	· 지속가능성공위한 사업전략입안 ✓내규와 정책 ✓목표와 측정방법 ✓교육 ✓**소통** ✓고객 ✓조직구조 ✓축하연과 이벤트
이슈 및 위험	· 비용 · 채널 · 내용 · 경쟁력 · 고객 · **국가** · 자본적정성	· 투자수익률/기업가치 · 전략적 유용성 · **문화적 적정성** · 타이밍 · 리더십적정성 · 잠재적 시너지 · 실행가능성	· 채무상황 · 직원보유 · 직원감축 · 재무적정성 · 통합이슈 · **시너지와 규모의 경제** · 투자수익률	· **인수가격** · 성과 · 인적자원 · 보장/보호 · 통제	· **속도** · 방해요인 · 비용 · 수익 · 결과물 · 소통 ✓주주 ✓일반인 ✓고객 ✓감독당국 ✓미디어 ✓직원	· 비용 · 채널 · 내용 · 경쟁력 · 고객 · 국가 · 자본적정성
산출물	· 사업전략보고서 · SWOT분석보고서 · 실무팀 구성	· 전문가집단구성 · 비밀유지약정서 · 기본의향서	· 실사보고서 ✓법률 ✓회계/서무 ✓문화	· 인수가결정 모델보고서	· 통합계획서	· 사업전략보고서 · 내부정책 및 내규

* M&A 과정에서 수행되는 업무는 단계별 작업들의 상호작용(Interactive Feedback)을 통해서 진행된다.

M&A를 추진하기 위해서는 M&A를 전체적으로 조망할 수 있는 시야를 가져야 한다. M&A의 각 단계별로 어떤 활동이 일어나며, 각 단계별로 발생할 수 있는 잠재적 위험과 이슈는 무엇인지 파악하고 있어야 한다. 또한 각 단계별로 실행되는 업무와 관련된 산출물을 수집하고 관리하여 각 단계별 업무의 상호작용에 대비하고 향후 전개될 M&A에 대한 지침으로 활용해야 한다. M&A의 과정을 선형적으로 이해하지 말고 구조화된 접근법으로 이해해야 한다.

M&A는 다음과 같은 업무흐름을 보인다.

I. M&A 전략을 수립한다.
II. 목표기업(Target)을 선정한다.
III. 목표기업에 대한 실사(Due Diligence)를 실시한다.
IV. M&A형태를 최종 결정하고 목표기업을 인수한다.

각 내용을 살펴보면 다음과 같다.

I. M&A 전략을 수립한다.

M&A를 추진하는 기업은 전략을 수립할 때 목표를 명확히 해야 한다. 그리고 목표기업이 M&A를 통해서 인수기업에게 안겨줄 시너지가 무엇인지에 대해 파악해야 한다. 명확하지 않은 목표는 목표기업의 M&A를 통해서 무엇을 얻을 수 있을 것인가에 대해서도 명확하지 않게 되는 법이다.

M&A 전략수립을 위해서 우선적으로 M&A의 목적을 규정하고 이를 추진할 실무팀을 구성한다. M&A전략의 수립은 현재 기업이 처한 입장과 환경을 냉철하게 진단하면서 진행한다. 이에 따라 M&A형태를 결정하고 기존의 성장 방식을 계속 진행할 것인지 아니면 M&A를 할 것인지를 결정한다. M&A가 성장하기 위한 전략이 아니라 생존하기 위한 유일한 방안인지도 함께 고려한다. MA& 전략수립은 회사의 현황을 파악하고, M&A의 필요성 및 목적을 규정하고, 실무추진팀을 구성하는 것을 말한다.

M&A 전략수립과 관련하여 다음과 같은 활동을 전개한다.

1. 기업의 비전을 제시한다.
최고경영자는 회사의 조직구성원들에게 미래의 비전을 제시하고 동참을 유도해야 한다. 이는 리더가 갖추어야 할 기본 조건이다. 회사의 미래 비전은 달성가능해야 하며, 회사의 성장이 회사 조직구성원의 성장과 직결되어야 한다.

2. 기업의 현황을 분석한다.
우선 먼저, 기업이 경영전략을 수립하기 위해서는 가장 먼저 해야 할 일은 현재 자신이 경쟁해야 하는 시장을 포함하여 기업의 외부환경을 분석한다. 둘째, 기업이 내부자원이나 상대적 강점을 발견하고 이들 자원을 외부환경과 어떻게 결합시킬 것인지를 분석한다.

SWOT분석모델 등을 통하여 이루어질 수 있다.

기업 내부환경분석은 주요 경쟁자와 비교한 조직의 강점과 약점을 분석하기 위한 것으로 최근의 경영성과에 대한 분석에서 시작할 수 있다. 기업 전략의 문제점을 발견하는 것은 흔히 경영성과의 변화로 감지할 수 있기 때문이다. 또한 기업이 동원할 수 있는 가용자원(Tangible Resources)을 파악해야 한다. 이에 대한 분석은 전략을 현실적으로 수립하기 위해서 필요하다.

기업 외부환경분석은 기업을 둘러싼 환경의 변화가 기업에 기회요소로 작용할 것인지 아니면 위협요소로 작용할 것인지를 분석한다.

- 목표 시장의 욕구를 분석한다. 충족되지 못한 시장욕구를 발견하는 것은 매우 중요한 기업전략 업무이다.
- 경쟁자의 능력과 전략을 분석하고 그들의 장점과 단점을 파악한다.
- 산업의 성장주기와 수급상황 및 잠재적 참여자 등 산업트렌드를 분석한다.
- 정치동향, 경제동향, 사회문화동향, 기술동향 등 이른바 PEST(Political/legal, Economic, Social/cultural, Technological)분석을 통하여 거시환경 변수를 분석한다.

3. 대안(Alternative Option)과의 비교분석을 수행한다.
회사의 비전을 달성하기 위한 방법에는 내부적인 원가절감, 공정혁신, 새로운 시장의 개척, 신규사업 진출 등 여러 가지 대안이 있을 수 있기 때문에 M&A를 대안 중

하나인 것으로 보고 M&A와 여타 대안간의 비교분석을 수행한다.
비교분석의 주요 구성요소는 자체 개발의 경우에 소요되는 비용, 현금흐름 및 소요시간과 M&A를 통해 실시할 경우의 비용, 현금흐름 및 소요시간과의 차이가 주요 정량적 요소가 될 것이며, 그 외에도 인적역량, 시장에서의 브랜드가치, 노동조합과의 관계 등 정성적 요소도 고려되어 비교분석이 이루어져야 한다.

이러한 비교분석은 M&A목표기업에 대한 결정 후 실사 및 가치평가가 이루어진 후에 또 다시 피드백되어 매 건별로 다시 수행되어야 한다.

M&A의 동기는 경영전략적, 영업적, 재무적 동기로 대별될 수 있다. M&A의 동기에 따라 향후 수행될 통합의 강도나 형태가 달라질 수 있기 때문에 이에 대해 명확하게 정의를 내려야 한다.

4. 실무프로젝트팀을 구성한다.
실무프로젝트팀은 회사 내 각 분야 전문가들로 구성되어야 한다. 기본적으로 재무전문가, 생산전문가, 영업전문가는 필수적으로 포함되어야 하며 실무프로젝트팀의 팀장은 최고경영자 또는 최고경영자로부터 전권을 위임받은 임원이 되는 것이 바람직하다. 신속한 의사결정과 비밀유지를 위해서 최고경영자의 진두지휘 아래 직접 추진되는 것이 바람직하다.

외부전문가들인 회계법인, 법무법인 및 M&A중개기관 등은 단지 자신의 전문분야에 대한 의견의 제시는 가능하되 산업의 특성을 정확하게 파악하는 데에는 한계가 있으므로 종국적인 의사결정은 반드시 회사내부의 전문가들에 의하여 내려져야 한다.

실무프로젝트팀은 회사의 비전제시, 현황파악 및 비전달성방법의 검토 등 전략수립에서부터 M&A종결에 이르기까지 일련의 과정을 수행한다.

5. 수립된 전략을 바탕으로 M&A를 위한 기초작업을 진행한다.
기초작업이란 M&A의 목적을 달성하는 데 필요한 후보기업군의 기초자료를 수집하고 분석하는 작업과 M&A중개기관의 선정을 의미한다. 후보기업군에 대한 기초자료를 분석하면 M&A와 대안별 비교 및 의사결정에 필요한 요소들을 파악할 수 있다. M&A기초작업을 통해 후보기업군에 대한 분석보고서를 작성한다.

M&A중개기관 선정과 관련하여 다음을 유의한다.

- 중개기관은 필수적인 것은 아니며 고려해 볼 필요가 있다.
- M&A는 경우에 따라서는 몇 년의 기간이 걸리기도 하는 장기간의 프로젝트이기 때문에 회사의 내부 실무프로젝트팀들이 M&A업무에 전념하는 것은 오히려 시간적, 비용적 측면에서 유리하지 않으므로 중개기관을 선정하는 것이 도움이 된다.
- 회사는 M&A중개기관을 선정할 때 중개자문계약서를 작성하게 된다. 중개자문계약시 주의할 사항 중 하나는 선정된 중개기관에 독점적 지위(Exclusivity)를 부여하는 것이 유리한지 여부이다. 중개기관에 독점적 지위를 부여하는 것은 의뢰인과 중개기관 모두에게 위험부담을 줄 수 있다.
- 여러 중개기관을 선정하는 것은 업무의 혼선을 가져올 수 있다는 것을 주지한다.
- 중개기관의 역할 중 이해상충의 우려가 있는 업무는 타 전문기관에 의뢰한다. 대표적인 업무가 실사 및 가치평가업무인데 이는 회사가 직접 선임한 회계법인 및 법무법인이 수행하게 할 수 있다.

후보기업군 선정의 최우선 기준은 그 전략에 적합한 기업을 선정하는 것이다. 즉 시장점유율의 확대가 목적이라면 동종업계에서 후보기업군을 선정해야 하며, 위험분산이 목적이라면 현재 영위하는 업종과는 다른 업종에서 후보기업군을 선정해야 할 것이다. 후보기업군에 대한 기초정보 수집은 다양한 방법으로 수행될 수 있는데, 정보입수가 어려운 경우에는 해당 후보기업에 직접 접촉하여 비밀유지협약서에 서명 후 자료를 입수할 수 있다. 중개자문기관을 활용할 경우 중개자문기관은 자신들의 매수매도 대상 기업들의 Database를 활용하여 의뢰인에게 대상기업의 요약정보를 제공한다. 고객기업의 요구에 따라 또는 중개자문기관 자신들의 필요에 따라 많은 경우 비실명의 회사요약정보(통상 Teaser Memo라 부른다)를 우선 제공하게 되며, 인수회사 또는 매도회사에서 관심을 표명하고 추가자료를 요청하거나 당사회사간의 미팅이 성사될 때에는 회사의 실명 및 보다 자세한 정보를 제공한다. 이는 M&A자체가 매수기업이나 매도기업 양사에 대부분의 경우 대외비의 성격을 띠고 있기 때문이다. 또한 기업의 경영진 및 최대주주가 여러 가지 이유로 자신의 기업을 매각하기 위하여 또는 투자유치를 받기 위하여 매도기업이 자체적으로 작성한 회사소개서(Information Memorandum, IM)를 배포하기도 한다. 이러한 Information Memorandum에는 회사의 지분구성, 재무상태, 영업현황 등이 상세히 기록되어 있다.

후보기업목록에서 인수대상으로 적절하지 않은 기업들은 스크린하여 통상 5~6개 정도의 기업으로 추려내야 한다. 압축된 5~6개의 기업에 대해서는 본사나 공장시설에 대해서 보다 구체적인 조사를 수행하여 최종적으로 인수의사를 제시할 목표기업의 수를 1~2개로 줄여야 한다. 압축된 5~6개의 기업에 대하여 검토할 몇 가지 주요한 사항은 아래와 같다.

- 시장성 검토 : 후보기업이 차지하고 있는 시장규모가 어느 정도인가를 검토한다. 성장성을 파악하는 데 세분화된 시장에서 차지하는 위치까지 파악해야 한다.
- 경쟁관계 검토 : 후보기업이 속해 있는 산업의 경쟁구도 및 대상기업이 가지고 있는 경쟁력은 어느 정도인지를 검토한다. 고객의 인지도, 영업력 등 부분적이라도 어느 정도 경쟁력을 갖추고 있다면 향후 M&A를 통한 시너지효과를 기대할 수 있고 경쟁관계를 분석하기 위해 고려해야 할 요소로는 현재의 경쟁업체 현황, 경쟁회사간 시장점유, 진입 및 퇴출관계 등이 있다.
- 고객유지 가능성 검토 : M&A후보기업의 고객기반에 대해 파악한다. 인수 후 고객을 유지할 수 있는지 여부 및 향후 전망을 분석하고 향후 소유권이 바뀌는 경우 기업의 고객이 그대로 유지될 것인지를 검토한다.
- 보유기술역량 검토 : 기술적인 시너지효과를 파악해야 한다. 이를 위해서 인수회사의 핵심기술과 인수대상기업의 기술역량을 파악하여 양사가 공통적으로 가지고 있는 기술과 상호보완되는 기술이 무엇인지 확인한다. 그리고 양사가 가지고 있는 기술이 얼마나 시너지를 발휘할 수 있는지를 분석한다.
- 재무적 상황 검토 : 후보기업의 전반적인 재무상태를 파악한다. 이를 위해서 과거의 대차대조표, 손익계산서 및 현금흐름표를 검토한다. 과거 재무제표를 분석하여 인수 후 얼마나 직·간접 비용의 절감효과와 수익 상승효과를 달성할 수 있는지 분석한다.
- 인수가치 검토 : 인수가치를 평가하여 인수 대상기업이 자본시장에서 어떻게 평가되고 있는지와 향후 인수 후 얼마나 더 이익을 실현할 수 있는지에 따라 인수가치를 결정할 수 있다.
- 브랜드가치 검토 : 브랜드가치를 수치화하여 산정하기는 현실적으로 어렵기 때

문에 주관적으로 판단할 수 있다.

- 법적 위험 검토 : 두 기업간 M&A하는 경우 법적 규제가 없는지, 대상기업이 현재 소송상태에 있거나 기술협약 등으로 M&A가 불가능한지, 독점규제 및 공정거래에 관한 법률에 저촉되지 않는지에 대한 검토가 필요하다.
- 기업문화 검토 : 두 기업의 문화적 차이는 협상이 거의 마무리 되는 무렵에 검토하면 가능할 것이라고 생각하면 안된다. 두 기업간의 문화적 차이가 클 경우 거래 성사 후 통합단계에서 시간과 경제적 비용이 많이 소요되고, 인수 후의 시너지효과도 반감될 소지가 있어 반드시 인수를 검토할 때 고려되어야 한다.

II. 목표기업(Target)을 선정한다.

입수된 기초정보를 바탕으로 스크린된 1~2개의 목표기업과는 본격적인 교섭을 실시하고 기본합의서를 작성하여야 한다. 목표기업의 선정이란 당초의 M&A전략에 적합한 기업과 M&A에 대한 교섭을 개시하고, 교섭에 자문을 구할 전문가집단을 구성하며, 목표기업의 최고경영진들에게 M&A의 필요성을 설득시키며 상호합의된 기본합의서(Letter of Intent, LOI)에 약정하는 것을 말한다.

목표기업선정 작업을 통해 M&A교섭을 개시하고, M&A의 효과를 설득하며, M&A 기본합의서의 약정을 완수한다.

목표기업선정의 수행방법은 다음과 같다.

1. 전문가집단을 구성한다.

   M&A를 효과적으로 수행하기 위해서 매수기업 내부의 실무프로젝트팀에 외부전문가들을 영입할 수 있다. 이러한 매수전문가 집단에 반드시 포함되어야 할 외부전문가로는 공인회계사와 같은 회계, 세무 및 재무전문가, 변호사와 같은 법률전문가이며, 업종에 따라서는 환경문제전문가도 포함될 수 있다. 이러한 전문가 집단에게는 비밀유지의 의무도 지워지며 이해상충(Interest Conflict)의 여부도 검토한 후 선임하여야 한다. 예를 들어 목표기업의 외부감사인인 공인회계사나 자문 변호사는 목표기업의 내용을 잘 알고는 있지만 매수기업의 이익을 위해 공정성을 유지하기는 어려울 수도 있으므로 제외시키는 것이 바람직하다.

매수기업 M&A실무프로젝트팀의 책임자는 M&A업무를 전체적으로 기획하고 수행하는 역할을 담당하며 전체적인 일정계획을 관리하고 인원조정 및 외부전문가와의 연락을 담당하게 된다. 일정계획표의 방법을 사용하면 매수기업, 목표기업 및 외부전문가들이 자신들의 기한을 관리할 수 있고, 양 당사자들이 모든 주요 일정에 대한 기한을 공유할 수 있는 장점이 있다.

2. 목표기업과 교섭을 개시한다.
목표기업을 선정한 후 접촉을 통해서 매수사유, 매각 기본조건 타진, 향후 일정 등에 관해서 협의를 한다. 접촉을 하기 전에 치밀한 계획을 세우고, 접촉 시에는 우호적인 분위기에서 가능한 한 최고경영자나 최고경영자로부터 선권을 위임받은 책임자와 접촉한다.

매수기업은 목표기업으로부터 정확한 정보를 얻기 위해 상대방으로부터 신뢰를 얻는 것과, M&A를 함으로써 양측 상호간에 도움이 된다는 것을 이해시키는 것이 매우 중요하다. 목표기업은 매수기업의 인수의도를 파악하여 유리한 조건으로 매각전략을 수립한다. 상호간에 신뢰를 하거나 M&A효과를 이해하는 경우 인수에 필요한 신뢰성 있는 정보를 많이 얻을 수 있어 M&A 여부를 신속하게 결정할 수 있다. 이와 같이 매수기업은 목표기업으로부터 신뢰를 얻기 위해서 매수기업에 대한 정보를 목표기업에게 우선 제공하는 것도 필요하다.

교섭개시 단계에서 목표기업이 인수제시에 우호적으로 응하게 되면 목표기업은 상호 비밀유지계약서(Confidentiality Agreement)의 작성을 요청하게 된다. 이러한 비밀유지계약서는 목표기업에 대한 본격적인 실사가 이루어지기 전에 체결되는데 실사가 수행되면 목표기업의 내부정보가 외부로 유출될 가능성이 커지기 때문이다.

비밀유지계약서의 내용은 대체로 다음과 같다.

- 비밀유지의무의 대상이 되는 정보의 종류
- M&A가 성사되지 않으면 입수한 모든 정보를 폐기하거나 반환한다는 내용
- 목표기업의 내부기밀정보를 공개해야 하는 경우 사전승인을 얻어야 한다는 것
- 비밀유지계약을 위반하여 목표기업에 손실을 가한 경우 보상하겠다는 보상규약

3. 투자의향서 혹은 기본의향서를 작성한다.

투자의향서(인수의향서, 양해각서, MOU) 혹은 기본의향서(Letter of Intent, LOI)는 M&A당사자가 본격적인 실사를 수행하여 정식 인수계약서를 체결하기 전에 상호간에 맺는 일종의 M&A사전협정이라고 할 수 있으며, 매수기업과 목표기업 간 협의사항에 대한 오해를 방지하고 정식합의서를 작성하기 위한 지침을 제공하는 역할을 한다. 따라서 인수에 대한 원칙적인 합의를 기본으로 하여 비밀유지계약에 대한 내용까지 담고 있다. 그러나 기본의향서는 양 당사자가 협상과정에서 협의한 사항에 대해 계약체결 전 사전에 이해관계를 규정하는 것이므로 일반적으로 법적 구속력은 매우 약하다. 때로는 법적 구속력을 갖는 부분도 있다. 그리고 M&A과정 중 변경 및 수정될 수 있으며, M&A종결 시까지 가야 할 의무는 없다.

기본의향서에 포함되는 내용은 다음과 같다.

- 합의의 당사자
- 인수가격 또는 그 산정방식에 대한 합의 사항
- 대금지불의 방법
- 영업양수도, 합병, 주식매수 등 M&A형태에 관한 사항
- 기업실사의 범위
- 임원, 종업원의 처우에 관한 사항
- 인수일정
- 정부승인과 같은 특별한 조건충족에 대한 협의
- 양 당사자간 법적 구속력을 갖는 의향서 내용
  - 거래내용과 목표기업의 사업내용에 대한 비밀유지
  - 일정기간 동안 다른 매수자와 교섭을 하지 않는다는 배타적 교섭 지위
  - 목표기업이 매도 후 일정기간 동안 동일 업종에 참여하지 않는다는 조항

투자의향서 혹은 기본합의서에서 인수가격에 대하여 확정을 하는 경우는 없으나 인수가격을 확정 짓는 방법에 대하여는 규정을 한다. 대개 정밀실사 후 수정된 금액으로 최종 가격을 결정한다는 의미의 문구를 삽입하게 된다.

투자의향서나 기본합의서를 작성한 후 실사를 하게 되면 목표기업의 중요한 경영비밀이 외부에 유출되게 된다. 따라서 인수의향자가 진정한 인수의사가 있음을 상

호간에 증명확인하기 위하여 소정의 계약금을 에스크로우어카운트(Escrow Account)에 지급하거나 담보를 제공한 후 실사 후 최종가격을 결정하는 기본합의서를 작성하는 경우가 있다. 실사결과가 목표기업이 제시한 회사의 현황과 큰 차이가 나서 인수가 불가능한 경우에는 계약금은 인수의향자에게 반환되지만, 실사결과와 목표기업이 제시한 회사의 현황이 큰 차이가 없는데도 인수를 포기할 경우에는 계약금은 목표기업에 귀속된다. 따라서 이와 같이 실사 전에 계약금을 지급하는 경우에는 목표기업 즉 매도자도 정확한 회사의 재무상태, 기술력, 우발채무 등을 인수의향자에게 제시해야 하며, 인수의향자도 사전에 충분한 시장조사를 하여 투자타당성을 검토한 후 기본의향서를 작성하여야 한다. 즉 이러한 기본의향서는 매우 구속력이 강한 것이다.

매도기업이 여러 개의 매수의향 기업 중 매수기업을 지정하는 경우에는 매도기업 입장에서 가장 유리한 제안을 하는 매수기업을 선정하려고 할 것이다. 따라서 기본제안서에는 인수의향을 가진 기업들이 수행할 예정인 본격적인 실사의 내용과 시기, 인수가격제시, 기본제안서는 법적인 구속력이 없다는 내용들이 포함된다. 매도기업이 매수의향기업으로부터 기본제안서를 수령한 후 매수기업을 지정하게 되고 (통상 "우선협상대상자"라 부른다) 매수기업을 위해 제공할 자료의 범위와 제공할 정보목록들을 작성한다. 매도기업 내부에서 실사를 할 경우 기존 직원들의 동요가 있을 수 있으므로 외부에 자료실(Data Room)을 설치하고 실사를 받는다.

III. 목표기업에 대한 실사(Due Diligence)를 실시한다.

실사(Due Diligence)란 지분 또는 자본구조에 있어서의 중대한 변화를 일으킬 수 있는 거래(Transaction)와 관련하여 대상기업에 재무, 영업, 법률, 환경, 인적자원, IT활동 등에 대해 조사하는 업무이다. 실사를 통해서 향후 전개될 통합작업에 대한 범위와 강도도 정해지게 된다.

M&A 본계약을 체결하기 위해 목표기업에 대한 적정한 가치를 평가하여 적정한 인수가격을 산정해야 한다. 실사를 통해서 목표기업의 자산의 실제성, 예상수익의 달성 정도, 영업전망, 부외부채의 존재 가능성, 우발채무의 발생위험, 향후 추가될 비용의 산정, 경영진의 경영능력, 노사문제, 정부와 기업과의 관계 등 재무적·비재무적인 정확한 정보를 기초로 하여 최종적인 인수의사결정을 내리게 된다.

실사를 통해 목표기업의 재무적·비재무적 정보를 확인하고, 기업가치 평가를 통해 적정한 인수가격을 산정한다.

실사의 결과물이 M&A에 어떠한 영향을 줄 수 있으며, 어떠한 사항에 대한 발견사항을 보고해야 하는가를 다음과 같은 실사요소로 분류할 수 있다.

- 거래중단요소(Deal Breaking Issue) : M&A 거래를 위협하는 중요한 요소를 말한다. 인수대상 회사가 제공하는 자료의 신뢰성이 부족하거나, 대상회사의 중대한 수익력의 상실, 핵심인력의 중대한 유출, 중대한 우발채무의 존재, M&A과정에서의 법규 및 계약상의 걸림돌 등을 말한다.
- 가치평가요소(Valuation Issues) : 기업가치 산정에 있어서 주요 고려사항을 말한다. 미래수익 및 원가추정에 필요한 과거 추세분석 자료, 미래 현금흐름에 영향을 미치는 요소(순운전자본의 변동, 고정자산 등 투자지출), 수정후 매출액 및 수정후 순이익 등을 말한다.
- 사후통합 요소(Integration Issues) : M&A 이후 통합과정에서 반드시 고려하여야 할 사항들을 말한다. 급여수준의 차이, 전산시스템 통합의 가능성 등을 말한다.
- 계약관련 요소(Contractual Issues) : 인수계약 시 고려되어야 할 사항을 말한다. 우발채무에 대한 위험회피 조항, 관계회사 거래에 대한 장기계약의 필요성, 사후 계약금액 정산에 영향을 줄 수 있는 사항 등을 말한다.

한편, 실사는 한 번에 완결되지 않고 기초실사와 정밀실사로 나누어 진행될 수 있다. 실사를 기초실사(또는 사전실사, 예비실사, 기본실사, Preliminary Due Dligence)와 정밀실사로 구분하기도 한다. 기초실사란 M&A거래금액의 규모가 매우 거액일 경우나, 목표기업의 재무, 영업, 생산자료의 신뢰성이 낮아서 인수의향서(LOI) 작성 전에 대략의 가치평가 내지는 인수가능 여부를 확인하기 위하여 혹은 인수의향서에 대략의 인수가격을 제시하기 위하여 실시하는 실사를 말한다. 기초실사의 범위는 정밀실사보다는 좁으며 대체로 회사가 제출하는 자료에 대하여 질의와 답변, 설명의 타당성, 비교적 쉽게 확인 가능한 증빙의 대조 등으로 이루어진다.

이에 반해 정밀실사는 그 결과에 따라 매수자와 매도자의 이해관계가 결정될 수도 있으므로 양측에서 매우 신중하게 진행하며 실사의 범위 또한 깊고 넓다. 경우에 따라서는 기초실사에 의하여 제시한 인수가격을 정밀실사의 결과에 따라 변경한다는 기본합의서 혹은 인수계약서를 맺기도 하므로 정밀실사에 따라 발견되는 사항에 대하여 매수・매도 양당사자는 매우 민감하게 반응하게 된다. 따라서 실사를 실시하는 회계법인, 법무법인, 기타 전문가 집단들 또한 자신들의 발견사항에 대한 충분한 증거자료를 확보해야 하므로 장시간을 투여하게 되며 경우에 따라서는 손해배상의 의무를 질 수도 있게 되는 것이다. 기초실사는 목표기업과의 교섭과정에서 입수한 자료를 기초로 회사 내부실무팀에 의하여 수행되기도 한다.

실사는 M&A의 전과정을 거쳐 가장 중요하고 비용도 많이 드는 과정이므로 본격적인 정밀실사를 효율적으로 수행하기 위해서는 구체적인 전략이 수립되어야 한다. 정형화된 실사전략은 없으며 목표기업의 상황에 따라 달리 적용하여야 한다. 실사전략수립시 고려해야 할 요소들로는 실사의 범위, 시간배분, 전문가집단의 조정 등을 들 수 있다.

매수기업 입장에서는 실사의 범위를 최대한 많이 잡으려 할 것이고, 매도기업 입장에서는 그 범위를 최소화하기를 원한다. 실사참여 전문가집단이 매도기업의 공장이나 본사 사무실을 이용하여 매도기업 담당자들로부터 설명을 들으면서 실사를 실시할 수도 있으며, 매수 희망 기업이 다수일 경우에는 매도기업이 일정한 장소와 시기를 정해 놓고 일정한 장소(통상 Dataroom이라 부른다)에 자료의 목록과 증빙자료를 비치하여 실사참여자들이 자유롭게 열람할 수 있게 하기도 한다. 그러나 대부분의 경우 세분화된 자료는 별도의 자료 요청 절차를 거쳐야만 한다. 또한 여러 전문가집단이 중복되는 자료의 요청이 발생하지 않도록 실사참여자들간의 조정이 필요하다. 매도기업은 매수희망기업간의 정보교환과 담합이 이루어지지 않도록 매수희망기업간의 실사시기가 중복되지 않게 조정하는 것이 통례이다.

매수기업의 실무추진팀은 실사에 앞서 그 동안 수집된 기초정보에 기초하여 실사전략을 수립하여 실사참여 전문가 집단들과 사전협의를 하여야 한다. 특히 실사를 수행하는 전문가집단들의 업무범위를 명확히 하여야 한다.

실사는 다음과 같은 절차에 따라 수행된다.

- 전문가집단과 업무범위를 확정하고, 이해상충 여부(Conflict of Interest)를 확인한 후 계약을 체결한다.
- 목표기업에 대한 정보를 입수하여 예비적인 분석(대상회사의 Information

Memorandum, 외부공시자료, 신용평가기관의 발간물, 대상회사 및 관련업체의 웹사이트, 신문이나 잡지)을 수행한다.

- 매수기업의 기대 시너지 효과, 인수 후의 전략을 이해하여 거래중단요소 및 협상에 필요한 이슈들을 파악한다.
- LOI, MOU 등을 통해 인수Deal의 합의된 일정을 파악하고 세부적인 일정을 수립한다.
- 인수가평가(Valuation)의 방법에 따라 평가이슈(Valuation Issue)가 달라지므로 실사 이전에 평가팀(Valuation Team)과 충분한 의사소통이 필요하다.
- Dataroom의 제한적인 접근이 허용된 경우, Data room의 자료를 파악하여 추가의 자료를 요청한다. 완전한 접근이 허용된 경우, 요청자료 List 작성 및 대상회사에게 전달한다.
- 실사업무 분장 및 세부계획을 수립한다.
- 사실확인(Fact Finding)을 문서화한다. 실사업무의 특성상 사실확인과정의 정도는 고객의 요구수준, M&A의 진행과정, 대상회사의 협조수준에 따라 결정된다.
- 제출된 자료를 파악하고 대상회사 경영진과 체계적인 질의를 진행한다.
- 분석을 진행한다. 사업의 위험에 대한 일반적인 이해, 산업에 대한 지식, 그리고 수집된 자료의 정도를 평가하고 이들이 어떻게 상호 연관되어 있는지를 분석한다.
- 실사보고서 작성 시 유의 사항은 아래와 같다.
  - 정보의 출처를 명확히 기술한다.
  - 수행된 업무의 제한 사항을 확인한다. 제출된 정보의 신뢰성을 검토하기 위하여 어떤 독립적 검사를 실시하였는지 구체적으로 기술한다.
  - 보고서의 일자는 현장실사일 마지막 날짜로 기재하고, 보고서일 이후의 발생사건에 대해서는 보고서를 Update할 의무를 지지 않는다는 내용을 확인한다.
  - 보고서의 수신자 이외의 자에게는 배포나 이용을 제한한다는 내용을 전달한다.
  - 수행된 절차에 부합하는 문구를 사용한다.

실사는 전통적인 요소와 비전통적인 요소로 나눌 수 있는데, 비전통적인 요소에 대한 실사에는 내부통제와 재무보고프로세스, 전략적통합리스크, 기업문화 및 인적자원에 대한 것을 포함할 수 있다. 이러한 비전통적인 요소에 대한 실사결과는 향후 통합작업의 중요한 기초작업이 된다.

IV. M&A 형태를 최종 결정하고 목표기업을 인수한다.

M&A의 법적 형태는 합병, 영업양수도, 주식인수 및 주식인수의 한 부류인 주식교환을 수행할 때 취해야 할 법률상의 절차, 법률상 점검사항, 세법상 처리사항을 점검 후 최종적으로 각 형태별 M&A를 종결하는 것을 말한다.

M&A는 그 목적, 실사결과, 소요비용, 인수기업의 현금흐름, 또는 법적/세무적 검토내용에 따라 그 형태가 결정되게 된다. 초기에 M&A의 목적에 맞게 그 형태를 "합병"으로 결정하였다 하여도 실사 후 목표기업의 우발채무 때문에 그 형태를 영업양수도로 변경할 수도 있으며, 그 형태별 방법론을 검토하다가 법적 규제 등에 따라 그 형태를 변경할 수도 있다.

M&A의 형태는 M&A의 초기 단계에 이미 결정될 수도 있고 협상과성에서 결정될 수도 있고, 경우에 따라서는 형태별 방법론에서 법적·세무적 사항들을 점검하는 과정에서 당초 결정된 형태가 변경될 수도 있다. 따라서 M&A 형태별 방법론 검토는 초기 전략의 수립단계에서부터 계속하여 검토하고 또 다시 새로운 요소의 발생에 따라 재검토되어야 하는 과정이다.

최적의 M&A 형태를 도출하고 M&A 형태별 대안을 비교 검토한다.

M&A의 형태는 다음과 같이 분류된다.

분류 기준	M&A 방식	내 용
거래의사	우호적 M&A vs. 적대적 M&A	M&A는 거래의사에 따라 우호적 M&A와 적대적 M&A로 구분된다. 우호적 M&A는 매수기업의 매수활동이 매수대상기업 경영진과 최대주주의 동의하에 진행되는 것이고, 적대적 M&A는 매수기업이 매수대상기업 경영진이나 최대주주의 의사에 반하여 경영권을 강제로 빼앗는 것을 말한다.
결합방식	수평적 M&A vs. 수직적 M&A	수평적 M&A는 동일한 제품이나 용역 또는 서로 경쟁관계에 있는 제품이나 용역을 생산하거나 공급하는 관계에 있는 회사간 지배권의 취득을 통해서 결합하는 것을 말한다. 이러한 M&A는 동종업종간에 이루어지므로 생산설비의 효율적 활용, 재고량의 감축, 판매처의 중복회피, 연구개발비의 절감효과 등 규모의 경제를 기할 목적으로 행하여진다.

분류 기준	M&A 방식	내 용
결제수단	현금매수 vs. 주식교환매수 또는 LBO	현금매수는 기업인수의 대가로 현금을 지급하는 방식의 인수방법으로 이 방법의 경우, 기업매수를 신속하게 종결할 수 있고, 절차도 복잡하지 않은 장점이 있으나 기업매수에 막대한 자금이 소요되는 단점이 있다. 주식교환매수에 의한 방법은 인수대가로서 인수회사가 보유하고 있거나 새로 발행하는 주식, 전환사채, 신주인수권부사채 등의 유가증권을 교부하고 피인수기업의 주식을 취득하는 방법이다. LBO(Leverage Buy Out)매수란 인수회사가 페이퍼컴퍼니(Paper Company)를 설립한 후 정크본드(Junk Bond)를 발행하여 인수자금을 조달하거나, 금융기관으로부터 자금을 조달하여 피인수기업을 인수 후 피인수기업의 자산을 매각하거나 동 기업의 이익금으로 차입금을 상환하는 매수방법이다.
법적형식	영업양수도 vs. 주식취득 또는 합병	법적 형식은 영업양수도(또는 자산부채양수도), 주식취득, 합병 중 하나의 법적 형태를 취하게 된다. 영업양수도란 피인수기업의 영업단위 중 일부분만을 인수함으로써 피인수기업은 그 법적 실체를 계속 유지하게 되며, 합병은 피인수기업과 인수기업이 하나의 법적 실체로 합하여 지게 되며 주식취득에 의한 M&A는 피인수기업의 주주의 변동만 있고 그 법적 실체는 그대로 유지되는 형태를 말한다.

M&A형태별 비교분석은 M&A의 형태를 결정하는 방법이 된다. 어떠한 기준에 의하여 분류하던 M&A의 법적 형태는 합병, 영업양수도, 주식취득 중의 한 형태가 된다.

M&A 형태	장 점	단 점
합병	- 인수회사에 의한 피인수회사 주식의 "100% 인수"이기 때문에 인수 후 소수주주가 생길 근거가 없어짐으로써 앞으로 소수주주로부터 도전을 받을 염려가 없다. - 둘 이상의 회사가 하나의 법인체로 합하여 지게 되므로 인수회사의 외형적 성장을 크게 할 수 있다.	인수회사가 피인수회사의 일체의 모든 책임을 전적으로 인수하게 된다. '일체의 모든 책임'이란 현재까지 일어난 일에 대한 책임은 물론, 앞으로 일어날 수도 있는 일에 대한 책임도 포함한다. 또 현재까지 밝혀진 일에 대한 책임과 아직까지 밝혀지지 않은 일에 대한 책임까지 포함된다.
영업양수도, 자산/부채인수	- 원칙적으로 피인수회사의 채무(이미 확정된 것은 물론 아직 확정되지 않은 것까지 포함) 및 책임문제는 인수회사에 승계되지 않는다. 즉 특별히 매도자와 특정채무 및 책임에 대하여 인수의사를 표명하지 않는 한 양수자는 이러한 채무로부터 자유롭다. - 피인수회사 영업의 전부 또는 일부를 계약에 의하여 선택하여 인수받을 수 있으므로 인수자가 불필요한 사업까지 인수할 필요가 없다.	- 피인수회사가 없어짐으로써 '주식회사의 동일성'이 상실된다. - 별도의 자산 명의 변경절차를 거쳐야 하므로 세금면에서 양도세, 취등록세 등의 납부가 발생할 수 있으며, 부채도 인수받는 경우에는 동 채권자에게 동의를 받는 절차 등이 까다로울 수 있다.
주식매수(피인수회사의 주식을 매수하여 피인수회사의 지배권을 장악하는 방법)	- 피인수회사의 '동일성'이 유지됨으로써 법적인 권한, 라이센스, 인허가 등의 모든 권리를 인수받을 수 있다. - 자산과 부채의 이전 절차가 없다. - 피인수회사의 주주 수가 많지 않은 경우에는 간단한 인수거래행위로 종결될 수 있다. - 경영권확보를 위하여 총 주식 중 일부만의 인수로도 경영권확보가 가능하다.	- 소수주주들과의 의견대립가능성이 존재한다. - 피인수회사의 모든 책임, 즉 우발채무의 위험성이 있다.

M&A 형태	장 점	단 점
	- 피인수회사의 동일성이 유지되므로 잔여 소수주주들을 위한 주식매수청구권 등 법적 보호 절차가 필요없다.	
주식교환 (주식매수대금을 현금이 아닌 인수회사의 자기주식이나 신주를 발행하여 지급하는 방법)	- 주식매수에 자금이 적게 든다. 인수대가로 자기회사의 주식이나 신주를 발행하여 지급하므로 거의 자금을 들이지 않고 인수기업의 사업영역을 확장할 수 있다. - 인수회사의 지배권유지에 도움이 된다. 주식교환은 경쟁업체인지 비경쟁업체인지를 불문하고 전략적 제휴의 방법으로 많이 사용되고 있으므로 전략적 제휴의 차원에서 제 3자 배정 신주발행을 통해 사업파트너에게 주식을 배정할 경우 우호적 지분이 늘어나게 되므로 적대적 M&A의 방어역할도 할 수 있는 것이다.	- 교환되는 주식의 교환비율 즉 가치평가의 문제가 서로 이해 대립될 수 있다. - 일반 소액투자자들은 제3자 배정 유상증자시 늘어난 주식물량으로 인하여 주가하락의 피해를 볼 수도 있다.

영업양수도의 경우 다음과 같은 개략적인 로드맵을 가질 수 있다.

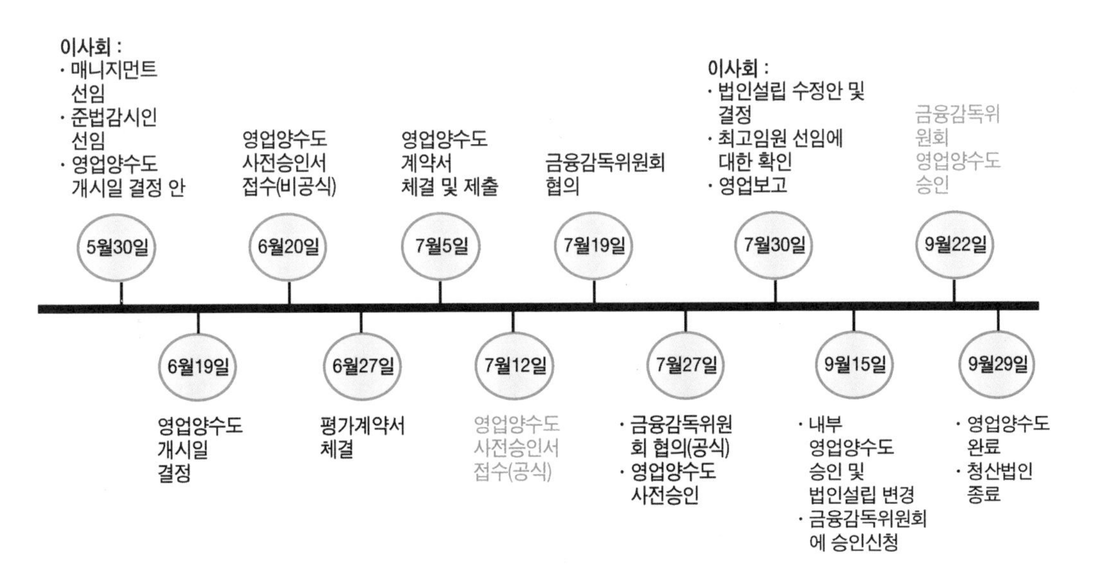

실사작업 체크리스트

- 모든 가능한 문제점과 부채를 적발할 수 있는 자세한 실사 과정이 실시되어야 한다. 해외의 회계 및 법률 규정은 인수하려는 기업에 대한 모든 가능한 문제점을 완전히 공시하지 않을 가능성이 있기 때문에 적절한 실사과정은 매우 중요하다.
- 실사를 서둘러서는 안 된다. 과거 여러 합병에서 가장 큰 문제점 중 하나는 실사기간이 너무 짧았다는 교훈이 있었다. 실사팀에게 모든 문제점들을 적발할 수 있는 시간이 충분히 주어져야 한다. 금융회사 실사의 경우, 거래가 성사된 후 불량채권들이 발견된 사례가 많았다.
- 숨겨진 부채들은 매수기업이 서명하는 양해각서(Memorandum of Understanding)에 포함되어 있어야 한다. 양해각서에는 반드시 우발채무에 관하여 매수기업의 책임을 미리 결정된 일정한 금액을 한도로 제한한다는 조항들이 포함되어 있어야 한다.
- 발견된 가능한 이슈들을 바탕으로 어느 정도 유연성 있게 매수하려는 기업에 대한 가치를 측정해야 한다. 영업권(goodwill)의 상향 조정 시 총 구매가의 10~15% 정도의 완충가격(cushion)을 고려하여야 한다.
- 매수기업은 거래를 마무리하기 전에 가치 평가를 위해 인사, 경영진, 시장에서의 입지 등을 포함한 인수하려는 회사의 모든 측면을 고려해야 한다. 실사기간 동안 인수하려는 기업의 재무적인 측면만 검토해서는 안된다.
- 실사기간 동안 IT 인프라를 통합하는 비용을 확인할 수 있는 시스템 전문가들이 참여하여야 한다.

인수하려는 기업이 은행인 경우 개괄적인 실사내용은 다음과 같다.

1. 재무제표 정보

1) 분석의 목적

a) 타깃의 현재 및 기존의 재무상태를 완전히 이해하고 타깃의 회계방식이 정확한지 이해한다.

b) 인수기업의 회계정책과 타깃의 회계정책에 일관성이 있는지 확인하고 필요한 수정사항들을 파악한다.

c) 만약 있다면, 영업권의 가치를 결정한다.

d) 타깃의 순자산(자산 및 부채)의 공정가치를 결정한다.

e) 인수기업과 타깃의 회계기능 통합으로 가능한 비용 절감을 파악한다.

2) 적용 대상

a) 모든 거래

3) 필수 분석

a) 재무제표를 검토하고 적립금, 투자, 수익구성, 특별 항목(extraordinary items)과 같이 자세한 검토가 필요한 주요 분야를 분리한다.

b) 내부통제 평가

i) 운영중인 회계시스템 및 내부통제의 수준을 짚어보고 그에 따른 회계장부의 수준을 판단한다.

ii) 재무제표를 준비하기 위해 사용되는 방법에 대해 질의한다.

iii) 조직구성도를 검토하고 동 구성도가 효과적인 통제에 도움이 되는 것인지 여부에 대해 고려한다.

iv) 회계매뉴얼을 읽고 타깃이 실제로 매뉴얼에 따라 운영하며 절차 및 통제가 이루어지는지를 파악한다.

c) 재무, 세무, 법률, 인사 등의 부서들과 상의하여 타깃의 재무제표에 나타나 있지 않거나 과소계상되어 있을 우발채무를 평가한다.

d) 회계정책 및 절차 평가

i) 회계정책이 기업회계기준(Generally Accepted Accounting Principles GAAP) 및 업계 관행에 따라 수립되어 있는지 파악한다.

ii) 회계정책이 일관성 있게 적용되고 있는지 고려하고 회계정책, 절차 또는 회계추정 등을 최근에 고려하고 있는 변화가 있는지 파악한다.

iii) 중요한 회계추정을 결정하는 프로세스를 고려하고 재무제표에 미치는 영향을 고려(적립금, 충당금, 미수금 등)한다.

iv) 특이한, 비반복적인, 또는 특별항목들을 어떻게 다루는지 파악한다.

v) 타깃과 인수기업의 회계정책에서 중요한 다른 점들에 대해 질의한다.

vi) 그룹 내 활동에 대한 회계처리를 파악한다.

vii) 이연 수익 및 이연 지출을 파악한다.

viii) 연결의 기준 및 반복되는 조정의 성격을 파악한다.

ix) 회계부서 조직도, 회계매뉴얼, 직무해설서 및 회계부서 직원들의 권리한도, 경영자 확인서 등을 검토한다.

e) 다음 지표 및 서류를 찾아 문서화한다.

i) 질이 낮은 회계장부

ii) 부족한 회계 직원

iii) 비효율적인 내부통제 구조

iv) 과거 중요한 조정사항들

v) 논쟁이 될 수 있는 회계 이슈들

vi) 빈번한 감사인의 변경

vii) 여러 감사 법인이 연루된 점

viii) 재무보고에 대한 공격적인 자세

ix) 타깃 및 예측을 성취하는 것에 대한 강조

x) 비독립적인 감사위원회

x i) 내부 감사부서의 부족

x ii) 규제기관과의 문제

xiii) 중대한 특수관계자 거래

xiv) 수익성과 연계된 보상

xv) 개방되고 솔직한 것을 꺼림

xvi) 소수 고객에 대한 의존도

xvii) 통화의 등락에 영향을 받는 수익

xviii) 정치적 · 경제적으로 취약한 지역에 있는 중요 고객들

xix) 중요 고객기반의 재무상태가 악화됨

f) 서류작업을 읽고 중요 이슈/문제점에 대해 질의한다.

g) 경영진과의 의견충돌이 있었는지 여부에 대해 질의한다.

h) 감사 차이점(조정)에 대한 특성 및 양에 대해 질의한다.

i) 회계직원의 역량 및 신뢰성에 대해 질의한다.

j) 가능한 문제점을 발견하기 위해 감사의견을 참조한다.

4) 필요정보

a) 개요

i) 재무통제 조직도

ii) 지난 5년간 제안된 모든 자산의 리스트 작성

iii) 사업에서 쓰이는 모든 용어 및 약어의 정의

b) 정책 & 절차

i) 수익과 비용을 처리하기 위한 절차를 포함하여, 말소(write-off), 적립금, 감가상각을 위한 내부통제 정책 및 절차

(1) 지난 3년간 회계기준 및 방법의 변경에 대한 상세

(2) 자금관리 및 외화관리 정책

c) 실무

i) 지난 3년간 계획 및 전략적 계획들의 운영

ii) 내부통제

(1) 상위 경영진들이 사업을 통제하기 위해 사용하는 측정빈도를 포함한 주요 성과지표

(2) 사업/회사 계획 및 예산과정

(3) 예측, 경영회계, 재무회계, 내부통제, 데이터 프로세싱 통제, 자금 기능 등을 포함한 경영 정보 및 회계시스템 상세

(4) 통합과정에 대한 설명

d) 포트폴리오

i) 감사인들의 성명 및 주소, 관련 감사파트너의 연락처 상세 포함

ii) 지난 3년간 감사받은 재무제표, 연차보고서, 다른 규제기관에 제출하는 정보

iii) 지난 2년과 현재까지의 재무 정보

(1) 각 사업부별로 순 미수금

(2) 각 수입 원천별로 나눈 수입

(3) 각 비용 분류별로 나눈 운영비용

(4) 대차대조표 및 손익계산서에 있는 각 사업부별 대손충당금

iv) 전 사업연도 전체 및 현재 날짜까지

(1) 각 금융상품에 따라 사업부별로 나눈 볼륨크기(Volume levels)

(2) 특별 이익/비용 상세

(3) 지난 3년간 각 사업부의 손실 및 총 수금
(4) 지난 3년간 손실내역
(a) 각 사업부에 의해 (월별 자료) 차압된/회수된 단위
(b) 미지불된 단위의 건수 (월별 자료)
(c) 각 단위당 평균 손실
(5) 지난 3년간 손익/손실에 대한 개요
(6) 연결기준 재무계정
(7) 각 외화별 외화자산 및 외화부채 상세
(8) 충당금계정의 모든 변동에 대한 상세
(9) 모는 채권자 및 미지급된 비용 상세
(10) 회사 내부간 계정 상세, 회사 내부간 거래, 내부 대출 및 투자(금액, 회사, 지급 조건, 이자율)에 대한 상세
(11) 과세이연
(12) 부외(Off-balance sheet) 금융 상품
(13) 모든 법인들에 대한 감사의견
(14) 작년 감사 경영 보고
v) 가장 최근 결산한 총계정원장의 시산표(trial balance) 상세
vi) 직전 사업연도 말 및 현재까지 재무정보
(1) 대차대조표 조정 및 승인절차(sign-off procedures)
(2) 가계정(Suspense account) 잔액
(3) 중요 미수금 및 충당금 분석
vii) 직전 회계 계상일 이후 중간 재무제표 및 중요 변화의 상세
viii) 지난 3년 동안 경영진 계정
ix) 마지막 감사된 계정일 이후 선언된, 만들어진, 지불된 배당금
x) 당해 연도 예산
xi) 지난 3년간 예산과 실제 결과 사이 차이점들에 대한 분석
xii) 특별 손실 및 충당금 상세
xiii) 취득일, 취득가, 감가상각 누계액, 순장부가액, 평가가격을 포함한 고정자산의 스케줄
(1) 회계 및 세무 목적상 사용한 감가상각 방법

(2) 자본지출액 (역사가격, 현재가격 및 계획가)

(3) 소각 및 처분

(4) 생산능력(Capacity)

(5) 유지보수비용

xiv) 공개적으로 이용 가능한 평가법인의 분석 및 증권분석가 보고서

xv) 특수관계법인과의 거래 상세

xvi) 재무제표 손익계산서를 포함한 추후 3년을 위한 사업계획

xvii) 기타 자산 및 계약

(1) 무형자산 및 평가 기준 스케줄

(2) 투자 및 평가 기준 스케줄

(3) 회사내부간 매출금 및 채무 상세

(4) 충당금 스케줄 및 충당금

(5) 기타 채무 스케줄

(6) 우발채무 스케줄과 만약, 실현된다면 그 재무제표 영향

(7) 법무관의 조회서

(8) 현재 보험담보 범위(insurance coverage) 상세 및 복사본, 자산을 보호하기 위한 연간 프리미엄

xviii) 중요 보험금 청구사항 상세

e) 채용

f) 법률문서

i) 지난 3년간 내부 감사보고서

ii) 지난 3년간 외부 감사보고서, 내부감사 작업서류 및 경영자 추천서 포함

g) 기타

5) 경영진 인터뷰 질의

a) 개요

b) 정책과 절차

최고재무책임자, 감사관, 회계매니저와의 인터뷰를 요청하여 필요정보를 검토하는데서 나온 이슈 및 차이점 등을 논의

c) 실무

d) 포트폴리오

e) 채용

f) 법률문서

g) 기타

2. 유형자산(Property, Plant & Equipment)

1) 목적

a) 타깃이 보유한 실물자산 확인

b) 타깃 자산의 수리상태 및 필요한 정비/대체 비용 결정

c) 타깃이 현재 또는 미래 예상된 볼륨에 대한 충분한 운용능력을 가졌는지 여부 결정

d) 미래 운영비용 예측

2) 적용 대상

a) 타깃의 모든 또는 부분적인 운용 플랫폼을 포함한 매수

3) 필요 분석

a) 실물자산의 상태를 검사하고 법무팀과 상의하여 자산 및 리스에 대한 권리 및 채무 확정

b) 환경성 검토부와 조정하여 관련 비용 예측 준비

c) 운용부서와 조정하여 점유비용 예상

d) 회사 보험 및 리스크 관리부서와 상의하여 보험성 검사

4) 필요 정보

a) 개요

i) 조직도

ii) 지난 5년간 제안된 모든 자산의 리스트

iii) 사업에서 쓰이는 모든 용어 및 약어의 정의

b) 정책 & 절차

c) 실무

d) 포트폴리오

i) 실물자산

(1) 타깃이 보유한 또는 점유하고 있는 모든 자산 내역 및 동 자산보유와 관련한 이해관계, 모든 소유권관련 문서의 사본, 건축허가, 사용허가, 임대차계약서, 라이선스 및 중요 저당권에 대한 동의, 허가 등의 상세(동 문서들의 위치에 대한 상세 및 관련 변호사의 성명 및 주소). 자산의 내역에 포함되어야 하는 정보 :

(a) 위치

(b) 주소

(c) 제곱미터(Square meters)

(d) 임대

(e) 개시일자

(f) 부지의 목적

(g) 부지에서 주차된 차량, 수리, 세탁

(h) 점유하는 공간의 층수

(i) 임대차 조건

(j) 권리/소유권 서류 및 모든 리스 계약서

(2) 타깃이 일정 계약에 의해 지속적인 의무가 있거나 리스계약의 당사자 중 하나인 경우 타깃이 공식적으로 소유한 자산의 내역

(3) 타깃의 지분이 있지만 소유하거나 점유하고 있지 않은 부지, 자산, 토지

(4) 지난 6년간 이행된 자산평가

(5) 타깃의 부지, 자산, 토지의 사용과 관련한 적극적 또는 제한적 이행조건(Positive or restrictive covenants)

(6) 타깃의 자산에 대한 서비스제공(전기, 가스, 물, 등) 관련 계약서의 특이한 또는 특별한 조건

(7) 타깃의 소유 또는 점유한 자산과 관련한 측량기사, 엔지니어 또는 다른 전문가의 보고서 조사, 법률서면, 물권보험, 평가보고서

(8) 타깃이 현재 소유 또는 점유하고 있는 부지가 전적으로 점유되고 있지 않다면 현재 점유자 및 점유관련 조건들의 리스트

(9) 소유주의 재정상태(신용보고서)

(10) 타깃이 소유 또는 리스하고 있는 자산에 영향을 미치는 시 당국의 위반사

항에 대한 통지

(11) 타깃이 소유 또는 리스하고 있는 자산에 대한 이용구역 제한 및 분할 준수 현황

(12) 지난 3년간 세무통지서, 수도세, 하수도요금 및 타깃이 소유 또는 리스하고 있는 자산에 대한 관련 부과금

(13) 타깃이 소유 또는 리스하고 있는 자산에 대한 빌딩 또는 부지 조사보고서

(14) 위 자산들과 관련한 보증 및 보장

(15) 대부 장부

(16) 임대보증금 리스트

(17) 언체보고서

ii) 일반 자산

(1) 유형고정자산(차량 포함)의 세무상 취득가, 취득일자, 세무상 충당금 명세(감가상각충당금 포함), 후속 장부성 재평가, 최근 세무상 감액금액 및 현재 위치

(2) 타깃이 사용하는 리스된 자산 또는 구매계약

(3) 취득한 개인 사무품

(4) 현재 재고 상태 및/또는 미완성제품(WIP: work-in-progress)과 그 가치

(5) 재고자산의 상태 및 일반 재고자산 회전율

(6) 타켓이 전 세계에서 사용하는 자산. 예를 들어, 자동차, 컴퓨터 등

(7) 타깃이 상품 또는 재고자산을 두는 모든 설비시설의 주소 리스트

e) 채용

f) 법률문서

i) 부동산(Real Property)

(1) 방화설비증서(Fire certificates) 및 소방공무원의 요구사항

(2) 타깃 또는 자회사가 보유 또는 점유하고 있는 부동산과 관련하여 리스 및 임대계약서, 전대 및 양허 계약서, 임대 및 단계적 임대료 상승계약서, 만료일자, 관리/브로커 계약, 방해금지 및 승인(non-disturbance and attornment) 계약 및 관련 임무, 신용장, 만약 있다면 동의서, 금반언 서술서(estoppel letters), 보증금 리스트, 세무상 의무 또는 지불액, 다른 리스 항목(공과금, 사용조항, 등), 개정된 조항 포함

(3) 타깃이 보유 또는 점유하고 있는 부동산에 영향을 끼치는 어떠한 종류의 계약 지역권(Easements), 유치권, 제한, 위반, 서약 등

(4) 타깃이 보유 또는 점유하고 있는 부동산에 영향을 끼치는 점유증서, 화재 보험업자의 증서, 다른 라이센스 및 허가

ii) 일반 자산

(1) 리스 및 임대계약서, 전대 및 양허 계약서, 양도, 신용장, 만약 있다면 관련 동의서 및 모든 개정사항

(2) 타깃이 보유 또는 점유하고 있는 일반 자산에 영향을 미치는 유효한 보증 또는 보장

g) 기타

i) 보험증서 및 현재 보험청구 상세 내역

ii) 현재 위반사항이 있는지 여부에 대한 서술서

iii) 채무 현황(예. 중개료, 세금 및 보험금 등)

5) 경영진 인터뷰 질의

a) 개요

b) 정책 & 절차

c) 실무

d) 포트폴리오

e) 채용

f) 법률문서

g) 기타

3. 세무

1) 목적

a) 최대한의 금융 세무 혜택을 제공할 거래의 구조 결정

b) 타켓그룹의 현재 세무 상황 확인

c) 현재 또는 미래 세무상 부채가 재무제표에 적절히 반영되어 있는지 확인

d) 우발 세무충당금의 적절함에 대한 결정

e) 예측을 목적으로 적절한 세율에 대한 확인

f) 거래세 비용 결정

2) 적용 대상

a) 법인격의 매수(주식)

b) 조인트벤처(Joint ventures)

c) 자산취득

3) 필요 분석

a) 이연법인세 자산/부채 현황 확인

b) FAS109 도입과 관련한 업무서류 분석

c) 세무상 주석 및 미수금 관련 업무서류 분석

d) 특별 세부 충당금 분석

e) 세무신고서 분석

f) 순손실(NOLs) 스케줄 분석(연방, 주 및 해외), 결손금 공제기간 포함 및 동 세무결손금이 매수 이후에도 사용할 수 있는지 여부 분석

g) 소급/이월 가능한 외국납부세액공제액(FTC)이 있는지 확인

h) 공제와 관련된 최근 판례 및/또는 해외 세무이슈를 점검

i) 인수기업 FTC 신고 입장을 타깃그룹의 FTC포지션에 적용할 수 있는지 여부에 대한 검증(예-타깃이 해외납부세액을 공제불가능하다고 자발적으로 처리하고 있는지 여부)

j) 유형자산 및 자본화된 무형자산의 스케줄 분석

k) 주요 세무조정 식별

l) 이연 내부거래 항목 식별

m) 파트너십, 조인트벤처 등 유사한 계약 분석

n) 고객 채무 계약, 계좌개설서, 마스터 리스계약서 등에 대한 분석

o) 모든 회사내부간 서비스제공계약서 분석

p) 세무자문 정책 평가

q) 세무회계 정책 평가

r) 서류, 갱신 등 세무정보 보고 및 원천징수 정책 및 절차 분석

s) 자료보관 정책 분석

t) 파생상품 포트폴리오 및 헤징 선택 분석

u) 다음을 위한 지방세 및 장부기록 방법 평가

i) 파생상품
ii) 주선수수료(Loan origination costs)
iii) 채무소각
iv) 미수이자
v) 감가상각
vi) 위와 관련하여, 위험/기회 존속법인 추정에 대한 요약서를 준비

4) 필요정보

a) 개요

i) 조직도
ii) 지난 5년간 제안된 모든 상품의 리스트 작성
iii) 사업에서 쓰이는 모든 용어 및 약어의 정의

b) 정책 & 절차

c) 실무

i) 법인격의 구조/타깃그룹의 지분관계
ii) 타깃의 운영구조(예, 신용카드업자, 서비스기업, 보증은행, 보험, 리스, 지주회사 등)
iii) 사업이 어떻게 시작되었으며 특히 다른 주에서 에이전트를 통해 서비스가 제공되고 있는지에 대한 요약
iv) 다음을 위한 지방세 및 장부기록 요약
(1) 파생상품
(2) 채무소각
(3) 미수이자
(4) 감가상각

d) 포트폴리오

i) 타깃그룹 안의 지주회사
ii) 타깃그룹이 현재까지 한 모든 취득 및 처분 내역
iii) 내부 조직개편 및 구조조정 요약
iv) 중요 이연된 내부거래 항목
v) 모든 파트너십, 조인트벤처, 동맹 계약 등

vi) 타깃 안에서 각 단체의 물리적 위치(지점, 사무실, 설비, 자산 및 직원들) 요약, 국내 이외 고정사업장 등을 포함
vii) 필요하다면, 외국납부세액 제한 요약
viii) 타깃이 있는 주/국가 리스트(예. 채무자들에 대출, 라이선스 등)
ix) 타깃그룹이 사용하고 있는 독립적 사업자들이 있는 주/국가 리스트
x) 지난 5년간 재무제표 제시 목적을 위한 유효법인세율의 조정
xi) 지난 5년간 재무제표 제시 목적을 위한 순이연법인세 자산/부채 요약 및 평가충당금 금액 산정
xii) 제척기간이 지나지 않은 세무연도의 통합신고를 포함하여 타깃그룹이 주 또는 시방소득세신고서를 세출한 모든 주의 리스트
xiii) 현금 세금속성의 요약, 공제세액, 순손실(NOL), 내재손실, 이익 및 손익계정
xiv) 자회사에 있는 투자 기초 계정 (과세기초)
xv) 모든 고객기반 무형 및 자본화된 영업권
xvi) 특별 세무 충당금
xvii) 세금우대항목 요약
xviii) 현재 진행중인 세무소송 및 과거 5년간 해결된 세무소송 요약
xix) 현재 진행 중 또는 과거 5년간 종결된 해외, 지역 소득, 프랜차이즈 및 총수입에 대한 세무조사 요약
xx) 모든 종류의 원천징수 및 정보보고 관련된 감사, 질의, 벌금 현황 요약
xxi) 과거 5년간 판매세, 사용세, 부가세, 재산세 및 기타세 관련 조사 및 감사 현황 요약
xxii) 퇴직급여규정 요약
xxiii) 대상 그룹(운영중인 자회사 포함)에 대한 스톡옵션 및 스톡워런트
xxiv) 세금 면제 포트폴리오 구성요소 및 부인되는 이자에 대한 기술
xxv) 모기지 금융 사업 및 부동산 모기지 투자기구증권(Real Estate Mortgage Investment Conduit (REMIC) securities) 거래에 대한 기술
xxvi) 외환거래위험 요약
xxvii) 헤지거래 요약
xxviii) 의무의 종류 : 소지자 vs 등록 및 예치자 vs 비예치자
xxix) 자산구분별(예, 3-5-7년 사용기간) 및 설치연도별 유형자산의 세무상 장

부가액, 회계상 장부가액 및 공정가액

xxx) 금융리스와 취득연도 포함한 유형자산의 세무상 장부가액, 회계상 장부가액 및 공정가액

xxxi) 세금관련 처리 스케줄

xxxii) 모든 세무 자문 정책 의견서

xxxiii) 모든 세무회계 정책 의견서

xxxiv) 모든 세무 관련 법률 자문 의견서

xxxv) 감가상각충당금 포함 세무상 충당금, 회계상 재평가액 및 현재 세무상 평가액을 포함한 세무상 취득가액 및 취득일에 대한 상세내역

e) 인적구성

f) 법률에 따른 문서화

i) 과거 5년간 세무 신고서 – 연방 연결 소득세신고, 별도신고, 통한 주 및 지방에서의 신고 및 해외 세금신고(관련 스케줄 및 공시자료 포함)

ii) 과거 5년간 모든 원천징수, 급여, 판매/사용, 부가가치세, 개인재산세, 기타세 신고서

iii) 과거 5년간 연차 유가증권 보고서 및 연간 보고서

iv) 모든 대상연도의 지역, 해외 소득 세무조사관련 서류. 이는 세원징수리포트, 공식/비공식 계약, 이연조정, 지역, 해외 조사 및 조세불복서류 포함

v) 모든 관계사 용역 계약

vi) 모든 세금 분배 계약

vii) 모든 파트너십, 조인트벤처 협약

viii) 과거 5년간의 신용카드 매출채권, 모기지, 기타자산 또는 대상 그룹 및 그룹 멤버가 발행한 채권·채무의 유동화를 위한 제안회람, 모집계획서, 안내서 등

ix) 현재 및 과거 채권/채무 상품 관련 고객 협약서

x) 현재 및 과거의 주요 리스계약

xi) 세무 부서 관련 내부감사보고서

g) 기타

i) 지주회사의 법인 본사 및 운영회사의 상업적 주소

ii) 외부 세무신고 준비 및 자문관련 업무를 수행하는 자

5) 경영진 인터뷰 질문사항

a) 개요

b) 정책 및 절차

c) 실례

i) 대상회사가 다음에 대하여 설명

(1) 대상 그룹의 법적 실체 및 지배구조

(2) 이전 취득/처분에 대한 세무상 처리

(3) 모든 파트너십, 조인트벤처, 협력사 및 주거래은행에 대한 관계

(4) 사업의 운영 구조

d) 포트폴리오

e) 채용

i) 세무신고 당사자?

ii) 세무조사 대응 당사자?

f) 법률 문서화

g) 기타

4. 재무

1) 목적

a) 채권자에 의해 인수된 대상차입금관련 비용결정

b) 대상 자금조달방식의 안정성 결정

c) 금융약정 해지 시 해지비용 결정

d) 인수된 채무의 공정가액 결정

e) 미래 세후 자금조달비용 예측

f) 주요 임직원 파악 및 보유정책 실행을 위한 협력

2) 적용 대상

a) 모든 법인체 취득

b) 모든 대상 자금조달채무 인수 관련 취득

c) 소비재 자산 취득(자금조달계획의 경우에만)

3) 필요 분석

a) 모든 대출, 증권화, 스왑, Repo, 신종기업어음, 사채, 채권, 리스, 장부 또는 부외 자금조달 서류 관련 이자율 등 조건 검토

i) 만기

ii) 약정

iii) 차입자

iv) 상황스케줄

v) 보증인

vi) 담보

vii) 채권자 변경 조항

viii) 우선상환 시 제약

b) 인수된 자금조달채무의 공정가치분석 수행

c) 차입금의 법률상 분류(부채, Tier 1 자본, Tier 2 자본)

d) 취득 설계시 고려될 은행관계, 기업관계(예, 23 A/B) 결정

e) 발행자 세무 이슈 관련 참조

f) 자산유동화 없이 부채상환 능력 결정

i) 현금 vs. 유동성 만기보유 장기 부채 및 리스

ii) 연평균 현금 회수 vs. 유동성 만기

g) 모회사 기여금/부채 파악

h) 외부 부채 및 자본 파악

i) 사후 취득 금융조달계획 준비

4) 필요 정보

a) 개요

i) 조직도

ii) 과거 5년간 제공된 모든 상품 리스트

iii) 사업에 사용된 모든 용어 정의

b) 정책 및 절차

c) 실례

d) 포트폴리오

i) 장부 및 부외 자금조달

(1) 모든 대출, 증권화, 스왑, Repo, 신종기업어음, 사채, 채권, 리스, 장부 또는 부외 자금조달 서류

(2) 모기지, 수수료, 부채, 담보, 보장, 보증계약 및 대상 자산 및 사업의 일부 또는 전부를 생성하는 협약, 부채 상세내역

(3) 관계사 채무 상세내역

(4) 영업활동 외에서 발생한 부채 상세내역

(5) 대상회사가 계좌를 가진 은행의 이름, 지점구분코드, 지점주소 및 최근 재무제표일자 기준 모든 약정 및 잔액

(6) 당좌차월 및 리볼빙(Revolving) 신용공여 및 인수 증권 조건을 포함하기 위한 대상 은행과 맺은 모든 약정

(7) 상환 조건 및 기준을 공유하는 주요 채권자(현재 이자율, 상환 잔액 및 상환일 포함)

ii) 증권화

(1) FAS 125하의 판매

(2) 법적 회계기준하의 판매

(3) 판매자와 구매자의 권리 및 의무

(4) 증권화 구조 및 구매 후 부채/자산이 선지급 될 위험이 있는지 판단하기 위한 자산의 형태에 대한 기술

(5) 자산에 대산 풋 또는 콜

(6) 적격 특수목적회사 활동 기술

(7) 회사의 월례보고, 재무제표 또는 Bloomberg 관련 금융보고 기술

(8) 신용향상 및 유동화 기능관련 기술

(9) 파산 시 자산이 판매자의 채권자로부터 분리되어 있다는 법률 의견서

(10) 현재 신용평가기관과의 관계 상황

e) 채용

f) 법률문서

i) 정부 또는 법적 단체로부터의 기여, 보조, 금융지원 상세

ii) 보증 서류 상세

iii) 모기지, 보증, 차입약정, 배부, 보증약정, 대상 자산관련 수수료 상세

g) 기타

i) 리스 – Leasing 참조

5) 경영진 인터뷰 질문사항

a) 개요

i) 상환요구 요청이 있었거나 상기 언급된 문서관련 약정사항이 훼손된 적이 있는가?

b) 정책 및 절차

c) 실례

i) 신용 증가 및 기타 관여에 대한 법률적 취급은?

d) 포트폴리오

e) 채용

f) 법률문서

g) 기타

i) 판매된 리스는 운용리스인가 금융리스인가? (FAS 125는 금융리스에만 적용)

ii) 상환 및 채권자 변경대상인 정부 또는 법적 단체로부터의 기여, 보조, 금융지원이 있는가?

가치평가모델 구축 – '승자의 저주'를 피하라

시너지와 구조조정을 통한 가치 증가분을 과도하게 예상하여 높은 인수프리미엄을 지불하면 M&A를 통한 가치창출이 불가능해지며, 소위 말하는 '승자의 저주'에 빠질 수 있다. 승자의 저주를 피하기 위해서는 인수가를 결정하는 절차를 명확히 정의하고 가치평가모델을 면밀하게 구축해야 한다.

기업을 매각하는 매도자(Seller) 측에서도 매각결정을 하기에 앞서 가장 먼저 하여야 할 일이 보유회사에 대한 기업가치평가이다. 매각하려는 기업의 정확한 가치를 모르면서 매각해서는 안된다. 매각하는 기업의 가격이 본질가치보다 낮을 경우에는 기회비용에 해당하는 손실을 입을 것이며, 가격이 본질가치보다 높을 경우에는 매각과정에서 여러 가지 어려움에 부딪히고 매각 후에도 매수자(Buyer)로부터 잠재적인 소송의 대상이 될 것이다. 따라서, 매도자는 자체적으로 혹은 신뢰할 수 있는 외부전문기관에 의뢰해서 비밀리에 보유회사에 대한 적정한 평가(Valuation)를 해보아야 한다. 적정기업가치를 신뢰할

수 있다면, 이를 기초로 하여 적정매각가격 및 매각조건을 결정하게 된다.

한편, 인수대상기업을 물색하는 매수자(Buyer) 입장에서는 대상기업에 대한 기본적인 정보를 입수한 후, 1차적인 평가(Valuation)를 통해서 인수의향서를 매도자에게 제출하며 1차협상을 진행한 후, 양해각서(Non-Binding MOU)를 체결한다. 그런 후에, 데이터룸에서 기초실사(Preliminary Due Diligence)와 함께 2차적인 평가(Valuation)를 하여 M&A 인수계약을 체결한다. 그런 다음, 세부실사(Detail Due Diligence)를 통한 최종 확인과정을 통한 후에 M&A 인수계약이 완료된다.

M&A에 있어 대상기업의 가치를 평가하는 것이 가장 중요한 이유는 기업가치평가가 M&A의 추진과정에 있어서 대상기업에 대한 적정한 매수·매도가격의 기본적 판단기준이 되고 또한, 기업을 매수 또는 매도한 이후에도 동 M&A의 성공 여부와 동 M&A가 매수기업 또는 매도기업의 기업가치 극대화에 도움이 되었는지에 대한 사후 평가에 있어서도 기본적 판단기준이 되기 때문이다.

Target의 가치평가를 위해서 다음과 같은 절차를 취한다.

I. M&A로 인해 확보되는 경제적 효과에 대해 판단한다.
II. 인수대상기업에 대한 가치평가를 실시한다.
III. 가치평가에 대한 분석을 실시한다.

각 내용을 살펴보면 다음과 같다.

I. M&A로 인해 확보되는 경제적 효과에 대해 판단한다.

다음과 같은 경제적 동기가 M&A를 통해 확보되는지에 대한 전략적 판단이 우선 시 되어야 한다.

1. 경영효율성을 기대할 수 있는가?

M&A를 통하여 매수대상기업의 경영효율성을 높일 수 있을 것이다. 매수대상기업의 부족한 경영능력 때문에 경영성과가 부실하다면 M&A를 통해 매수기업의 우수한 경영능력을 이용함으로써 매수대상기업의 경영성과를 향상시킴은 물론 기업가치도 향상시킬

수 있을 것이다.

2. 규모의 경제를 달성할 수 있는가?

M&A를 통하여 규모의 경제를 이룩할 수 있을 것으로 인식되어야 한다. 하나의 기업이 두 기업보다 특정의 사업을 더 효율적으로 수행할 수 있다고 판단될 때 M&A를 수행할 수 있다. 즉, 두 기업이 M&A를 통해 결합함으로써 재무, 정보처리 등과 같은 경영관리기능의 비용을 절감할 수 있을 것이며 연구개발비 등의 비용도 중복지출을 피할 수 있다.

3. 기업자원의 결합을 통해 시너지가 발생하는가?

M&A를 통하여 두 기업의 자원을 상호 보완적으로 결합할 수도 있을 것이다. 기술력은 우수한데 마케팅능력이 모자라는 기업과 기술력은 떨어지지만 마케팅능력이 우수한 기업이 서로 결합하면 두 기업 모두에게 시너지효과가 발생할 수 있다. 이 경우 두 기업이 각각 기술개발과 마케팅능력의 증대를 위해 많은 비용투자를 하는 것보다 기업결합을 통해 두 기업의 자원을 서로 이용하는 것이 많은 비용을 줄일 수 있을 것이다.

4. 비용감소를 얻을 수 있는가?

M&A를 통하여 기업의 규모가 커지면 신용도도 증가되어 부채차입능력도 커지며 차입비용도 떨어지고 부채조달이나 신주발행 시에 발생되는 자금조달비용도 감소하게 된다. 이외에도 각종 비용의 절감효과를 기대할 수 있다.

5. 경영다각화를 이룰 수 있는가?

시장지배력의 증대나 위험부담의 회피를 위한 경영다각화이다. 시장지배력의 증대는 독점규제법에 의해 제한되는 경우가 많지만 이는 시장환경과 규제상의 환경 변화에 따라 결정될 수 있다.

II. 인수대상기업에 대한 가치평가를 실시한다.

M&A의 필요성을 경제적 타당성 면에서 판단해 보아야 한다. M&A가 경제적 타당성을 가지려면 M&A를 통하여 매수기업의 기업가치를 증대시킬 수 있어야 할 것이다. 이러한 판단을 위해서는 M&A에 따른 시너지효과를 평가하여야 하며 매수대상기업의 기업가치를 정확히 평가하는 것이 매우 중요하다. 이러한 평가가 이루어져야 적정한 매수대가의 산정이 가능하다.

1. 경제적 타당성의 검토가 우선적으로 이루어져야 한다.

기업 A와 기업 B가 각각 독립된 기업으로 존재할 경우의 내재가치인 독립기업의 주주지분가치를 각각 VA, VB라고 하고 기업 A와 기업 B가 합병한 후 결합기업의 주주지분가치를 VAB라고 하면 시너지효과를 고려할 때 VAB는 다음과 같은 식으로 나타낼 수 있다.

$$V_{AB} = V_A + V_B + \text{시너지효과}$$

위의 식에서 기업 A의 입장에서 인식되는 매수대상기업의 합병 후 가치(기업 A가 합병으로 얻게 되는 총가치)는 'V_B + 시너지효과'가 된다.

따라서 기업 A의 입장에서 기업 B와의 합병이 경제적 타당성을 가지려면 기업 A가 지급하는 인수대가보다 기업 A가 얻게 되는 매수대상기업의 합병 후 가치(기업 A가 합병으로 얻게 되는 총가치)가 더 커야 경제적인 타당성이 있게 된다. 즉,

$$V_B + \text{시너지효과} > \text{인수대가}$$

인수대가는 일반적으로 독립기업의 가치인 VB에 어느 정도의 프리미엄을 가산한 가격으로 결정되고 있으므로 합병의 경제적 타당성에 대한 위의 식은 다음처럼 인식할 수도 있다.

$$\text{시너지효과} > \text{인수합병프리미엄}$$

'V_B + 시너지효과'를 V_B^*라고 하면 기업 A는 먼저 기업 B의 합병 후 가치인 V_B^*를 평가하여 인수대가의 협상을 한다. 협상시점에서 기업 B의 주식가격이 V_B와 같다고 하면 시너지효과만 추정하면 될 것이지만 일반적으로는 기업 A와 기업 B의 합병가능성이 시장에 알려지면 기업 B의 주식가격은 프리미엄을 반영하여 V_B보다 더 높아지게 될 것이다. 시너지효과만 추정하여 이를 기업 B의 주식가격에 합산하면 V_B^*가 잘못 추정될 수 있으므로 기업 A는 V_B^*를 별도로 추정하여야 한다.

2. 매수대상기업의 인수 후의 가치평가를 가정한다.

기업 A가 V_B^*를 평가할 때 M&A로 인한 시너지효과에 규모의 경제에 따른 비용절감과 경영진 교체에 따른 수익증대 및 비용절감 등 모든 경제적 효과가 포함된다.

매수대상기업 B의 합병 후 가치인 V_B^*를 산정하는 방법에는 여러 가지가 있을 수 있으나 독립기업 B의 가치인 V_B를 먼저 산정하고 시너지효과를 추정하여 V_B^*를 산정하는 방법이 합리적이다.

V_B를 산정하는 과정에서 가치평가에 사용된 여러 가정들의 적절성을 검토해 볼 수 있다. 매수대상기업이 상장회사라면 합병 논의 전의 주식가격과 V_B의 추정치를 비교해 볼 수 있을 것이며 합병된 후의 기업 B의 경영성과가 어떻게 변화하는지를 검토해 볼 수도 있다.

V_B 와 V_B^*의 산정에는 여러 가지의 가치평가모형들이 사용될 수 있다. 즉, 현금할인모형, EVA(Economic Value Added)모형 또는 주가배수모형 등을 사용하여 V_B와 V_B^*를 추정할 수 있는데 V_B와 V_B^*를 산정하는 절차는 다음과 같다.

1) V_B의 산정

우선 M&A를 가정하지 않은 일반적인 상태에서 독립기업 B의 미래 현금흐름 등을 예측하여 추정재무제표를 작성한다.

독립기업 B의 자본비용을 추정하고 미래 초과이익과 EVA 예측치 등을 구하여 그 현재가치를 측정하고 V_B를 산정한다. EVA모형을 사용하거나 DCF(Discounted Cash Flow)모형을 사용할 경우에 자본비용은 독립기업 B의 가중평균자본비용을 사용하여야 한다. 또한 이 경우에 독립기업 B의 순재무부채의 시장가치를 차감하여 V_B를 산정한다.

2) V_B^*의 산정

기업 B의 합병에 따라 기대되는 시너지효과를 반영하여 기업 B의 합병 후 미래 이익이나 현금흐름 등 합병 후의 미래 예측치를 산출하고 기업 B의 합병 후의 자본비용을 적용하여 합병 후의 현재가치를 측정하는 방식으로 V_B^*를 산정한다.

V_B^*를 산정할 때 적용될 자본비용은 매수기업 A 또는 독립기업 B의 자본비용이 아

니라, 기업 B의 합병 후에 기대되는 자본비용을 적용하여야 한다. 기업 B의 자본비용이 합병 후에도 변화가 없을 것으로 예상된다면 기업 B의 합병 전 자본비용을 사용할 수도 있지만 합병 후 자본비용에 큰 변화가 있을 것으로 예상되면 합병 후에 기대되는 자본비용이 적용되어야 한다.

EVA모형의 경우에는 기업 B의 합병 후 가중평균자본비용을 적용하며 DCF모형의 경우에는 합병 후의 미래 FCF 예측치를 기업 B의 합병 후 가중평균자본비용으로 할인하여 V_B^*를 산정한다. 여기서 순재무부채 시장가치를 차감한다.

3. M&A의 가치평가모형을 선택한다.

DCF 또는 EVA모형 등은 이론적으로는 동일한 가치평가모형들이다. 실무적인 관점에서 볼 때 DCF모형은 가치평가에서 중요한 비중을 차지하는 잔여가치의 추정이 어렵다는 문제점이 있고 가치추정오차 또한 다소 크게 나타나는 것으로 이해되고 있으므로 EVA모형을 사용하는 것도 한 방법일 것이다.

실무상 M&A의 거래 당사자들이 매수대가를 협상할 때 다음의 공식에 의한 평가방법을 자주 사용한다.

합병기업가치 = 순자산가치 + 영업권가치(미래 초과이익의 현재가치)

위에서 순자산가치는 대차대조표상의 자산과 부채의 항목들을 시가로 평가하여 산정된 순자산가액을 의미한다.

DCF는 다음과 같은 절차로 진행된다.

1) 대상기업이 향후 창출할 수 있는 잉여영업현금흐름{Free Cash Flow=Net Operating Profits Less Adjusted Taxes[세후 영업이익: 영업이익 (Earnings Before Interest and Taxes)－EBIT에 대한 세금]+감상비/상각비/충당금 등－ 자본적 지출 － 운전자본/기타자산의 증가}을 산출한다.
2) 이를 대상기업의 가중평균자본비용(Weighted Average Cost of Capital)으로 할인한다.
3) 현재가치(Present Value)의 합을 기준으로 대상기업의 가치를 평가한다.
4) 추정기간은 5~10년이 일반적이며 최종 추정연도 이후의 잔존가치(Continuing

Value)는 최종 추정연도의 FCF를 WACC(또는 WACC - 고정성장률)로 나눈 것 또는 최종 추정연도의 EBITDA를 적정배수(EV/EBITDA Multiple)로 곱한 수치를 적용한다.

5) 평가된 기업의 영업가치(Operating Value)에 비영업자산[Non Operating Asset: 초과 현금(Excess Cash), 각종 대여금(Loan), 투자자산(투자유가증권 등) 및 비업무용 자산(Idle Property)]의 시장가치(Market Value: 매각 또는 정리할 경우 Additional Cash - in 금액)를 더하고 여기에 부채를 차감하여 대상기업의 실질적인 인수가액(Cash - out)을 산정한다.

이러한 적용할인율을 계산할 때 자기자본의 Hurdle Rate를 얼마로 보느냐가 매우 중요한데, 일반적으로 자기자본의 Hurdle Rate를 산정할 경우 다음과 같은 위험(Risk) 요소들이 포함된다.

• 정부보증 무위험 장기채권 이자율
• 예상 물가인상률
• 동 대상기업이 영위하는 산업관련 위험
• 동 대상기업 자체가 포함하고 있는 위험(회사의 과거 실적, 시장점유율, 부채비율, 자본금액, 기술의 정도, 시설장치의 경과연수 및 관리/기술 수준 등)
• 기타 위험(환위험, 국가위험 및 정세/외교관계의 변화 등) 또한, 매수자가 어느 규모의 부채를 얼마의 이자로 차입하여 세금혜택(Tax benefit)을 통하여 차입인수(Leveraged Buy Out)를 하느냐가 중요한데 이는 해당 인수자의 기업전략 및 입장에 따라 달라질 수 있다.

이 방법에 있어서 전제가 되고 있는 많은 가정들과 추정들이 적절하다고 하더라도 문제는 이러한 대상기업의 미래 현금흐름에 대한 현재가치의 평가가 향후에 대상기업을 어떻게 운용하느냐에 따라 크게 차이가 날 수 있다는 점을 주지해야 한다. 그리고 이러한 현금흐름에 의한 기업의 내재가치평가가 정확하게 시장에서 제 3자가 기꺼이 동 대상기업을 사고자 하는 기업가치를 반영하고 있다고는 볼 수 없다는 점(기업가치와 시장가치와의 괴리)을 인식하여야 한다.

4. 가치평가결과 검토

1) FCF와 EVA의 현재가치 계산과정을 통하여 추정된 FCF 또는 EVA를 WACC로 할인한다.
2) 잔존가치(Continuing Value)의 현재가치 계산
   계산과정을 통하여 추정된 CV를 위험평균자본비용(WACC)으로 할인한다. 현금흐름예측기간의 마지막 연도로 표시되어 있는 CV추정치를 현금흐름 예측기간으로 할인한다. 현금흐름예측기간이 10년이면 CV추정치는 10년으로 할인한다.
3) FCF와 CV의 현재가치를 합산
   기업의 영업활동으로부터 기대되는 가치는 현금흐름예측기간 동안 창출되는 잉여현금흐름(FCF)의 현재가치와 CV추정치의 현재가지를 합산하여 산출하는데, 현금흐름이 연도 말에 한꺼번에 발생하는 것이 아니라 연중에 걸쳐 계속 발생한다고 가정하는 경우에는 연중조정률을 감안한 조정이 필요할 것이다.
4) 비업무용 자산의 가치 합산
   기업 전체의 가치를 구하기 위해 FCF나 EVA를 산출할 때 제외되었던 비업무용 자산의 가치를 합산한다. 비업무용 자산에는 시장성 유가증권, 영업과 무관한 자회사에 대한 투자자산 등이 있는데 이러한 비업무용 자산의 가치는 현금흐름기대치와 적절한 할인율에 근거하여 추정하거나 시장가치를 참조하여 추정하여야 한다.
5) 부채와 기타의 청구권 등을 차감
   자기자본가치를 산출하기 위하여 주식보다 변제순위가 우선인 부채와 기타의 청구권 등을 차감하여야 하는데 준자기자본 항목인 준비금 등은 자기자본으로 보아 차감하지 않는다.
6) 계산결과의 검증
   자기자본가치를 추정하여 산출한 후에는 가치를 창출하는 근본적인 요소가 무엇인지에 대한 이해를 바탕으로 계산결과가 논리적으로 맞는지 검토하고 오류가 발생하지 않았는지를 검토하여야 한다. 이를 위해서는 산출된 결과가 예측할 당시에 추정되었던 가치창출요소들과 일관성을 갖고 있는가를 검토하여야 한다.
7) 산출된 기업가치와 기업의 시가를 비교
   산출된 가치평가의 결과와 당해 기업의 시가를 비교하여 보아야 한다. 산출된 결과가 시가와 크게 차이가 난다면 이러한 차이가 나는 원인을 확인할 수 있어야 한다.

8) 여러 가지 추정의 재무적 측면 평가

이자지급부채나 유가증권 등 여러 가지 추정의 재무적 측면에 대해서도 평가하여야 한다. 이자지급부채가 너무 많게 될 것으로 예상된다면 자기자본과 타인자본 중 어느 것을 통해 조달할 것인지 그리고 자기자본으로 조달한다면 증자가격을 현재의 시가로 할 것인지 등의 측면에 대해서도 평가하여야 한다.

9) 산출된 가치와 여러 가지 가치창출요소들과의 다각적인 비교, 검토

가치평가의 결과를 종합할 때는 산출된 가치를 설비투자나 새로운 제품의 개발 등 여러 가지의 가치창출요소들과 다각적으로 비교, 검토해 봄으로써 전체적인 조망을 할 수 있게 된다.

10) 각 시나리오의 가치평가액에 각 시나리오의 발생확률을 추정하여 곱함

가치평가의 결과 산출된 여러 가지의 시나리오별 가치평가액에 각 시나리오가 발생할 수 있는 확률을 추정하여 곱함으로써 나온 수치들을 합산하면 가능성이 큰 최종적인 가치를 구할 수 있게 될 것이다. 각각의 시나리오에 대응하는 가치들을 비교 검토하는 과정만으로도 의사결정을 위한 많은 정보를 획득할 수가 있을 것이다.

III. 가치평가에 대한 분석을 실시한다.

기업가치평가의 과정을 통하여 산출한 자료와 결과를 토대로 가치평가의 결과를 분석하고 경영자에게 제출할 보고서를 작성한다. 기업의 가치를 계산하고 검증한 후에는 가치평가 결과를 해석하여야 적절한 의사결정을 할 수 있을 것이다.

사업관련 의사결정에서는 불확실성과 위험성이 따르게 되므로 시나리오별로 불확실성과 위험성을 반영한 가치의 실현 범위와 조건을 전제로 하여 가치결과를 분석해 보아야 한다.

의사결정을 수정하지 않아도 되는 변수들의 오차허용범위가 어느 정도까지 허용되는지에 대한 인식이 필요하다. 이러한 인식이 있으면 실수를 하더라도 큰 문제가 없는 오차허용범위에 대한 감을 가질 수 있을 것이다. 그러나 오차허용범위가 너무 큰 경우에는 제반 가정들에 어떤 문제점이 있는지를 다시 한번 재검토해 보는 것도 필요할 것이다.

1. 다각적인 분석을 수행한다.

하나의 시나리오에 근거를 둔 의사결정이 아니라, 여러 가지의 시나리오에서 산출된

결과를 여러 분석을 통하여 확신을 갖는 것이 중요하다. 상대가치 방식분석(Multiple analysis)은 유용한 수단이 될 수 있다.

1) 동종 회사와 비교한다.

이는 대상기업과 동종 혹은 유사 업종에 있는 상장회사와 재무적 자료를 비교함으로써 기업을 평가하는 방법으로 비교회사의 주식시장에서의 가치와 그 회사의 주요 재무지수와의 관련성을 파악하여 대상기업에 적용하는 것이다.

| 예 |

(단위 : 억 원)

구 분	동종회사 비교계수		대상기업 LTM*계수	평가값	
	평균치	중앙값		평균치	중앙값
기업가치**/매출	0.42××	0.32××	1,050	411	336
기업가치/EBITDA***	7.5××	5.3××	55	413	292
기업가치/순자산	2.3××	1.5××	185	428	278
평가값				278~441	

* LTM = 최근 12개월 (Last 12 Month)
** 기업가치 = 시장가치(주가 ××총 주식수) + 순부채
*** Earnings Before Interest, Taxes, Depreciation and Amortization

이 방법은 대상기업을 상장되어 있는 기업의 가치와 유사하게 평가하는 방식으로 주식시장에서의 가치는 대상기업을 평가하는 출발점으로 매우 유용한 의미를 갖는다고 볼 수 있다. 그러나 상장회사의 인수에 있어서는 인수 전의 시장가치에 상당한 Premium이 더해지는 것이 현실이므로 대상기업의 평가에 있어서도 이러한 Premium이 추가로 고려되어야 하며 또한, 이 방식이 효과적으로 적용되기 위해서는 적절한 비교 회사들이 존재하여야 하고, 설령 비교 회사들이 존재한다 하더라도 각 회사들의 회계처리방식에 차이가 있다면 그로 인하여 비교 재무 지수들의 가액이 크게 달라질 수 있다는 것이 단점일 수 있다.

2) 유사 거래와 비교한다.

이는 최근 수 년간 유사한 기업인수의 사례와 비교하여 대상기업의 가치를 평가하는 방법으로 각 거래에 있어서 인수가액과 피인수 회사의 주요 재무지수와의 관련성을 파악하여 대상기업에 적용하는 방식이다.

| 예 |

(단위 : 억 원)

구 분	유사거래 비교계수		대상기업 LTM*계수	평가값	
	평균치	중앙값		평균치	중앙값
AC*/매출	0.63××	0.64××	1,050	662	667
AC/EBITDA	9.44××	9.38××	55	519	516
AC/순자산	3.82××	3.98××	133	508	529
평가값				508~672	

* Aggregate Consideration = 100%지분 인수가액 + 순인수부채

이 방식은 대상기업이 인수가액의 범위를 결정하는 데에는 가장 유력한 방법 중의 하나이나 이러한 유사거래라는 것이 흔하지 않고 선정에도 세심한 주의가 필요하며, 설사 유사거래가 있다 하더라도 그 자료에 대한 접근이 어려운 단점이 있다.

2. 분석 시 다음 사항을 고려할 수 있다.

1) 경영환경과 관련된 가정들이 변할 가능성과 그 영향에 대해 검토한다. 경영환경과 관련된 가정들은 가치평가의 결과로 산출된 결과에 대해 얼마나 큰 영향을 미칠 것인지의 검토가 필요하다. 산업특성에 따라 경영환경과 관련된 조건들에 큰 영향을 받는 경우도 있고 그렇지 않은 경우도 있다. 일반적으로 건설업은 경기변동과 높은 상관관계를 갖고 있는 반면에 식품업은 경기변동과의 상관관계가 크지 않은 편이다.
2) 기업이 과연 예상된 결과를 달성할 수 있는 능력이 있는가에 대해 평가하는 절차가 포함된다.
3) 미리 설정되었던 가정에 근거해서 산출된 결과를 분석하는 과정에서 예상치 않았던 문제점들이 발견될 수도 있는데 이들은 다른 가정들을 비교 평가함으로써 해결될 수도 있다.

3. 기업가치 평가 시 다음을 유의해야 한다.

1) 기업에 대한 전반적인 이해가 있어야 한다.
   가치평가의 결과가 성공적으로 되려면 평가자가 당해 기업이 영위하고 있는 영업의 내용과 당해 기업이 속해 있는 산업의 특성 및 전반적인 경제환경을 이해하고 세밀히 분석하며 적정한 예측을 하는 것이 중요하다.

2) 적절한 가치평가모형이 선정되어야 한다.
   가치평가방법의 선택에 있어서 적절한 방법을 선택하는 것도 가치평가과정에서 중요한 부분이라고 할 수 있다. 따라서 가치평가 작업 이전에 적절한 가치평가모형을 선정하는 데 세심한 주의를 기울여야 한다.
3) 충분한 자료의 준비가 선행되어야 한다.
   가치평가를 위해서는 기본적인 자료로 대차대조표와 손익계산서 및 현금흐름표 이외에도 ROIC, 영업마진율, IC회전율 등과 같은 영업실적지표에 관한 자료를 충분하고 완벽하게 확보하여야 한다.
4) 과거실적으로부터의 미래추정을 한다.
   가치평가를 위해서는 과거의 재무제표에 미래예측의 근거를 두어야 한다. 5년 내지 10년의 과거실적 재무자료를 가치평가모형의 적용에 투입함으로써 과거실적에 근거한 미래예측이 될 수 있도록 하여야 한다.
5) 기업의 회계 및 조세에 대하여 이해해야 한다.
   가치평가를 위해서는 당해 기업의 재무제표의 작성과 관련된 회계 및 조세문제를 이해하여야 한다. 회계 및 조세를 이해하는 것은 기업의 영업적・경제적 본질을 이해하는 데 중요한 수단이 될 수 있다.
6) 적절한 민감도는 인정한다.
   가치평가는 약간의 오차도 허용하지 않는 정확한 시스템은 아니다. 가치평가는 미래에 대한 예측이 조금만 변해도 결과에 큰 영향을 미칠 정도로 매우 민감하다.

Cross Border 은행 인수시 가치평가모델

M&A를 수행하는 데 있어 '승자의 저주'에 빠지지 않기 위해 적정한 인수가의 결정은 매우 중요하다. 또한 M&A 시장상황(목표기업의 주주 및 경영진, 시장의 평가/목표기업의 주가, 금융당국, 인수기업 주주 등)의 변화에 따라 인수기업이 최대한 지불할 수 있는 인수가의 범위를 설정하고 변화에 민첩하게 대응하는 것이 중요하다.

글로벌그룹의 경우, 목표기업의 전체 주식(100%)을 현금으로 매수하려는 전략을 우선적으로 고려하고 있었기에 인수 예상 시점에서의 목표기업의 주가와 유통주식수를 고려한 총금액이 인수가로 책정이 되었다. 그러나 이러한 인수가가 적정한지를 객관적으로 평가하는 것이 중요하며, 목표기업의 주가는 시시각각 변화할 수 있기 때문에 적절한 입력값의 변화에 따라 결과를 빠르게 보여줄 수 있는 시스템화된 평가 모델의 구축이 매우 큰 역할을 하였다. 따라서 모델의 구축이 용이하며, 다양한 분석 기능을 지원하는 엑셀을 이용하여 인수가의 적정성을 평가할 수 있는 모델을 구축하였고, 이를 통해 주가의 변화에 따라 투자수익률(ROIC)의 변화를 체계적으로 평가하여 적절한 인수 대응 전략의 수립에 도움을 줄 수 있는 기반을 마련하였다. 즉, 향후 5년간의 시장상황 변화 및 사업 전략의 변화 등에 따른 목표기업의 가치의 변동, 인수가격 변화에 따른 투자수익률의 변화를 체계적으로 분석함으로써, 적정 인수가의 선정 및 의사결정자의 민첩한 결정을 보조하였다.

평가모델의 구축을 위해 두 부문에 초점을 맞추게 된다. 첫째는, Cross-Border M&A 목표기업(Target)의 공정 자산가치(Fair Book Value)의 결정이며, 둘째는 목표기업을 국내 영업 중(In-border)이던 글로벌은행과 합병한 후에 확보할 수 있는 시너지 효과의 객관적인 평가이다.

1. Target 현황 분석 : 실사결과를 재무상태에 반영하라.

합병 후 향후 5년간의 기업 가치의 변화를 추정하기 위한 밑거름(Fundamental)은 목표기업의 비즈니스 상황을 포함하여, 현재의 재무 상태를 좀더 세밀하고 객관적으로 평가하는 것이라 할 수 있다. 즉, 보유중인 자산가치 및 시장(Market)에서의 사업성과(Revenue)를 세부적으로 재평가하는 것이 가장 기본이라 할 수 있다. 이는 시장에서의 성과를 분석하고, 향후 시장상황의 변화의 정도와 비즈니스 운영을 위한 목표기업의 현재 자산가치의 평가를 종합하여 목표기업의 매출과 이에 따른 수익을 추정할 수 있기 때문이다.

글로벌그룹은 목표기업의 현 자산가치 및 사업 성과의 공정한 평가를 위해 목표기업의 사업영역을 세분화하고, 인수합병을 통한 시너지 계산 및 글로벌 관점에서의 인수의 적정성을 평가하기 위해 모든 재무제표는 달러화를 기준으로 재작성하였다. 또한 사업영역은 글로벌그룹과의 시너지를 고려할 수 있도록 글로벌그룹의 비즈니스 영역과 최대한 일치할 수 있도록 하였다. 즉, 도매금융(Wholesale Banking)과 소매금융(Retail Banking), 그리고 기타 투자업무(Treasury)로 구분하였으며, 소매금융은 좀더 세분화하여, 신용카드 부문, 신규주택대출(Mortgage), 주택담보대출(Home Equity Financing) 등으로 구분하여 세부영역별로 보유중인 자산과 부채의 가치를 재평가하였다. 그리고 각 사업부문별로 매출(Revenue)과 비용(관련 직원의 수 포함)을 실사를 통해 보다 정확하게 파악하

여 인수시점에서의 손익계산서(Income Statement)를 재작성하였다. 달러화 기준의 재평가 작업에서 환율의 예측이 매우 중요하며, 글로벌그룹은 보수적인 예측 환율을 사용하였다. 이러한 사업부별 자산/부채 및 매출/비용 현황이 엑셀의 각 스프레드시트마다 작성되어 평가모델의 기본 데이터로서의 역할을 하였다.

2. Target의 위험수준 평가 : 위험을 고려(Risk Weighted)한 재무상태를 평가하라.

목표기업의 자산/부채 상황 못지 않게 중요하게 고려되는 것은 자본의 적정성이었다. 글로벌그룹은 금융기관으로서 Basel II의 권장에 따른 적정자본(Capital Adequacy)의 보유 여부를 위험관리의 최우선 과제로 삼고, 매년 글로벌그룹의 자본 수준을 공시하여 시장에서 좋은 평판을 유지하고 주주의 가치를 높이는 것을 목표로 하고 있다. 인수합병 시에도 목표기업의 정확한 자본보유의 적정성 및 리스크 수준을 평가하고, 목표기업의 현 적정자본 수준이 합병으로 인해 글로벌그룹의 자본 수준에도 영향을 줄 수 있는지를 고려한다. 앞서 달러화 기준으로 재평가 및 재작성된 목표기업의 대차대조표(Balance Sheet)와 손익계산서(Income Statement)를 바탕으로 현재 글로벌그룹이 바젤규정(Basel Regulation)의 권고에 따라 적용하고 있는 각 자산별 위험가중치(Risk Weight)를 반영한 위험가중대차대조표(Risk-wighted Balance Sheet)을 작성하고, 이에 따른 기본 자본 수준(Tier1 Captial Ratio), 보통주 기본 자본 수준(Tier 2 Capital Ratio) 및 위험 가중 자본 비율(Risk Weighted Capital Ratio)의 적정성을 평가한다. 목표기업의 자본 수준이 건전한 것으로 평가되면, 합병 후 글로벌그룹의 자본 수준의 변화는 따로 평가하지 않는다. 이러한 위험자산의 평가 및 위험 가중자본 비율의 계산은 앞서 작성된 자산과 자본 데이터를 바탕으로 새롭게 작성된 자산과 위험가중치를 고려하고 자본비율을 자동으로 계산하는 방식으로 도출한다. 이렇게 작성된 위험자본비율은 최종적으로 인수합병 후, 매년 예측평가되는 자본비율의 기초가 된다.

3. Target의 미래가치 평가 : 미래가치를 반영한 추정재무제표를 만들어라.

인수합병을 통해 글로벌그룹이 얻게 되는 수익은 단순 현 시점에서의 목표기업의 순익(Net income)이 아니다. 향후 발생 가능한 목표기업의 성장 및 글로벌그룹과의 시너지를 통한 수익의 증가 등의 효과를 거둘 수 있다. 따라서 향후 얻게 될 사업 성과를 객관적으로 평가하고 예측하는 것이 필요하다. 따라서 앞서 세분화된 목표기업의 사업분야별(기업금융, 신용카드 부문, 신규주택대출(Mortgage), 주택담보대출(Home Equity Financing),

지불(Payment), 신탁(Trustee), 그리고 예금 부문)로 작성된 현 시점의 사업현황(매출 및 시장점유율, 비용)을 기준으로 향후 5년간의 매출을 예측하고 이러한 매출을 달성하기 위한 사업부별 필요인원 및 인건비, 시설 사용료, 제반 간접비 및 기타 비용 등에 대한 예측이 이루어졌다. 각 사업부별 매출 및 비용을 5년간 예측하고 평가하는 이유는 글로벌그룹의 주주들이 이익실현을 위해 요구하는 기간이 5년으로 정해져 의사결정이 이루어지기 때문이다. 따라서 각각의 사업부별로 5년간의 순이익(Net Income: Revenue minus Expense)을 예측하고, 각 사업부별 CAGR(Cumulative Average Growth Rate)을 산출하였다. 한편, 예금(Deposit)에 대한 시장 성장률과 목표기업의 시장점유율 예측을 통해 부채(Liability)에 대한 전체적인 예측이 이루어지고, 목표기업이 보유하고 있는 자산별 성장률을 고려하려 5년간의 예상 대차대조표가 작성된다.

4. Target의 미래가치 평가 : M&A를 통한 시너지효과를 추정하라.

목표기업의 현 재무제표에 근거한 적정가격(Fair Price)으로 인수가 이루어졌다고 해서 M&A를 성공적으로 했다고 할 수 없다. M&A를 통해 다양한 시너지를 확보할 수 있어야 한다. 글로벌그룹은 두가지 측면의 시너지에 주목했다. 첫째는, 인수합병을 통한 교차판매(Cross-selling) 및 재판매(Re-selling) 등에 의한 각 사업부의 매출 증가이다. 둘째는, 기존 글로벌은행과 목표은행 인력의 중복 및 잉여시설을 축소함으로써 누릴 수 있는 비용의 절감이다. 따라서 인수가결정에서 우선 각 사업부별 필요 인력의 추이를 산정하고, 이와 관련된 인건비를 추정하였으며, 각 점포(Branch)의 수를 조정함에 따른 비용절감을 5년에 걸쳐 산정하였다. 또한 매출 증가의 정도를 각 분야 및 외부전문가들의 의견을 종합하여 최종적으로 기존의 각 사업부별 매출 및 비용에 대한 예측 자료에 반영한다. 이를 바탕으로 5년간의 목표기업 순익(net income)의 추이 및 대차대조표의 변화를 작성하였다. 매출을 예측하기 위해 각 사업별 성장률과 시장점유율을 개별적으로 작성하고, 비용과 관련하여 인력의 수 및 제반비용 등을 역시 개별적으로 작성하였다.

5. 모든 가정과 변수를 종합한 추정재무제표로 판단하라.

최종적으로 이러한 사업부별 예측 결과를 종합하여 목표기업의 전체 추정재무제표를 작성하며, 목표기업의 현 주가에 기반한 인수가를 투자자본으로 하여 산정된 투자수익률(Return On Invested Capital: ROIC)을 통해 인수가의 적정성이 평가된다. 또한 목표기업의 전체 주식을 현금으로 매입하는 방법과 일정 비율(80%) 주식을 매입하는 방법에 따른 시나리오별 수익률의 변화를 비교한다. 또한 목표기업의 주식가치의 변화에 따라 인수가가 변화하기 때문에, 주식가격 변화에 따른 ROIC의 변화를 계산하고, 글로벌그룹이 받아들일 수 있는 수준의 주가를 임계치(Tolerance)로서 정해 놓았다. 이러한 민감도 분석(Sensitivity Analysis)은 앞서 진행된 분석자료와 최종 작성된 추정재무제표에 나타난 값들을 통해 간단하게 이루어진다.

주식인수와 공개매수(Tender Offer)

주식인수의 방법에는 피인수회사의 주주들과 개별적으로 거래(Private Transaction)를 통하여 주식을 구매하는 우호적 방법과, 주식의 공개매수(Tender Offer), 시장매집을 통한 적대적 방법으로 구분할 수 있다. 주식의 공개매수와 시장매십은 공개기업에 대하여만 적용되는 방법이며, 비공개기업의 경우에는 기존 주주와의 개별적 거래만이 가능한 방법이다.

시장매집이란 M&A 목표기업의 주식을 주식시장을 통해서 비밀리에 계속적으로 매수해 가는 전략이다. 시장매집은 기존의 대주주가 눈치채지 못하도록 하기 위해 장기간에 걸쳐 진행되는 것이 특징이다.

주식의 공개매수란 불특정다수인에 대해서 주식 등의 매수의 청약을 하거나 매도의 청약을 권유하고 유가증권시장 밖에서 당해 주식 등을 매수하는 것이다. 적대적 M&A는 물론이고 우호적 협상에 의한 M&A도 인수희망자의 인수목표회사 주주들에 대한 주식공개매수제의에 의해 종결하게 되는 경우도 많다.

1. 주식인수의 절차

비공개기업의 주식인수에는 별도의 법적 절차를 규정하고 있지 않다. 주식인수인과 주식양도인간의 계약에 의하여 주당가격, 대금지급방법, 수량 등을 정하면 되며 경영권을 확보할 수준의 지분을 소유하게 된 새로운 주주가 주주총회에서 임원진을 선임함으로써 M&A는 종결된다. 이는 공개기업의 경우 주식시장에서의 주식매집을 통한 경영권확보에서도 주식의 대량보유보고(5% Rule) 의무 관련 제한규정을 제외하고는 동일하게 적용된다.

공개매수는 장외시장에서 주식 등을 대량으로 매수하는 방법으로 적대적 M&A의 대표적인 수단으로 활용되고 있다. 경영권 이전 등 기업과 관련된 중요한 변경사안에 대해서는 시장에 관련정보가 올바르게 공시되어야만 매수자와 매수대상회사의 주주 및 경영진 등 관련자들이 합리적인 판단을 내릴 수 있다.

법적 절차를 규제하고 있는 공개매수의 경우 그 법적 절차를 살펴보면 아래와 같다.

업 무	관련 규정	설 명
공개매수사무취급자 선정	증권거래법시행령 11조의 4	공개매수대리인 계약서 작성
공개매수신고서 및 설명서 작성		
공개매수공고	증권거래법 21조의 2	전국일간지 또는 경제지 2 이상에 공고
공개매수신고서 제출		전자공시시스템 공시
신고서사본 송부	증권거래법 22조	발행회사 및 거래소 또는 협회에 송부
매수대상기업의 의견표시	증권거래법 25조	매수대상기업은 광고, 서신 등으로 의견표명 가능
공개매수설명서 제출 및 비치	증권거래법 24조, 규칙 8조	전자공시시스템공시. 금감위, 거래소 또는 협회, 증권사 본지점에 비치
공개매수 실시	증권거래법 23조	공고일로부터 3일 경과 후 실시
공개매수 완료		최단 20일, 최장 60일간
매수통지서 발송		
주권반환, 매수대금 지급	증권거래법 27조의 2	매수주식수에 대한 대금을 응모주주에게 지급하고 매수주식수 초과분은 반환
공개매수 결과 보고		금감위, 거래소 또는 협회 제출
대량보유상황 및 변동보고	증권거래법 200조의 2	5% 이상 매수자는 금감원에 보고의무

1) 공개매수사무취급자의 선정(증권거래법시행령 제11조의 4)

매수할 주식 등의 보관, 공개매수에 필요한 자금 지급 또는 교환대상 유가증권의 지급 및 기타 공개매수 관련사무를 취급하는 증권회사를 공개매수대리인으로 지정하여야 한다. 또한 공개매수공고를 하거나 공개매수신고서를 제출하는 때에도 미리 공개매수사무취급자(증권회사)를 대리인으로 지정하여 당해 대리인으로 하여금 공고하게 하거나 신고서를 제출하게 하여야 한다.

2) 공개매수 공고

공개매수자는 공개매수사무취급자(증권회사)를 통하여 공개매수에 관한 상세한 내용을 일간지 또는 경제지 중 전국을 보급지역으로 하는 2 이상의 신문에 공고하여야 한다.

3) 공개매수신고서 제출

증권거래법 시행령 제11조의4 제3항에 따라 공개매수자에 대한 정보, 자금보유를 증명하는 서류 등을 공개매수 공고일에 금감위에 제출하여야 한다.

4) 매수대상기업의 의견표시

공개매수신고서가 제출된 주식 등의 발행인(매수대상기업)은 광고, 서신, 기타 문서에 의하여 그 공개매수에 대한 의견을 표명할 수 있다. 의견표명 후 지체없이 그 내용을 기재한 문서를 금감위와 거래소 또는 협회에 제출하여야 한다.

5) 공개매수설명서 제출 및 비치

공개매수자는 공개매수설명서를 교부하여야만 공개매수가 가능하다. 금감위, 거래소, 협회 및 공개매수사무취급자의 본·지점에도 공개매수설명서를 비치하여 일반인이 공람할 수 있도록 하여야 한다.

6) 공개매수 실시

공개매수자는 공고 후 3일이 경과한 시점부터 공개매수를 시작할 수 있다. 공개매수기간은 20일 이상 60일 이내로 하여야 하며, 대항 공개매수가 있는 경우에는 대항공개매수기간의 종료일까지 그 기간을 연장할 수 있다.

7) 매수통지서 발송

공개매수기간 종료 후 지체없이 청약주주가 공개매수청약서에 기재한 주소로 매수통지서를 발송하여야 한다. 매수통지서에는 개별 응모자에게 해당되는 매수예정주식과 반환주식의 수량 및 이에 대한 결제방법을 기재하게 된다.

8) 공개매수 결과 보고

공개매수 결과에 따라 결제 및 반환한 주식에 대한 정보를 금감위와 거래소, 협회에 보고하여야 한다.

9) 주식의 대량보유 상황, 변동 보고
상장법인, 코스닥상장법인의 의결권 있는 주식 등을 5% 이상 보유하게 되는 경우 및 그 5% 이상 보유한 주주의 보유주식비율이 1% 이상 변동하게 되는 경우, 그날로부터 5일 이내에 주식소유상황 및 변동내용을 금감위와 거래소 또는 협회에 보고하여야 한다.

2. 공개매수(Tender Offer)

Cross-Border M&A가 공개매수를 통해 이루어지는 경우, 다음과 같은 로드맵을 가질 수 있다.

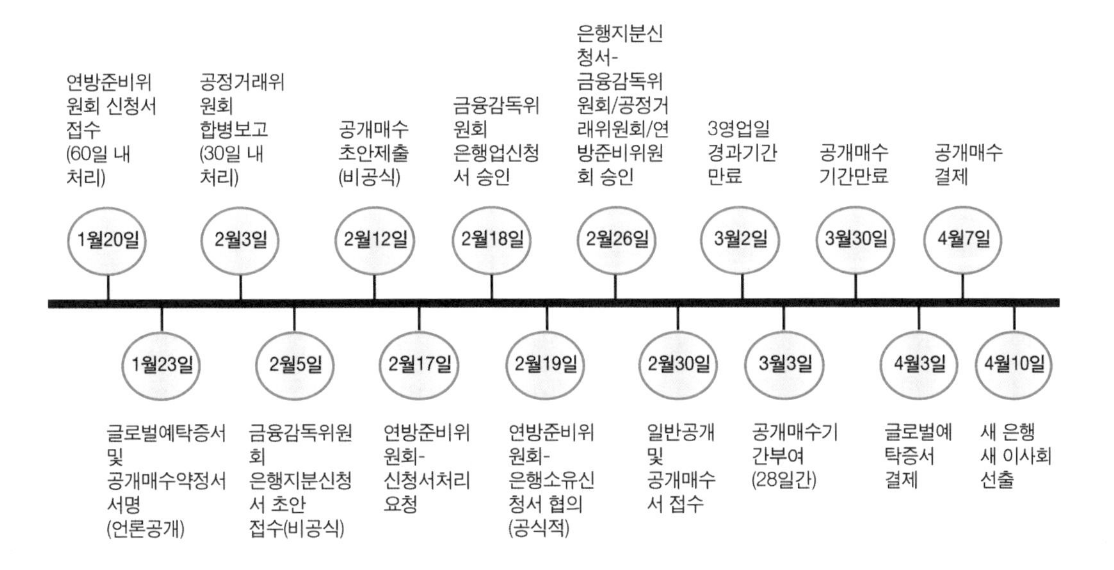

공개매수란 말 그대로 공개적으로 증권시장 밖에서 특정 주식을 사들이는 것이다. 공개매수의 목적은 특정 기업의 경영권을 획득(인수·합병)하거나 지분율을 높여 경영권을 강화하기 위해 또는 상장폐지를 위한 경우가 대부분이다.

공개매수를 하려면 사전에 대상 주식의 매입기간, 매입가격, 수량 등을 미리 감독당국에 신고하고 신고한 내용을 광고 등을 통해 알려야 한다. 주식 매입은 공개매수 공고 이후부터 가능하다. 매입가격은 대체로 해당 주식의 현 주가에 일정한 프리미엄을 붙이는

수준에서 결정된다. 현 주가보다 높아야 해당 주식을 가진 주주들이 팔려는 유인이 생기기 때문이다. 주가보다 높은 가격으로 주식을 사기 때문에 비용이 많이 드는 단점이 있으나 단기간에 목표한 지분을 확보할 수 있다는 장점이 있다. 매수에 응하는 주주들이 많으면 공개매수가 성공할 수 있으나 그렇지 않으면 실패할 수도 있다.

공개매수는 대상회사 경영진이나 주주들의 대응 태도에 따라 우호적, 적대적 또는 중립적 공개매수로 구분된다. 우호적 공개매수는 대상 회사 경영진이 공개매수에 동의해 다른 주주에게도 공개매수에 응할 것을 권유하는 경우이며, 적대적 공개매수는 대상 회사 경영진이 공개매수에 반대해 다른 주주에게 공개매수에 응하지 말 것을 권유하는 경우다. 중립적 공개매수는 대상 회사 경영진이 공개매수에 대해 찬성 또는 반대의 조언이나 권유를 하지 않는 경우다.

공개매수는 해당 기업 경영진이 경영권을 방어할 수 있는 시간을 준다. 가령 A기업이 경쟁사인 B기업 주식 100만주를 현 주가(4만5000원)에 10%의 프리미엄을 붙인 주당 4만9500원에 공개매수해 25%의 지분율을 확보, 적대적으로 경영권을 탈취하려 한다고 하자. 이때 B기업의 경영진은 지분율을 높이기 위해 다양한 수단을 동원할 수 있다. A기업이 제안한 공개매수 가격보다 높은 5만2000원에 공개매수를 선언할 수도 있다. 주식을 증권거래소에 상장해 거래하게 되면 자금을 원활히 조달할 수 있는 이점이 있지만 동시에 공시의무 등 투자자보호를 위한 여러 의무를 져야 한다. 그래서 몇몇 기업들은 증시에서 매매되는 주식을 공개매수를 통해 전부 사들인 이후 상장을 자진 폐지하는 사례도 있다.

기업인수 세무가이드라인

M&A과정에서 있어 세금 문제는 매우 중요하다. 흔히 기업의 가치만 고려해 M&A 거래금액에 대한 협상에만 집중하기도 하나 예상치 못한 세금으로 M&A 자체의 실효성이 낮아질 수도 있음을 알아야 한다.

주식양수도를 통한 M&A의 경우, 주식양도인은 양도소득세와 증권거래세의 납부의무가 있으며 주식양수인은 50%를 초과하는 과점주주인 경우 취득세가 부과될 수 있다. 이 과정에서 주식의 거래가액이 시가(또는 평가액)와 차이가 있는 경우에는 세무조사를 통해 별도로 증여세가 과세될 수도 있다.

영업 및 자산 양수도를 통한 M&A 경우, 양도인이 법인인 경우에는 양도손익에 대한 법인세, 부가가치세가 이슈가 되고, 양도인이 개인인 경우에는 양도소득세, 사업소득세, 기타소득세, 부가가치세가 이슈가 되며 영업양수인은 취득세 납부의무가 발생한다. 만약 법에서 정하는 사업의 '포괄양수도' 요건을 충족하는 경우에는 영업양도인에 부가가치세가 부과되지 않을 여지가 있고 영업양수인의 경우에는 취득세가 중과될 수 있으며 양자 간 영업 및 자산 양수도 가액이 시가와 차이가 있는 경우에는 부당행위계산부인에 따른 법인세, 소득세 또는 별도의 증여세 이슈가 있을 수 있다.

대 상	납세자	매도자	매수자
주식 양수도	법인	• 법인세 - 부당행위계산부인 - 기부금 손금불산입 • 증권거래세	• 법인세 - 부당행위계산부인 - 기부금손금불산입 - 지급이자 손금불산입 • 지방세 - 과점주주의 취득세
	개인	• 소득세 - 양도소득세(비상장주식, 부동산과다법인 주식) - 부당행위계산의 부인 • 증여세 - 고가매도 시 증여의제 • 증권거래세	• 상속세 - 저가매수 시 증여의제 - 자금출처의 입증 • 지방세 - 과점주주의 취득세

대 상	납세자	매도자	매수자
주식 양수도	비거주자 외국법인	• 양도소득세(조세협약) • 증권거래세	• 지방세 - 과점주주의 취득세
자산 양수도	법인	• 법인세 - 특별부가세 - 부당행위계산 부인 - 기부금 손금불산입	• 법인세 - 부당행위계산부인 - 기부금손금불산입 • 지방세 - 취득세
	개인	• 양도소득세 • 증여세 - 고가매도 시 증여의제	• 증여세 - 저가매수 시 증여의제 - 자금출처의 입증 • 지방세 - 취득세
	비거주자 외국법인	• 양도소득세	• 지방세 - 취득세

매도자가 고려해야 할 세무사항으로는 매도자가 법인인가 또는 개인인가에 따라 달라지고 매도물건이 주식인가 또는 자산인가에 따라 각각 달라지게 된다.

I. 법인 매도자의 세무

매도자가 법인인 경우에는 매도 물건이 주식 또는 자산 인지에 상관없이 법인세 과세문제가 중요한 세무상 이슈가 된다. 단지, 주식매도의 경우에만 법인세 외에 증권거래세가 부과된다.

법인이 보유주식 또는 자산을 매각하게 되면 매각손익을 실현하게 되고, 이 매각손익에 대하여는 법인세 과세의 문제가 발생하게 된다. M&A 거래와 관련하여 발생할 수 있는 법인세 과세문제 중 특히 관심을 갖고 고려해야 할 사항으로는 부당행위계산의 부인, 비지정기부금의 간주, 토지 등 양도소득에 대한 과세특례 등이 있다.

1. 부당행위계산의 부인

법인이 소유하고 있던 자산 또는 주식을 특수관계에 있는 자에게 시가에 미달하는 금액으로 양도하는 때에는 조세부담을 부당하게 감소시킨 것으로 인정되어 그 법인의 각 사업연도의 소득금액을 다시 계산하여 과세될 수 있다. 이 규정을 적용할 때에는 건전한

사회 통념 및 상거래 관행과 특수관계인이 아닌 자 간의 정상적인 거래에서 적용되거나 적용될 것으로 판단되는 시가를 기준으로 한다.

부당행위계산의 부인 규정 상 시가(법인세법 시행령 89조)라 함은 해당 거래와 유사한 상황에서 해당 법인이 특수관계인 외의 불특정다수인과 계속적으로 거래한 가격 또는 특수관계인이 아닌 제3자간에 일반적으로 거래된 가격이 있는 경우에는 그 가격(주권상장법인이 발행한 주식을 한국거래소에서 거래한 경우 해당 주식의 시가는 그 거래일의 한국거래소 최종시세가액)에 따른다. 시가가 불분명한 경우, 즉 토지 등의 유형고정자산의 경우, 감정평가법인의 감정가액, 상속세 및 증여세법('상증세법') 제61조에 따른 개별공시지가 또는 인근 유사토지의 개별공시지가를 고려하여 상증세법 시행령 제50조에 정하는 방법으로 평가한 금액을 말하고, 주식의 경우, 상증세법 제63조의 규정을 준용한 평가가액을 말한다.

특수관계에 있는 자의 범위는 다음과 같다.

① 임원의 임면권의 행사, 사업방침의 결정 등 당해 법인의 경영에 대하여 사실상 영향력을 행사하고 있다고 인정되는 자(상법 제401조의 2 제1항의 규정에 의하여 이사로 보는 자를 포함한다)와 그 친족

② 주주 등(소액주주 등을 제외)과 그 친족

③ 법인의 임원・직원 또는 비소액주주의 직원(비소액주주가 영리법인인 경우에는 그 임원을, 비영리법인인 경우에는 그 이사 및 설립자를 말함)이나 사용인 외의 자로서 법인 또는 비소액주주의 금전 기타 자산에 의하여 생계를 유지하는 자와 이들과 생계를 함께 하는 친족

④ 해당 법인이 직접 또는 그와 제1호부터 제3호까지의 관계에 있는 자를 통하여 어느 법인의 경영에 대하여 지배적인 영향력을 행사하고 있는 경우 그 법인

⑤ 해당 법인이 직접 또는 그와 제1호부터 제4호까지의 관계에 있는 자를 통하여 어느 법인의 경영에 대하여 지배적인 영향력을 행사하고 있는 경우 그 법인

⑥ 당해 법인에 100분의 30 이상을 출자하고 있는 법인에 100분의 30 이상을 출자하고 있는 법인이나 개인

⑦ 당해 법인이 '독점규제 및 공정거래에 관한 법률'에 의한 기업집단에 속하는 법인인 경우 그 기업집단에 소속된 다른 계열회사 및 그 계열회사의 임원

2. 기부금의 손금불산입

법인이 특수관계가 없는 자에게 정당한 사유없이 자산을 정상가격보다 낮은 가액으로 양도하거나 정상가액보다 높은 가액으로 매입하는 것은 실질적으로 증여한 것으로 인정되며 그 금액은 당해 연도 소득금액 계산에 이를 손금에 산입하지 아니한다. 이때 정상가격은 시가에서 시가의 100분의 30을 차감한 범위 내의 가액을 말한다. 법인이 특수관계가 없는 자라 할지라도 정당한 사유가 없이 회사의 자산(주식 포함)을 정상가격보다 현저히 낮은 가격으로 양도하게 되면, 그 차액 정상가격[(시가×70%)－실제 양도가격]을 비지정기부금으로 보아 손금불산입하게 된다.

3. 토지 등 양도소득에 대한 과세특례

토지 등 양도소득에 대한 법인세 과세제도는 2001년 12월 31일 종전의 특별부가세 제도가 폐지됨과 동시에 신설된 제도로서, 부동산 투기의 재발을 방지하고 부동산의 가격 안정을 위하여 법인이 주택 및 부수적 토지와 비사업용 토지를 양도하는 경우, 토지 등의 양도소득에 10%의 법인세가 추가로 과세된다.

4. 조세특례

조세특례제한법('조특법')에서는 특정한 경우의 양도차익에 대하여는 양도소득세, 법인세 등을 면제, 감면하여 주는 각종 조세 특례규정을 두고 있다. 따라서 법인 또는 개인이 자산을 양도하는 때에는 법인세법 또는 소득세법의 규정 외에 이러한 조특법상의 조세특례 규정을 면밀히 검토하여 최대한의 절세혜택을 볼 수 있도록 해야 한다.

조세특례에 관한 사항은 다음과 같다.

① M&A 거래와 관련된 조세특례제한법상의 조세특례
② 기술 및 인력개발에 대한 조세특례
③ 기업구조조정을 위한 조세특례
④ 금융기관 구조조정을 위한 조세특례
⑤ 지역간의 균형발전을 위한 조세특례
⑥ 공익사업지원을 위한 조세특례
⑦ 기타 특례

II. 개인 매도자의 세무

개인이 소유하고 있는 자산 또는 주식을 취득가액보다 높은 가격에 양도하게 되면 양도차익이 발생하며, 이 양도차익에 대하여는 양도소득세가 과세된다. 자산을 양도하는 경우에는 부동산 양도소득세가 부과될 것이며, 주식을 양도하게 되면 기타자산의 양도소득세 또는 비상장주식의 양도소득세를 납부해야 한다. 거래상대방이 특수관계에 있는 자일 때는 고가매도에 따른 증여의제 문제가 발생하여 증여세가 부과될 수도 있다. 그리고 주식양도 시에는 법인의 경우와 같이 증권거래세가 부과된다.

1. 자산의 양도소득세

개인이 토지 등의 자산을 유상으로 양도함으로써 발생하는 소득에 대하여는 양도소득세가 부과된다. 이런 소득세법상의 양도소득세 계산방법은 상당히 복잡하게 규정되어 있기 때문에 자산의 양도 건에 따라 구체적으로 부과될 수 있는 양도소득세의 금액을 검토해 보아야 한다.

양도세 과세대상은 다음과 같다.

① 토지, 건물(부속시설물, 구축물 포함)

② 부동산에 관한 권리 : 부동산을 취득할 수 있는 권리, 지상권, 전세권, 등기된 부동산임차권

③ 주식 또는 출자지분(신주인수권과 대통령령으로 정하는 증권예탁증권을 포함) : 주권상장법인의 주식 등으로서 대주주가 양도하는 것 또는 증권시장에서의 거래에 의하지 아니하고 양도하는 것 및 비상장주식

④ 기타자산 : 사업용 고정자산과 함께 양도하는 영업권(영업권을 별도로 평가하지 아니하였으나 사회통념상 자산에 포함되어 함께 양도된 것으로 인정되는 영업권과 행정관청으로부터 인가・허가・면허 등을 받음으로써 얻는 경제적 이익을 포함한다), 이용권・회원권, 소득세법 시행령 제158조 제1항의 기타자산(총주식가액의 50% 이상을 양도하는 경우 등)

⑤ 대통령령으로 정하는 파생상품 등의 거래 또는 행위로 발생하는 소득(2016. 1. 1. 이후 최초로 거래 또는 행위가 발생하는 분부터 적용함)

> 양도소득금액 = 양도차익(양도가액 − 필요경비), 계산 시, 장기보유특별공제액(토지, 건물만 해당) 및 양도소득기본공제

○ 양도소득의 부당행위 계산(소득세법 제101조)

특수관계에 있는 자와의 거래로 인하여 양도소득세를 부당하게 감소시킨 것으로 인정되는 때는 실제거래와 상관없이 소득금액을 계산하여 세금이 부과될 수 있다.

2. 주식 및 출자증권의 양도소득세(소득세법 제94조 제1항 제4호 및 제104조 제1항 제1호)

신주인수권 및 증권예탁증권을 포함한 개인이 소유한 비상장주식 등을 양도함에 따라 발생하는 양도차익에 대하여는 부동산양도와는 별도로 저율의 양도소득세가 부과된다. 과세대상은 소득세법 제94조 제1항 제3호로서 동법 시행령 제158조의 기타자산에 해당하지 않는 주식 또는 출자지분이다.

그 계산은 다음과 같다.

> 양도소득금액 = 양도차익(양도가액 − 취득가액), 필요경비(증권거래세 등) 공제 및 양도소득기본공제

세율은 20%(중소기업주식 : 10%, 대주주가 1년 미만 보유한 주식 등 30%)이며, 양도 및 취득가액은 양도 및 취득 당시의 실지거래가액에 의하는 것을 원칙으로 하며, 실거래가액이 확인되지 않는 경우에는 기준시가로 과세된다.

기타자산에 해당하지 않는 비상장주식의 기준시가 산정(소득세법 제99조, 동법 시행령 제165조 제4항, 동법 시행규칙 제81조)은 상속세 및 증여세법 제63조 제1항 제1호 나목을 준용하여 평가한 가액으로 한다.

평가액은 다음과 같이 계산된다.

> 1주당 가액 = 〔(1주당 순손익액*/10%) × 3 + (순자산가액**/발행주식총수) × 2〕/5

* 순손익액 : 직전사업연도 세무상 순이익

** 순자산가액 : 직전사업연도 세무상 장부가액(토지는 공시지가)

3. 증여의제(상증세법 35조의 고가 양도 시 증여의제)

M&A 거래의 결과로 나타나는 경제적 효과가 증여와 같은 효과로 판단되는 때는 증여로 간주하여 증여세가 부과되는데, 매도자 입장에서 일어날 수 있는 증여의제로는 매도자가 특수관계에 있는 매수자에게 현저하게 높은 가액으로 양도한 경우에 그 양도가액과 시가와의 차액에 상당하는 금액을 매수자가 매도자에게 증여한 것으로 간주하여 증여세를 부과하게 된다. 여기서 현저하게 높은 가액이란 증여일 현재의 상속세법 시행령의 평가방법에 의한 평가금액과 100분의 30 이상 차이가 있거나 그 차액이 3억 원 이상인 경우의 그 대가를 말한다(상속세 및 증여세법 시행령 제28조 제2항).

특수관계에 있는 자의 범위는 다음과 같다(상속세 및 증여세법 시행령 제12조의 2).

① 국세기본법 시행령 제1조의 2 제1항 제1호부터 제4호까지의 어느 하나에 해당하는 자("친족") 및 직계비속의 배우자의 2촌 이내의 혈족과 그 배우자

② 사용인(출자에 의하여 지배하고 있는 법인의 사용인을 포함)이나 사용인 외의 자로서 본인의 재산으로 생계를 유지하는 자

③ 다음 어느 하나에 해당하는 자

④ 본인이 개인인 경우 : 본인이 직접 또는 본인과 ①에 해당하는 관계에 있는 자가 임원에 대한 임면권의 행사 및 사업방침의 결정 등을 통하여 그 경영에 관하여 사실상의 영향력을 행사하고 있는 기업집단의 소속 기업[해당 기업의 임원(「법인세법 시행령」 제40조 제1항에 따른 임원)과 퇴직 후 3년(「독점규제 및 공정거래에 관한 법률」제14조에 따른 공시대상기업집단에 소속된 경우는 5년)이 지나지 않은 사람("퇴직임원")을 포함한다]

⑤ 본인이 법인인 경우 : 본인이 속한 기업집단의 소속 기업(해당 기업의 임원과 퇴직임원을 포함한다)과 해당 기업의 임원에 대한 임면권의 행사 및 사업방침의 결정 등을 통하여 그 경영에 관하여 사실상의 영향력을 행사하고 있는 자 및 그와 위 ①에 해당하는 관계에 있는 자

⑥ 본인, 위 ①부터 ③까지의 자 또는 본인과 위 ①부터 ③까지의 자가 공동으로 재산을 출연하여 설립하거나 이사의 과반수를 차지하는 비영리법인

⑦ 위 ③에 해당하는 기업의 임원 또는 퇴직 임원이 이사장인 비영리법인

⑧ 본인, 위 ①부터 ⑤까지의 자 또는 본인과 위 ①부터 ⑤까지의 자가 공동으로 발행주식총수 또는 출자총액의 100분의 30 이상을 출자하고 있는 법인

⑨ 본인, 위 ①부터 ⑥까지의 자 또는 본인과 위 ①부터 ⑥까지의 자가 공동으로 발행주식총수 등의 100분의 50 이상을 출자하고 있는 법인

⑩ 본인, 위 ①부터 ⑦까지의 자 또는 본인과 위 ①부터 ⑦까지의 자가 공동으로 재산을 출연하여 설립하거나 이사의 과반수를 차지하는 비영리법인

III. 비거주자 매도자의 세무

비거주자(또는 외국법인)가 국내에 있는 자산을 양도함으로써 발생하는 양도소득에 대하여는 원칙적으로 거주자와 동일하게 과세하지만 조세조약이 체결되어 있는 경우에는 그 조세조약에 의거하여 과세되므로 비거주자의 거주지국에 따라 과세 방법 및 세율 등이 달라질 수 있다. 국내 세법(소득세법 제4장, 법인세법 제4장)에 의하면, 비거주자(또는 외국법인)가 국내에 있는 부동산 또는 주식 등을 양도하는 경우에는 양도소득세(또는 법인세)가 부과되며 그 징수방법은 다음과 같이 분류된다.

구 분	국내사업장	부동산 양도소득	주식 양도소득
비 거 주 자	있는 경우	분류과세	종합과세
	없는 경우	분류과세 (원천징수)	분리과세 (원천징수)
외 국 법 인	있는 경우	사업소득에 포함	사업소득에 포함
	없는 경우	분리과세 (원천징수)	분리과세 (원천징수)

1. 부동산(기타자산 포함) 양도

비거주자(또는 외국법인)가 양도소득이 귀속되는 국내사업장을 가지고 있으면 국내사업장의 사업소득에 포함되어 종합소득세 또는 법인세가 과세되고, 양도소득이 귀속되는 국내사업장을 가지고 있지 않으면, 비거주자(외국법인)의 원천징수 특례 규정에 따라 아래와 같이 원천징수가 적용된다.

Min[(양도가액×11%), ((양도가액 −취득가액)×22%)]

2. 주식의 양도

국내사업장을 가지고 있는 거주자 및 외국법인이 당해 주식, 출자증권, 기타의 유가증권을 양도함으로써 발생하는 국내 원천소득은 종합소득 또는 각 사업연도의 소득에 포함하여 과세된다. 그러나, 국내사업장을 가지고 있지 아니한 비거주자 및 외국법인이 주식 등을 양도하는 경우에는 그 주식 등을 양수하는 자가 주식양도 소득세(또는 법인세)를 원천징수하여야 한다. 단, 증권시장을 통하여 주식 또는 출자증권을 양도함으로써 발생하는 소득으로서 당해 유가증권을 양도일이 속하는 연도와 그 직전 5년의 기간 중 계속하여 25% 미만을 소유한 경우 양도소득세(또는 법인세)가 비과세된다(소득세법 시행령 제179조 제11항, 법인세법 시행령 제132조 제8항).

주식양도소득세에 관한 원천징수는 다음과 같이 계산된다(소득세법 제156조, 법인세법 제98조).

국내 세법상 주식양도소득에 대한 원천징수세액(지방소득세 포함)은 양도가액의 11%인데, 취득가액이 확인될 때에는 다음과 같이 계산된다.

Min[(양도가액×11%), ((양도가액 －취득가액)×22%)]

그러나, 이런 주식양도에 대한 국내 과세 여부는 각 나라와의 조세조약에 따라 달라지게 되므로 당사국과의 조세조약 내용을 확인하여야 한다.

3. 증권거래세

주식, 출자증권 또는 신주인수권을 양도하는 때에는 양도소득세와는 별도로 양도가액에 일정세율을 부과하는 증권거래세를 납부하여야 한다.

그 구체적인 내용은 다음과 같다.

과세대상	납세의무자	과세표준	세 율
• 주식 • 출자증권	• 증권예탁원 • 증권회사	• 원칙 – 양도가액 • 시가 또는 정상가액보다 부당하게 낮은 가액에 양도된	• 유가증권시장에서 양도되는 주식 : 0% (단, 2021.1.1.~

과세대상	납세의무자	과세표준	세 율
• 신주인수권	• 양도자 • 양수자 - 사업장 없는 비거주자의 양도	것으로 인정되는 경우 - 소득세법, 법인세법, 상증세법, 국조법에 따른 시가 또는 정상가격 • 양도가액을 알 수 없는 경우 ☞ 상장주식 또는 장외주식의 장외 또는 기준 외 거래 : 양도일의 매매거래 기준가액 ☞ 그 외 주식 「소득세법 시행령」 제165조에 따라 계산한 가액	2022.12.31. 0.08%) • 코스닥시장 : 0.015% (단, 2021.1.1.~2022.12.31 0.023%) • 코넥스시장 : 0.01% • 기타주식 : 0.35% (단, 2021.1.1.~2022.12.31. 0.43%)

IV. 법인인 매수자의 세무

법인이 기업 매수를 추진하는 데 있어 피인수기업의 대주주로부터 주식을 매수하는 경우와 피인수기업이 보유하고 있는 자산을 양수하는 경우가 있을 수 있다. 이러한 주식매수와 자산양수 각각의 경우에 있어서 매수하는 법인은 세금 문제를 법인세와 지방세로 나누어 생각해 볼 수 있다.

구체적인 내용은 다음과 같다.

구 분	주식 매수	자산 양수
법 인 세	• 부당행위계산의 부인 • 기부금 손금불산입	• 부당행위계산의 부인 • 기부금의 손금불산입 • 지급이자 손금불산입
지 방 세	• 과점주주의 취득세 납부	• 취 득 세

1. 부당행위 계산의 부인

법인이 특수관계에 있는 자로부터 자산 또는 주식을 매수함에 있어 시가를 초과하는 가격으로 매수하는 때에는 조세의 부담을 부당히 감소시키는 행위로 인정되어 그 법인의 각 사업연도 소득금액이 재계산되어 과세될 수 있다. 이 규정을 적용할 때에는 건전한

사회통념 및 상거래관행과 특수관계인이 아닌 자간의 정상적인 거래에서 적용되거나 적용될 것으로 판단되는 시가를 기준으로 한다. 이러한 법인의 부당행위계산의 부인 판단은 정상적인 제3자와의 거래, 건전한 사회통념 내지 상관행을 기준으로 이루어지게 되며, 시가를 산정하는 기준으로는 토지는 공시지가(또는 감정평가액), 주식은 상속세법 시행령 제63조에 의한 평가금액 등이 있다.

2. 기부금의 손금불산입

법인이 특수관계가 없는 자로부터 정당한 사유없이 자산 또는 주식을 정상가격보다 높은 가액으로 양수함으로써 실질적으로 증여한 것으로 인정되는 금액은 당해 연도 소득금액 계산에 있어서 이를 손금에 산입하지 아니한다. 이때 정상가격은 시가에서 시가의 100분의 30을 가산한 범위 내의 가액을 말한다. 즉, 법인이 특수관계가 없는 자와의 거래일지라도 정당한 사유없이 자산(주식 포함)을 정상가격보다 현저히 높은 가격으로 양수를 하게 되면 그 차액[실제 양수가격 − 정상가격(시가×130%)]만큼을 비지정기부금으로 보아 손금불산입하게 되므로, 그 차액에 해당하는 법인세효과(차액×법인세율)를 향유할 수 없는 결과가 된다.

3. 지급이자 손금불산입

법인이 부동산을 취득·보유하는 경우에 있어서 그 부동산이 비업무용부동산으로 분류되는 경우에는 당해 사업연도에 발생한 지급이자 중 일정부분이 소득금액계산상 손금으로 산입되지 못하여 지급이자에 의한 법인세 절감효과를 얻지 못하는 결과를 가져올 수 있다.

비업무용 부동산 취득 등의 경우 지급이자 손금불산입액의 계산(법인세법 시행령 제53조)
= 지급이자 × (비업무용 부동산 취득가액 등 업무무관 비용 + 업무무관 가지급금)의 적수/총차입금의 적수

4. 취득세

취득세는 부동산, 차량, 기계장비, 항공기, 선박, 입목, 광업권, 어업권, 골프회원권, 승마회원권, 콘도미니엄 회원권, 종합체육시설 이용회원권 또는 요트회원권("부동산 등")을 취득한 자에게 부과한다. 그리고 친족 등의 특수관계인 지분을 포함하여 한 법인의 발

행주식의 50%를 초과하여 소유함으로써 과점주주가 된 법인 또는 개인은 당해 법인의 부동산 등 취득세 과세물건을 취득한 것으로 간주되어(간주취득) 취득세가 부과된다.

과세표준은 취득 당시의 가액으로 자진신고원칙으로 하되 신고가액이 과세시가표준액(토지는 공시지가)에 미달하는 때에는 시가표준액에 의한다. 부동산의 일반적인 취득세율은 4%를 원칙으로 하되, 중과세율이 적용된다.

과점주주에 대한 취득세는 다음과 같이 계산된다(지방세법 제7조 제5항).

한 법인의 주식 또는 지분을 취득함으로써 지방세기본법 제47조 제2호에 따른 과점주주가 되었을 때에는 그 과점주주가 해당 법인의 부동산 등을 취득(법인설립 시에 발행하는 주식 또는 지분을 취득함으로써 과점주주가 된 경우에는 취득으로 보지 아니한다)한 것으로 본다. 과점주주란 주주 또는 유한책임사원 1명과 그의 특수관계인 중 대통령령으로 정하는 자로서 그들의 소유주식의 합계 또는 출자액의 합계가 해당 법인의 발행주식 총수 또는 출자총액의 100분의 50을 초과하면서 그에 관한 권리를 실질적으로 행사하는 자를 말한다.

V. 개인 매수자의 세무

개인이 M&A 거래를 통하여 특수관계인의 주식을 취득하는 것을 포함하여 한 법인의 주식의 50%를 초과하여 보유하게 되어 과점주주가 되는 때에는 법인의 경우와 마찬가지로 당해 법인의 취득세 대상 재산에 대한 취득으로 간주되어 취득세가 부과된다. 개인이 주식매수 또는 자산매수를 하는 때에는 그 매수자금의 출처를 입증해야 하는 문제가 있고, 이런 M&A 거래가 특수관계에 있는 자와 이루어질 경우에는 저가매수에 의한 증여의제의 문제가 발생할 수 있다.

구 분	주식 매수	자산 매수
상속세	• 저가매수 시 증여의제 • 증자나 감자 시 증여의제 • 자금출처의 입증	• 저가매수 시 증여의제 • 자금출처의 입증
지방세	• 과점주주의 간주취득	• 취득세

1. 저가매수 시 증여의제(상증세법 제35조)

특수관계인이 아닌 자간에 재산을 양수하거나 양도한 경우로서 거래의 관행상 정당한 사유 없이 시가보다 현저히 낮은 가액 또는 현저히 높은 가액으로 재산을 양수하거나 양도한 경우에는 그 대가와 시가의 차액에 상당하는 금액을 증여 받은 것으로 추정하여 증여세를 부과한다. "현저히 낮은 가액"이라 함은 양수한 재산의 시가에서 그 대가를 차감한 가액이 시가의 100분의 30 이상 차이가 있는 경우의 대가를 말한다.

2. 증자 및 감자 시의 증여의제(상증세법 제39조 및 제39조의 2)

가. 법인이 증자를 하기 위해 신주를 배정하는 데 있어 기존의 주주가 신주인수권을 포기하고, 그 포기한 신주를 재배정하는 경우에 당해 실권 주식을 배정받은 자가 실권주를 인수함으로써 얻게 되는 이익이 있을 때에는 이를 증여로 보아 과세된다.

나. 증자 시 발생된 실권 주식을 재배정하지 않고 인수 및 납입된 부분만 증자등기를 하는 경우라도 실권주주와 특수관계에 있는 주주가 실권하지 않음으로 인해 얻게 되는 상대적 이익에 대하여 증여의제가 적용된다.

다. 해당 법인의 주주가 아닌 자가 해당 법인으로부터 신주를 직접 배정받거나, 해당 법인의 주주가 그 소유주식 수에 비례하여 균등한 조건으로 배정받을 수 있는 수를 초과하여 신주를 직접 배정받음으로써 얻은 이익에 대하여도 증여의제가 적용된다.

라. 감자를 할 때도 일부 주주의 주식만을 소각함으로써 특수관계에 있는 다른 대주주(1% 이상 주주)가 상대적으로 이익을 얻게 되는 경우에는 증여의제에 해당하게 된다.

3. 재산취득자금 등의 증여 추정(상속세법 제45조)

자산 또는 주식을 취득한 자가 직업, 성별, 연령, 소득 및 재산상태 등으로 보아 자력으로 취득했다고 인정하기 어려운 경우로서 입증된 금액의 합계액이 취득가액에 미달하는 경우에는 자산 또는 주식의 취득자가 다른 자로부터 그 미달액을 증여 받은 것으로 보아 과세하게 된다. 단, 미달금액이 취득가액의 20% 이내에 상당하는 금액과 2억 원 중 적은 금액에 미달하는 경우를 제외한다.

3막

합병(MERGER)

"대한은행과 글로벌은행을 6개월 안에 합병하라." 글로벌그룹 본사로부터 새로운 지령이 떨어졌다.

"왜 이렇게 합병을 서두르는지 모르겠어. 합병이 사전부터 계획되어 있었다고는 하나 합병에 대한 제대로 된 그림을 그리고 있는지 모르겠단 말이야. 물론 우리 생각과는 달리 그룹입장에서는 합병이 당연한 수순이라 생각하고 있겠지만……."

김전무는 불편한 모습을 보이고 있었다.

"김전무님, 기업통합은 '100일 승부'라고 배웠습니다. 아마 우리에게 소방수가 되어 달라는 얘기 같아요. 짧은 시간 안에 화재를 진압하도록 함으로써 통합의 효과를 최대화하려는 것이 아닐까 싶어요. 그리고 매니지먼트는 제한된 시간 안에 직원들이 급격한 변화를 효과적으로 관리하기를 원하겠죠. 거기에다 1 더하기 1은 2가 아니라 그 이상의 시너지를 빠른 시간 안에 만들어 주기를 원하고 있지 않을까요?"

크리스는 제법 컨설턴트 출신다운 말을 늘어 놓고 있었다.

"그런 것 같네. 매니지먼트는 사람들이 충격을 받고 긴장감과 기대감을 갖고 있을 때 통합의 필요성을 피력하고 몰아 부치려는 거겠지. 그리고 어느 정도 가시적인 통합 효과가 보이면 성공담을 들려 주며 그 다음 단계로 가려는 거지."

김전무의 감은 어긋날 때가 없었다.

"그런데 크리스, 혹 본사로부터 특별한 소식 들은 것 없어? 은행이 통합이 되고 나면 어떤 방식으로 갈 것인지에 대한 결정이 있어야 할 텐데 말이야. 아직 아무런 얘기가 없으니 우리가 탄 배가 어디로 가는지 모르겠구만."

크리스는 닉과 나눈 대화가 생각이 났다.

"이제 한국에 있는 글로벌은행은 대한은행과 합병한 후에는 예전과는 많이 달라질거야. 규모 면에서는 글로벌은행보다 훨씬 커질 것이고, 운영방식은 예전과는 많이 다른 독립적인 로컬은행이 될 거야. 그렇게 되면, 크리스 너에게도 더 많은 기회가 주어지지 않을까?"

크리스는 대화에 집중하려는 듯 머리를 두어 번 가볍게 흔들고는 말을 이어갔다.

"전무님, 통합은행의 사업모델은 장기적으로는 글로벌스타일로 가야겠지만 단기적으로는 대한은행스타일로 가지 않을까요? 글로벌은행과는 달리 대한은행에는 강력한 노동조합도 있고 특히나 현재의 대한은행 매니지먼트가 기득권을 놓으려 하지 않겠죠. 제 생각에는 그럴 가능성이 높아 보여요."

김전무는 다른 견해를 내 놓지 않았다.

통합작업을 천천히 진행하는 것은 통합의 최대적인 불확실성의 기간을 더 늘리는 꼴이 된다. 통합작업은 무자비하게 진행되어서는 안되지만 또한 천천히 여유를 갖고 진행되어서도 안된다. 지체된 통합작업은 직원들의 생산성에 치명타를 가할 수 있다. 대개의 경우, 통합작업은 첫 6개월에서 길어야 1년 안에 가시적인 성과를 이루어야 한다. 통합의 시간이 지체되면 될수록 직원들은 업무에 집중하지 않고 통합의 불확실성에 대해 염려하게 되고 생산성 저하를 초래하게 된다. 또한 주요한 직원들의 업무이탈이 발생하고 고객은 회사를 떠나게 되어 결국 통합이 실패하게 된다.

1장 동등한 합병?

M&A는 엄청난 변화를 동반한다. 그리고 그 변화는 불확설성(Uncertainty)이라는 속성을 가지고 있다. 인수당한 기업의 직원들뿐만 아니라 인수한 기업의 직원들도 불확실성에 기인하는 불안감을 모두 갖게 된다.

글로벌그룹의 회장이 한국을 방문했다. 대한은행과 글로벌은행의 경영자 및 양 은행의 직원들이 다수 참석한 모임에서 합병에 관한 그의 발표가 있었다.

"It's too early in the deal to begin planning for integration, but we are convinced that the new bank will be stronger together than either bank could be on its own. This combination will benefit everyone involved, including our customers, shareholders, and employees alike. We will communicate more about the merger to our stakeholders as we have more information to share. Our plan to combine the two banks is essentially to ease the changes in. We will freeze the two organizations for at least a year, and once things settle down we'll see what we have in the way of products, operations, systems, and people. Once our employees and customers get comfortable with the new bank, we'll then start integrating the two businesses."

이어서 그는 글로벌그룹의 주된 경영전략은 현지화(Localization) 전략에 있다고 강조하며, 한국 내 원활한 영업을 위해서 글로벌그룹의 글로벌은행과 대한은행이 합병하여 양 은행을 통합할 것이라는 발표를 했다. 이를 위해 금감위에 합병을 위한 예비인가를 신청할 계획임을 밝혔다. 합병을 통하여 양 은행이 통합하는 시기는 대략 6개월 정도 소요될 것이라고 덧붙였다.

글로벌은행에서 참석한 경영자들의 얼굴 빛이 어두워 보이는 반면 대한은행에서 참석

한 경영자들은 예전의 긴장된 모습을 보이지 않고 있었다.

몇 개월 전 인수작업에서 볼 수 있었던 것과는 사뭇 다른 모습이었다.

크리스 옆자리에 앉아 있던 김본부장이 살며시 크리스에게 얘기를 했다.

"크리스, 글로벌은행의 행장이 회사를 떠날 것 같다는 소문이 있어. 다른 해외지점으로 가는 것이 아니고 글로벌그룹을 떠난다는 얘기야. 무슨 이유인지는 모르겠는데 아마도 이번 딜을 진행하면서 정치적으로 밀린 것 같네."

"그렇다면 공은 대한은행 쪽으로 넘어간 거네요. 우리가 예상했던 것처럼요."

발표는 1시간 동안 지속되었다. 글로벌그룹의 회장 발표가 끝이 나고 발표의 구색이라도 맞추려는 듯 글로벌그룹에 대한 소개가 새삼스럽게 있었다. 이번에는 대한은행 은행장이 이색적으로 발표를 이어갔다.

"직원 여러분, 그 동안 수고 많으셨습니다. 글로벌그룹의 최고경영자가 말씀하신 대로 우리는 이제 한 식구가 되었습니다. 세계적인 금융회사인 글로벌그룹의 일원이 된 것을 영광스럽게 생각합니다. 임직원 여러분도 저와 같은 생각을 하시리라 봅니다. 글로벌그룹은 그 동안 대규모 M&A보다는 전략적 강점을 강화하고 약점을 보완하기 위한 부분적 M&A에 치중하는 모습을 보여왔습니다. 그러나 최근의 신흥시장에 대한 진출을 강화하고 있는 상황에서 한국시장에 보다 적극적인 투자는 의미가 매우 크다고 볼 수 있습니다. 아시다시피 전세계 100여 개 국가에 걸친 글로벌그룹의 영업망은 지역시장의 특성에 따른 현지화, 토착화를 기본 전략으로 삼고 있습니다. 장기간의 관찰을 통해 시장의 성공에 대한 확신이 설 경우에는 '틈새시장'을 노리는 것보다는 과감하게 선도적 지위를 차지하는 인수합병 전략을 펼쳐 왔습니다. 앞으로 그 동안 글로벌은행을 통해서 기반을 다져온 기업금융뿐만 아니라 소비자금융에도 더욱 박차를 가할 것입니다."

그는 잠시 글로벌그룹의 회장 쪽으로 시선을 한 번 던진 후 준비된 원고를 읽어가듯 연설을 계속 이어갔다.

"글로벌은행의 아시아 진출을 잠시 살펴보면, 일본을 제외한 아시아시장의 수익비중은 글로벌그룹 전체의 10퍼센트 정도 차지하고 있습니다. 글로벌은행의 아시아 진출은 성공적이라 할 수 있으나 아시아 대부분의 국가에서 글로벌은행은 우월한 지위를 가진 선도 은행이기보다는 신용카드 등 소비자금융의 특화된 분야에만 집중하는 영업방식을 택하고 있었습니다. 일본의 경우에는 20개 이상의 지점보유 및 24시간 ATM 가동, 은행 최초의 토요일 영업 등을 통해 일본 내 인지도를 높이는 데 성공했으며, 대만에서는 단지 10여 개의 점포를 통해 신용카드와 개인대출 분야에서 5대 기관으로 성장했고, 홍콩의 경우 1997년에 진출하여 가계금융은행으로 성장했습니다. 필리핀과 말레이시아에서는 소수의 지점으로 상당한 신용카드 점유율을 유지하고 있습니다. 또한 신흥시장으로 중요성이 부각되고 있는 인도의 경우, 신용카드에서 40퍼센트의 시장점유율을 확보하고 있는 등 다른 어는 지역보다 아시아지역의 성장은 괄목할 만합니다. 여기에 이번 한국시장에의 보다 적극적인 투자는 한국을 아시아지역 국가 중에서도 매우 중요하게 생각하기 때문입니다. 앞으로 성공적인 통합을 기반으로 더욱 성장할 수 있게 되기를 바라면서 직원 여러분의 성원을 계속 부탁드립니다."

김본부장이 크리스에게 귓속말을 했다.

"6월 1일 자로 새로운 CFO가 온다고 하는데 혹 소식 들었어? 통합은행의 CFO가 될거라고 하던데……."

"알고 있습니다. 사실은 지난달 홍콩에서 만났었어요. 로버트가 소개를 시켜주었어요. 이태리계 미국인인데, 결단력이 있어 보이는 사람이었어요. 그러고 보면 그림이 그려지네요. CEO가 대한은행 출신이 된다면 본사에서 CFO를 파견하는 것은 M&A의 기본이니까요. 본부장님과 잘 맞는 분이셨으면 좋겠어요."

그날 저녁에는 인수팀리더들과의 저녁식사가 있었다. 인수작업을 통해서 친분이 생긴 사람들과 가끔씩 식사를 함께 하는 기회가 있었다. 본사에서 방문한 손님들을 맞이 하느라 참석률이 그리 높지는 않았지만 반가운 얼굴들이었다. 식사를 하면서 화두는 역시 낮에 있었던 발표 관련된 내용들이었다. 발표장에서 느낄 수 있었던 분위기는 거짓이 아닌 것 같았다. 인수작업을 할 때 고무되었던 사람들의 열정은 저녁식사 자리에는 없는 것 같았다. 대신 이곳저곳에서 탄식의 목소리가 나오고 있었다. 모든 사람들이 느끼고 있는 공통된 것이 한 가지 있는 듯했다. 누군가의 목소리가 크게 들렸다.

"인수팀리더들의 수고에 대해서는 한 마디도 없더구만."

"이미 끝난 일이라는 거지. 이제부터는 통합이잖아."

그랬다. 이제 인수는 옛날 얘기가 되어 버렸다. 앞으로는 통합이라는 새로운 얘기를 써야 한다. 글로벌은행의 리더들은 이제 인수를 하는 주체가 아니고 통합을 당하는 객체가 되어 버렸다는 불만을 토로하고 있었다. 예전에 보이던 성취감은 어느새 좌절감으로 바뀌어 버린 듯했다. 자신들의 미래에 대해 불안감을 갖고 있는 것 같았다. 동등한 합병이란 있을 수 없다는 것을 그들은 이미 알고 있는 것처럼 보였다. 누군가는 은행에 머물고, 누군가는 은행을 떠날 것이다는 것을 모두들 감지하고 있는 듯했다.

2장 PMO[39]의 구성

뉴욕에서 통합팀리더들을 이끌고 갈 통합책임자가 한국으로 파견되었다. 그는 첫 날부터 회의장의 분위기를 압도했다.

“이렇게 만나서 반갑습니다. 통합프로젝트가 잘 진행될 수 있도록 여러분의 적극적인 지원을 부탁드립니다.”

그의 인사말은 간단했다.

“일단 우리의 목표는 통합 첫째 날에 맞추어질 것입니다. 즉 목표는 고객이 통합 첫 날에 당황하지 않도록 해야 합니다. 이 목표 외의 다른 것은 일단 서랍 속에 넣어 두기 바랍니다. 여기에 모인 팀리더들은 통합의 핵심적인 역할을 할 것입니다. 저는 여러분 모두가 선택된 사람들이라는 것을 잘 알고 있습니다.”

그는 팀리더들의 사기를 고취시키려고 안간힘을 쓰고 있는 듯했다.

“팀간의 조정은 필요 없습니다. 여러분들은 각자가 맡은 분야에 최선을 다해 주십시오. 말하자면, 이기주의를 발휘하기를 바랍니다. 다시 말하면 제가 말한 목표를 생각하며 자신들이 해야 하는 일에만 집중하기를 바랍니다. 문제가 생기면 저를 포함한 PMO로 연락을 해 주십시오.”

그의 말은 이어졌다.

“즉 물에 빠진 팀은 PMO가 구하러 갈 것입니다. 그러니 팀간의 조정을 위해서 시간을

39) Project Management Office, abbreviated to PMO, is a group or department within a business, agency or enterprise that defines and maintains standards for project managementwithin the organization. The PMO strives to standardize and introduce economies of repetition in the execution of projects.

허비하지 말기를 당부 드립니다. 여러분이 지향해야 할 것은 각자 팀이 최적의 결과를 도출하기 위해서 속도를 확보하는 것입니다. 전체적인 최적은 PMO가 파악할 것이며 팀 간의 조정 작업은 PMO의 몫입니다."

자금부의 최상무가 질문을 던졌다.

"부서간의 조정작업을 하려면 상황을 파악하고 있어야 할 터인데, PMO에서는 어떻게 그런 부분에 대해 대처하려고 합니까?"

"좋은 질문입니다. 그 부분에 대해서는 다음 주 회의에서 구체적으로 얘기할 것입니다. 간단히 말을 하자면, PMO에서 각 팀의 진척상황을 한눈에 볼 수 있는 프로그램을 만들어 각 팀장들이 이용할 수 있도록 할 것입니다. 각 팀장들은 진척상황을 프로그램에 입력하도록 할 것입니다."

"크리스, 무슨 프로그램을 말하는 거지? 바빠 죽겠는데 프로그램을 입력하고 뭐하고 할 시간이 어딨어? 무슨 할 일이 그리 많은지……."

김전무가 크리스에게 속삭이듯 말했다.

다음으로, 법무팀의 윤전무가 합병로드맵을 PMO회의에서 펼쳐 보였다. 인수팀리더회의에서는 볼 수 없었던 그림이었다. 앞으로 전개될 작업들에 대해 일목요연하게 정리가 되어 있었다. 물론 법무팀 입장에서 해야 할 작업들을 나열해 놓았지만 회의에 소집된 부서장들에게도 많은 도움이 되고 있었다. 부서장들은 자신이 해야 할 일이 어느 시점에 어떻게 진행될지에 대해 그림을 그릴 수 있었다.
윤전무는 어느 때보다도 자신감에 찬 목소리로 발표를 이어갔다.

"두 은행이 공식적으로 통합되는 날까지 우리가 해야 할 일이 여기에 나타나 있습니다. 일정이 팍팍합니다. 약간의 날짜가 상황에 따라서 조정될 수는 있습니다. 가장 중요한 작업은 금융당국으로부터 합병승인을 받는 것입니다. 다들 아시고 계시겠지만 요즘 금융당국이 워낙 강경한 자세를 취하고 있어 합병승인 작업이 쉽지는 않을 것 같습니다. 물론 사전에 협의는 되어 있는 건이지만 협의를 잘 진행해야 할 것 같습니다. 이를 위해서 현재 법무팀은 밤낮없이 작업하고 있습니다."

윤전무는 잠시 숨을 돌린 뒤 발표를 이어갔다.

“합병승인을 받는 데 있어 가장 중요한 일이 있습니다.”

윤전무는 크리스를 흘겨 보고는 말을 이어갔다.

“합병을 승인받기 위해서는 합병평가 작업이 이루어져야 합니다. 이 작업에 대해서는 크리스 쪽에서 진행하는 걸로 알고 있는데. 진행상황이 어떻게 되어 가는지요?”

윤전무가 공을 크리스에게로 넘겼다.

“네. 그 작업에 대해서는 외부 회계법인과 함께 협의 중에 있습니다. 로드맵에 지정된 기일 내에 완료할 수 있도록 하겠습니다. 자세한 내용은 평가작업이 완료되는 대로 보고토록 하겠습니다.”

잠시 침묵이 흐른 뒤, PMO 총책임자인 밥이 회의 진행을 계속 했다.

“합병로드맵에 대해 다른 질문이 없으면 부서별 통합이슈에 대해서 보고해 주세요.”

자금부의 윤상무는 자금부의 통합이슈에 대해서 발표를 이어갔다.

“통합은행이 되면 금융당국의 규정에 따라 현재의 자본금을 상당히 증액해야 하는 것으로 알고 있습니다만 본사에서는 최소한의 자본금 수준을 유지하면서 차입금 규모를 늘리는 방안을 고민하고 있어요. 저희 자금부 입장에서도 차입금이 여러 면에서 운용하기가 좋습니다만.”

김전무가 윤상무의 말이 끝나기도 전에 끼어 들었다.

“그 문제는 별도로 협의토록 하시지요. 자세한 내용은 다음에 협의하고 잠재적인 문제에 대해서는 크리스에게 들어 보시죠.”

김전무가 공을 크리스에게 넘겼다. 크리스는 갑자기 튀어 온 공을 어떻게 처리해야 할지 몰라 하고 있었다.

“아 예. 그 문제라면 잠재적 이슈가 있습니다. 일단 세무상 문제가 될 수 있는 부분이

있어요. 물론 금융당국에서도 규제를 하는 사항입니다.”

크리스는 천천히 말을 이어가면서 머릿속으로 정리를 하고 있었다.

“우리뿐 아니라 모든 글로벌회사들은 해외에 있는 지사나 지점에 자본금보다는 차입금 형태로 자본을 투입하려 합니다. 특히 금융회사들은 그런 유혹이 많습니다. 이에 대해서 금융당국에서는 ‘자본적정성(Capital Adequacy Ratio)’이라는 명목으로 적정한 자기자본 비율을 설정하여 모니터링하고 있으며 세무당국은 ‘과소자본세제[40](Thin Capitalization)’라는 명목으로 규제를 하고 있습니다.”

크리스의 설명이 이어졌다.

“자본금이 차입금의 일정 수준에 못 미칠 경우에는 차입금에 대해 지불하는 이자에 대해서 법인세 목적으로 비용인정을 해주지 않게 되지요. 그렇게 되면 인정받지 못한 부분만큼 ‘배당’으로 처리되어 불이익이 커지게 됩니다. 물론 배당으로 처리되는 부분에 대해서는 세금을 일정 부분 내야 합니다. 그리고 세율은 조세조약 상 명시하고 있는, 즉 제한세율[41]에 따라 결정됩니다.”

회의장은 쥐 죽은 듯 조용해졌고 크리스는 자신의 목소리가 유난히 크게 들렸다.

“충분히 설명이 되었는지 모르겠습니다. 자세한 사항은 필요하면 차후에 더 말씀드리도록 하겠습니다.”

김전무는 만족스러운 표정을 짓고 있었다.

---

40) 외국법인의 국내자회사(국내사업장 포함)에 대한 자금지원 형태는 크게 지분출자와 자금대여로 구분될 수 있는데 이들이 발생시키는 비용(배당, 지급이자)에 대한 과세원칙은 상이합니다. 즉, 자본에 대한 배당은 과세소득 계산시 손금으로 인정되지 아니하나 차입금에 대한 지급이자는 손금으로 인정됩니다. 이와 같은 과세상의 차이로 인해 국내자회사는 외국법인(국외지배주주)으로부터 자금을 조달할 때 출자의 형식(equity capital)보다는 차입금의 형식(debt capital)을 더 선호하는 경우가 있는데, 과소자본이란 이러한 자금조달형태로 조세부담을 덜고자 인위적으로 국내자회사에 대한 출자를 줄이고 차입을 늘리는 행위를 말합니다. 그 결과 차입자(자회사)가 소재하는 국가에서는 납세자의 과세소득 감소로 인해 조세수입의 일실이 우려되므로 이러한 행위를 규제하고자 기업이 국외지배주주 등에게 지급하는 과다보유 차입금에 대한 이자를 손금으로 인정하지 않는 제도를 도입하게 되는데 이와 같은 제도를 일명 과소자본세제라 한다.

41) 제한세율이란 세율을 정함에 있어서 초과할 수 없는 최고의 세율만을 규정하는 것을 말한다. 이와 같이 제한세율을 정하는 경우는 실제 적용세율의 탄력적 운용이 필요한 경우로서 실행세율은 행정부에 위임되게 된다. 우리나라와 다른 외국간에 체결된 조세협약들은 일부 국내원천소득에 대해 제한세율을 규정하고 있다.

3장 롤러코스트를 타고

통합의 초기에는 명확한 것이 아무것도 없다. 완전한 통합은 시간이 가면서 이루어진다. 통합초창기에 통합을 완벽히 하기 위해서 업무를 미루어서는 안된다. 업무가 우선적으로 이루어져야 한다. 통합을 우선 시하는 것은 바람직하지 못하다.

글로벌은행장이었던 마이클은 글로벌은행을 곧 떠난다는 소문이 돌고 있었다. 대한은행 직원들은 대한은행 출신이 은행장으로 선임된다는 데 대해 환영하는 분위기였지만 글로벌은행 직원들은 침통해하고 있었다. 은행장 발표가 있은 뒤 며칠이 지나자 부서장의 발표가 이어졌다. 이곳저곳에서 희비가 엇갈리는 소리가 들리기 시작했다. 통합리더들의 모임은 계속되고 있었기 때문에 업무는 날이 갈수록 무게를 더해 가고 있었다.

크리스가 홍콩을 다녀온 지 일주일이 지났을 때쯤 되었다. 제이크가 얼굴에 한껏 핏기를 머금고 크리스 방으로 찾아 왔다. 크리스는 한눈에 뭔가 잘못되었다는 것을 감지할 수 있었다. 제이크는 성격이 매우 급한 편이었다.

"크리스 내가 홍콩에 있는 내 보스로부터 불평을 들었네. 왜 내가 모르고 있는 것을 회계법인이 홍콩보스에게 바로 연락한 거지? 왜 이 사안에 대해서 나한테 보고를 하지 않았나?"

크리스는 제이크가 화를 내고 있는 이유를 잘 모르고 있었다. 그의 말이 워낙 빨리 지나가는 바람에 미처 중간에 물어볼 기회조차 잡을 수가 없었다. 그는 말을 다 끝내고는 자신의 방으로 바람처럼 사라졌다. 크리스는 무슨 영문인지부터 알아야겠다는 생각을 하고는 관련된 이메일이 있을 것 같다는 생각을 했다. 그가 남기고 간 몇 마디의 말이 유일한 단서였다. 지난 일을 떠올리기 위해 안감힘을 쓰면서 이메일을 뒤지기 시작했다. 30여 분이 지났을 때, 크리스의 시선을 고정시킨 이메일이 하나 있었다. 한 달 전에 크리스가 최이사한테 전달한 이메일이었다. 회계보고 시 수정사항을 위해 필요한 내용이었고 크리스는 회계담당 책임을 맡고 있는 최이사에게 전달한 건이었다. 중요한 이슈가 아니라는 판단에 김전무와 제이크를 이메일에 포함시키지 않았었다. 그런데 문제는 최이사가 그 수정사항을 잊어 버리고 회계보고 시 포함하지 않은 것이다. 통합작업을 하느라 모두들 정신이 없는 가운데 발생한 일이었다. 크리스가 최이사를 대신해서 제이크에게 질타를 받은 것이다. 크리스는 제이크를 찾아가서 전말을 밝히고 싶었지만 이미 끝난 일이었다.

그런 일이 있은 지 일 주일이 지나고 있었다. 제이크가 이번에는 얼굴에 만연한 미소를 띠며 크리스를 찾아왔다. 한 손에는 이메일을 프린트한 것 같은 종이를 한 장 들고 있었다.

"크리스, 내가 여러 나라를 돌아 다녀봤지만 뉴욕 본사에서 지사에 근무하는 직원한테 이런 칭찬을 하는 것은 처음 보네."

제이크는 깨알 같은 글자가 박혀 있는 프린트된 종이를 크리스에게 내밀었다. 크리스는 다시 어리둥절했다.

"이건 또 무슨 일이야?"

크리스는 속으로 혼잣말을 하고는 의아하다는 표정을 지으며 제이크를 바라보며 말했다.

"제이크, 무슨 일입니까? 제가 무엇을 했길래……."

"일단, 이 이메일을 한 번 보게. 아무튼 축하해. 본사에서 이런 메일을 받는 사람은 자네가 처음인 것 같네."

제이크는 또 한바탕의 말들을 쏟아내고는 급하게 그의 방으로 돌아갔다.

크리스는 제이크가 건네준 프린트된 이메일을 살펴보았다. 뉴욕본사의 제이몬드가 제이크에게 보낸 이메일이었다.

2주 전에 크리스가 본사로 보내준 자료가 체계적으로 정리가 너무 잘 되어 있어서 뉴욕에서 감사를 받는 데 많은 도움이 되었다는 내용이었다. 크리스가 보기에도 이메일은 크리스에 대해 극찬을 하고 있었다. 기분 좋은 하루였다.

그렇게 하루하루 롤러코스트를 타는 날이 지속되었다. 일상적인 업무와 함께 통합 작업을 하면서 하루에도 몇 번씩 희비가 교차되는 일이 많았다. 조직에 대한 발표는 계속 이어졌다. 직원들의 동요는 나날이 심해져 가는 것 같았다. 통합은행이 공식적으로 발표되기 전에 사무실 이전 계획도 발표되었다. 크리스의 부서는 한 달 뒤에 대한은행 빌딩으로 이전한다는 계획이 세워졌다.

김전무가 크리스를 자기 방으로 불렀다. 김전무의 얼굴 빛이 좋지가 않았다.

"급히 할 말이 있어서 자네를 부른 거네. 아무래도 며칠 뒤에 자네가 속하게 될 조직에 관한 발표가 날 것 같네. 그런데"

김전무는 얼굴을 떨구면서 머뭇거리고 있었다.

"김전무님 괜찮습니다. 저도 요즘 조직 발표가 계속 되는 것을 지켜보고 있었습니다. 아무래도 제가 나이가 어려서 부서장을 맡기는 힘들겠죠."

크리스는 김전무의 마음을 편하게 해 주고 싶었다.

"크리스 미안하네. 이제는 나도 어떻게 할 수가 없구만. 시간이 가면 달라질 수도 있지 않을까 싶어. 조금만 참고 견디어 보세."

크리스의 조직 발표가 난 지 한 달이 지나고 있었다. 제이크와 김전무는 여전히 크리스가 전담하고 있는 업무에 관한 것은 크리스로부터 보고받기를 원하고 있었다. 크리스는 조직구조상으로는 부서장이 아니지만 업무적으로는 부서장 노릇을 계속 해야만 했다. 그러는 가운데 업무의 강도는 더욱 높아지고 있었다. 무엇보다도 크리스는 조직구조에서 오는 스트레스가 날이 갈수록 더했다.

제이크는 크리스를 신망하고 있던 터라 중요 사안에 대해서는 크리스와 상의하기를 좋아했고 이부장은 그 대화의 채널 속에 포함되지 못하는 일이 허다하게 일어나고 있었다. 그렇다고 그런 상황을 이부장에게 보고한다는 것도 못할 일이었다. 제이크는 중요 사안에 대한 이메일을 크리스에게만 보내는 일이 많았다. 그럴 때면 답변메일을 쓰면서 이부장을 포함시키는 것도 제이크를 우습게 만드는 꼴을 만들어 버리는 상황이 되었다.

제이크는 이부장이 예전부터 담당한 일에 대해서도 크리스에게 확인을 하는 일이 자주 발생했다. 조직은 정해졌지만 명확한 것은 아무 것도 없었다. 오히려 날이 갈수록 과중한 업무와 심적 부담은 크리스를 짓누르고 있었다.

그러던 중, 김전무가 합병관련된 이슈에 대해서 이메일로 질문을 보내왔다. 받는 사람은 이부장과 크리스 두 사람이었다. 합병은 대한은행과 글로벌은행 모두에게 관련되는 사항으로 두 사람의 의견을 동시에 묻고자 하는 것이 김전무의 의도인 듯했다. 크리스는 글로벌은행 관점에서 발생할 수 있는 문제점을 정리해서 이메일로 답을 보냈다. 그런데 답을 보낸 후, 1분도 되지 않아서 이부장으로부터 전화가 왔다.

“답을 보내기 전에 나한테 먼저 보고를 해야 하는 거 아닙니까? 글로벌은행은 이런 식으로 일을 처리합니까? 다음부터는 먼저 보고를 하세요.”

그는 퉁명스럽게 크리스를 쏘아 대고 있었다.

“저는 김전무께서 제 답을 원하시는 것 같아서 제 의견을 주었을 뿐입니다. 거기에 이부장님도 이부장님의 고견을 주시면 될 것 같은데, 무슨 문제가 있나요?”

크리스는 이해가 되지 않는다는 듯이 대꾸를 했다.

라인(Line) 조직문화에 익숙해져 있는 그는 메트릭스(Matrix)조직의 의사전달 방식에 대해서는 아직 익숙하지 않은 듯 보였다. 그렇다고 그런 방식을 설명해 주는 친절은 불필요해 보였다. 글로벌은행에서 성공했다고 말을 듣기 위해서는 최소한 여섯 명의 매트릭스 보스가 있어야 한다는 말이 무엇을 의미하는지를 시간이 지나면 알게 될 것이다.

4장 Day 1 시나리오

통합리더회의의 안건은 PMO의 운영에 관한 건과 'Day 1 시나리오'에 관한 건이라고 되어 있었다.

회의실은 여전히 정적이 흐르고 있었고 팀리더들은 회의시간보다 일찍 와 있었다. 밥이 뉴욕에서 온 듯한 직원과 함께 회의실 문으로 들어 왔다. 그는 동반한 직원들에 대한 소개도 없이 짧은 인사를 하고는 본론으로 들어 갔다.

뉴욕에서 온 직원 중 한 사람이 컴퓨터 화면을 조작하면서 미리 준비되어 있던 스크린에 슬라이드를 비추기 시작했다.

"여기서 보이는 것은 PMO가 어떻게 운영될 것인지에 대한 것입니다."

크리스의 눈에 "조정석(Cockpit)"이라는 글이 또렷이 들어 왔다.

"비행기 운전석을 뜻하는 말이지요. 항공기 조정을 위해서 수 많은 계기판들이 필요한 것처럼 우리 PMO도 그런 것이 필요합니다. 그런데 여기서 중요한 것은 비행기의 계기판은 시스템적으로 작동하도록 되어 있지만 우리는 조금 상황이 다릅니다. 다시 말해, 여러분들의 손을 필요로 합니다. 각 팀의 이슈 사항에 대해서는 여기에 모여 있는 팀리더들이 책임지고 파악해야 합니다. 그런 후 PMO에게 알려 주어야 합니다. 예상하고 있는 것처럼 PMO는 모든 사항에 대해서 신경을 쓸 수가 없습니다."

밥이 눈짓을 하자 직원이 컴퓨터의 버튼을 누르는 시늉을 했다. 다음 페이지로 스크린이 이동되었다.

"각 팀에서 어떤 이슈를 가지고 있으며 어떻게 그 이슈들이 진행되고 있는지를 한눈에 볼 수 있도록 만든 차트입니다. 이를 조성석(Cockpit)이라고 부릅니다. 가로축은 팀을

나타내고 세로축은 이슈명을 나타냅니다. 그리고 신호등 빛깔의 초록, 노랑 그리고 빨강 동그라미를 가로축과 세로축이 만나는 칸에 채워 넣게 됩니다. 물론 이 작업이 바로 팀리더들이 해야 할 일입니다. 이렇게 되면 PMO에서는 한눈에 각 팀들이 진행하고 있은 이슈들을 파악할 수 있게 되겠지요. 빨강이 채워져 있는 이슈가 있다면 그 이슈에 대해서는 PMO가 그 이슈의 팀리더와 함께 문제를 해결할 것입니다."

크리스는 예전에 컨설팅회사에서 근무를 하면서 똑같은 것을 고객에게 보여주며 설명을 한 적이 있었기 때문에 생소한 것은 아니었다. 그런데 입장이 바뀌고 보니 묘한 감정이 들었다.

"빨강은 레드카드이구먼."

크리스의 옆 좌석에 앉아 있던 자금업무부의 박상무가 크리스의 귀에 대고 속삭였다.

그렇다. 빨강은 곧 경고등을 의미한다. 다른 부서장들이 모두 보게 되는 전광판에 자기 부서의 문제를 빨강등으로 표시하기는 힘들 것이다. 오히려 옆 팀보다 조금이라도 더 많은 초록을 확보하려고 할 것이다. 전광판은 그야말로 무언의 압력인 것이다. 경쟁의 원리를 암묵적으로 통합프로세스에 도입하는 효과가 있는 것이다. 콕핏매니지먼트는 현업에 권한과 책임을 주어 가능한 한 현업에서 문제를 해결하도록 하는 방법이다. 신호의 색을 각 부서에서 결정하는 방법은 현업으로 하여금 불안감을 조성할 수가 있다. 그러나 프로젝트 상황을 다각적으로 보기 위해서는 PMO와 각 부서장들의 약속이 필요한 것이다. 색깔은 일종의 그런 약속의 징표인 것이다.

밥이 어두워져 가는 회의실 분위기를 알아차렸는지 스크린에 없는 내용을 설명하기 시작했다.

"오늘 여기서 설명하고 있는 콧핏매니지먼트는 새로운 것은 아닙니다. 사실은 GE를 세계적인 기업으로 만든 잭웰치 회장이 즐겨 사용했던 '밸런스스코어카드(Balanced Score Card)[42]의 개념과 비슷합니다. 여러분들도 아시고 있는 것처럼 GE는 우리보다

42) BSC(Balanced score card)는 조직의 사명과 전략을 측정하고 관리할 수 있도록 포괄적인 측정지표로 바꾸어주는 틀로 인사관리 측면에서는 업적평가 중 무엇을 평가할 것인가라는 관점에서 재무적 관점, 프로세스개선 관점, 학습과 성장 관점, 고객 관점 등에서 평가지표를 찾아 이를 업적평가로서 활용하는 방법이다. BSC는 성과측정 전문컨설팅회사인 르네상스솔루션의 데이비드 노턴과 하버드 비즈니스 스쿨의 로버트 카플란 교수가 공동으로 개발하여 1992년에 최초로 제시하여 미

더 많은 사업부문을 갖고 있습니다. 지금의 GE는 전기제품만 만들어 내는 회사가 아니지요. 금융부분에서도 특히나 여신전문금융기관으로서 입지를 점점 더 다지고 있습니다. 그런 다양한 사업부문들을 이끌고 가야 하는 잭웰치 회장 입장에서 보면 사업 하나하나에 집중하는 것은 거의 불가능한 일입니다. 즉 그에게는 중요이슈에 대한 신호등이 필요한 것입니다. 그리고 그 신호등은 가급적이면 단순해야 할 것입니다. 생각해 봅시다. 당신이 길을 건너는 상황에서 신호등의 색깔이 당신의 모든 행동양식을 반영해서 신호등의 색깔이 열 가지 이상 된다고 합시다. 아마 당신은 길을 건너기도 전에 자동차에 치여 죽게 될지도 모릅니다. 초록은 문제 없다. 노랑은 문제 소지가 있으니 부서장들과 상의한다. 빨강은 문제해결을 위해서 적극적으로 나선다는 정도만으로도 다양한 사업부문의 다양한 이슈들을 조절해 나가는 방식입니다. 이런 의미에서 콕핏매니지먼트는 이슈관리라고 생각을 해도 될 것입니다. 따라서 여러분들의 불안감을 조장하기 위해서가 아니고 통합업무가 효율적으로 진행되기 위해 필요한 방식이다라는 것을 염두에 두시기 바랍니다. 일단 진행을 하면서 질문사항이 있으면 PMO로 연락을 하면 됩니다."

부서장들의 표정은 여전히 굳어져 있었다.

질문이나 이의를 제기하는 사람은 아무도 없었다. 밥은 손목시계를 한 번 보더니 다음 주제로 넘어 갔다.

"11월 1일은 통합은행의 첫째 날입니다. 현재 진행되고 있는 통합프로젝트는 그날에 맞추어져 있습니다. 즉 그날 아무런 문제가 없어야 합니다. 그렇다고 그날로 모든 통합을 마무리 짓자는 것은 아닙니다. 우리 PMO 조직도 그날까지는 많은 인력이 투입될 것이고 그날이 지나면 많은 인력이 뉴욕으로 철수할 것입니다. 여러분 각자의 부서도 그날에 맞추어 통합 업무를 추진해 주기를 다시 한 번 당부 드립니다. 그런데 우리가 그날을 위해서 준비해야 할 것이 있습니다. 그날로 모든 통합업무가 완성될 수 없기 때문에 우선순위를 정해야만 합니다. 일단 먼저, 여러분 부서의 이해관계자들을 파악하시기 바랍니다. 각 부서가 이해관계를 갖고 있는 '고객'에 대한 성격은 각 부서장이 누구보다도 잘 알고 있을

국과 유럽의 많은 기업들이 도입한 무형자산 평가시스템이며 우리나라에서도 연봉제의 확산과 함께 많은 기업이 도입하고 있다. BSC에서 말하는 균형(Balanced)의 의미는 재무 성과평가 중심에서 재무/비재무 성과를 모두 고려하는 것이며, 단기중심적인 성과관리에서 장·단기 성과관리를 동시에 관리하는 것이다. 그리고 결과 중심의 성과평가로부터 성과를 발생시키는 원인에 대한 근본적인 관리를 지향하는 것이다.

것입니다. 예를 들면, 소비자금융의 고객은 일반 대중이 될 수 있을 것이나, 재무부서의 경우는 고객이 금융감독당국이 될 수 있을 것이며, 인사부의 경우는 직원이 될 것입니다. 그런데 여기서 말하는 고객이란 우리와 사업관계를 맺고 있는 외부고객을 말합니다. 통합 첫째 날에 그 고객들에게 변함없는 얼굴 즉 'One Face'를 보여 주어야 하는 것이 목표라는 뜻입니다. 첫째 날 고객이 예전과 같은 수준의 서비스를 받지 못한다면 우리의 통합작업은 한 발자국도 더 나갈 수 없을 것이며, 실패한 것이나 다름 없습니다."

자칫 집안 일로 흘러 갈 수 있는 통합작업의 대의명분을 만들고 있는 순간이었다. 그동안 몇 차례 진행된 조직의 발표로 술렁거리고 있던 마당에 절체절명의 목표가 생김으로써 직원들을 한곳으로 몰아 갈 수 있는 대의명분이 생긴 것이다. 조직에 대한 얘기는 외부의 고객에게는 아무런 중요성을 주지 못한다. 고객이 없으면 통합은행은 존재하지 않는다. 중요한 것은 고객의 입장에서 보면 예전과 다름없이 통합은행에서 필요한 서비스를 받을 수 있느냐는 것이다. 회사의 이름이 바뀌는 것은 상징적인 것이지 고객의 입장에서는 필요한 서비스만 받을 수 있으면 되는 것이다. 만약 고객이 등을 돌리게 된다면 시너지효과는 말장난에 지나지 않는다는 것은 회의실에 모인 부서장들은 잘 알고 있었다.

'고객에 대한 원 페이스를 유지하라'는 명령은 집안일이 될 수 있는 통합 프로젝트에 공동의 목표를 부여함으로써 직원들을 한 방향으로 유도하고 있었다.

밥의 설명이 이어졌다.

"Day 1을 위해서 여러분들이 첫 날 일어날 수 있는 일의 리스트를 작성해 주십시오. 그런 다음 제가 여러분들과 함께 그 리스트를 리뷰하면서 우선순위를 매겨 나갈 것입니다. 물론 Day 1에 우리가 뜻하지 않은 일들이 발생할 수는 있지만 우리는 최선을 다해서 그런 일들을 사전에 예방해야 할 것입니다. Day 1까지는 통합작업의 모든 역량은 이 리스트를 통해서 관리되어 갈 것입니다. 그리고 리스트에 포함되지 않은 이슈들은 일단 여러분의 호주머니 속에 넣어 두길 바랍니다. 여러분의 호주머니를 털어 보일 기회는 그 날 이후에도 많이 있을 것입니다."

갑작스런 '주머니' 타령에 회의실에는 일순간 긴장된 모습들이 풀리는 듯했다.

그러나 밥의 딱딱한 설명이 이어지고 회의실은 다시 정적이 흘렀다.

"리스트 상에 열거된 항목들에는 오너쉽(Ownership)이 정해지기 때문에 Day 1에 문제가 생긴 항목에 대해서 누가 책임을 져야 할지는 내가 여기서 말을 하지 않아도 여러분 각자가 잘 알고 있을 것입니다."

신용리스크부서의 이상무가 마침내 참고 있던 입을 열었다.

"통합과정에서는 법률문제와 세무문제가 많이 발생할 수 있는데, 그런 부분에 대해서는 어떻게 처리를 해야 합니까? 회사 내에 있는 고문변호사와 회계사가 모든 것을 처리해 주는 것입니까?"

밥이 대답했다.

"좋은 질문입니다. 여러분의 고문변호사와 회계사를 믿지 마십시오. 여러분 부서의 문제는 여러분이 가장 잘 알고 있습니다. 문제점은 여러분이 파악을 해야 합니다. 그런 후 변호사나 회계사와 상의해야 합니다. 그들은 여러분의 문제를 모르기 때문에 수동적일 수 밖에 없습니다. 변호사나 회계사가 다 알아서 해 주겠지 하고 생각하면 큰 오산입니다. 질문에 답이 되었습니까?"

밥의 대답은 명쾌했다.

통합과정에서 발생하는 이슈에 대한 책임소재는 늘 발생하는 중요한 문제이다. 직원들은 평상적인 업무를 진행하면서 통합작업을 병행해야 하는 입장에 있기 때문에 가급적이면 새로운 업무를 회피하려는 경향이 있다. 그래서 때로는 부서간에 마찰이 발생하게 되고 통합 업무가 원활히 진행되지 않게 된다.

"오늘 미팅은 이 정도 수준에서 마치도록 하겠습니다. 각자 맡은 일에 최선을 다해 줄 것을 부탁드립니다. 그리고 다음 미팅부터는 각 부서별로 앞으로의 사업계획에 대한 프리젠테이션을 계속 진행토록 하겠습니다. 시간은 약 20분씩 할애토록 하겠습니다. 자금업무부부터 시작할 것입니다. 그 세션이 끝이 나면 각 부서별 통합프로젝트관련 이슈에 대해서 업데이트하는 시간을 갖겠습니다. 한 가지 전달할 메시지는 다음 미팅에는 아시아지역 총괄 CEO인 스티브가 함께할 것입니다. 스티브는 한국에서 이틀간 머물 예정입

니다."

"여러분들이 가장 중요하게 생각할 포인트는 Day 1에 고객들이 절대 동요해서는 안된다는 것입니다. 내부적으로는 북새통이 있어도 고객에게는 아무 일이 없다는 듯이 보여야 합니다."

회의는 한 시간 안에 마무리되었다. '미팅시간은 1시간을 넘기지 마라'는 원칙을 밥은 철저히 지키고 있었다.

5장 글로벌 스타일?

통합은행의 이름이 결정되지 않은 상황에서 직원들의 술렁임은 계속되어 갔다. 은행명이 제때 정해지지 않으면 예상치 않았던 문제가 발생할 수도 있다. 계약서류의 갱신과 같은 문제는 은행명이 정해지지 않은 상황에서는 제대로 이루어질 수가 없게 된다. 법률적인 절차를 진행하는데는 은행의 이름이 미리 정해져 있어야 하는 것은 쉽게 예상할 수 있는 문제이다.

은행명에 대한 결정은 단순한 이슈가 아닌 것 같았다. 통합은행의 이름을 결정하기 위해 브랜딩위원회가 만들어졌다. 브랜딩위원회는 여섯 명 정도로 구성이 되었으며 통합은행 첫째 날까지 이름을 결정한다는 목표아래 일주일에 한 번씩 미팅을 가졌다. 매번 회의에 본사의 브랜딩부서 직원들도 컨퍼런스콜에 참석하였다. 이름에 대한 결정은 격론을 거듭했으며 그 진통은 쉽게 끝날 것 같지 않았다.

크리스는 브랜딩위원회가 만들어진 지 두어 달이 지나서야 위원회에 속하게 되었다. 김전무를 대신해서 위원회에 참석하게 된 것이다. 브랜딩위원회는 잡음을 최소화하기 위해서 극비리에 진행되고 있었다. 크리스가 회의에 참석한 날도 분위기는 삭막하기만 했다. 대한은행 출신 매니지먼트와 글로벌은행 본사가 첨예하게 대립하고 있었다.

"로컬은행으로 간다는 결정을 한 이상 이름을 글로벌은행으로 할 이유는 없지 않겠습니까? 한국에서의 인지도도 있고 하니 대한은행을 그대로 유지하는 것이 좋겠습니다."

기업금융을 맡고 있는 장부행장은 대한은행 출신이었다.

"한국에서의 인지도라고 하면 글로벌은행이 차라리 더 좋지 않을까요? IMF를 거치면서 대한은행의 인지도는 땅에 떨어졌지만, 글로벌은행은 차라리 외국계은행이었지만 다른 외국계은행들과는 달리 지점망을 갖고 있었기 때문에 상당한 인지도를 갖고 있었습니다. 최근 3년 간 브랜드파워가 가장 우수한 은행으로 한국평가기관에 의해서 평가를 받은 바도 있고 말입니다."

소비자금융을 맡고 있는 김부행장이 반대의견을 피력하고 있었다. 김부행장은 글로벌은행 출신이었다.

대한은행 브랜드를 그대로 유지하자는 쪽의 논리는 외국계 거대자본 진출에 따른 거부감을 줄이고 소비자금융뿐 아니라 기업금융 등에서도 영업력을 높이는 데 도움이 된다는 것이었고, 글로벌은행 브랜드를 채택하자는 쪽의 주장은 한국에서 '글로벌은행'이라는 브랜드가 이미지가 좋아 브랜드상의 이점을 감안해야 한다는 것이었다.

김부행장이 준비해 온 한국평가기관의 브랜드평가 자료를 뒤적거리고 있는 순간 컨퍼런스 전화가 오는 바람에 정적이 깨어졌다.

"알겠습니다. 두 그룹의 주장이 어느 정도 일리는 있다고 보여집니다. 아무래도 쉽게 결정될 문제가 아니니 이 이슈는 외부컨설팅업체에 의례를 해 보는 것도 좋을 듯해 보입니다. 한국의 생각은 어떤지요?"

본사의 브랜딩부서의 총책임을 맡고 있는 다이엘이 끝도 없는 갑론을박에 종지부를 찍으려는 듯 보였다. 전화기에서 흘러 나오는 다니엘의 말을 경청하고 있던 사람들은 아무런 대답을 하지 않은 채 은행장의 눈치를 살피고 있었다. 이윽고 은행장이 말문을 열었다.

"오케이 그렇게 합시다. 외부의 견해를 한 번 들어보는 것도 괜찮을 듯하군요. 그런데 컨설팅 업체는 어디로 할 것인지에 대한 의견이 있습니까?"

장부행장이 잽싸게 은행장의 질문에 선수를 쳤다.

"제가 알고 있기로는 국제컨설팅사가 브랜딩에 강한 것으로 알고 있습니다. 그 회사가 괜찮을 듯합니다. 제가 바로 연락해 보도록 하겠습니다."

"아닙니다. 그 문제는 걱정마십시요. 브랜딩에 관한한 우리 쪽에서 알아볼 것입니다. 본사와 이미 관계를 맺고 있는 브랜드맥스사와 우리 쪽에서 계약을 하도록 하겠습니다. 한국에 있는 컨설팅업체는 아마도 글로벌은행에 대한 브랜드가치를 제대로 평가하기가 어려울지도 모릅니다. 브랜드에 관한 비용을 한국에서 지불해야 하니 일단 외부업체를 사용하는 데 동의만 해 주십시요. 나머지는 우리가 이 쪽에서 알아서 하도록 하겠습니다.”

다이엘은 정중히 장부행장의 제안을 거절하고 있었다. 장부행장은 멋쩍은 표정을 하였으나 반기를 들지는 못했다.

회의가 진행되고 있는 동안, 크리스는 국내은행들이 외국에서 현지 은행을 인수하여 통합을 추진하는 경우를 머릿속으로 그려 보고 있었다. 과연 한국식으로 지어진 이름들이 브랜드 가치를 발휘할 수가 있을까? 국내은행들의 이름은 아무래도 읽기도 어렵고 왠지 딱딱하다는 느낌이 들었다.

“컨설팅을 뉴욕에서 주관한다는 것은 글로벌은행으로 이름이 정해질 확률이 높다는 얘기지.”

크리스의 머릿속은 그날 회의를 분석하고 있었다.

김부행장이 크리스를 향해 질문을 던졌다.

“크리스, 글로벌은행으로 브랜드를 채택하면 그 쪽에서는 별 문제가 없습니까? 이슈가 있을 것 같은데요.”

김부행장은 자신의 주장을 뒷받침할 재료를 찾고 있는 듯했다.

“아……예. 물론 글로벌그룹의 브랜드를 사용하게 되면 통합은행이 사용료, 즉, 로열티(Royalty)[43]를 지급할 수가 있어요. 물론 본사로부터 지급 요청이 오지 않는다면 그럴 필요는 없겠지만 말입니다. 그리고 지급하게 되는 로열티에 대해서는 ‘사용지 기준’에 따라 세금을 내야 할 수도 있고요. 아니면 본점경비(Expense Charge-outs)[44] 형태로 결제가 이루어질 수도 있습니다만 이런 경우에는 로열티보다는 본점의 마케팅비용으로 볼 수도 있습니다. 아무튼 여러 가지를 고려해 볼 필요가 있습니다.”

크리스는 어느 편에도 치우치지 않기 위해 노력하면서 사실만을 확인해 주기 위해 노

43) 로열티는 특정한 권리를 이용하는 이용자가 권리를 가지고 있는 사람에게 지불하는 대가이다. 여기서 말하는 권한은 지적재산권에 속하는 특허권, 저작권, 상표권 등을 말한다.
44) 외국기업 국내사업장의 본점 및 지역통할점 등에서 발생한 경영비 및 일반관리비에 해당되는 경비 중에서 국내사업장의 국내원천소득의 발생과 합리적으로 관련이 있는 경비를 말한다.

력했다.

"그렇다면, 불필요한 비용이 드는 셈이네요. 고려해 볼 점이네요."

김부행장의 말이 끝이 나자 뉴욕에서 컨퍼런스콜에 들어와 있는 누군가의 목소리가 들였다.

"그 비용은 미미하고 본사에서 아직 입장이 정해져 있지 않은 문제이니 그 문제는 차후에 크리스에게 팔로업하도록 합시다."

그의 말에 토를 다는 사람은 없었다.

크리스는 예전에 컨설팅 업무를 진행하면서 프로젝트의 오너십에 따라 산출물이 어떻게 달라지는지에 대해 잘 알고 있었다.

미국에서 브랜딩컨설턴트의 방문이 있은 뒤, 두 달이 지나고 있었다. 통합은행의 D Day를 한 달 정도 남겨 두고 있는 시점이었다. 통합은행의 이름이 '한국글로벌은행'으로 최종 결정되었다는 공지 사항이 내부이메일을 통해 공지되었다. 대한은행 지점들의 간판을 교체하는 작업이 지시되고 직원들의 예전 명함은 모두 폐기처분해야 했다. 대한은행의 노조는 은행명이 결정되자 불안감을 감추지 못하고 있었고, 직원들 사이에 또 한 번의 술렁임이 지나갔다.

대한은행 노조는 전직원을 대상으로 이메일을 보내왔다.

"업무의 지시 또는 요청시 영어를 사용함으로써 다수의 직원들이 심적으로 불안해하고 있다. 물론 양 은행이 통합된 만큼 영어사용이 불가피하며 장기적으로는 직원들의 영어 활용 능력 향상을 지지하지만 단계별 연수 프로그램을 통해 적응할 수 있는 시간과 기회를 주어야 한다."

통합은행의 이름이 발표된 날은 직접적인 반응보다는 우회적인 반응을 보이고 있었다. 그러나 이틀이 지나면서 통합은행의 이름이 뉴욕본점의 주도하에 이루어졌다는 소문이 돌면서 통합은행의 운영방식이 글로벌은행식으로 될 것이라는 불안감이 팽배해지기 시작했다. 통합은행명의 결정은 대한은행 직원들에게는 글로벌은행의 파워에 밀리지 않을까 하는 우려를 확산시키고 있었다.

대한은행 노조는 업무 상 영어를 사용하는 문제를 계속 이슈로 삼았다.

"노사합의서를 통해 통합은행의 공식언어로 한국어로 결정하였으나, 통합 관련 회의와 문서작성 등에서 이미 영어를 사용하는 문화가 확산되고 있으며, 대한은행 직원들은 인사배치에 있어 업무능력보다 영어능력이 우선시 될 가능성이 크다."

노조의 우려는 근거가 있었다. 통합은행하에서 영어사용능력은 무시할 수 없다. 많은 업무가 영어를 사용하지 않고는 진행할 수 없다. 뉴욕 그리고 홍콩과 컨퍼런스콜을 진행할 때 영어가 되지 않고서는 회의에 아무런 공헌을 할 수가 없다. 게다가 본사에서 지원받는 모든 업무는 영어로 작성되어 있다. 노조는 애써 업무능력과 영어능력을 구별하려 했지만 업무의 패러다임이 바뀌는 상황을 감지하고 있었다.

직원들은 변해 버린 업무패러다임에 적응하기 위해 안간힘을 쓰고 있는 듯했다.

6장 한 지붕 두 가족

글로벌은행 직원들의 동요가 심해지기 시작했다. 대한은행을 인수할 때의 흥분감은 사라지고 그 자리를 불안감과 좌절감이 자리를 잡게 되었다. 통합은행의 윤곽이 들어나면서 글로벌은행 직원들의 수가 대한은행 직원들의 수보다 열세였던 처지라 글로벌은행의 직원들은 '마이너리티(Minority)'가 되어 버렸다는 비애감에 빠져 버린 듯했다.

통합작업의 일환으로 통합은행의 직급매칭(Title Matching) 작업이 글로벌은행 노조를 더욱 자극했다. 글로벌은행의 직급은 미국 본점의 직급체계에 따라 정해져 있는 반면 대한은행은 시중은행과 동일하게 적용되는 직급체계를 갖고 있었다. 직급체계의 차이는 양 은행의 인사운용시스템의 근본적 차이에서 온 것이었다. 외국계은행인 글로벌은행은 '연봉제'를 채택하고 해마다 이루어지는 개인들에 대한 평가(Appraisal)에 따라서 승진과 보너스가 결정이 된다. 반면, 대한은행은 '호봉제'를 바탕으로 하고 있기 때문에 일정한 직급 수준에 오르기까지는 보상수준이 획일적으로 정해지며 승진도 자동적으로 이루어진다.

두 제도는 간단히 통합될 문제가 아닌 듯했지만 인사부에서 직급 매칭에 대한 발표를 했다. 대한은행의 직급은 보상과 연계가 되어 있었기 때문에 직급은 바로 보상수준을 의미한다. 그런데 거기에 문제가 있었다. 글로벌은행 직원들의 직급을 대한은행에 맞추어 놓고 나니 보상수준이 비교되게 되었다. 글로벌은행의 과장 월급이 대한은행 과장의 그것에 미치지 못한 것이다.

마침내, 글로벌은행 노동조합이 직급에 따른 보상수준에 대해서 이슈를 제기했다. 노조의 슬로건은 '캐첩(Catch Up)'이었다. 대한은행 노동조합은 아무런 반응을 보이지 않았다. 두 노동조합은 분명 한 지붕 두 가족의 모습이었다. 글로벌은행 노동조합의 쟁이행위는 조용히 진행되었다. 그러나 통합프로젝트의 상당 부분을 글로벌은행의 직원들이 맡고 있었기 때문에 파업의 타격은 글로벌은행 직원들에게는 매우 컸다. 크리스는 파업에 동참할 수 밖에 없는 직원들을 보며 안타까운 마음이 들었다. 파업에 동참하는 직원들이 시간이 갈수록 늘어나고 있었다.

글로벌은행의 노조는 오픈숍(Open Shop) 제도를 채택하고 있기 때문에 직원들이 자유롭게 가입하고 탈퇴할 수가 있다. 직급매칭 건으로 불거진 문제는 결국 파업으로 치닫게 되었고 글로벌은행 직원들의 노조가입을 권유하는 꼴이 되어 버렸다. 은행을 통합하는데 직원의 수가 상대적 열세에 있는 글로벌은행 노종조합으로서는 노동조합원의 수를 최대화하는 것이 가장 큰 숙제였다. 그런데 직원들에게 민감한 이슈가 터지자 자연적으로 노동조합원의 수가 늘어나게 되었다. 한편, 대한은행은 유니온숍(Union Shop) 제도를 채택하고 있기 때문에 직원들의 노동조합 가입과 탈퇴가 자유롭지가 못하다. 즉, 은행과 노동조합 간에 단체협약을 통해 '단체협약에 조합가입 대상으로 되어 있는 직급의 사람들에 대하여 사용자인 은행이 노동조합 가입의사가 있는 사람만을 채용하고 조합에 가입하지 않고자 하는 사람은 채용할 수 없고, 조합가입 대상자가 조합에 가입하지 않을 시는 해고한다'라는 규정을 두고 직원의 노동조합 가입을 강제하도록 하고 있다.

글로벌은행 노동조합의 주장은 설득력이 있었고, 파업은 임금인상의 극적인 타결로 실마리를 찾아 가고 있었다. 비록 획일적으로 적용된 임금인상은 모든 직원들을 만족시킬 수는 없었지만 많은 사람들이 동조를 하는 가운데 은행측에서 제시한 인상을 받아들이는 수준에서 마무리되었다.

글로벌은행 노조의 파업이 마무리되자 이번에는 대한은행 노조의 차례였다. 대한은행 노조는 진행되고 있는 조직개편에 대해 줄서기 인사가 횡행하는 등 글로벌은행의 일방적인 업무추진으로 인해 파행적인 인사가 이루어지고 있다고 반발하면서 파업을 예고해 오고 있던 참이었다. 대한은행 노조의 요구안은 보다 광범위하고 정치적인 듯했다. 대한은행 노동조합과 글로벌그룹 본사와의 기싸움이 한판 벌어진 것이다.

대한은행의 새 주인이 된 글로벌그룹에게는 앞으로 한국적 노조문화와의 충돌을 얼마만큼 해소해가느냐에 따라 합병 후 글로벌은행의 성공 여부가 달려 있는 중요한 문제였다. 글로벌은행이 노조와 지속적인 충돌을 빚는다면 국민적 정서상 '반글로벌은행'의 감정이 부각돼 영업에 차질을 빚을 가능성이 있다. 거기에다가 대한은행 노조의 외국계은행에 대한 무조건적인 반감은 은행을 떠나 한국의 국가신인도에도 악영향을 미칠 수 있는 중요한 문제이다.

대한은행노조의 파업은 강력했다. 유니온샵인 대한은행의 노조는 직원의 대부분이 노조회원으로 등록이 되어 있었기 때문에 파업에 동참하는 직원의 수가 대한은행 총직원의 95%를 넘고 있었다. 글로벌그룹 본사의 입장도 만만치가 않았다. 글로벌그룹은 노조와 협상하지 않는 것으로 널리 알려져 있었다.

파업은 장기화되고 있었다. 통합작업의 과부화는 고스란히 글로벌은행 직원들에게 돌아가고 있었다.

노조파업에 동조하지 않고 통합업무에 손길을 보내 준 대한은행 직원들에게 비난이 쏟아졌다.

직급매칭(Title Matching)이 발표된 후 여기저기에서 불만이 터져 나오고 있었다. 글로벌은행 직원들은 기존의 직급보다 두 단계 하향 조정된 셈이 되었다. 한국 사회에서 직급이란 특별한 의미를 사회적으로 부여하고 있기 때문에 그런 직급의 조정은 개인들에게는 심각한 것이었다. 그런데 더욱 심각한 것은 발표된 직급매칭이 직급(Title)과 업무(Job Fucntion)의 부조화를 야기시키고 있었다.

자금관리부서의 김차장이 볼멘소리를 늘어 놓았다.

"이건 말도 안돼요. 저는 이번에는 조정을 해 줄지 알았어요."

"무슨 소리야?"

"이번 조직 변경에서 직급을 맞추어 주리라 생각했어요. 어떻게 제가 부서장인데, 제 부하직원이 저보다 직급이 더 높다는 게 말이 됩니까?"

글로벌은행 출신인 김차장은 업무능력을 인정받아서 자금관리부서의 부서장으로 임명되었다. 그러나 부서장이라고는 하나 대한은행 출신의 부하직원들의 직급이 더 높았다. 당연히 부하직원들을 관리하는 데 상당한 어려움을 겪는 것은 불을 보듯 뻔한 일이다. 그런데 이번에 발표된 승진자 명단에 그녀의 이름은 보이지 않았다. 그녀는 직급을 조정해 주리라 예상하고 있었던 차였다. 뒤죽박죽이 되어 있었다.

대한은행 노조와의 협상은 계속되었다. 직원의 복지제도와 퇴직금제도는 대한은행 방식을 채택하는 방향으로 가닥을 잡았다. 두 달이 넘도록 은행업무의 파행이 지속되자 노동조합도 글로벌그룹 본사도 지쳐가고 있었다. 대한은행 지점은 대출업무에 대해서 완전히 손을 놓고 있었다.

과열되는 부동산시장을 규제하기 위해서 정부는 LTV(Loan to Value)[45]와 DTI(Debt to Income)[46] 비율에 압박을 가하고 있었다. 정부의 규제는 국내 시중은행을 대상으로 먼저 시작되었다. 외국계은행이 된 대한은행에게는 대출시장을 선점할 수 있는 좋은 기회였다. 그러나 계속된 파업은 그런 영업기회를 잡지 못하도록 하고 있었다.

"3개월 뒤에는 금융당국 감사도 예정되어 있는데 어떡하지?"

백이사는 감사가 걱정되는 눈치였다.

파업이 진행되고 있는 동안 감사가 진행된다면 문제가 더 커질 것이 분명하기 때문이었다. 조용히 진행되어야 할 감사가 시끌벅적해진다면 좋을 것이 없는 법이다.

"그 때까지 파업이 계속되지는 않겠지. 그러나 저러나 이런 식으로 대출영업을 하지 않고 있으면 현재보다 몇 개월 뒤에 그 여파가 나타날 터인데. 지점장들이 스트레스를 많이 받을 것 같아."

"파업이 빨리 마무리 되기를 기다려야지 뭐."

파업이 계속되면서 업무에 손을 놓은 직원들 사이에서 불필요한 언쟁들이 나오기 시작했다. 직원들은 불확실성이 주는 적당한 긴장감 아래서 통합이라는 공동 목표로 돌진하고 있었다. 그런데 통합작업을 드라이브해온 엔진에 이상신호가 들어오기 시작했고 파업은 그런 엔진을 멈추어 서게 했다. 엔진이 다시 움직이도록 해야 한다. 그러나 노사협상은 돌파구를 찾지 못하고 있었다.

---

45) 담보인정비율(loan-to-value ratio; LTV)은 금융기관에서 대출을 해줄 때 담보물의 가격에 대비하여 인정해주는 금액의 비율을 말한다. 금융기관은 대출채권에서 부도가 발생될 시 담보자산을 처분하여 대출채권 상환에 충당하고 대출채권 상환에 부족분이 발생하지 않도록 일정의 담보인정비율 이내에서 담보대출을 취급하고 있다. 흔히 주택담보대출비율이라고도 한다. 대출자 입장에서는 주택 등 담보물 가격에 대비하여 최대한 빌릴 수 있는 금액의 비율이라고 생각할 수 있다. 예를 들어 대출자가 시가 2억 원 주택을 담보로 최대 1억 원까지 대출할 수 있다면 LTV는 50%이다.

46) 총부채상환비율(Debt-to-Income Ratio, DTI)은 돈을 빌리는 사람이 자신의 소득에 비해 얼마나 많은 원금과 이자를 상환하는가의 비율을 말한다. 금융 부실을 막고 국가 전체의 재무건전성을 높이기 위한 규제수단으로 그 비율과 적용 대상은 정부가 결정한다.

팽팽하던 노조와 글로벌그룹 본사와의 기싸움에 변화가 생기기 시작했다. 장기간 계속된 파업은 대한은행 노조 원들을 지치게 했다. 노조에서 주장하던 글로벌그룹을 배제한 '독립경영'은 지나친 요구이며 명분이 없다는 주장이 나오기 시작했다.

자금상품컨트롤부의 김이사가 식사를 하던 중에 불쑥 말을 꺼냈다.

"그런데 어떻게 독립경영을 하겠다는 발상을 한 거지? 구멍가게를 하더라도 주인이 지키고 있어야 되는 거 아닌가?"

"다른 속셈이 있었겠지."

"노조의 생각만은 아니지 않을까?"

"그럼 누구?"

"독립경영을 할 수만 있다면 좋겠지. 그런데 글로벌비지니스를 할 수 밖에 없는 회사가 어찌 한국만 생각하고 사업을 할 수 있겠어. 아무리 다른 생각이 있고 노조만의 생각이 아니라고 하더라고 그건 말도 되지 않잖아."

"그건 그래. 외국에서 한국을 보면 우습겠다. 아마 한국에 투자를 하지 않으려 들지도 몰라."

"아무튼 적절한 수준에서 빨리 파업이 끝이 났으면 좋겠어."

"이왕 시작했으니 직원들에게 도움이 될 수 있는 뭔가를 가지고 끝을 봐야지."

"노조가 똘똘하다고 하니 그건 믿어봐야지."

"노조가 정치적으로 휘둘리지 말고 직원들을 진정으로 위한 조직이 되었으면 좋겠어."

마침내 대한은행 노조의 파업은 많은 에피소드를 만들고 끝이 났다. 노조는 독립경영을 포기하는 대가로 임금인상과 통합보너스를 얻어냈다. 노조 원들은 파업을 푸는 데 동의했고 다시 업무로 돌아왔다. 글로벌은행 직원들은 통합프로젝트를 전담하고 있는 동안 녹초가 되었다. 글로벌은행 직원들은 집으로 돌아온 대한은행 직원들이 반갑기만 했지만 여전히 그들은 한지붕 다른 식구인 듯했다.

노조파업에 참가하고 있는 직원들은 통합프로젝트로 고통을 겪고 있는 다른 동료들을 모른척 하기는 어려웠다. 대한은행 직원이든 글로벌은행 직원이든 관계없이 직원들은 순간순간 변화하는 환경에 자신들의 감정을 어루만져야만 했다. 통합프로젝트는 주워진 공식에 의해 풀 수 있는 기계적인 작업이 아니었다. 때로는 시시각각으로 변화하는 직원들의 감정까지도 통합이라는 틀 안에서 다루어야 하는 까다로운 프로세스 리엔지니어링(Process Re-enginerring)이었다.

7장 새로운 리더

통합의 불확실성하에서 직원들은 통합조직의 시장점유율이나 통합시스템의 데이터베이스에 관심을 두지 않는다. 직원들의 관심은 온통 자신의 문제에 집중되어 있다. 통합으로 자신의 업무가 없어지지는 않는지? 급여에 변화는 없는지? 누구한테 보고하게 되는지? 등에 관련된 불확실성이 해소되지 않는 한 직원들은 통합작업에 관심을 가질 수 없다. 따라서 직원들과 관련된 불확실성을 해소해 주지 않으면 통합작업의 생산성이 현저히 저하될 수 밖에 없다. 이러한 직원 자신에 대한 불확실성의 문제는 매니지먼트에서 창구직원에 이른다. 또한 인수한 기업의 직원과 인수당한 기업의 직원 모두의 문제이다. 통합리더들은 이러한 직원들 자신에 대한 불확성을 해소하기 위해 노력해야지만 통합의 성공을 이끌 수 있다.

PMO 회의실에서의 긴장은 날이 갈수록 더해 가고 있었다. 밥이 상기된 모습으로 회의실에 나타났다. 밥은 불편한 심기를 참으려고 안간힘을 쓰고 있는 것 같았다.

“여러분들이 직원으로부터 많은 질문을 받고 있는 것을 알고 있습니다. 앞으로 회사가 어떻게 될 것인지? 구조조정은 정말 없는 건지? 부서의 통폐합은 언제 이루어지는지? 물론 이런 생각들은 여러분 부서의 직원들만의 문제가 아닐 것입니다. 여러분 각자도 같은 생각을 갖고 있을 것입니다. 그래서 가장 중요한 것은 여러분 각자가 우선 먼저 중심을 잡아야 할 것입니다. 여러분은 각자 맡은 부서의 네비게이터입니다. 네비게이터가 망가지고 나면 배가 표류할 것은 당연합니다. 여러분은 각자 나름대로 회사의 앞날에 대해서 그림을 갖고 있을 것입니다. 그런데 문제는 여러분이 그리고 있는 그 그림이 다른 사람들이 생각하고 있는 그림과 일치하지 않을 수 있을 것입니다.”

밥은 사람들의 마음을 제대로 파악하고 있는 것 같았다. 전세계를 돌아 다니며 통합작업을 오랫동안 해온 사람답다는 생각이 들었다. 밥은 잠시 말을 멈추는 듯하다가 계속 이어갔다.

“여러분은 이 회사를 이끌고 갈 주역들입니다. 각자가 그리고 있는 그림은 잠시 벽장 속에 넣어 두시길 바랍니다. 통합작업이 좀더 진행이 되고 나면 조직에 대한 윤곽이 들어날 것입니다. 직원들의 동요를 여러분들이 진정시켜 주어야 합니다. 여기에 모여 있는 사람들은 모두 이 회사를 이끌고 갈 주역들입니다. 통합작업이 성공해야 여러분의 미래도 있는 것입니다.”

본사로부터 어떤 지시가 있었던 것 같다는 생각이 들었다. 예전과 달리 밥의 목소리는 흥분되어 있었다. 회의에 참석한 사람들의 표정이 어느 때보다도 심각해 보였다.

밥이 말을 마무리하고 눈짓을 하자 자금업무부의 한상무가 자금업무부의 사업성장계획에 대한 프리젠테이션을 시작했다. 한상무의 발표는 정리가 잘 되어 있는 듯했다. 통합은행으로서 누리게 될 시너지효과를 조목조목 설명하였다. 그의 발표 중에 특히 눈에 띄는 것은 국내 파생시장의 성장에 관한 내용이었다.

“앞으로도 국내 파생시장은 지속적으로 성장할 것으로 예측됩니다. 아시는 것처럼 국내 파생시장은 세계적으로 전례 없는 성장을 하고 있으며 그 성장속도가 어느 나라보다 빠릅니다. 그리고 파생뿐만 아니라 국내 자본시장의 전반적인 팽창이 예견되고 있습니다. 이러한 현상은 우리에게는 좋은 사업 기회를 부여할 것입니다. 따라서 은행의 통합으로 인해서 상당한 시너지효과를 얻을 수 있으리라 봅니다. 대한은행은 국내은행이라는 한계상황에 있었고 글로벌은행은 규모의 경제를 충분히 활용할 수가 없었습니다. 은행의 통합은 각 은행이 갖고 있는 이러한 한계적 상황들을 극복하게 함으로써 1플러스 1은 2가 아닌 3 또는 그 이상의 효과를 가져오리라 봅니다. 통합은행의 가장 큰 강점은 세계 각국에 포진해 있는 해외 글로벌은행들과의 네트워킹을 통해서 국내고객들과 더 많은 금융거래를 할 수 있다는 데 있을 것입니다.”

그의 발표는 회의실 분위기를 바꿔놓고 있었다. 그가 자금업무부의 통합상황에 대해서 언급한 후 발표를 마무리하려 할 때였다. 밥이 딜링룸(Dealing Room)의 통합에 관해서 물었다.

“딜링룸 통합은 어떻게 진행되어 갑니까?”

“현재로서는 양 은행의 딜링룸이 별개로 운영되고 있습니다. 딜링룸 통합은 글로벌은행의 딜링룸이 대한은행건물로 이전되는 시점에 완료될 것입니다. 그리고…….”

한상무는 머뭇거리고 있었다.

"부서이전 건과 관련해서 자금업무부의 딜링룸이 가장 먼저 이전하는 것으로 되어 있으나 진척이 잘 안되고 있는 상황입니다. 우리 부서의 이전이 지연되면 다른 부서에도 영향을 미칠 것으로 보입니다만……."

한상무의 말이 채 끝나기도 전에 자산관리부의 이부장이 날아든 화살을 피하려는 듯 한상무의 말을 낚아챘다.

"현재 자산관리부에서는 최선을 다하고 있습니다만 노동쟁이(Union Strike)가 진행되고 있는 관계로 자금업무부가 이전할 본관건물의 전기공사가 지연되고 있습니다. 지금 노조와 협의 중이니 조만간 공사가 재개될 수 있을 것으로 보입니다."

밥과 은행장의 미간이 찌푸려지고 있었지만 별다른 말은 없었다.

잠깐의 정적이 있었고 밥은 다른 부서들의 통합상황에 대해서 묻기 시작했다.

"다른 부서의 상황은 어떻습니까? Day 1 시나리오 상황판을 보니 법률 쪽에 일이 많이 모인 것 같은데……."

그러자 법률본부의 이부행장이 마이크에 입을 가까이 가져갔다.

"최선을 다하고 있습니다. 현재 가장 큰 장애물(Hurdle)은 글로벌은행의 고객처리 문제입니다. 기업고객의 경우, 은행이 통합될 경우 통합은행으로 이전하지 않겠다고 버티는 고객들이 있습니다. 그런 고객들의 경우는 계약을 따로 맺어야 할 것으로 보입니다. 설득이 되는 대로 Day 1 이후에 개별적으로 이전하는 것이 최선의 방법인 것 같습니다. 내부 인력이 부족해서 일이 지체되고 있습니다만."

이부행장은 말끝을 흐리고 있었다.

그 동안 회의를 지켜보고만 있던 스티브가 말문을 열었다.

"그러면 필요한 변호사를 채용하면 될 것 아닙니까? 내부로 들여와서 일하게 만들면 되는 것 아닙니까? 돈 얼마 아끼자고 은행을 통째 날릴 수는 없는 일 아닌가요?"

스티브의 어조는 침착했지만 회의실은 극도의 긴장감이 흐르고 있었다. 이부행장은 아무런 대꾸로 하지 않은 채 수긍의 표시를 했다. 스티브는 글로벌그룹의 아시아지역대표로 예순을 넘은 노장이었지만 빨간 스포츠카와 할리데이비슨 오토바이를 즐겨 타는 멋쟁이였다.

다음은 크리스 차례가 되었다. 크리스는 필요치 않은 말은 가급적 하지 말고 간단히 업데이트를 해야 한다고 마음먹고 있었다. 보고할 내용을 몇 번이고 머릿속으로 정리하고 있었다. 이윽고 크리스는 마이크를 자신의 몸 쪽으로 조금 당기면서 입을 열었다.

"노조활동으로 많은 어려움을 겪고 있습니다만 원장통합 문제는 무리 없이 진행되고 있습니다. 현재로서는 보고서 작성 목적으로 원장을 매뉴얼로 작성하고 있습니다만 향후 원장시스템이 통합되고 나면 보고서 작성이 더욱 원활히 진행될 것입니다. 그리고 합병 관련해서는 현재 평가 작업이 진행 중이며 목표로 하고 있는 날짜 안에 마무리될 것으로 예상됩니다. 이상입니다."

크리스는 숨이 차오르는 것을 느꼈다. 로버트가 예전에 가르쳐 준 방식대로 보고를 했다.

마이크가 소비자금융본부로 넘어갈 순간이었다. 법률본부의 이부행장이 크리스에게 질문을 던졌다. 이부행장은 조금 전에 깎인 점수를 만회라도 하려는 듯 적극성을 보였다.

"글로벌은행에 대한 평가작업이 마무리되면 합병을 위한 지분비율이 결정되는 건가요?"

이부행장과 이미 이 문제에 대해서는 상의한 바가 있었다. 크리스는 이부행장의 의도를 알 것도 같았다. 스티브가 한국을 방문하고 있어서인지 뉴욕에서도 꽤 많은 사람들이 컨퍼런스콜에 들어와 있었다. 그녀는 은근히 자신이 많은 일을 하고 있다는 시늉을 해 보이고 싶었던 것이다.

"네. 이해하고 있는 것이 정확합니다. 일단 평가가 이루어지고 나면 합병비율이 정해질 것입니다. 작업이 마무리되는 대로 연락드리겠습니다. 참고적으로 말씀드리자면 합병은 두 은행 간에 장부가를 기준으로 합병비율이 계산됩니다. 세무상으로 국내세법의 상속증여세법에 따라 그 계산이 이루어집니다."

이부행장은 크리스의 말에 집중하지 않고 있었다. 이번에는 크리스가 이부행장에게 질

문을 던졌다.

"합병을 하고 난 뒤, 흡수되는 법인은 영업종료절차에 들어 가야 할 것 같습니다만, 아직 여기에 대해서는 정확한 법적 검토를 전달받지 못한 것 같습니다. 혹 저희 쪽에서 도와드릴 부분이 있는지요?

모든 관심이 온통 통합은행에 쏠려 있던 터라 흡수되는 법인에 대해서는 아무도 신경을 쓰고 있지 않은 마당이었다. 이부행장도 미처 생각을 못한 듯했다.

"아……예. 그에 대해서는 따로 얘기토록 하시지요."

크리스의 말이 끝나자 홍콩에서 컨퍼런스콜에 들어 온 로버드가 몇 마디 첨가해 주었다.

회의가 막바지에 이르자 스티브가 말을 꺼냈다.

"오늘 회의는 매우 생산적이었습니다. 앞으로도 잘해 나가리라 믿습니다. 한국이 아시아지역에서 차지하는 비중이 커졌습니다. 본사에서도 한국을 중요하게 생각하고 있으니 통합작업이 성공적으로 마무리될 수 있도록 여러분의 선전을 부탁합니다."

회의실 문을 열고 나오는데 자금부의 한상무가 크리스의 어깨를 툭쳤다.

"크리스, 자네는 새로운 리더야. 나중에 잘 부탁해."

"무슨 말씀을……저는 아직 모르는 것이 많습니다. 앞으로도 잘 부탁드립니다. 그렇지 않아도 자금부에서 몇 가지 질문이 와 있는 것 같아 상무님을 찾아 뵈려던 참이었습니다."

"그렇게 해. 그럼 나중에 내 방으로 오게나."

크리스는 업무에 대한 것보다 한상무의 거취가 궁금했다. 한상무가 회사를 떠날 것이라는 소문이 돌고 있었기 때문이었다. 크리스는 한상무와 가까운 관계를 유지하고 있었기 때문에 한상무가 회사를 떠나는 것이 싫었다. 한상무는 아무렇지 않은 듯이 크리스를 예전처럼 대해주고 있었지만 크리스는 왠지 모르게 한상무의 얼굴이 어두워져 있는 것을 감지할 수 있었다.

기업합병매뉴얼

Cross-Border M&A는 피인수기업을 어떻게 이끌고 나갈지에 대한 명확한 전략이 우선적으로 마련된 가운데 진행되어야 한다. 그러기 위해서 피인수기업이 처한 시장환경에 대한 심사숙고가 M&A를 진행하기에 앞서 이루어져야 한다. Globalization으로 갈 것인지 아니면 Localization으로 갈 것인지에 대한 고려는 단편적으로 이루어져서는 안되며, 유기적으로 이루어져야 하며 필요에 따라서는 획일적인 전략이 취해지는 것보다 복합적인 전략이 요구될 수도 있다.

글로벌금융회사가 국내은행을 인수하고 시중은행과 같은 소비자금융전략을 전개하는 것은 고려의 여지가 많다. 국내은행을 인수했다고는 하나, 대형화된 국내 상업은행들과 같은 수준의 규모의 경제를 실현하지 못하는 상황에서 소비자금융시장의 치열한 경쟁에서 설 자리가 없을 수 있다. 글로벌금융회사의 강점을 내세우면서 국내 상업은행과 차별화할 수 있는 전략을 취하는 길을 모색해 보는 것이 바람직해 보인다.

국내지점 vs. 현지법인

외국은행 국내지점과 국내현지법인은행에 대하여 국내에서 현재 적용되고 있는 법규의 차이사항에 대하여 요약해 보면 다음과 같다.[47)]

구 분	외국은행 국내지점	국내현지법인은행
은행법 및 감독규정 관련 법규		
최저자본금	• 영업기금을 자본금으로 의제한다. 영업기금은 갑기금과 을기금으로 구분되며, 갑기금은 지점마다 30억 원 이상이어야 하고 을기금의 최저금액규정은 없다.	• 금융기관의 자본금은 1,000억 원 이상이어야 하나, 다만 전국을 영업구역으로 하지 아니하는 금융기관의 자본금은 250억 원 이상으로 할 수 있다.
지점의 신설 및 폐쇄	• 지점의 신설 및 폐쇄는 금융감독위원회의 확인 및 심사과정을 거쳐 인가를 받아야 하며, 지점의 이전시에는 미리 신고하여야 한다.	• 지점 및 대리점 기타 영업소 또는 사무소를 외국에 신설하거나 본점을 다른 특별시, 광역시, 도의 지역으로 이전하고자 하는 경우에만 사전에 금융감독위원회와 협의하여야 한다.

47) 합병 당시의 규정으로, 참고 목적으로 사용하여야 함.

구 분	외국은행 국내지점	국내현지법인은행
자기자본의 범위	• 외국은행 국내지점의 을기금은 보완자본으로서 전액 자기자본으로 인정된다.	• 해당사항 없음.
결산보고 및 본점 송금	• 결산일부터 30일 이내에 <별책 서식>에 따른 당해 영업기간의 결산보고서에 재무제표를 첨부하여 감독원장에게 제출하여 승인을 받아야 한다. 이 경우 재무제표에는 공인회계사법에 의한 회계법인의 감사보고서를 첨부하여야 한다. • 외국은행지점이 감독원장의 결산승인 후 이익잉여금처분계산서에 의한 본점송금액을 송금한 경우에는 그 내역을 다음 달 10일 이내에 감독원장에게 보고하여야 한다.	• 주식회사의 외부감사에 관한 법률에 따른 외부감사인의 감사보고서를 제출하여야 한다. • 이익처분은 주주총회의 결의사항이다.
이익준비금의 적립	• 외국은행지점은 "결산할 때"를 "배당할 때"로 보므로 배당에 관계없이 결산순이익금의 10% 이상을 이익준비금으로 적립하여야 한다.	• 국내법인인 금융기관은 이익준비금이 자본금의 총액에 달할 때까지 결산순이익금을 배당할 때마다 그 순이익의 10% 이상을 적립하여야 한다.
외환건전성 관리	• 외환건전성관리규정 중 외국환포지션관리와 역외금융관리만 적용된다.	• 외국환업무취급기관으로서 다음과 같은 각종 관리규정을 준수하여야 한다. - 외국환포지션 관리 - 외화유동성위험 관리 - 중장기외화대출재원 관리 - 역외금융관리 - 외국환거래에 따르는 위험의 내부관리기준 운영
업무보고서 항목		• 외국은행 국내지점에 비하여 보고할 항목이 많다.
경영실태평가 항목	• 당해 지점의 리스크관리, 경영관리 및 내부통제, 법규준수, 자산건전성	• 당해 금융기관 또는 금융기관 현지법인 전체의 자본적정성, 자산건전성, 경영관리능력, 수익성, 유동성, 시장리스크에 대한 민감도 등 외국

구 분	외국은행 국내지점	국내현지법인은행
		은행 국내지점에 비하여 점검항목이 많다.
외국환거래법/외국인투자촉진법 관련법규		
이익의 송금	• 외국환거래규정에 의하여 결산순이익금의 대외송금은 지정거래외국환은행을 통하여 송금이 가능하다.	• 외국인투자촉진법 시행령에 의하여, 외국투자가가 취득한 주식 등부터 생기는 과실의 대외송금은 외국환은행장의 확인을 받아 송금가능하다.
본지점간의 거래	• 외국환거래규정의 별도규정에 의하여 영업자금, 운영자금 및 비용에 충당하기 위한 자금 등을 본점으로부터 공급받을 경우, 자본거래의 허가나 신고를 요하지 아니한다.	• 본지점간의 거래에 대한 별도의 규정이 적용되지 아니한다.
상 법		
회사의 조직	• 해당사항 없음.	• 내국법인이 되므로 상법상의 기관(주주총회, 이사회, 감사위원회 등)을 갖추어야 한다.
주식회사의 외부감사에 관한 법률		
외부감사대상 여부	• 국내에서 설립된 주식회사가 아니므로 외부감사대상이 아니다.	• 직전사업연도 말 자산총액이 70억원 이상인 주식회사는 외부감사를 반드시 받아야 한다.
세 법		
조세특례제한법상의 세액공제	• 내국법인만이 세액공제를 적용받을 수 있기 때문에 세액공제를 받을 수 없다.	• 연구·인력개발에 대한 세액공제 등을 받을 수 있다.
사내근로복지기금	• 지출시 손금인정되지 않는다.	• 법정기부금으로 인정받을 수 있기 때문에 한도 내에서 손금으로 인정된다.
이자소득에 대한 법인세 면제	• 다음과 같은 이자소득에 대하여 감면이 가능하다. - 국가·지방자치단체 또는 내국법인이 발행하는 외화표시채권을 취득하고 받는 이자 및 수수료	• 해당사항 없음.

구 분	외국은행 국내지점	국내현지법인은행
	-외국환업무취급기관이 외국금융기관으로부터 차입하여 외화로 상환하여야 할 외화채무에 대하여 지급하는 이자 및 수수료 -은행 등이 국외에서 발행 또는 매각하는 외화표시어음과 외화예금증서의 이자 및 수수료	
결산순이익	• 과세되지 않고 본점으로 송금이 가능하다.	• 미국의 경우 11%(주민세 포함이며 10% 이상 출자법인일 경우 해당됨)의 배당소득세가 과세된다.
본점경비	• 본점 및 통할점의 일반관리비 중 지점과 관련있는 공통경비는 지점으로 배부가 가능	• 본점이 51% 이상 출자한 출자법인으로서 그 영업의 성격상 지점의 영업과 동일한 영업을 할 경우 본점 경비 배부 가능
자기자본에 대한 지급이자	• 자기자금(지점의 자기자본비율이 본점의 자기자본비율보다 작을 경우 그 비율)으로부터 자금을 공급받은 경우 자기자금에 대하여 지급하는 이자는 손금인정되지 않는다.	• 해당사항 없음.
사업의 폐지	• 청산소득에 대하여 법인세가 과세되지 않는다.	• 청산소득에 대하여 법인세가 과세된다.
의제배당	• 해당사항 없음.	• 주주 등이 청산으로 인하여 분배받은 금전 기타 재산가액이 당해 주식 등을 취득하기 위하여 소요된 금액을 초과하는 경우 그 금액은 배당으로 간주된다.

 현지법인 전환시 고려할 사항

외국은행 국내지점을 현지법인은행으로 전환시 절차

지점과 현지법인은 법적인 실체가 다르므로 직접적으로 전환할 수는 없다. 따라서 현지법인을 설립하고 지점의 자산, 부채를 현지법인으로 영업양수도한 후 지점을 폐쇄하는 형식을 일반적으로 따른다.

국내에서 은행을 설립하는 경우 "은행업인가지침(금융감독위원회 2001. 5.)"에 규정하고 있는 절차에 따라 관련서류를 준비하여 금융감독위원회의 인가를 신청한 후 인가를 받으면 된다.

은행업 인가심사기준의 주요 내용을 요약하면 다음과 같다.[48)]

구 분	인가심사기준
자본금 및 주주구성	• 최저자본금 1000억 원(지방은행은 250억 원) 이상일 것 • 자본조달이 실현가능하고 추가적인 자본조달이 가능할 것 • 주주구성계획이 은행법 15조(동일인의 주식보유한도 등)의 규정에 적합할 것
임원 및 경영지배구조	• 발기인 및 임원이 은행법 18조(임원의 자격요건 등)의 규정에서 정한 자격요건을 충족할 것 • 이사회구성계획이 은행법 22조 내지 26조의 규정에서 정한 이사회의 구성방법에 부합할 것
조직구조 및 관리운용체계	• 리스크관리, 내부통제 및 여신심사체계의 구축이 적정할 것 • 업무범위 및 규모에 부합되는 영업시설 및 전산체계를 갖출 것 • 리스크관리, 여신심사, 파생금융상품 등 특정부문에 있어서 전문인력의 확보계획이 적정할 것 • 정관이 관계법규에 부합하고 이용자의 권익을 침해하지 않을 것
사업계획	• 최초 3개년간 추정재무제표 및 수익전망이 영업계획에 비추어 타당성이 있을 것 • 자본조달/운용계획 및 경영지도비율 준수계획이 주된 시장, 주된 고객, 주된 서비스내용 등 영업전략에 비추어 적정할 것 • 자본금규모 및 추가자본 확충계획에 비추어 점포수, 인원수, 영위업무의 범위가 적정할 것

48) 전환 당시 내용으로, 참고 목적으로 사용하여야 함.

아울러, 지점의 자산, 부채를 현지법인으로 영업양수도하는 것과 지점을 폐쇄하고자 할 경우도 "은행업인가지침" 상의 인가심사기준에 따라 금융감독위원회의 인가를 받아야 한다.

상기 주요 절차의 순서는 다음과 같다.

현지법인 설립(최저자본금 1000억 원 이상) → 지점의 자산·부채를 현지법인으로 영업양수도 → 지점 폐쇄 → 지점 청산 후 영업기금 본점 송금

특히, 영업양수도 및 폐쇄하는 지점은 예금자 및 채권보호조치를 상법 등의 법규에 따라 사전에 취하여야 하며, 이는 금융감독위원회의 영업양수도 및 폐쇄 인가시 가장 중요한 인가심사기준이다.

지점의 폐쇄절차는 다음과 같다.

본사 이사회의 지점폐쇄결의 → 금융감독위원회의 지점폐쇄인가신청 및 인가 → 관할 세무서에 사업장 폐업 신고 → 청산절차의 개시 및 청산인 선임 → 채권신고공고 및 청산절차 진행 → 청산감사보고서 작성 및 청산종료 → 잔여재산 본점 송금

| 지점을 현지법인은행으로 전환시의 주요 쟁점사항 |

구 분	Issue 사항
감독규제측면	• 외국은행지점에 비해 현지법인은행에 대한 Reporting Requirement가 많음. • 현지법인은행에 대한 감독당국의 경영실태평가 등 검토항목 및 범위가 지점보다 넓음.
영업적 측면	• 지점신설, 폐쇄에 금융감독위원회의 인가 및 갑기금 증액(지점당 30억 원 이상) 등이 불필요하므로 대고객 영업확대가 용이 • 현지 토착화의 대외이미지 강화됨. • 겸영업무를 영위하고자 할 경우 금융감독위원회의 인가조건으로 외국은행지점은 본점이 동 겸영업무를 영위하고 있어야 하고 본점의 승인이 필요하나 현지법인은 이와 같은 제한이 없어 지배회사와 다른 독자적인 업무취급이 가능

구 분	Issue 사항
자본조달측면	• 외국은행지점은 최저자본금에 특별한 제한이 없으나 현지법인은 최저자본금 1000억 원(지방은행 250억 원)의 제한이 있음. • 자금차입시 한국현지법인의 신용도로 Funding하여야 하므로 은행본점신용도 Funding시 보다 차입조달 Cost가 증가될 수 있음. • 한국에서 상장을 할 경우 국내자본 조달이 가능(조달 Cost 절감)하고 자체적인 자금조달 계획에 따른 자본조달의 다변화 및 적시성이 제고될 수 있음.
BIS비율	• 외국은행지점에서 인정되는 보완자본의 일종인 을기금이 없으므로 BIS비율산정이 상대적으로 불리함.
조직측면	• 법률상 내국법인이 되므로 상법상의 기관(주주총회, 이사회, 감사위원회 등)을 갖추어야 함. 이에 따라 이의 운영에 따른 경비 증가가 예상됨. • 독립된 법인 실체이므로 외국은행지점에 비해 자체적인 경영능력 확대 예상됨.
인사측면	• 국내 금융기관과 같은 노조활동 강화가 예상됨.
세무측면 (외국은행 국내지점)	• 양도차익에 대한 과세 사업양도를 통해 자산이 양도되는 경우 양도가액과 장부가액과의 차액은 각 사업연도 소득을 구성함으로 처분이익이 발생했을 경우 이에 따른 법인세를 납부해야 하고 또한 양도한 자산이 토지나 건물일 경우에는 양도차익의 15%에 해당하는 특별부가세를 납부해야 한다. • 저가양도시의 부당행위계산 부인 설립되는 현지법인이 국내은행 지점과 특수관계자에 해당될 경우 지점이 양도되는 자산을 시가에 미달하에 양도한 때에는 부당행위계산부인이 적용되어 시가와 양도가액과의 차이에 대하여 법인세가 과세될 수 있다. • 영업권 현지법인설립으로 인하여 영업권이 발생할 경우에는 이로 인한 이익이 지점에 귀속되기 때문에 이에 따른 법인세를 지점이 먼저 부담하고 차후에 현지법인에서 5년에 걸쳐 영업권을 상각하면서 비용으로 인정받게 된다.
세무측면 (현지법인)	• 고가양수시의 부당행위계산 부인 국내은행 지점과 설립되는 현지법인이 특수관계사에 해당되고 현지법인이 사업을 양수하면서 시가보다 높은 가액을 지불한 경우에는 부당행위계산부인이 적용된다. 고가양수분은 자산성이 인정되지 않아 차후에 감가상각비를 계상하여도 세무상 감가상각비로 인정되지 않는다. • 취득세 사업양수도로 취득한 부동산에 대하여는 취득세 2%와 농어촌특별세 0.2%(취득세의 10%)를 납부해야 한다.

구 분	Issue 사항
	• 등록세 - 토지, 건물 등의 등기시 등록세는 3.6%(등록세의 20%를 부과하는 교육세 포함)이나 대도시 내에서의 등기는 10.8% - 법인등기시 불입한 주식금액이나 출자금액의 0.48%(등록세의 20%를 부과하는 교육세 포함)이나 대도시 내에서의 법인설립등기는 1.44%

합병 작업가이드라인

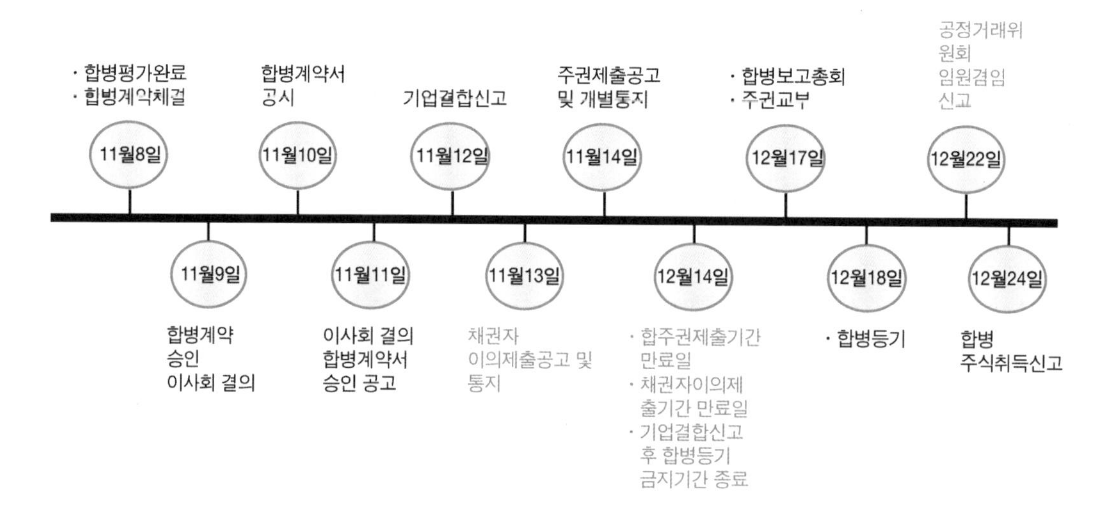

간이합병과 소규모합병이 진행되는 경우의 로드맵

합병이란 두 개 이상의 회사가 계약에 의하여 청산절차를 거치지 않고 하나의 회사로 합쳐지는 것을 말한다. 이와 같은 합병에는 모든 회사가 소멸하고 하나의 새로운 회사로 합쳐지는 신설합병과 한 회사가 다른 회사를 흡수하는 흡수합병으로 구분된다. 어느 경우든 소멸회사의 유·무형의 재산은 청산절차를 거치지 아니하고 신설법인이나 존속법인에 포괄적으로 이전하고 그 대가로 신설법인이나 존속법인의 주식이나 합병교부금을 수령하게 된다. 실무적으로 신설합병이 일어나는 경우는 거의 없으며 대부분의 합병은 흡수합병이다. 절차상 기존 경영진 사이의 합의인 합병계약과 그러한 계약에 대한 주주총회의 승인을 요건으로 한다.

비공개법인과 공개법인의 합병절차는 다소 차이가 있다. 우선 먼저, 비공개법인의 합병절차를 살펴본다. 실무에는 신설합병의 사례가 거의 발생하지 않기 때문에 흡수합병만

다루기로 한다.[49)]

I. 비공개법인간의 합병절차

절차에 대해 요약하면 다음의 표와 같다.

| 비공개법인간 합병절차 |

수행 절차	관련 규정	설 명
사전준비절차		법률, 회계, 세무문제 검토 합병비율 사전 결정 합병일정 및 절차 확정 합병계약서 등 관련서류 작성
합병이사회결의, 합병계약 체결, 주주총회소집 이사회 결의	상법 362	이사회 승인 후 당사회사 대표이사가 합병계약 체결
주주명부폐쇄 및 기준일 공고	상법 354	명부확정 기준일 2주 전 공고
주주명부확정 기준일	상법 354조	
합병주주총회 소집공고 및 통지	상법 363조	주주총회 2주 전에 공고 및 통지
합병계약서, 합병대차대조표 비치 공시	상법 522조의 2	주주총회 2주 전부터 합병을 한 날 이후 6개월간
합병반대의사 서면통지 접수마감	상법 522조의 3	소집통지일부터 주주총회 전일까지
합병승인 주주총회 개최	상법 522조	주주총회특별결의
반대주주 주식매수청구 시작	상법 522조의 3	주주총회일로부터 20일 내 청구
채권자이의제출 공고 및 최고	상법 527조의 5	주주총회일로부터 2주 내 공고 공고기간 1개월 이상
주식의 병합 및 구주권 제출공고	상법 440조	
주식매수청구권 행사 만료	상법 522조의 3	주주총회일로부터 20일 이내
채권자 이의제출기간 만료	상법 527조의 5	공고일로부터 1개월 이상
구주권 제출기간 만료	상법 440조	
합병기일		실질적인 합병일
합병보고총회 갈음 이사회결의	상법 526조	합병보고 주주총회 대체
이사회 결의 공고	상법 526조 3항	

49) 합병 당시 내용으로, 참고 목적으로 사용하여야 함.

수행 절차	관련 규정	설 명
합병등기(소멸등기, 변경등기)	상법 528조	합병보고총회일 또는 합병보고총회 갈음 이사회 결의일로부터 본점 2주 내, 지점 3주 내

1. 합병계약서 체결

   합병을 위한 가장 처음 단계는 합병계약서를 이사의 승인을 얻는 후 합병 당사 회사간의 대표이사들이 합병계약을 체결하게 된다.

2. 합병주주총회 소집 이사회결의

   일반적으로 합병주주총회 소집을 위한 이사회결의는 기간 단축을 위하여 합병이사회결의와 동시에 이루어진다.

3. 주주명부폐쇄 및 기준일 공고

   합병주주총회에서 의결권을 행사할 주주를 확정하기 위하여 주주명부를 폐쇄하거나 기준일을 정하고 주주명부 폐쇄일 또는 기준일의 2주 전에 정관에서 정한 신문에 공고하여야 한다. 주주수가 많지 않거나 총주주에 대한 통제가 가능한 경우 총주주로부터 기간 단축동의서를 징구함으로써 공고절차를 생략하여 합병기간을 단축할 수 있다.

4. 주주명부확정 기준일

   기준일자의 주주명부에 등재된 주주가 합병주주총회에서 합병승인에 대한 의결권을 행사할 주주로 확정된다.

5. 합병주주총회 소집공고 및 통지발송

   주주명부확정기간은 주주수가 적고 개별적으로 통제가 가능한 비공개법인의 경우에는 특별한 시간이 소요되지 않으나 공개법인 또는 주주수가 많아 명의개서대리제도를 도입하고 있는 비공개법인의 경우에는 약 10일 내지 15일이 소요된다. 주주명부가 확정되면 회사는 합병주주총회일 2주 전까지 합병승인을 위한 주주총회 소집통지를 하여야 하며 소집통지에는 합병의 목적 및 요령, 주식매수청구권 내용 및 행사방법 등을 명시하여야 한다.

6. 합병계약서, 합병대차대조표의 비치 공시

합병주주총회일 2주 전부터 합병계약서, 소멸회사 주주에게 발행하는 주식(합병신주)의 배정에 관한 내용을 기재한 서류, 합병당사회사의 대차대조표와 손익계산서를 합병일 이후 6개월간 본점에 비치하여 언제든지 주주 및 채권자가 열람 및 등사할 수 있도록 한다.

7. 합병반대의사 서면통지 접수마감

합병주주총회일 전일까지 주식매수청구권 행사를 위한 합병승인 반대주주의 반대의사 서면접수를 마감한다.

8. 합병승인 주주총회

회사가 합병을 위해서는 합병계약서에 대하여 주주총회 특별결의를 득하여야 하며 합병으로 인하여 특정 종류의 주주에게 손해를 미치게 되는 경우에는 그 종류 주주총회의 승인을 추가로 득해야 한다. 주주총회 특별결의 요건은 출석주주 의결권의 2/3 이상의 승인을 득해야 하며 그 비율이 발행주식총수의 1/3 이상이어야 한다. 한편, 합병결의시 주식매수청구권의 과도한 행사로 인한 막대한 자금유출을 방지하기 위하여 주주총회 결의시 주식매수청구권 규모가 전체 발행주식총수의 일정비율을 초과할 경우 합병결의가 무효화될 수 있다는 내용의 조건부 합병결의도 가능하다. 이 경우 과도한 주식매수청구권의 행사로 합병 취소가 불가피할 때 새롭게 합병 취소에 대한 주주총회 결의를 득하지 않아도 되므로 실무적으로 유용하게 활용할 수 있는 방안이다.

9. 반대주주 주식매수 청구

주주총회 결의일로부터 20일 동안 반대주주의 주식매수청구권 행사가 가능하다.

10. 채권자 이의 제출 공고 및 최고

합병은 2개 이상의 회사가 자산 및 부채를 합체하는 것으로서, 부채의 규모 및 담보가 되는 자산의 규모가 변동하여 채권자의 이해관계에 중요한 영향을 미치게 된다. 상법은 합병으로 인한 채권자를 보호하기 위하여 주주총회에서 합병을 결의한 경우 그 결의가 있는 날로부터 2주 내에 회사채권자(금융, 상거래 등 모든 채권자포함)에 대하여 합병에 이의가 있으면 1개월 이상의 일정한 기간 내에 이의를 제출할 것을 공고하고, 알고 있는 채권자에 대해서는 각 채권자별로 최고하도록 규정하고 있다.

11. 주식의 병합 및 구주권 제출 공고(피합병법인만 적용)

합병시 합병법인과 피합병법인의 1주당 합병가액이 서로 상이하여 합병비율이 1:1 이 아닌 경우 단주처리문제가 발생하는 등 절차가 복잡해지므로 피합병회사는 주식 병합 또는 분할을 통하여 합병비율을 1:1로 조정하는 경우가 있다.

주식을 병합 또는 분할하는 경우 피합병회사는 1개월 이상의 기간을 정하여 그 기간 내에 피합병회사 주권을 피합병회사에 제출할 것을 공고하고 주주명부에 기재된 주주와 질권에 대해서는 개별적으로 통지하여야 한다.

한편 합병비율이 1:1이 아니어서 합병에 적당하지 않은 단주가 발생되면 상법에서 규정하고 있는 단주처리방법에 의하여 처리하여야 하며, 주식의 병합은 단주를 발생시키게 되어 대주주의 소액주주 축출수단으로 악용될 소지가 있으므로 상법은 감자, 합병, 분할 또는 분할합병의 경우 이외에는 주식병합을 허용하지 않고 있다.

12. 주식매수청구권 행사 만료

주주총회 결의일로부터 20일이 경과하면 반대주주의 주식매수청구권 행사기간이 만료된다.

13. 채권자 이의제출 만료

채권자가 이의 신청기간 내에 이의를 제출하지 아니한 때에는 합병을 승인한 것으로 간주하고 이의를 제출한 채권자가 있는 때에는 회사는 그 채권자에 대하여 변제, 담보제공, 재산신탁 등 별도의 보호절차를 취해야 한다.
실무적으로는 합병의 법적 절차를 취하기 전에 미리 주거래은행 등 주요 채권자에 대하여는 사전에 합병할 것이란 사실을 상의하고 사전승인을 받아 두는 것이 좋다. 소규모 회사의 경우 금융권에서 합병을 반대하여 채권을 회수하겠다는 경우가 있어 합병이 무산되는 경우가 종종 있기 때문이다.

14. 구주권 제출기간 만료(피합병법인만 적용)

주식의 병합 또는 분할은 주권제출기간이 만료한 때에 그 효력이 발생하나 채권자 보호절차가 종료되지 아니한 경우 그 종료시에 효력이 발생한다.

15. 합병기일

합병기일이라 함은 피합병회사의 자산, 부채와 모든 권리·의무를 합병회사인 존속회사에 인계할 날을 말한다. 상법 제523조에서는 "합병을 할 날"이라고 규정하고 있다. 그런데 "합병기일"이라는 개념을 합병비율을 산정하는 "기준일"의 개념과 혼동하는 경우가 많은데 이는 완전히 다른 개념이다. 합병비율을 산정하는 기준일은 "갑", "을" 양회사의 주식합병비율을 산정할 기준이 되는 날을 말한다.

합병기일이 되면 사실상 합병에 관한 모든 실무절차가 끝났으므로 합병기일에 맞추어 곧바로 합병등기를 하는 것이 좋다. 왜냐하면 합병등기가 되어야 사실상 피합병회사가 소멸하는 것이므로 합병기일보다 합병등기일이 많이 늦으면 그때까지는 피합병회사의 거래 분에 대하여 피합병회사의 세금계산서를 계속 사용하여야 하는 문제가 발생하므로 실무상 매우 번거롭다.

16. 합병보고총회 개최 및 합병보고총회 갈음 이사회결의

합병기일 이후 합병회사는 주주총회를 소집하여 합병에 관한 사항을 보고하여야 한다. 통상 기간 단축을 위하여 합병기일 이전에 합병보고 주주총회의 소집절차를 미리 밟는 것이 관행이며 합병보고총회에서 합병회사 대표이사는 합병에 관한 사항을 보고하여야 하나 보고사항에 대하여 주주들의 승인을 득할 필요는 없다.

합병으로 합병신주를 배정받게 되는 피합병회사의 주주도 합병보고총회에서 합병회사의 주주와 동일한 권리를 부여받기 때문에 합병회사는 합병보고총회 소집시 합병신주를 배정받는 피합병회사의 주주에 대해서도 소집통지를 하여야 한다.

특별한 목적사항 없이 합병경과보고만이 목적인 경우 이사회 결의에 의한 공고로써 합병보고총회를 대체한다. 이 경우 합병회사는 통상 이사회 결의일 당일 또는 익일에 합병경과를 공고게재신문에 공고한다.

17. 합병등기(소멸등기, 변경등기)

합병계약서에 기재된 합병기일에 합병당사회사는 실질적으로 합체되지만 합병등기가 이루어져야만 합병에 대한 모든 법률적 효력이 발생한다. 따라서 합병보고총회 개최 또는 합병보고총회를 갈음하는 이사회 결의 공고를 통하여 합병절차가 모두 완료되면 합병보고총회일 또는 합병보고총회갈음 이사회 결의 공고일로부터 본점소재지에서는 2주간 내, 지점소재지에서는 3주간 내에 합병회사는 변경등기를, 피

합병회사는 소멸등기를 각각 완료해야 한다.

18. 합병계약의 변경과 임시주주총회

합병계약을 체결한 후 합병계약서의 내용 중 상법에 중대한 변동이 생겨 합병계약을 변경한 경우에는 변경된 합병계약을 승인하기 위하여 임시주주총회를 다시 개최하여 임시주주총회의 승인을 다시 받을 수 있다.

19. 기타 필요한 절차

합병등기가 끝나면 피합병회사의 소유였던 각종 부동산 등에 대하여 곧바로 명의변경 절차를 밟는다.

II. 공개법인과 비공개법인간 합병 절차

공개법인과 비공개법인간의 합병절차는 비공개법인간의 합병절차에 다수의 주주들을 보호하기 위한 합병신고서 제출절차, 공시 및 신고절차, 합병비율평가, 주권의 상장, 등록절차 등이 추가된다. 그 절차는 다음과 같다.

| 공개법인과 비공개법인간의 합병 절차 |

수행 절차	관련 규정	설 명
사전준비절차		법률, 회계, 세무문제 검토 합병비율 사전 결정 합병일정 및 절차 확정 합병계약서 등 관련서류 작성
비공개법인 금감위 기업등록	증권거래법 190조	등록 후 2개월 경과 후 합병주주 총회가능
외부평가기관과 평가계약체결	발행공시규정 83조	금감위와 거래소 또는 협회에 신고
합병이사회결의 및 합병계약서 체결		
이사회결의 공시 신고	발행공시규정 69조	금감위 및 거래소 또는 협회에 신고
일시적인 매매거래 정지	상장공시 20조의 2 협회공시규정 27조	주요내용 공시관련 매매거래 정지

수행 절차	관련 규정	설 명
합병신고서 제출	증권거래법 190조의 2 발행공시규정 78조	주주명부폐쇄 및 기준일 공고 전일까지
주주총회 소집 이사회 결의	상법 362조	
주주명부폐쇄 및 기준일 공고	상법 354조	주주명부확정기준일 2주 전 공고
주주명부확정 기준일	상법 354조	
주주총회 소집통지 및 공고 비치	증권거래법 191조의 10	소집통지 및 공고사항을 정보통신망에 게재하고 금감위 등에 비치
합병주주총회 소집공고 및 통지	발행공시규정 85조	합병신고서 제출사실 및 시기, 내용요약
합병계약서, 합병대차대조표 비치공시	상법 522조의 2	주주총회 2주 전부터 합병을 한 날 이후 6개월간
합병반대의사 서면통지 접수마감	상법 522조의 3	소집통지일부터 주주총회 전일
합병승인 주주총회 개최 반대주주 주식매수 청구시작 합병주주총회 결과 보고	상법 522조 522조의 3, 발행공시규정 69조	주주총회특별결의 주주총회일로부터 20일 내 금감위, 거래소 또는 협회에 신고
채권자 이의제출 공고 및 최고 주식병합 및 구주권 제출 공고	상법 527조의 5, 440조	주주총회일로부터 2주 내 공고 공고기간 1개월 이상
주식매수청구권 행사기간 만료 주식매수청구서류 제출	상법 522조의 3 상장규정 20조	주주총회일로부터 20일 내 매수청구관련 서류 금감위, 거래소 또는 협회 제출
채권자 이의 제출기간 만료	상법 527조의 5	공고일로부터 1개월 이상
구주권 제출기간 만료	상법 440조	
합병기일		실질적인 합병일
합병보고총회 갈음 이사회 결의	상법 526조	합병보고총회 대체
이사회 결의 공고	상법 526조	
합병등기(해산등기, 변경등기) 합병보고서 제출	상법 528조 발행공시규정 86조	본점 2주 내 지점 3주 내 합병등기 후 지체없이 제출
합병신주 상장 또는 등록	상장규정 9조 1항 협회등록규정 14조	

수행 절차	관련 규정	설 명
주식매수청구대금 지급	증권거래법 191조	매수청구기간 종료일로부터 1개월내
최대주주 등 소유주식 변동상황 보고	유가증권상장규정 26조	소유주식 변동 즉시
임원, 주요주주 주식소유 상황 보고	증권거래법 188조 6항	임원, 주요주주가 된 날부터 10일내
임원, 주요주주 주식소유 변동 상황 보고	증권거래법 188조 6항	변동일의 다음 달 10일까지

1. 비공개법인의 금감위 기업등록 - 증권거래법 제190조(주권상장법인 또는코스닥등록법인과의 합병)

주권상장법인 또는 코스닥등록법인이 아닌 법인이 주권상장법인 또는 코스닥등록법인과 합병하고자 하는 경우에 상법 제522조의 규정에 의한 주주총회의 승인은 당해 법인이 제3조의 규정에 의한 금융감독위원회에 등록을 한 날로부터 2월이 경과한 후에 하지 아니하면 그 효력이 없다.

2. 외부평가기관과 평가계약 체결 - 유가증권의 발행 및 공시 등에 관한 규정 제83조 제2항(외부평가기관의 지정 등)

합병당사회사가 외부평가기관과 평가계약을 체결하거나 동 평가기관에 평가를 의뢰한 때에는 주권상장법인 등은 이를 지체없이 금감위와 증권거래소 또는 협회에 신고하여야 한다. 외부평가기관은 합병비율의 적정성에 대한 평가의견서를 작성하여야 한다.

증권거래법 시행령 제84조의 7(합병의 요건, 절차 등)의 규정에 따라 공개기업과 비공개기업간의 합병시에는 합병비율의 적정성을 외부평가기관(증권회사, 회계법인, 신용평가사)의 평가를 받도록 의무화하고 있다.

3. 일시적인 매매거래 정지

상장법인 또는 협회등록법인의 주가 및 거래량에 중요한 영향을 미칠 수 있는 사항이 결의된 경우 주가에 대한 충격을 완화하기 위하여 당해 이사회 결의에 대한 공시가 있을 경우 일시적으로 매매거래를 정지하고 있다.

4. 주주총회 소집통지/공고 비치공시
공개법인이 주주총회 소집통지 또는 공고를 하는 경우에는 정보통신망에 게재하고 공개법인의 본점, 지점, 명의개서 대행회사, 금감위, 거래소, 협회 등에 비치하여 일반인이 열람할 수 있도록 함으로써 통지 또는 공고에 갈음할 수 있다.

5. 주주총회 소집통지 및 공고 - 유가증권의 발행 및 공시 등에 관한 규정 제85조(합병승인주주총회의 소집통지 또는 공고)

주권상장법인 등이 합병승인주주총회의 소집을 위하여 주주에 대한 통지 또는 공고를 하는 경우에는 다음 사항을 요약하여 함께 통지 또는 공고하여야 한다.

• 합병의 목적과 방법, 요령, 합병비율 및 그 산출근거
• 합병비율에 대한 외부평가기관의 평가의견 요약
• 주식매수청구권의 내용 및 행사에 관한 사항
• 기타 투자자 보호에 필요한 사항
• 합병신고서를 금감위에 제출한 사실 및 그 시기

6. 주식매수청구 서류 제출
공개법인은 주식매수청구가 있을 때에는 매수를 청구한 주주, 주식의 종류, 주식의 수량, 매수가격의 결정이 있을 때에는 그 매수가격 및 결정방법에 관한 사항을 문서로 금감위와 거래소 또는 협회에 제출하여야 한다.

7. 신주추가 상장·등록절차 - 상장규정 제9조 제1항, 협회등록규정 제14조

공개법인이 비공개법인과의 합병으로 인하여 합병신주를 발행할 경우 공개법인 주식의 수량이 증가하므로 신주상장(등록)신청을 하여야 한다.
신주상장(등록)의 방법으로는 신주권을 교부한 후 합병신주를 상장(등록)하는 방법인 신주교부상장(등록)과 신주권을 교부하지 않고 예탁자계좌부기재확인서에 의하여 상장(등록)하는 방법이 있다.

신주교부상장(등록)의 방법은 합병신주교부에 시간이 소요되므로 실무에서는 신주

상장(등록)일을 단축하기 위하여 합병신주교부절차없이 예탁자계좌부기재확인서에 의하여 상장(등록)하는 권리상장(등록)방법을 주로 사용한다.

III. 간이합병과 소규모합병

주주의 수가 얼마되지 않아 개별적으로 총주주의 동의를 받을 수 있는 경우에는 간이합병이라고 하여 합병승인에 대한 임시주주총회의 개최를 생략할 수 있는 경우가 있다. 한편, 합병으로 인하여 증가할 자본이 존속하는 회사의 기존 자본금의 5% 이내일 경우에는 소규모합병이라고 하여 합병승인에 대한 임시주주총회의 개최를 생략할 수 있다.

IV. 자기주식과 포합주식

갑이 존속하는 합병회사이고 을이 해산하는 피합병회사이며, 을이 투자목적으로 갑의 주식을 보유하고 있었을 경우 갑과 을이 합병하게 되면 갑은 결국 자기주식을 보유하게 된다. 합병시 발생하는 자기주식에 대하여는 처리방법은 자기주식으로 보유하고 있다가 일정한 기간 내에 매각하거나 감자의 절차를 밟아 자기주식을 소각하는 방법, 합병계약 체결시 자기주식에 해당하는 자본금을 증가시켰다가 곧바로 소각하여 결국 자본금을 증가시키지 않는 방법이 있다. 실무적으로는 후자가 주로 사용된다.

한편, 존속하는 갑회사가 투자유가증권으로 을회사의 주식을 가지고 있으면서 을회사를 지배하고 있다가 그 을회사를 흡수합병하게 되는 경우 갑회사가 가지고 있던 을회사의 주식을 포합주식이라고 한다. 포합주식은 광의의 자기주식이지만 법인세법과 소득세법에서는 포합주식을 별도로 취급하고 있다. 합병시 갑회사가 가지고 있는 포합주식의 처리는, 합병비율에 따라 자기주식을 배정하고 합병 후 재무제표에 투자유가증권 대신 자기주식으로 보유하고 있다가 매각하거나 감자의 절차를 밟아 자기주식을 소각하는 방법과 합병계약시 포합주식에 대하여는 합병신주를 발행하지 않기로 계약하는 방법이 있다. 주로 후자가 실무적으로 이용된다.

IV. 합병의 제한

합병은 자유롭게 이루어지나 회사의 특성, 정책적인 목적, 자본시장의 건전한 질서유지을 위해 상법, 독점규제 및 공정거래에 관한 법률, 증권거래법 상 일정부분 합병이 제한될 수 있다.

V. 합병가액의 산정

합병시 합병당사회사 주주의 주식교환비율은 합병비율에 따라 결정되므로 합병당사회사 주주의 이해관계에 가장 중요한 영향을 미치는 것은 합병비율(합병가액)의 산정이라 할 수 있다. 비공개법인간 합병시 합병가액 산정에 대하여는 법정 규정이 없으므로 합병당사회사는 조세문제 예방을 위하여 세무상 평가방법을 주로 사용하여 산정한다. 그러나 공개법인이 비공개법인과 합병하는 경우 불공정한 합병비율의 산정으로 인한 소액주주의 피해를 방지하기 위하여 외부평가기관(특수관계없는 증권회사, 신용평가회사, 회계법인)에 의한 합병비율 산정을 강제화하고 있다.

합병가액은 합병비율을 산정하기 위한 주식평가방법으로서 합병회사와 피합병회사의 공개 여부에 따라 다음과 같이 구분된다.

합병회사	피합병회사	합병회사	피합병회사
비공개	비공개	제한 없음	제한 없음
공개	비공개	MAX(기준주가, 자산가치)	(본질가치+상대가치)/2 상대가치를 산정할 수 없는 경우에는 본질가치로 산정
공개	공개	기준주가	기준주가
분석기준일		합병신고서를 제출하는 날의 5일 전일	
규정		증권거래법 시행령 제84조의 7, 동법 시행규칙 제36조의 12	

1. 공개법인이 포함된 경우의 주식평가 주요 요소

A. 기준주가=MIN[(a+b+c)/3, c]

a=합병신고서 제출일 전일을 기산일로 거래량으로 가중한 1개월 산술평균종가

b=합병신고서 제출일 전일을 기산일로 거래량으로 가중한 1주일 산술평균종가

c=합병신고서 제출일 전일 종가

B. 본질가치(유가증권의 발행 및 공시 등에 관한 규정 시행세칙 제5조)

=자산가치×0.4+수익가치×0.6

C. 자산가치(유가증권의 발행 및 공시 등에 관한 규정 시행세칙 제5조)

자산가치는 합병신고서를 제출하는 사업연도의 직전연도 말 자본총계에서 다음과

같은 사항을 가감하여 산정한다.

구 분	산정 방법
1. 합병신고서 제출일 직전연도 감사보고서 상 자본총계	A
(1) 가산 항목	B=a+b+c
자기주식	a
결산기 이후 유상증자액	b
결산기 이후 자본잉여금 증가액	c
(2) 차감 항목	C=d+e+f+g+h+I+j
무형자산	d
회수불능채권	e
투자주식 및 관계회사 주식 평가감	f
퇴직급여충당금 부족설정액	g
전환권 및 신주인수권 대가	h
결산기 이후 특별손실	i
결산기 이후 전기오류수정손실	j
2. 순 자 산	D=A+B+C
3. 발행주식 총수	E=k+l+m
최근 사업연도 말 발행주식수	k
결산기 이후 유상증자주식수	l
결산기 이후 무상증자주식수	m
4. 1주당 자산가치	F=D/ E

D. 수익가치(유가증권의 발행 및 공시 등에 관한 규정 시행세칙 제7조)

수익가치는 다음과 같이 합병신고서를 제출하는 사업연도와 그 다음 사업연도 2개년을 추정하여 산정한 주당 추정이익을 자본환원율(할인율)로 할인하여 산정한다. 수익가치를 할인하기 위한 할인율은 국민, 우리, 외환, 조흥 및 신한은행의 1년만기 정기예금 최저이율 평균치의 1.5배를 적용한다.

구 분	추정 1차연도	추정 2차연도	산정 방법
1. 추정연도 경상이익			A
2. 유상증자 추정이익(*)			B
3. 소 계			C = A + B
4. 법인세 등			D
5. 각 사업연도 추정이익	a	b	E = C - D
6. 발생주식총수	c	d	F
7. 1주당 추정이익	e=a/c	f= b/d	
8. 추정연도별 가중치(**)	60%	40%	
9. 1주당 평균추정이익			G=e × 60% + f × 40%
10. 자본환원율			H
11. 1주당 수익가치			I = G / H

(*) 유상증자 추정이익 = 결산기 이후 유상증자액 × 시중은행의 1년만기 정기예금 최고이율 × (사업연도 개시일부터 납부일)/365일

(**) 제2차 사업연도의 1주당 추정이익이 제1차 사업연도의 추정이익보다 적은 경우에는 추정연도별 가중치를 50/50을 적용함.

E. 상대가치(유가증권의 발행 및 공시 등에 관한 규정 시행세칙 제8조)

구 분	산정 방법
상대가치	상대가치 = MIN(a, b) a : 유사회사별 비교가치를 평균한 가액의 30% 이상을 할인한 가액 b : 유사회사 주가의 평균치 유사회사 주가는 분석기준일 전일부터 소급하여 1월간 종가의 산술평균으로 함. 단, 그 가액이 분석기준일의 전일 종가를 상회하는 경우에는 분석기준일의 전일 종가로 함.
상대가치 산출방법	유사회사별 비교가치 = 유사회사 주가 × [(발행회사 주당경상이익/유사회사 주당경상이익) + (발행회사 주당순이익/유사회사 주당순이익)]/2 주당경상이익 = [(최근연도 경상이익/발행주식총수) + (전전연도 경상이익/발행주식총수)]/2 발행주식총수는 분석기준일 현재임.

구 분	산정 방법
유사회사의 조건	유사회사는 평가대상회사와 자본금, 매출액, 주요재무비율, 주당순이익, 제품구성비 등이 유사한 공개법인으로서 다음의 요건을 충족하는 2개 이상의 상장 또는 협회등록법인으로 한다. • 주당경상이익이 액면가액의 10% 이상일 것 • 주당순자산이 액면가액 이상일 것 • 상장 또는 협회등록일이 속하는 사업연도의 결산을 종료하였을 것 • 최근사업연도 감사의견이 적정 또는 한정일 것

2. 비공개법인간의 합병시 주식평가

비상장법인간의 합병비율의 산정을 위하여는 당사 회사간의 협상에 따라 할 수 있다. 특수관계가 성립하는 비상장법인간의 합병일 경우에는 불공정합병에 따른 증여의제과세를 회피하기 위하여 통상 상속증여세법 상의 평가액을 사용한다. 상속증여세법 상의 주식평가방법은 아래와 같다.

상속세 및 증여세법 시행령 제54조(비상장주식의 평가)

- 1주당 가액 = (1주당 순손익가액 × 3 + 1주당 순자산가액 × 2)/5
- 1주당 순손익가액 = 1주당 최근 3년간 순손익액의 가중평균액/10%
- 1주당 순자산가액 = 당해 법인의 순자산가액/발행주식총수

단, 부동산 과다보유법인의 경우에는 1주당 순손익가액과 순자산가액의 비율을 각각 2 대 3으로 한다. 1주당 최근 3년간 순손익액의 가중평균액이 0 이하인 경우에는 0으로 한다. 주의할 점은 상속세 및 증여세법 상의 순손익액 및 순자산액은 기업회계기준에 의해 산출된 금액이 아닌 세법상의 순손익액 및 세법상의 순자산액이라는 점이다.

기업합병 세무가이드라인

인수(Acquisition)는 한 기업 또는 개인이 다른 기업의 자산 또는 주식의 취득을 통하여 경영권을 획득하는 방법이고 합병(Merger)은 합병신주 발행을 통한 법적 절차에 의한 경영권 획득을 말한다.

합병 관련한 국내세법의 특징은 불공정합병의 '규제' 성격이 강한 바, 계열사 통합과정에서 임의적인 합병비율산정으로 대주주나 합병회사의 일방이 불공정한 이익을 얻는 것을 막겠다는 의도가 포함되어 있으며, 조직의 합리화를 위한 계열사 통폐합을 통해 구조조정을 하는 경우에는 조세측면에서 '지원'해 주고자 하는 목적이 있다.

따라서 합병세무는 먼저 불공정한 합병으로 간주되지 않도록 정확한 합병비율을 산정하여 세무상 불이익을 입지 않도록 하는 것이 필요하며, 세법에 규정되어 있는 각종 합병 관련 세무상의 혜택이 무엇이고 그러한 혜택을 누리기 위해서 어떠한 조건이 필요한지를 검토해 보는 것이 중요하다.

구 분	세 법	내 용
피합병법인	법인세법	-의제사업연도에 대한 법인세 -청산소득에 대한 법인세
	소득세법	연말정산
	부가가치세법	확정신고, 폐업신고 등
피합병법인의 주주	소득세법(개인주주) 법인세법(법인주주)	의제배당소득에 대한 과세
	상증법 법인세법	불공정합병에 대한 증여세 과세 및 부당행위계산 부인
합병법인	법인세법	• 합병 후 최초 사업연도의 중간예납 • 합병차익세무 • 합병차손세무 • 피합병법인 세무조정사항의 승계 -세액감면의 승계 -이월결손금 승계 -조특법상 준비금의 승계 -퇴직급여충당금의 승계 -대손충당금의 승계 -세무조정유보사항 • 기타
	지방세법	지방세(취득세/등록세)

구 분	세 법	내 용
합병법인의 주주	상증법 법인세법	불공정합병 등에 대한 증여세 과세 및 부당행위계산 부인
	소득세법(개인주주) 법인세법(법인주주)	자기주식 관련 자본거래에 따른 의제배당 과세

I. 피합병법인의 세무

1. 의제사업연도에 대한 법인세

합병에 의하여 소멸한 법인의 법인세 신고는 사업연도 개시일부터 합병등기일까지를 최종사업기간으로 하여 결산을 한 후 합병등기일부터 3월 이내에 신고하여야 한다. 합병 후 존속법인은 예년과 같이 사업연도 개시일로부터 사업연도 종료일까지를 1과세기간으로 하고 이때부터 3월 이내에 신고하면 된다.

가. 사업연도의 의제(법인세법 제8조 제2항)

내국법인이 사업연도 중에 합병 또는 분할(분할합병을 포함)에 의하여 해산한 경우에는 그 사업연도 개시일부터 합병등기일 또는 분할등기일까지의 기간을 그 해산한 법인의 1사업연도로 본다.

나. 피합병법인의 법인세과세표준신고(법인세법 기본통칙 60－0－1)

내국법인이 사업연도기간 중에 합병에 의하여 소멸한 경우에 그 사업연도의 개시일로부터 합병등기일까지의 기간을 그 소멸한 법인(피합병법인)의 1사업연도로 보아 합병등기일로부터 3월 이내에 법인세를 신고할 경우, 법인세신고서 및 신고서에 첨부되는 재무제표에 표시한 명칭은 피합병법인으로 한다.

2. 청산소득에 대한 법인세

합병으로 인하여 소멸한 피합병법인의 청산소득 금액은 “피합병법인의 주주 등이 합병법인으로부터 받은 합병대가 총합계액에서 합병등기일 현재 피합병 소멸법인의 자기자본총액을 차감한 금액”으로 한다. 따라서 소멸법인의 합병등기일 현재 자기자본의 총액을 초과하는 합병대가에 대하여는 청산소득에 대한 법인세를 납부하여야 한다. 청산소득에 대한 법인세에 대한 신고납부기한은 역시 합병등기일로부터 3월 이내이다.

합병에 따른 양도손익의 계산은 다음과 같이 한다(법인세법 시행령 제80조).

가. 내국법인이 합병으로 인하여 해산하는 경우 그 청산소득금액은 피합병법인의 주주등이 합병법인으로부터 받은 합병대가의 총합계액에서 피합병법인의 합병등기일 현재의 자기자본의 총액을 공제한 금액으로 한다. 합병대가의 총합계액은 합병으로 인하여 취득하는 주식 등의 가액과 금전 기타 재산가액의 합계액, 포합주식의 가액, 피합병법인의 청산소득에 대한 법인세 및 그 법인세에 부과되는 주민세 등으로 한다.

나. 제1항의 규정에 의한 합병대가의 총합계액을 계산함에 있어서 합병법인이 합병등기일 전 2년 이내에 취득한 피합병법인의 주식 등(신설합병 또는 3 이상의 법인이 합병하는 경우 피합병법인이 취득한 다른 피합병법인의 주식 등을 포함하며, '포합주식 등'이라 한다)이 있는 경우로서 그 포합주식 등에 대하여 합병법인의 주식 등을 교부하지 아니한 경우 합병대가의 총합계액은 당해 포합주식 등의 취득가액을 가산한 금액으로 한다. 이 경우 주식 등을 교부한 경우에는 당해 포합주식 등의 취득가액에서 교부한 주식 등의 가액을 공제한 금액을 가산한 금액으로 한다.

3. 납세의무의 승계(국세기본법 제25조)

법인이 합병 또는 분할로 인하여 소멸한 경우 합병법인 등은 피합병법인 등이 납부하지 아니한 각 사업연도의 소득에 대한 법인세 또는 청산소득에 대한 법인세를 납부할 책임을 진다.

4. 부가가치세

가. 피합병법인 자산부채 인수 관련 부가가치세

부가가치세법 제10조 제9항 제2호에서 사업을 양도하는 것으로서 대통령령이 정하는 것은 재화의 공급으로 보지 아니하는 것으로 규정하고 다시 동법 시행령 제23조 제2항에서는 법 제10조 제9항 제2호에서 대통령령이 정하는 것이라 함은 사업장별로 그 사업에 관한 모든 권리와 의무를 포괄적으로 승계시키는 것을 말한다. 따라서 한 회사의 모든 권리와 의무를 포괄적으로 승계시키는 경우는 물론이고 어떤 회사의 분리되어 있는 하나의 사업장에 관한 모든 권리와 의무가 포괄적으로 승계되는 경우에도 부가가치세는 해당하지 않는다. 합병은 피합병회사의 모든 권리와 의무를 합병회사에 포괄적으로 승계시키는 행위이므로 부가가치세가 해당되지 않는다. 그리고 합병과 관련하여 부가가치세는 당연 비과세이지 면세가 아니기 때문에 신고의무도 없다.

나. 소멸법인 부가가치세 신고

일반적인 경우, 부가가치세의 신고는 부가가치세법에서 정한 과세기간 즉, 1월 1일에서 6월 30일까지 그리고 7월 1일에서 12월 31까지 기간이 경과한 후 25일 이내에 신고하도록 규정되어 있다.

합병의 경우는 부가가치세 최종 과세기간이 당해 과세기간 시작일에서부터 합병등기일까지이다. 따라서 합병등기일로부터 25일 이내에 최종 부가가치세를 신고하여야 한다.

II. 피합병법인 주주의 세무

1. 불공정합병에 따른 증여의제(상속세 및 증여세법 제38조 : 합병에 따른 이익의 증여)

대통령령이 정하는 특수관계에 있는 법인간 합병의 경우, 합병당사법인의 주주로서 대통령령이 정하는 대주주가 합병으로 인하여 대통령령이 정하는 이익을 받은 경우에는 당해 합병일(합병등기일)에 당해 이익에 상당하는 금액을 그 이익을 얻은 자의 증여재산가액으로 한다.

가. 합병에 따른 이익의 계산방법(상속세 및 증여세법 시행령 제28조)

상속세 및 증여세법 상 불공정합병에 해당되어 증여의제로 과세되기 위해서는 다음 세 가지의 과세요건을 충족하여야 한다. 단, 「자본시장과 금융투자업에 관한 법률」에 따른 주권상장법인이 다른 법인과 같은 법에 따라 하는 합병은 특수관계에 있는 법인간 합병으로 보지 아니한다.

(1) 특수관계 요건

- 법인세법 시행령 제2조 제5항에 규정된 특수관계에 있는 법인
- 독점규제 및 공정거래에 관한 법률상 기업집단 내 소속 법인
- 동일인이 임원의 임면권의 행사 또는 사업방침의 결정 등을 통하여 합병당사법인의 경영에 대하여 영향력을 행사하고 있다고 인정되는 관계에 있는 법인

(2) 대주주 요건

당해 주주 등의 지분 및 그와 특수관계에 있는 자의 지분의 합계가 당해 법인의 발행주식총수의 1% 이상을 소유하고 있거나 소유하고 있는 주식 등의 액면가액이 3억 원 이상인 주주 등을 말한다.

(3) 대통령령이 정하는 이익 요건

- [(A－B)/A]×100이 30% 이상인 경우로, A : 합병 후 신설, 존속하는 법인의 1주당 평가가액, B : 주가가 과대평가된 합병당사법인의 1주당 평가가액×(주가가 과대평가된 합병당사법인의 합병 전 주식수)/(주가가 과대평가된 합병당사법인의 합병 후 주식수)
- [(A－B)×(주가가 과대평가된 합병당사법인의 대주주의 합병 후 주식수)]의 금액이 3억 원 이상인 경우
- 합병당사법인의 1주당 평가가액이 액면가액에 미달하는 경우로서 그 평가가액을 초과하여 합병대가를 주식 등 외의 재산으로 지급한 경우에는 액면가액(합병대가가 액면가액에 미달하는 경우에는 당해 합병대가를 말함)에서 그 평가가액을 차감한 가액에 합병당사법인의 대주주의 주식수를 곱한 금액이 3억 원 이상인 경우의 당해 이익

상기에서 주식의 평가액은 상속세 및 증여세법 제63조에서 규정하는 평가액을 의미하며, 주권상장법인 또는 협회등록법인의 경우 일반비상장법인의 주식평가방법에 의해 계산된 증여의제 이익이 주권상장법인 등의 주식평가방법에 의해 계산된 증여의제 이익보다 더 적게 되는 때에는 더 적게 계산되는 평가방법에 의하여 증여의제 이익을 계산할 수 있다.

나. 공개법인이 증권거래법에 따라 합병하는 경우 특수관계법인간의 합병으로 보지 않으므로 실무상 세무상 리스크를 무릅쓰고 증권거래법에 의한 평가방법을 적용하지 않고 합병을 하는 경우는 없다.

2. 불공정합병에 따른 부당행위계산의 부인

특수관계에 있는 법인간 합병 시 합병 전후 주식의 평가차익이 30% 이상 차이가 발생하여 주주 등인 법인이 특수관계에 있는 다른 주주에게 이익을 분여한 경우에 '부당행위계산부인' 규정을 적용하는 바, 주주 등 법인이 특수관계에 있는 주주에게 분여한 이익은

익금에 산입하여 당해 법인의 각 사업연도의 소득금액을 계산한다.

○ 부당행위계산의 부인(법인세법 시행령 제88조 제1항 제8호)
특수관계자 법인간 합병에 있어서 주식 등을 시가보다 높거나 낮게 평가하여 불공정한 비율로 합병한 경우, 법인세법상 부당행위계산의 부인이 적용되는 불공정합병의 기준은 상속세 및 증여세법에 비해 덜 엄격하다고 할 수 있는데 그 요건은 다음과 같다.

① 국세기본법 시행령 제1조의 2에 규정된 특수관계가 있는 법인간의 합병의 경우이어야 한다.
② 주식 등을 시가보다 높거나 낮게 평가하여 불공정한 비율로 합병함으로써 합병 전후 주식의 평가차익이 30% 이상 차이가 발생하여야 하는 경우이어야 한다.
③ 주주 등인 법인이 특수관계에 있는 주주에게 이익을 분여한 경우이어야 한다.

3. 의제배당소득에 대한 과세

합병 시의 의제배당소득이라 함은 피합병법인의 주주가 합병 신주를 교부 받게 될 때 피합병법인에 유보되어 있던 이익이 합병신주 형태로 배당된 것으로 의제하여 과세하는 것을 말한다. 피합병법인 주주가 법인이든지 개인이든지 관계없이 동일하게 규정되어 있다.

가. 의제배당금액(소득세법 제17조 제2항 제4호, 법인세법 제16조 제1항 제5호)
합병으로 인하여 소멸한 법인의 주주, 출자자가 합병 후 존속하는 법인 또는 합병으로 인하여 설립되는 법인으로부터 그 합병의 대가로 취득하는 주식 또는 출자의 가액과 금전의 합계액이 그 합병으로 인하여 소멸한 법인의 주식 또는 출자를 취득하기 위하여 소요된 금액을 초과하는 금액을 말한다.

나. 재산가액의 평가(법인세법 시행령 제14조 제1항 제1호)
합병으로 인하여 교부 받은 주식의 가액은 법인세법 제44조 제1항 제1호 및 제2호에 정한 합병의 기본요건(합병등기일 현재 1년 이상 계속 사업 영위, 합병대가 중 주식 등의 비율이 80% 이상)을 충족하는 경우, 장부가액으로 평가하는 것이 원칙이며 만일 합병의 기본요건을 충족하지 못하는 경우로서 시가가 액면가액보다 작다면 시가로 평가한다.

4. 합병에 따른 상장 등 이익의 증여의제(상속세 및 증여세법 제41조의 5, 동법 시행령 제31조의 5)

최대주주 등과 특수관계에 있는 자가 최대주주 등으로부터 당해 법인의 주식 등을 증여 받거나 유상으로 취득한 경우 또는 증여 받은 재산으로 최대주주 등 외의 자로부터 당해 법인의 주식 등을 취득하거나 다른 법인의 주식 등을 취득한 경우로서 그 주식 등의 증여일 등으로부터 5년 이내에 당해 법인 또는 다른 법인이 특수관계 있는 주권상장법인과 합병됨에 따라 그 가액이 증가된 경우로서 당해 주식 등을 증여 받거나 유상으로 취득한 자가 당초 증여세과세가액 또는 취득가액을 초과하여 대통령령이 정하는 기준 이상의 이익을 얻은 경우에는 당해 이익에 상당하는 금액을 그 이익을 얻은 자의 증여재산가액으로 한다.

대통령령이 정하는 이익은 아래 A 또는 B에 해당하는 이익을 말한다.

A = [a－(b+c×d)]≥b×30%

B = [(a－b)－(c×d)]×증여 또는 유상취득 주식수 ≥3억 원

*a = 정산기준일 현재 1주당 평가액이며,
b = 증여일 현재 1주당 증여세 과세가액(취득의 경우 취득일 현재 1주당 취득가액)이며,
c = 증여일 또는 취득일이 속하는 사업연도 개시일로부터 합병등기일 전일까지의 사이의 1주당 순손익액의 합계액을 당해 기간의 월수로 나눈 금액이며,
d = 증여일 또는 취득일로부터 정산기준일까지의 월수

III. 합병법인의 세무

1. 중간예납

가. 중간예납기간

신설합병의 경우는 사업연도가 1.1.~12.31.인 A법인, B법인이 1998.3.5. 소멸하고 사업연도가 1.1.~12.31.인 C법인이 3.25. 신설합병등기한 경우에는 C법인의 중간예납기간은 1.1.~6.30. 또는 3.25.~6.30.이 아니고 3.25.~8.31.이 중간예납기간에 해당한다. 한편, 흡수합병의 경우는 합병 후 존속하는 법인의 당해 사업연도 개시일로부터 6월간을 중간예납기간으로 한다. 상기 (예)에서 흡수합병 시 1.1.~6.30.까지가 중간예납기간에 해당한다.

나. 직전사업연도 (법인세법 제63조 제2항 및 제3항)

합병으로 인하여 설립된 합병법인이 설립 후 최초의 사업연도에 중간예납세액을

납부하는 경우에는 피합병법인의 합병등기일이 속하는 사업연도의 직전사업연도를 직전사업연도로 본다. 또한, 합병 후 존속하는 합병법인이 합병 후 최초의 사업연도에 중간예납세액을 납부하는 경우에는 합병법인의 직전사업연도와 피합병법인의 합병등기일이 속하는 사업연도의 직전사업연도를 모두 직전사업연도로 본다.

다. 중간예납세액 계산

직전사업연도의 실적에 의한 방법은 직전사업연도에 법인세산출세액이 있는 법인에 적용될 수 있으며 합병법인 및 피합병법인의 직전사업연도의 법인세 결정세액과 공제, 감면세액을 통산하여 계산한다. 따라서 어느 한 당사법인이 직전사업연도에 결손을 기록하여 결정세액이 없더라도 통산한 결과 법인세 산출세액이 있는 경우에는 산출세액, 감면세액, 원천납부세액 등은 합병당사법인의 세액을 각각 합산하여 중간예납세액을 계산한다. 또한, 중간예납을 하여야 할 합병법인은 중간예납기간을 1사업연도로 하는 가결산방식으로 중간예납기간의 실적에 의하여 중간예납세액을 납부할 수 있다. 따라서 직전사업연도 실적에 의한 방법과 가결산방식에 의한 방법을 선택할 수 있다.

2. 합병차익에 대한 과세

합병차익이란 회사합병의 경우에 소멸된 회사로부터 승계한 재산의 가액이 그 회사로부터 승계한 채무액을 초과하는 때, 그 회사의 주주에게 지급한 금액과 합병 후 존속하는 회사의 자본 증가액 또는 합병으로 인하여 설립된 회사의 자본액을 초과하는 때 그 초과 금액을 말한다.

산식으로 표현하면 다음과 같다.

> 합병차익 = 피합병회사의 자산 − (동 부채 + 합병교부금 + 자본금 증가액)

이러한 합병차익이 발생하는 이유는 법인세법에서 합병 시 자산을 시가로 평가하도록 하고 있기 때문이다. 합병차익과 관련한 세무사항을 이해하기 위해서는 우선 합병차익의 구성요소를 이해해야 한다.

가. 합병평가차익 등의 계산(법인세법 시행령 제12조)

합병차익은 다음 순서에 따라 순차로 계산하여 산출한 금액으로 구성된다.

(1) 합병평가차익(법인세법 시행령 제12조 제1항 제3호)

피합병법인으로부터 자산을 평가하여 승계한 경우 그 가액 중 피합병법인의 장부가액을 초과하는 부분의 가액

A = 평가하여 승계한 자산의 가액 − 피합병법인의 장부가액

단, 법인세법 제44조 제1항 제1호, 제2호에 정한 합병의 기본조건(합병등기일 현재 1년 이상 계속 사업 영위, 합병대가 중 주식 등의 비율이 80% 이상)을 충족하기 못하는 경우의 합병평가차익(B)은 다음과 같이 계산된다.

B = A −〔법인세법 제16조 제1항 제5호의 합병대가의 총합계액−(피합병법인의 자산의 장부가액−부채의 장부가액)〕

(2) 합병감자차익

합병대가(증가자본금 + 합병교부금)의 총합계액(주식의 경우 액면가액)이 피합병법인의 자본금에 미달하는 경우 그 미달하는 금액

(3) 피합병법인의 자본잉여금 상당액

피합병법인의 자본잉여금 중 의제배당 과세대상 잉여금 외의 잉여금부터 순차로 계산한 금액

(4) 피합병법인의 이익잉여금 상당액

나. 합병평가차익에 대한 과세

자본거래로 인해 발생하는 수익인 합병차익은 원칙적으로 익금불산입한다. 그러나 피합병법인으로부터 자산을 평가하여 승계한 경우 그 가액 중 피합병법인의 장부가액을 초과하는 부분인 합병평가차익은 익금에 산입한다. 그러나 합병평가차익에 대하여는 일정한 요건하에서 과세이연의 혜택이 주어진다. 즉 합병시점에서 과세하지 아니하고 당해 자산의 매각이나 감가상각시점에서 과세한다. 이는 자산의 시가평가에 의한 합병을 용이하게 하여 합병의 활성화와 합병법인의 재무구조

개선을 실질적으로 지원하고자 하는 데 있다.

다. 합병평가차익상당액의 손금산입(법인세법 제44조, 법인세법 시행령 제80조)

(1) 다음 각호의 요건을 갖춘 합병으로서 합병법인이 피합병법인의 자산을 평가하여 승계하는 경우 그 승계한 자산(토지 및 건축물)의 가액 중 당해 자산에 대한 합병평가차익에 상당하는 금액은 대통령령이 정하는 바에 따라 합병등기일이 속하는 사업연도의 소득금액계산에 있어서 이를 손금에 산입할 수 있다.

① 합병등기일 현재 1년 이상 계속하여 사업을 영위하던 내국법인간의 합병일 것

② 피합병법인의 주주 등이 합병법인으로부터 합병대가를 받은 경우에는 동 합병대가의 총합계액 중 주식 등의 가액이 80% 이상일 것

③ 합병법인이 합병등기일이 속한 사업연도의 종료일까지 피합병법인으로부터 승계 받은 사업을 계속 영위할 것

(2) 상기 (1)의 규정에 의하여 합병평가차익에 상당하는 금액을 손금에 산입한 합병법인이 합병등기일이 속하는 사업연도의 다음 사업연도 개시일부터 2년 이내에 피합병법인으로부터 승계 받은 사업을 폐지하는 경우에는 손금에 산입한 금액을 그 폐지한 날이 속하는 사업연도의 소득금액계산에 익금으로 산입한다.

라. 합병차익의 자본전입 시 의제배당 (법인세법 제16조 제1항 제2호 가목, 법인세법 시행령 제12조 제1항)

합병차익 중 합병평가차익, 소멸법인의 자본잉여금 중 의제배당 과세대상 금액, 피합병법인의 이익잉여금 상당액을 자본전입하는 경우에는 법인으로부터 이익을 배당 받은 것으로 본다. 다만, 법인세법 제44조 제2항 제1호, 제2호에 정한 합병의 기본조건을 충족하지 못하는 경우에는 합병평가차익을 자본 전입한 경우만 의제배당에 해당된다.

3. 합병차손(영업권)에 관한 세무

합병 시 소멸회사의 주주에게 지급한 합병대가(합병교부주식+교부금)가 피합병회사로부터 승계한 순자산가액을 초과하는 것을 합병차손(영업권)이라 하며, 기업회계기준에서는 영업권의 상각 기간을 최고 20년으로 정하고 있으며, 세법에서는 5년간 감가상각할 수 있도록 하고 있다.

○ 감가상각자산(법인세법 시행령 제80조의 3)

합병법인이 계상한 영업권은 합병법인이 피합병법인의 자산을 평가하여 승계한 경우로서 피합병법인의 상호, 거래관계 기타 영업상의 비밀 등으로 사업상 가치가 있어 대가를 지급한 것에 한하여 이를 감가상각자산으로 한다.

4. 세액감면 및 세액공제의 승계(법인세법 제44조의 3 제2항, 시행령 80조의 4 제2항)

법인세법 및 조세특례제한법 등의 적용에 의하여 세액감면(일정기간에 걸쳐 감면 받는 경우에 한함)을 적용 받던 내국법인이 합병하는 경우에는 합병법인 등이 승계 받는 사업에서 발생한 소득에 대하여 합병 당시의 잔존 감면기간 내에 종료하는 각 사업연도분까지 그 감면을 적용한다.

또한 이월공제가 인정되는 세액공제로서 이월된 미공제액의 경우에는 합병의 경우에 한하여 합병법인이 승계 받은 자산 등에 대한 미공제액의 범위 안에서 이월공제잔여기간 내에 종료하는 각 사업연도분까지 이를 공제한다. 단, 법인세법 제44조 제2항 각호의 네 가지 합병기본요건을 충족하여야 하며, 세액감면의 요건에 관한 규정이 있는 경우 합병법인이 그 요건을 충족해야 한다.

5. 이월결손금의 승계(법인세법 제45조)

장부가액 합병 시 일정한 요건을 갖출 경우 승계 받은 사업에서 발생된 향후 소득금액의 범위 안에서 이월결손금의 승계를 인정하고 있다. 합병의 장점 중의 하나인 이월결손금 승계를 통한 세액절감이라는 효과를 경영합리화 목적보다는 계열기업의 이월결손금을 승계하여 합병법인의 소득과 상계함으로써 조세를 회피하려는 수단으로 치우칠 우려가 있으므로 무한정 용인하기 어려운 점이 있다. 합병 시 이월결손금 승계할 수 있도록 한 조항은 아래와 같은 문제점을 안고 있다고 볼 수 있다.

가. 4조에서는 합병평가차익 과세이연 규정을 두고 세무상으로 시가평가에 의한 합병을 원칙으로 하고 있다. 그러나 법인세법 제45조에서는 장부가액 승계 시에만 이월결손금 승계를 인정하고 있다.

나. 피합병법인의 사업을 최소 5년간 구분경리하여야 하며, 이 승계 받은 사업부문에서 발생한 소득에 대하여만 이월결손금 공제를 인정하므로 그 실효성이 크지 않다.

6. 합병 시 이월결손금의 승계(법인세법 제45조)

(1) 각 호의 요건을 갖춘 합병으로서 합병법인이 피합병법인의 자산을 장부가액으

로 승계하는 경우 합병등기일 현재 피합병법인의 이월결손금은 이를 합병법인의 결손금으로 보아 그 승계 받은 사업에서 발생한 소득금액의 범위 안에서 대통령령이 정하는 바에 따라 합병법인의 각 사업연도의 과세표준계산에 있어서 이를 공제한다.

① 법인세법 제44조 제1항 각호에 해당할 것(1년 이상 사업 영위 법인간의 합병, 합병대가 중 주식교부비율 95% 이상, 합병등기일이 속하는 사업연도 종료일까지 승계 받은 사업 계속 영위)

② 피합병법인의 주주 등이 합병법인으로부터 받은 주식 등이 합병법인의 합병등기일 현재 발행주식총수의 10% 이상일 것

③ 승계사업과 기존 사업별 자산, 부채, 손익을 구분 경리할 것

(2) 제1항의 규정에 의하여 피합병법인의 결손금을 공제한 합병법인이 합병등기일이 속하는 사업연도의 다음 사업연도 개시일부터 3년 이내에 피합병법인으로부터 승계 받은 사업을 폐지하는 경우에는 공제한 결손금의 전액을 그 폐지한 날이 속하는 사업연도의 소득금액계산에 익금으로 산입한다.

(3) 조세를 부당하게 감소시키기 위한 목적의 합병이라고 인정되는 합병으로서 아래에 정하는 합병의 경우 합병법인의 이월결손금은 합병법인의 각 사업연도의 과세표준계산에 있어서 이를 공제하지 아니한다.

① 손금이 많은 법인을 합병법인으로 할 것

② 합병등기일이 속하는 사업연도의 직전사업연도 개시일부터 합병등기일까지의 기간 중에 합병법인의 상호를 피합병법인의 상호로 미리 변경등기 하였거나 합병등기일 후 2년 이내에 합병법인의 상호를 피합병법인의 상호로 변경등기 할 것

위 조항 중 제3항은 역합병을 규제하기 위한 것인데, 역합병이란 세무상 이월결손금이 있는 법인을 합병법인으로 하여 합병을 실시하고 합병완료 전후 합병법인의 상호를 피합병법인의 상호로 바꿈으로써 세무상 혜택을 보고자 하는 합병형태이다. 따라서 이러한 조건을 회피할 수 있다면 세무상 이월결손금공제 효과를 극대화 할 수 있을 것이다.

7. 합병 시 세무조정사항의 승계(법인세법 제44조의 2, 법인세법 시행령 제85조)

내국법인이 합병 또는 분할하는 경우의 법 또는 다른 법률에서 달리 규정하는 경우 외에는 법 제44조의 2 제1항, 제44조의 3 제2항, 제46조의 2 제1항, 제46조의 3 제2항 또는 물적분할에 따라 피합병법인의 각 사업연도의 소득금액 및 과세표준을 계산할 때 익금 또는 손금에 산입하거나 산입하지 아니한 금액(이하 이 조에서 "세무조정사항"이라 한다)의 승계는 다음 각 호의 구분에 따른다.

(1) 적격합병 또는 적격분할의 경우 : 세무조정사항(분할의 경우에는 분할하는 사업부문의 세무조정사항에 한정)은 합병법인에 모두 승계된다.

(2) 위 제1호 외의 경우 : 법 제33조 제3항 · 제4항 및 제34조 제4항에 따라 퇴직급여충당금 또는 대손충당금을 합병법인등이 승계한 경우에는 그와 관련된 세무조정사항을 승계하고 그 밖의 세무조정사항은 모두 합병법인에 승계되지 않는다.

8. 고정자산의 감가상각비 계산(법인세법 시행령 제29조의 2)

내국법인이 합병에 의하여 자산을 승계한 경우 자산 내용연수의 50%에 상당하는 연수와 기준내용연수의 범위 내에서 선택하여 납세지 관할 세무서장에게 합병등기일이 속하는 사업연도의 법인세과세표준신고기한 내에 내용연수변경신고서를 제출한 경우 신고한 연수를 내용연수로 할 수 있다.

○ 감가상각방법의 변경(법인세법 시행령 제27조 제1항)
상각방법이 서로 다른 법인이 합병한 경우 납세지 관할 세무서장의 승인을 얻어 그 상각방법을 변경할 수 있다. 감가상각방법 변경승인을 받지 아니한 경우에는 승계받은 피합병법인의 고정자산에 대한 감가상각 계산방법은 합병법인의 감가상각 계산방법을 적용한다.

9. 각종 부동산 명의이전 관련 취득세 등

합병이 되면 피합병회사의 명의로 되어 있는 부동산을 합병회사로 명의이전하게 되며 이에 따라 취득세 등 납부 문제가 발생한다.

(1) 취득세, 농어촌특별세 및 지방교육세
법인의 합병으로 인한 부동산(토지, 건축물) 및 부동산 외(선박, 차량, 기계장치,

항공기, 회원권 등)의 취득은 무상취득에 해당하여 합병 당시 시가표준액을 취득세 과세표준으로 한다.

여기에서 토지 및 주택의 시가표준액은 납세의무 성립 시기 당시에 '부동산 가격공시에 관한 법률'에 따라 공시된 개별공시지가, 개별주택가격 또는 공동주택가격으로 한다. 다만, 개별공시지가 또는 개별주택가격이 공시되지 아니한 경우에는 특별자치시장 · 특별자치도지사 · 시장 · 군수 또는 구청장(자치구의 구청장을 말함. 이하 같음)이 같은 법에 따라 국토교통부장관이 제공한 토지가격비준표 또는 주택가격비준표를 사용하여 산정한 가액으로 하고, 공동주택가격이 공시되지 아니한 경우에는 지역별 · 단지별 · 면적별 · 층별 특성 및 거래가격 등을 고려하여 행정안전부장관이 정하는 기준에 따라 특별자치시장 · 특별자치도지사 · 시장 · 군수 또는 구청장이 산정한 가액으로 한다.

법인의 합병이 법인세법 제44조 제2항 또는 제3항에 해당하는 '적격합병'의 경우에는 중과기준세율(2%)을 차감한 저율의 취득세율 적용이 가능하며, 이 경우 합병으로 취득하는 자산의 개별 세율은 다음과 같다.

구 분	A. 취득세율	B. 중과세율	C. 특례세율(A-B)
부동산	3.5%	2%	1.5%
기계장비	3%(*)	2%	1%
차량운반구	7%(**)	2%	5%
회원권	2%	2%	0%

(*) 「건설기계관리법」에 따른 등록대상이 아닌 기계장비는 2%가 적용됨
(**) 비영업용 승용자동차 이외의 자동차는 5%, 경자동차는 4%가 적용됨 단, 비영업용 승용자동차와 그 밖의 자동차 이외의 차량은 2%가 적용됨

또한, 합병일 현재 소비성서비스업을 제외한 사업을 1년 이상 계속하여 영위한 법인간의 합병으로서 법인세법상 적격합병에 해당하는 경우에는 합병에 따라 양수하는 사업용 재산에 대한 취득세에 대해 50%(중소기업기본법상 중소기업간 합병 또는 기술혁신형사업법인과의 합병 시 60%)를 경감 받을 수 있다.

한편, 취득세에 대한 농어촌특별세의 경우 취득세 과세분 및 감면분에 대하여 농어촌특별세가 부과되지 아니하고, 취득세에 대한 지방교육세의 경우 취득세율에서 1천분의 20을 뺀 세율을 적용하여 산출한 금액의 100분의 20을 적용하되 취득세에 대한 감면율을 동일하게 적용하여 산출한다.

이에 따라 적격합병 시 합병법인이 부담하게 되는 최종 부담세율은 다음과 같다.

구 분	A. 특례 세율	B. 감면율	C. 감면 후세율 (A×(1-B))	D. 지방교육세율 (C×0.2)	E. 부담세율 (C+D)
부동산	1.50%	50%	0.75%	0.15%	0.90%
기계장비	1%	50%	0.50%	0.10%	0.60%
차량운반구	5%	50%	2.50%	0.50%	3.00%
회원권	0%	50%	0%	0%	0%

한편, 합병등기일부터 3년 이내에 적격합병의 사후관리요건을 위반하는 사유가 발생하는 경우에는 경감된 취득세가 추징된다.

(2) 등록면허세, 지방교육세

합병으로 인하여 존속하는 합병법인의 자본금이 증가하는 경우 자본 증가 등기에 대하여는 등록면허세 및 지방교육세가 부과된다. 따라서, 합병법인이 합병대가를 지급하기 위해 신주를 발행하는 경우, 합병법인은 신주발행관련 등기에 대한 등록면허세를 납부하여야 한다. 이 때 합병법인은 불입한 금액(자본증가액)의 1천분의 4를 등록면허세로 납부하여야 하며(세액이 11만2천5백원 미만인 때에는 11만2천5백원으로 함), 등록면허세에 대한 지방교육세(등록면허세액의 20%)를 등록면허세와 함께 신고 · 납부하여야 한다.

한편, 수도권정비계획법 제6조 제1항 제1호의 규정에 의한 과밀억제권역 (이하 "대도시") 안에서 법인을 설립하거나 지점이나 분사무소를 설치함에 따른 등록면허세에 대하여는 일반세율의 3배를 중과한다. 다만, 대도시에서 설립 후 5년이 경과한 법인(기존법인)이 다른 기존 법인과 합병하는 경우에는 중과세 대상으로 보지 아니한다.

○ 적격합병(법인세법 제44조 제2항)

다음 각 호의 요건을 모두 갖춘 경우 "적격합병"이라 한다. 다만, 부득이한 사유가 있는 경우에는 제2호 · 제3호 또는 제4호의 요건을 갖추지 못한 경우에도 적격합병으로 볼 수 있다.

① 합병등기일 현재 1년 이상 사업을 계속하던 내국법인 간의 합병일 것. 다만, 다른 법인과 합병하는 것을 유일한 목적으로 하는 법인으로서 대통령령으로 정하는 법인의 경우는 제외한다.

② 피합병법인의 주주 등이 합병으로 인하여 받은 합병대가의 총합계액 중 합병법인의 주식 등의 가액이 100분의 80 이상이거나 합병법인의 모회사(합병등기일 현재 합병법인의 발행주식총수 또는 출자총액을 소유하고 있는 내국법인을 말한다)의 주식 등의 가액이 100분의 80 이상인 경우로서 그 주식 등이 대통령령으로 정하는 바에 따라 배정되고, 대통령령으로 정하는 피합병법인의 주주 등이 합병등기일이 속하는 사업연도의 종료일까지 그 주식 등을 보유할 것

③ 합병법인이 합병등기일이 속하는 사업연도의 종료일까지 피합병법인으로부터 승계받은 사업을 계속할 것

④ 합병등기일 1개월 전 당시 피합병법인에 종사하는 대통령령으로 정하는 근로자 중 합병법인이 승계한 근로자의 비율이 100분의 80 이상이고, 합병등기일이 속하는 사업연도의 종료일까지 그 비율을 유지할 것

10. 사업자 등록사항 변경신청

합병을 하면 피합병회사는 소멸하게 되고 피합병회사가 사용하던 사무실이나 공장은 합병회사로 명의가 이관되며 지점 또는 공장으로 변경된다.

따라서 소멸된 회사의 각 지역의 사업자등록증은 반납하게 되며 동시에 신규사업자등록증을 각 지역별로 신청하게 된다. 신규사업자등록신청 때는 합병법인등기부 등본 또는 합병계약서를 첨부한다. 신규사업자등록증의 신청은 합병등기일로부터 20일 이내에 신청하면 되지만 영업을 계속하는 기업의 경우 사업자등록번호가 없으면 단 하루를 지내기도 힘들므로 합병등기 즉시 사업자등록신청을 하는 것이 실무상 애로가 없다. 경우에 따라서는 합병등기 이전에 신규사업자등록증을 신청할 수도 있는데 이때는 합병계약서 사본을 첨부하면 된다.

11. 부가가치세 총괄납부 신청

부가가치세 주사업장 총괄납부는 원래 과세기간 개시 20일 전에 신청할 수 있다. 그러나 합병회사의 경우에는 위의 기간에 관계없이 합병한 때에 주사업장 총괄납부 신청을 할 수 있다.

IV. 합병법인 주주의 세무

1. 불공정합병에 대한 증여세 과세 및 부당행위계산의 부인

피합병법인 주주의 세무에서 설명한 바와 같이 특수관계 있는 법인간의 합병 시 합병법인의 주주도 불공정합병의 경우 증여세 과세대상이 된다. 또한 특수관계 있는 법인간의 합병 시 불공정합병으로 이익을 분여한 합병당사법인의 법인인 주주에게는 부당행위계산의 부인규정이 적용된다.

2. 합병에 따른 상장 등 이익의 증여의제 또한 피합병법인의 주주와 동일하게 적용된다.

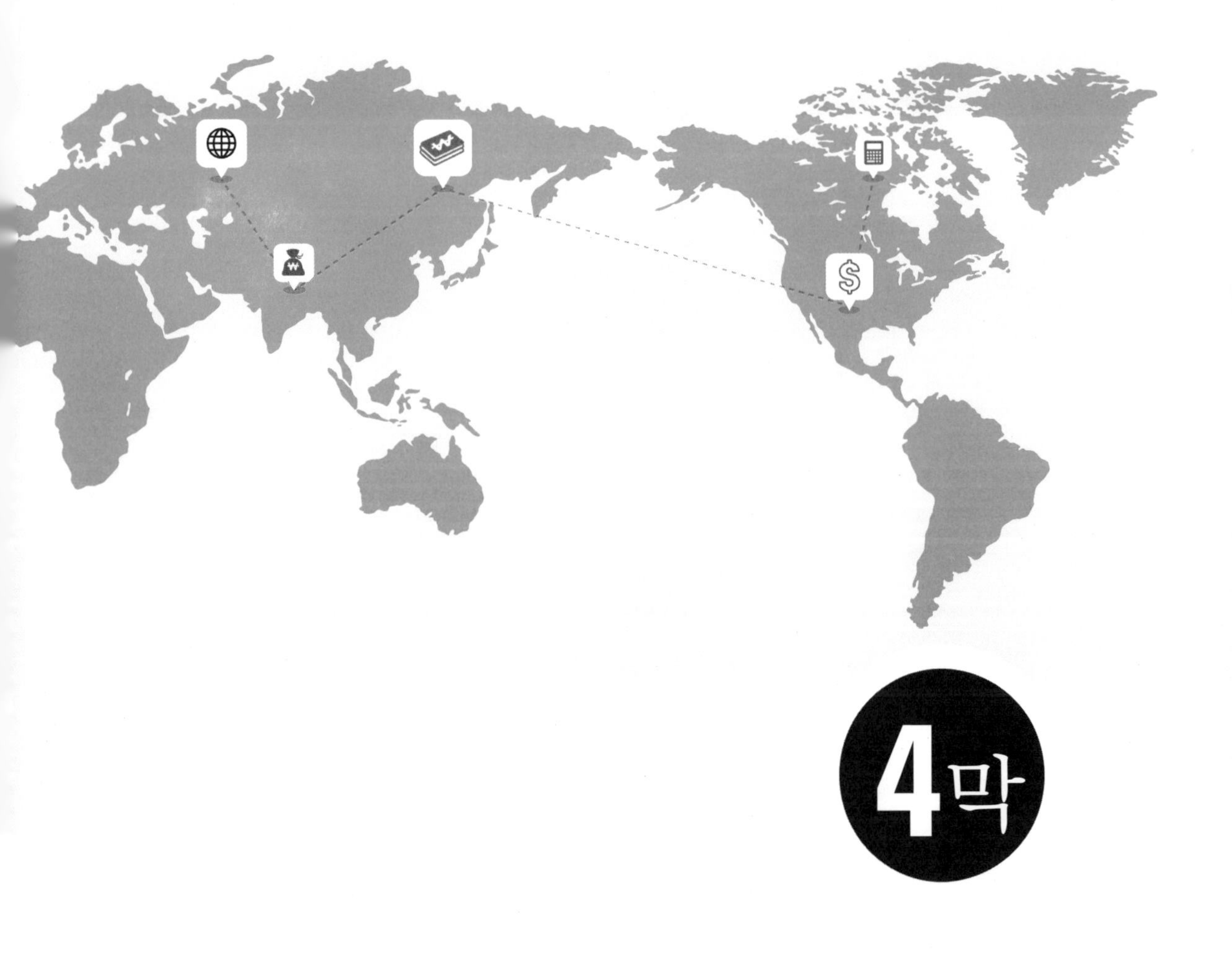

4막

합병 후 통합
(PMI : POST MERGER INTEGRATION)

M&A의 성공을 인수 시점에서 논하는 것은 섣부른 행동이다. M&A의 성공을 논할 수 있는 때는 성공적인 통합(PMI)이 이루어지고 난 후이다. PMI과정을 통해서 시너지효과가 확보되며, 또한 인수합병에 수반되는 모든 위험요인들이 관리된다. 인수합병 시에 고려되지 못하거나 잘못 판단한 법률적, 세무적, 회계적, 노사간의 다양한 이슈들이 통합과정에서 도출되며 이를 원만히 해결하는 것이 앞으로 전개될 사업의 시너지효과를 확보하게 된다. 인수합병의 성공은 PMI 과정을 통해서 얻어진다.

한국글로벌은행이 탄생한 후, 통합작업은 더욱 거세게 진행되었다. 감독기관들의 감사는 하루가 멀다 하고 이어졌다. 계속된 감독기관들의 감사는 직원들을 파김치로 만들어 놓고 있었다.

김본부장이 회사를 떠난다는 소문이 있은 지 며칠 뒤, 그를 위한 조촐한 송별회가 열렸다. 그날 저녁식사는 여느 때와는 달랐다. 미국에서 MBA학위를 받은 것에 대해 떠벌리기를 좋아하던 한 남자직원이 말문을 열었다.

"M&A의 성공은 통합에 달려 있지요. 그리고 통합이란 두 개의 독특한 객체가 하나로 되어 가는 과정입니다. 그런 과정은 변화를 요구하고, 그 변화는 통합의 시너지효과(Synergy Effect)를 최대화하기 위해서 조직 구성원들로 하여금 고통을 요구하게 됩니다. 통합이란 조직 구성원들의 가치보다는 조직의 가치를 창조하는 작업입니다."

그의 말은 분명 조리가 있었지만 왠지 차갑게만 느껴졌다.

그러자 우리 옆 좌석에 조용히 앉아 있던 또 다른 남자직원이 그의 말에 시비라도 걸려는 듯 되받아쳤다.

"그런데 시너지효과를 최대화한다고 어항의 물을 전부 새 물로 교체하여 어항 속의 물고기를 죽이는 우는 범하지 말아야 하지 않겠어요. 경영층 입장에서는 통합을 성공적으로 완수하고 시너지효과를 최대화하고 싶겠죠. 하지만 구성원들의 뼈를 깎는 고통만 요구해서야 되나요? 리더들도 고통을 분담해야지요. 그리고 무엇보다 리더의 역량이 성공적인 통합을 위해서는 필수적이라고 생각합니다."

그의 말은 이어졌다.
"진정한 시너지효과는 통합의 가치와 목표를 모든 구성원들과 함께 공유하는 데서 오는 거 아닙니까?"

그의 말에는 힘이 실려 있었고 왠지 그가 내뱉는 말에는 가시가 돋아 있는 듯했다.

그날 송별회는 온통 토론의 장으로 뒤범벅이 되었다. 토론의 열기가 잠시 주춤할 때였다. 그날의 주인공인 김본부장이 소주를 연거푸 두어 잔 마시더니 마침내 말문을 열었다.

"세계화 (Globalization)라는 물결을 탄 이상, 앞으로 우리는 많은 변화를 겪게 될 것이고 그 변화 속에서 생존하는 방식을 체득해야 할 것입니다."

지금까지의 대화 내용과는 다른 무게감을 우리는 느낄 수 있었나. 그의 말은 계속되었다.

"우리는 지금 격동의 시대를 살고 있는 거지요. 그리고 그러한 격동은 우리 스스로가 만든 것입니다. 우리는 자본의 소비자이자 동시에 주인(투자자)으로 살아가고 있어요. 바로 그런 주주자본주의가 자본이득을 최대화하기 위해 필요한 것이 M&A이고 그 속에서 우리는 변화의 고통을 겪게 되는 것입니다. 그러니 그러한 변화는 우리가 자초한 것이고 거센 시대의 물결입니다. 그러한 물결을 거슬러 갈 수 없다면 타고 갈 수 있는 법을 배워야겠지요".

김전무의 말은 많은 것을 내포하고 있는 것 같았고, 아무도 그의 말에 토를 다는 사람은 없었다.

1장 변화관리 – 변화의 역동성(Dynamics)을 이해하라

"Real Deal"은 아무리 경험이 많은 인수기업이라 할지라도 두 기업을 통합하는 일은 매우 어렵다는 것이다. 모든 통합작업은 또다른 시도이며, 변화이다. 변화없이 통합은 이루어질 수 없다. M&A에서 성공하기 위해서는 반드시 변화하는 통합의 전프로세스를 관리할 수 있어야 한다. M&A의 시너지를 확보하기 위해서 통합과정의 모든 변화를 관리해야 한다. 변화는 소통관리, 새로운 리더십의 발현, 문화적 갈등관리, 팀워크와 적절한 보상, 주요직원의 보유, 새로운 업무프로세스 등 통합의 모든 요소에 걸쳐져 있다.

모든 직원들이 숨죽이며 비상사태를 예의 주시하고 있는 동안 통합 첫째 날(Day 1)은 아무런 문제가 없이 지나갔다. 그러나 통합작업은 이제부터 본격적으로 시작된다. 뉴욕에서 온 밥을 비롯한 PMO팀 멤버들은 대부분 돌아갔다. 뉴욕팀 멤버 중의 한 사람이었던 낸시만이 남았다. 낸시는 통합팀리더들과 계속해서 회의를 진행했고 이슈사항을 뉴욕에 전달하는 역할을 했다. 이제 통합 문제는 한국에 있는 직원들이 주도적으로 이끌고 가야 한다. 통합팀이 통합매니지먼트위원회(Integration Management Committee)라는 이름으로 변경되면서 통합작업의 공이 이제는 통합은행의 매니지먼트에게 넘어갔다. 통합매니지먼트회의는 제한된 인원으로 계속되었다. 조직의 변경이 계속되고 있는 가운데 회의에 새롭게 참석한 팀멤버들은 서로의 눈치를 살피고 있었다.

매니지먼트는 그 동안 쏟아낸 통합방법론들에 대한 박차를 더욱 가할 태세였다. 통합과정의 목표 지점을 명확히 하며 통합이라는 혼돈 속에서 초점을 유지하기 위해 안간힘을 쓰고 있었다. 통합프로젝트 초반의 PMO, 칵핏매니지먼트, Day1시나리오 등의 통합도구는 짧은 기간에 직원들을 한 방향으로 몰아가는 데 효과적인 듯 보였다. 계속적으로 제시된 새로운 통합논의들은 직원들을 자극할 수 있었다. 직원들의 불평이 나오려는 찰나에 항상 새 업무가 던져졌고 그럴 때면 직원들은 상황파악을 하기 위해서 분주하게 움직여야 했다. 그러는 사이 통합이라는 목적지에 조금씩 다가가고 있었다.

누가 두고 간 지 모를 한 권의 작은 책이 크리스의 눈에 들어왔다.

'누가 내 치즈를 옮겼을까?'

제목이 익숙한 영문으로 된 책자였다. 지난 저녁에 뉴욕과 컨퍼런스콜을 함께 하던 직원 가운데 누군가 그 책을 크리스의 책상 한 구석에 놓고 간 듯했다. 크리스는 호기심에 책 장을 한두 장 넘기기 시작했다. 변화관리(Change Management)에 관한 책이었다. 책은 몇 사람이 돌려가며 보았는지 겉장이 닳아 해어져 있었다. 크리스의 머릿속은 불현듯 책을 읽고 있는 직원들의 모습이 떠올랐다. 직원들이 그간 계속된 조직개편과 줄어들지 않는 통합업무로 인해 심적으로 많이 지쳐 있는 것이 분명했다. 그러고 보니 인수작업이 시작되면서부터 직원들과 식사 한 번 제대로 못했다는 생각이 들자 죄책감이 느껴졌다. 하루하루 밀린 일을 처리하느라 직원들의 마음을 돌아볼 수 없었다고 혼자 위로도 해 봤지만 완전한 면제부가 되지 않을 것 같았다.

크리스는 직원들의 마음을 달래 주어야겠다는 생각이 들어 모처럼만에 조촐한 회식자리를 마련했다.

"다들 미안해요. 이런 자리를 자주 만들어야 하는데. 바쁘다는 핑계로 그러지 못한 점 이해해 주시고 오늘은 편안하게 그 동안 하지 못했던 얘기 나누는 시간을 좀 갖도록 합시다."

크리스는 직원들이 건네주는 소주잔을 연거푸 마시며, 직원들을 위로하기 위해 통합은행의 미래(Vision)를 공유하고자 애를 쓰고 있었다.

"은행에서 여러분들을 위해 좋은 프로그램들을 많이 계획하고 있으니 조금만 기다려봐요. 그리고 어려운 점이 있으면 언제라도 얘기를 해 주세요. 매니지먼트에 건의를 해 보겠습니다. 가까운 길을 가기 위해서는 혼자 뛰어 가고 먼길을 가기 위해서는 함께 가야 한다고 했어요. 통합작업은 서로 위로하며 함께 가야 할 길입니다. 아무튼 좋은 프로그램들이 많이 나올 것입니다. 그리고 국내 다른 은행들이 모두 부러워 할 정도로 통합은행의 미래는 밝으니 함께 지켜보며 기다려 봅시다."

크리스의 얘기가 끝날 무렵 김과장이 신세대다운 질문을 던졌다.

"해병대 훈련 프로그램에는 모든 직원들이 가야 합니까? 사무실에서 과로로 쓰러지고 훈련받으며 또 쓰러지라는 얘긴지요?"

"그건 걱정 안해도 될 듯합니다. 직원들의 단합(Team Building)을 위해서 그런 아이디어는 있었지만 그 프로그램은 진행하지 않기로 했습니다. 직원들의 단합을 위한 것이지만 직원들에게 또다른 고통을 주는 프로그램이 될 것 같아서 취소되었습니다. 컨설팅 업체의 물정 모르는 컨설턴트의 아이디어였어요. 해외교육이나 여행프로그램을 계획하고 있어요. 그리고 여성직원들을 위해 특별한 프로그램도 준비 중이고요."

크리스는 직원들의 마음을 달래기 위해 안간힘을 쓰고 있었다.

"여러분들 힘든거 모두 알고 있어요. 은행은 여러분들의 노고에 많이 감사하고 있어요. 그리고 여러분들이 앞으로 통합은행을 이끌고 갈 주역들이니 긍지를 가져 주세요. 그리고 무엇보다 현재 진행 중인 감사가 끝이 나면 이런 시간을 자주 갖도록 해 보겠습니다."

크리스는 직원들의 마음을 잘 알고 있었다. 통합작업이 진행되기 전만 해도 많은 직원들이 크리스 방을 방문해서 진로나 인생 상담을 하곤 했었는데 언제부턴가 찾아오는 직원들이 없었다. 고된 통합작업은 직원들 간의 소통(Communication)을 막고 있었다. 하지만 통합이 성공적으로 이루어지기 위해서는 반드시 소통이 원활하게 이루어져야 한다. 직원들이 길을 잃지 않도록 하는 것은 통합팀리더들이 반드시 해야 하는 일이었다.

회식이 있은 지 며칠이 지나자, 은행에서는 지친 직원들을 달래기 위해 여러 당근들을 내놓기 시작했다. 해외에서 업무훈련을 받을 수 있는 기회도 넓혔고, 2주간 해외여행을 갈 수 있는 프로그램도 내놓았다. 그런데 당근(Rewards)이라고 내놓은 메뉴들이 직원들 사이에 더 많은 갈등을 만들어내고 있는 듯했다. 그런 혜택을 받을 수 있는 직원은 업무를 열심히 하고 있는 직원이 아니라는 것이다. 통합이 진행되고 있는 가운데 하루라도 자리를 비울 수 없는 처지가 된 직원들은 그런 기회를 잡지 못한다는 것이다. 그러니 오히려 그런 프로그램들이 직원들 간의 갈등의 골만 더 깊게 만들고 있었다.

압구정지점의 지점장인 장이사가 크리스를 찾았다.

"오랜만이야. 여전히 일이 많지? 그래 견딜만 한가?"

"예 지점장님. 저도 요즘 생각이 많아요. 분위기도 이상하고요. 그런데 지점은 어떻습니까?"

"지점도 마찬가지네. 지점의 조직도 뒤죽박죽이라 업무가 잘 안돌아가네. 직원들이 요즘 모두 우울증에 빠진 것 같네. 그냥 버티면 되겠지 그런식이야."

"그 동안 너무 지쳐서 그런가봐요. 앞으로 조금씩 좋아지겠지요."

"크리스, 이럴 때는 조용하게 있는 게 최고네. 너무 열심히도 하지 말고 가만 있지도 말고. 너무 튀면 좋지 않네. 적당히 하게나."

무리하게 신행된 동합은 직원들을 지치게 할 수 밖에 없었다. 감독 당국의 감사가 시작되자 그 정도가 한층 더 심해졌다. 밑도 끝도 보이지 않는 업무, 감독 당국으로부터의 시달림, 불안한 조직체계, 밀려드는 업무스트레스, 양 은행의 문화적 차이로 인한 직원들 간의 갈등은 언제부턴가 조직우울증(Group Depression)이 생겨나게 하고 있었다.

은행통합이 이루어진 후, 감독당국으로부터 감사는 정해진 수순 같았다. 감사가 진행되고 있는 동안, 크리스는 발등의 불을 끄느라 정신이 없었다. 통합의 불협화음이 여기저기에서 터져 나오고 있었다. 크리스가 맡은 일은 매일매일 불 난 곳에 불을 끄러 다니는 소방수였다.

진통은 계속되었다. 대한은행 노동조합의 움직임이 심상치 않게 돌아가고 있었다. 최근에 발표된 매니지먼트의 조직에 대해서 불만을 갖고 있는 듯했다. 통합은행의 부행장그룹에 글로벌은행 출신이 너무 많다고 주장하면서 인사정책이 편파적으로 운영되고 있다는 판단을 하고 있었다. 한편, 글로벌은행의 노동조합은 글로벌은행 출신 직원의 수가 상대적으로 열세에 있어 아무런 목소리를 내지 못한 채 부당한 처우를 받고 있다고 주장하면서, 부서장의 경우에는 대한은행 출신이 많이 포진하고 있어 글로벌은행 출신 직원들이 부당한 대우를 받고 있다는 판단을 하고 있었다. 어느 쪽에도 만족할만한 해답이 없었다. 최고경영층과 중간관리자인 부서장 그리고 부서장그룹과 직원간의 의사소통 채널이 제대로 확보되지 않는 구조가 그려지고 있었다. 통합은행의 새로운 비전은 어느 쪽에도 보이지 않는 듯했다. 통합된 은행의 모습이라기보다는 '이쪽'과 '저쪽'을 구분(We and They Syndrome)하는 신드롬이 직원들 사이에 전염되어 있었다.

직원들의 사기진작을 위해서 솔루션을 내놓아야 한다. 그래서 매니지먼트는 가시적인 통합효과를 선전하면서 직원들의 사기를 진작시키고자 축하공연을 진행했다. 전례 없이 축하공연이 대규모로 기획되었다. 통합은행의 전직원을 대상으로 초청장이 배부되고 각 부서별로 참석자의 명단을 작성하라는 명령이 떨어졌다. 크리스도 김전무의 권고로 행사장을 찾았다. 행사장은 많은 사람들로 북적거리고 있었다. 한눈에 보기에도 통합은행 전체 직원의 절반 이상이 참석한 듯 보였다. 신문사와 방송국의 기자들도 간혹 눈에 들어오는 걸로 봐서는 은행이 '통합'이라는 주제로 홍보를 할 수 있는 절호의 기회인 것만은 분명해 보였다. 그런데 글로벌은행에서 참석한 직원들은 잘 보이지 않았다. 축하공연이 통합작업으로 지친 직원들에게는 필요한 청량제임에는 분명했지만 그것만으로는 충분치가 못해 보였다.

통합에 수반되는 변화는 여러 요인에 기인한다. 통합을 통해서 기대하는 재무목표를 공격적으로 설정, 통합에 소요되는 시간적 압박, 문화적 차이로 인한 충돌, 조직의 불안정성으로 인한 조직의 정치적 성향, 의사소통의 비원활성, 조직의 구조조정, 직원들에 대한 동기유발 등은 통합이 진행되는 동안 변화를 유발한다.

변화의 역동성은 다양하게 나타난다. 직원들은 자신과 관련된 불확실성을 해소하는 데 온통 집중하며, M&A상황에서 조직의 리더들은 진정한 리더십을 발휘하지 않고 '정치'를 하려는 경향이 있다. 의사소통이 원활히 이루어지지 않으면 소문과 잡음이 끝이지 않게 되고, 통합작업을 내부적인 일로 치부하여 고객에게 소홀하게 된다. 또한 통합작업의 시간적 압박은 의사결정자들에게 의사결정을 미루려는 유혹으로 작용하여 통합의 완벽한 솔루션을 기대하면서 의사결정을 유보할 수 있다. 통합작업은 부서간에 유기적으로 이루어져야 함에도 불구하고 각 부서는 자신의 부서와 관련된 업무에만 집중하려는 경향도 있다. 이러한 변화는 모든 조직구성원에게서 나타나며, 또한 인수한 기업의 직원들에게도 나타나게 된다.

성공적인 통합을 위해서는 변화의 역동성을 이해하면서 그러한 역동성을 이용하여 문제점을 찾아내고 해소하는 실마리를 찾아야 한다. 통합리더들의 역할이 무엇보다 중요하다. 통합리더는 통합의 불확실성을 해소하기 위해 리서십을 발휘해야 하고 변화에 저항하는 직원들에게 필요한 대책(의사소통, 교육, 보상 등)을 마련해야 한다.

2장 인사관리-주요 직원을 보유(Retention)하라

두 은행의 합병은 금융감독원의 승인뿐만 아니라 미국 금융감독당국의 승인도 받아야 했다. 예상치 못한 이슈들이 계속 제기되면서 합병계약을 몇 번이고 수정해야 했다. 뉴욕에서 날라오는 이메일에는 항상 'ASAP(As Soon As Possible)'이라는 문구가 마지막 문장에 또렷이 새겨져 있었다.

마침내, 합병에 대한 금융감독원의 승인이 떨어졌다는 소식이 전해지면서 축하메시지가 은행장으로부터 전 직원을 대상으로 전달되었다.

"오늘 아침, 우리는 한국글로벌은행으로 새롭게 태어났습니다. 그 동안 직원 여러분의 노고에 감사합니다. 앞으로 더욱 정진하여 새로운 은행을 만들어 나갑시다. 기업금융 그룹의 One Down매니지먼트 팀과 다음 레벨의 리더쉽 팀이 이미 발표되었고, 이제 보다 자세한 저희 조직의 세부 차트를 보여드리게 됨을 기쁘게 생각합니다. 새로운 조직에서 여러분의 역할에 대한 궁금증이 있을 경우, 언제라도 여러분의 그룹 Head 및 부서장에게 문의하실 수 있습니다."

직원들은 새로운 은행의 탄생보다 자신들이 몸담았던 은행들이 사라지는 것이 못내 아쉬운 듯 보였다. 대한은행과 글로벌은행은 역사 속으로 사라진 것이다.

통합은행의 조직이 발표되면서 직함이 중요한 이슈로 떠올랐다. 대부분의 외국계은행이 그러하듯 글로벌은행의 직급체계는 국내은행과 달랐다. 직급체계는 근본적으로 다른 인사체계에 기인했다. 글로벌은행의 경우는 성과체계(Meritocracy)를 인사운영 방식으로 채택하고 있기 때문에 직원의 업무성과 평가에 따라서 직급이 정해졌다. 그러나 대한은행은 대부분의 국내은행들과 같이 연공서열(Seniority)방식을 채택하고 있었다. 따라서 직급을 1대 1로 매칭(Matching)한다는 것은 불가능해 보였지만 통합을 위해 풀어 나가야 할 숙제였다.

인사운영방식의 결정은 앞으로 은행의 운영방식을 어떻게 가지고 갈 것인지에 대한 중요한 열쇠가 된다. 직급조정(Matching)에 대한 가이드라인은 직원들을 혼돈 속으로 몰아 넣으며, 직원들의 술렁임은 한 동안 계속되었다.

김전무와 오랜만에 함께 점심을 먹는 기회를 가졌다.

"같은 사무실에 있어도 얼굴 뵙기가 힘드네요. 제가 자주 인사를 드리러 가야 하는데 워낙 일이 밀려 들어서요."

크리스가 먼저 말을 건냈다.

"아니, 내가 미안하네. 자주 이런 기회를 마련해야 하는데 나도 일이 주체를 못할 정도라네. 앞으로는 일부러 시간을 내어서라도 가끔이라도 식사하세."

"그런데 전무님, 통합은행이 되면서 직함이 부장으로 되어 있는 것 같던데요. 이건 너무 이상한 것 같아요. 뭔가 왠지 뒤죽박죽이 되어 가는 것 같아요."

크리스는 조심스럽게 불평을 늘어 놓았다.

"크리스, 나는 괜찮네. 직급이 뭐 그리 중요한 건가. 일을 할 수 있도록 해 주는 것만으로도 하나님에게 감사하네. 이제 아무 기대도 하지 않아."

김전무는 신앙심이 깊고 긍정적인 분이었다. 김전무의 말이 이어졌다.

"그건 그렇고, 뉴욕에서 요청한 건에 대해서는 잘 해결되었는가?"

"주식보상(Equity Compensation)에 대한 이슈 말씀하시는 겁니까? 그 문제에 대해서는 뉴욕에 일단 이메일을 보낸 상태입니다. 어떻게 나오는지 두고 봐야 할 것 같아요."

"도대체 뉴욕에서 어쩌고 싶다는 거지?"

"본사에서 한국에 있는 직원들에게 보너스로 주고 있는 주식보상에 대해서 한국에서 현금으로 본사에 지급하라는 겁니다. 그런데, 현행 세법에 의하면 한국지사가 본사로 현금을 지급하는 경우, 한국의 직원들에게 부여한 주식보상만큼의 소득은 갑근소득(Class A)으로 처리되고 현금을 지급하지 않는 경우에는 을근소득(Class B)으로 처리하게 되어 있습니다. 문제는 본사에 현금으로 지급한 비용에 대해서 우리 은행입장에서는 비용인정을 받지 못한다는 것입니다. 이렇게 되면 본사에서는 지사로부터 그에 대한 비용을 지급받고 싶은데 법인세비용도 인정되지 않는 마당에 비용을 청구해서 받을 명분이 없어 지게 됩니다. 미국세법에서는 지사에서 비용을 인정받지 못한 경우에는 본사에서 비용을 인정받을 수 있도록 되어 있습니다. 그런데 비용인정을 어디에서 받는 것이 중요한 것이 아니고 본사 자금업무부(Treasury) 입장에서 보면 관련비용을 지사로부터 현금으로 지급받고 싶어 하는 것 같아요. 통합 후 주식보상을 받게 되는 직원이 상당히 많아진 것을 고려하면 금액이 예전보다 커졌지 않습니까? 자금업무부에게는 관련비용을 지급받지 못하면 상당한 부담이 되는 건 사실이거든요.

"그런데 어쩌겠나. 한국 세법이 그런 걸. 크리스한테 불평을 늘어 놓는다고 해결될 일이 아닌데 말이야.

"제가 보기엔 국세청도 입장이 있는 것 같습니다. 국내 대기업의 경우, 해외 자회사의 비용으로 처리하지 않고 국내 본사의 비용으로 처리할 수 있도록 해 주고 있거든요. 그러니 해외기업의 국내지사에 대해서 다른 원칙을 적용하기가 지금으로서는 어려울 것 같습니다. 그래서 국세청의 입장은 본사에서 보상한 것이니 본사비용이라는 입장을 고수하고 있는 것입니다.

"안되는 것은 안되는 거지. 세법을 개정하는 작업을 해야 할 것 같구만."

"맞습니다. 당장은 해결하기 힘든 문제고 절차를 거쳐야 하는데 뉴욕에서는 급하게 몰아 세우니 안타까울 따름입니다."

"인사부 최부장과 회의가 있어 다녀와야겠습니다."

인사팀의 최부장이 회의를 소집했다. 통합은행이 되면서 뉴욕과 다른 해외지점에서 한국글로벌은행으로 파견되어 오는 매니저들이 많아졌다. 해외에서 파견된 매니저들은 2~3년의 계약기간으로 파견근무를 오고 있었다. 외국인이 국내에서 근무하게 되는 경우 Cross-Border 세무문제가 발생하게 되는데 최부장에게는 예전에 없던 골칫거리가 되었다.

"오늘 이렇게 미팅을 주선한 것은 파견근무하게 되는 매니저들에 대한 인사업무와 관련해서 프로세스를 정립할 필요가 있어서 입니다. 계약관계는 그리 힘들지 않은데 세무 이슈에 대해서는 가이드라인이 필요할 것 같아서요."

최부장은 매일같이 쏟아지는 통합업무로 인해 힘겨워 하고 있었다.

크리스는 정리한 내용을 펼쳐 보이며 회의를 리드했다.

"제가 그렇지 않아도 지난번 미팅이 있고 난 후에 정리를 해 보았습니다. 일단 제가 드래프트한 서류를 보면서 얘기 하시죠. 일단 간략히 말씀드리면, 파견된 매니저들은 외국거주자이지만 국내에서 6개월 이상 체류하면서 업무를 계속적으로 하게 되면 국내거주자로 국세청에 세금납부 의무가 생깁니다. 물론 매니저들을 위해 발생하는 모든 비용에 대해 무조건 세금을 내는 것은 아닙니다. 비과세되는 항목도 있으니 하나하나 짚어 봐야 합니다. 자료에 상세하게 열거해 놓았습니다."

"그런데 파견된 매니저들의 사택(Housing)에 대해 지불하는 금액도 월급으로 처리해야 하나요?"

"반드시 그런 건 아닙니다. 은행에서 사택 임대업자와 직접 계약을 맺고 바로 지급을 하게 되면 월급여에 포함시키지 않아도 됩니다. 그 부분도 대해서도 자료에 정리를 해 두었습니다."

"알겠습니다. 어머, 정리가 너무 잘 되어 있는 것 같아요. 인사부 직원들한테 이 자료를 가지고 교육을 하면 될 것 같아요. 너무 고맙습니다. 일단 인사부에서 이 표를 참고해서 업무를 하다 모르는 것이 있으면 연락을 드리면 될 것 같네요."

"그러나저러라 요즘 인사부에서 처리해야 할 일이 많아 보이네요. 통합작업에서 중요한 것이 인사문제인 만큼 말예요."

최부장에게 필요한 내용을 모두 전달했다는 생각에 크리스는 가볍게 통합에 대한 얘기를 꺼냈다. 최부장은 함께 동석했던 여직원들에게 업무로 복귀하라는 눈치를 보내고 크리스에게 말을 건넸다.

"맞아요. 요즘 죽을 지경이에요. 직급매칭 때문에 골치가 아파요. 인사부에서 할 일이긴 하지만 우리로서는 가이드라인에 따라서 일을 처리할 뿐이에요. 아무튼 크리스 같은 분은 은행에 오래 남아 있어야 하는데 앞으로 직원들이 어떻게 될지 모르겠어요."

"저야 최부장님이랑 오래 함께 해야죠. 제 생각에도 그 동안 함께 고생했던 분들이 오래 남아 있었으면 좋겠어요. 누가 남고 누가 떠나느냐에 따라 통합의 성패도 달려 있을 것 같아요. 제 생각에도 직원들에게 금전적으로만 보상하려는 것은 좋은 방법 같지가 않아요. 긍지(Pride)를 가질 수 있도록 해 주어야 할 것 같아요. 비전이 있고 꿈만 있으면 어떻게든 어려운 곤경은 참을 수 있지 않을까요?"

"맞아요. 인사가 만사라는 데 저희도 걱정이에요. 일단 통합이 한창 진행되고 있는 동안에는 중요한 직원들의 유출은 막아야 하겠지요. "

최부장과 미팅을 한 다음 날, 부서장들에게 통합에 반드시 필요한 주요직원들에 대한 관리계획서를 제출하라는 지령이 떨어졌다. 직원관리가 업무평가(Work Appraisal)에 가장 중요한 평가항목(Indicator)이라는 가이드라인이 접수되었다.

인사통합은 급하게 이루어지면 안되는 문제였다. 직급매칭이 이루어지고 난 뒤에도 업무성과에 대한 기준은 바뀌지 않았다. 표면적으로는 인사체계가 통합된 모습이지만 속을 들여다보면 두 개 은행의 인사체계가 그대로 유지된 것이다. 인사체계를 바꾸는 문제는 노동조합과 직접적으로 대치하는 문제를 야기하기 때문에 급작스러운 변화보다는 점진적인 변화를 시도하는 방향으로 가고 있었다.

3장 고객관리 – 고객을 사수하라

장기화된 노조의 파업으로 피해를 입은 고객들의 신뢰를 회복하는 것이 무엇보다 시급한 과제가 되었다. 파업영업으로 인해 불편을 겪게 된 소비자금융(Consumer Banking) 고객들의 이탈현상이 계속되었다. 고객이 합병되는 은행으로 옮겨 가는 것을 꺼리는 경우는 어쩔 수 없는 일이었다. 대한은행의 신용등급이 글로벌은행보다 낮아서 갈 수 없다는 이유를 밝히는 고객도 있었다. 특히 글로벌고객의 경우, 거래할 수 있는 금융기관의 신용등급이 문제가 된 것이다.

정부는 부동산시장의 과열을 잠재우기 위해 시중은행에 대한 대대적인 대출규제를 하기 시작했다. 담보물건 대비 대출금 비율 기존 60%에서 40%로 낮추고 부동산담보대출 조건을 까다롭게 할 것을 주문해 왔다. 이러한 규제는 일차적으로 시중은행을 대상으로 한 것이었기 때문에 외국계 금융회사인 글로벌은행의 소비자금융사업에는 좋은 기회를 제공하고 있었다. 기업금융이 제자리 걸음을 하고 있는 상황에서 부동산담보대출은 은행들에게는 수익을 창출할 수 있는 유일한 방법처럼 여겨지고 있는 상황이었다. 그러나 문제는 파업이었다. 장기화된 파업은 마침내 영업에도 영향을 미치기 시작했고 소비자금융을 담당하는 지점들의 영업이 파행으로 치닫고 있었다. 급기야는 신규대출의 전면 중단이라는 사태로 발전하였다.

그런데 문제는 대출뿐만이 아닌 듯했다. 신문과 TV방송에서는 파업에 대한 우려의 목소리를 높여 가고 있었다.

“금융당국에 따르면 파업기간 중 10영업일 동안 대한은행에서는 총 2조 5,000억 원이 넘는 예금이 빠져 나갔으며, 한 달이 넘는 파업기간 중 우리은행, 하나은행 등 다른 시중은행의 수신고가 늘어났다는 점을 고려할 때 고객들이 다른 은행으로 이전해 갔을 가능성을 배제할 수 없습니다. 국내은행에 새로운 바람을 몰고 올 것이라던 예상과는 달리 글로벌은행은 초반부터 삐걱대고 있는 듯합니다. 10년 내 국내은행의 선두권 진입이라는 목표가 무색하게만 보입니다. 앞으로 글로벌은행의 귀추가 주목됩니다."

뉴스를 지켜보던 크리스는 우울한 기분이 들었다.

계속된 파업에도 본사는 요지부동이었다. 대한은행 노조와 본사와의 갈등은 극으로 치닫고 있었다. 노조는 총파업을 예고했고 본사는 협상에 대한 의지를 보이지 않고 있었다. 양쪽은 이번에 밀리게 되면 영원히 끌려 다닐 수 밖에 없다는 듯 팽팽한 줄다리기를 벌이고 있는 듯했다.

결국 노조는 총파업을 결정했다. 통합작업의 열기가 뜨거웠던 사무실은 일시에 텅 빈 공간이 되어 버렸다. 크리스는 걸려오는 전화를 받느라 정신이 없었다. 예전 같으면 지점으로 걸려올 듯한 전화가 크리스에게 예고도 없이 걸려왔다.

"여보세요. 한 가지 물어 볼 것이 있습니다. 제가 거래하는 대한은행 지점으로 전화를 했더니 이 전화번호로 연결해 주네요."

대한은행 지점의 소비자금융 고객이었다. 어떤 상황에서도 고객은 내부의 갈등을 감지해서는 안된다. 고객에게 'One Face'를 유지해야 한다는 지령이 머리를 불현듯 때렸다.

"예. 저는 본사에 있습니다만 제가 도울 수 있는 일이라면 도와 드리겠습니다. 무슨 일로 그러시는지요?"

"저는 최근에 미국영주권을 취득했습니다. 그런데 영주권자가 글로벌은행에 예금을 하면 미국세무당국(Internal Revenue Service)에 보고를 해야 한다고 해서요. 다른 은행에서는 그런 얘기를 하지 않던데. 만약에 그렇다면 글로벌은행과 더 이상 거래를 할 수 없을 것 같네요. 예전에 대한은행일 때는 그런 얘기가 없었는데 통합이 되면 그렇게 바뀌는 건가요?"

고객은 난처해 하고 있었다.

"그 질문이라면 제가 도와드릴 수 있을 것 같습니다. 조금 복잡한 내용이 될 수 있습니다만 제가 최선을 다해 답변을 해 드리도록 하겠습니다. 우선 먼저 고객님께서 이해하시고 있는 내용에 다소 오해가 있는 것 같습니다. 미국은 한국과 비슷한 세금체계를 갖고 있습니다. 기본적으로 고객님이 벌어들인 수입은 나라에 관계없이 세금을 납부하여야 합니다. 미국과 한국의 과세당국은 납세자의 세계소득(World Wide Income)에 대해 과세권한을 가집니다. 즉, 고객님이 벌어들인 수입은 나라에 관계없이 세금을 내야 합니다."

크리스는 고객이 이해하기 쉽게 설명하려고 안간힘을 쓰고 있었지만 급히 전화를 받아서인지 정리하기가 쉽지 않았다.

"그렇다면 내가 글로벌은행에서 벌어들인 이자수입에 대해서 한국에서도 세금을 내고 또 미국세무당국에도 내야 한다는 뜻입니까? 세금을 다 내고 나면 남는 것이 없겠는데요. 아무래도 다른 은행에 가서 알아봐야 할 것 같습니다."

고객은 흥분된 어조로 전화를 끊으려고 했다.

"잠깐만요. 그것이 아닙니다. 제가 구체적으로 예를 들어 설명을 해 드리겠습니다. 고객님이 미국에서 벌어들이는 다른 수입, 즉 사업소득이나 부동산소득이 있다고 가정해 보시죠. 그렇게 되면 고객님은 단순한 영주권자가 아니고 미국세법상 거주자로 취급될 것입니다. 그리고 한국에서는 저희 은행에서 벌어들이는 이자수입 외에는 다른 수입이 없다고 가정해 보시죠. 여기서 한국에서 벌어들인 이자수입은 한국에 원천(Source)을 두고 있기 때문에 한국에서 세금을 납부해야 합니다. 그리고 국내조세법에 따르면 이자수입은 원천징수되는 대상이고요. 물론 한미간 조세조약에 따라 원천징수되는 세금액이 국내거주자들보다는 적습니다. 이렇게 되면 고객님은 국세청에 이미 세금을 한 번 납부한 것이 됩니다. 그런데 문제는 고객님이 미국국세청에 세금보고를 할 때입니다. 고객님의 세금보고에는 한국에서 벌어들인 이자수입에 대해서도 세금보고를 해야 합니다. 그런데 한국에 납부한 세금에 대해서는 미국에서 외국납부세액(Foreign Tax Credit)[50]이라는 명목으로 공제를 받을 수 있습니다. 따라서 고객님은 한국과 미국에서 세금을 이중으로 부담하지 않게 되는 것입니다. 이해가 되시는지요?"

50) 내국법인의 국외원천소득은 원천지국인 외국에서 일차적으로 과세되는 동시에 거주지국인 국내에서도 국내원천소득과 합산되어 과세됩니다. 따라서 동일납세자의 동일과세기간 소득에 대하여 2개국에서 과세하는 결과가 나타나게 되며, 이를 2개국 이상의 과세권이 중복 또는 경합되어 나타나는 국제적(International)·관할 법적(Jurisdictional) 이중과세라 합니다. 이와 같이 국제적으로 발생하는 이중과세를 방지하기 위한 제도적 장치로 국내세법과 조세조약에서 이중과세를 배제하는 방법을 정하고 있습니다. 우리나라는 국외원천소득에 대한 거주지국의 세액을 한도로 세액공제를 하는 일반 외국납부세액공제방법과 손금산입방법을 동시에 시행하고 있으며, 납세자는 이 중 한 가지 방법을 임의 선택할 수 있습니다. 또한 조세조약의 관련규정에 따라 간접 및 간주외국납부세액공제 규정도 채택하고 있습니다.

고객은 한층 부드러워진 목소리로 크리스에게 다른 질문을 했다.

"이중으로 세금을 부담하는 것은 아니군요. 그런데 일단 수입금액은 노출이 되겠네요."

"그것은 피할 수가 없습니다. 그런데 제 생각에는 그 점은 크게 염려할 바가 아닌 것 같습니다. 고객님께서 미국에서 사업체를 가지고 계시다면 오히려 한국에서 발생되는 수입은 고객님의 사업에 도움이 될 것입니다. 사업을 확장하시고자 할 때 미국중소기업청 대출(SBA Loan)을 받기 위해서는 수입이 적절히 노출되어 있는 것이 많은 도움이 될 것입니다."

고객은 크리스의 대답에 놀란 듯했다.

"너무 자세한 얘기를 해 주셔서 감사합니다. 도움이 많이 되었습니다. 이제는 이해가 되는 것 같아요. 그런데 글로벌은행은 미국국세청에 무슨 보고를 한다고 하던데?"

"아 예. 그 얘기를 빠뜨렸군요. 글로벌은행은 고객님의 이자수입에서 발생하는 세금에 대한 원천징수의무자입니다. 물론 세금은 한국국세청에 납부하게 되지만 그 내역은 미국국세청에 보고를 하게 됩니다. '1099 - INV'라는 양식을 사용하여 연초가 되면 일 년간의 합계를 보고합니다. 그리고 똑같은 세무서류를 고객님께도 보내드릴 것입니다. 고객님은 그 서류를 고객님의 회계사에게 보여 드리면 미국세무신고 시에 제가 말씀드린 대로 처리를 할 것입니다. 충분한 설명이 되었는지요?"

"정말 고맙습니다. 설명을 너무 잘해 주셔서 궁금증이 모두 풀렸습니다."

"도움이 되셨다니 저도 기분이 좋습니다. 다른 궁금한 사항이 있으시면 연락주세요."

전화를 끊고 나자 크리스는 지점에 와 있는 듯한 기분이 들었다. 파업이 계속되면서 크리스는 비슷한 전화를 받느라 진땀을 흘렸다. 대한은행이 글로벌은행이 되면서 생겨나는 새로운 현상이었다. 크리스는 지점장들이 필요할지도 모른다는 생각에 업무매뉴얼에 미국세법에 관한 내용도 포함토록 해서 지점장들 앞으로 보내고 업무에 참고할 것을 당부했다.

그 날 저녁에는 기업금융부에서 RM(Relationship Manager)을 하고 있는 임상무와 저녁식사 약속이 있었다. 임상무는 크리스와 함께 글로벌은행에 입사를 한 동료로 신입행원(New Hire) 오리엔테이션에서 만났었고 무역금융(Trade Finance)[51] 업무를 함께 한 적이 있어 친분이 깊었다. 저녁 7시에 저녁약속을 한 터라 크리스는 서둘러서 일을 마무리하고 약속장소인 회사 근처의 참치집으로 향했다. 그런데 약속 시간 30분이 넘어서도 임상무는 얼굴을 보이지 않았다. 크리스는 전화기를 몇 번이고 만지작거렸지만 기다리기로 마음먹고 있었다.

"크리스 미안해. 급한 일이 있어서 늦었어. 요즘 발등의 불을 끄느라 난리야."

임상무는 자리에 앉기도 전에 푸념을 늘어 놓고 있었다.

"괜찮아요. 저도 늦었어요. 그런데 얼굴이 많이 안 좋아 보이네요. 적당히 해요. 몸 망가지면 누가 보상해 줄 것도 아닌데."

"괜찮아. 크리스는 어때? 많이 피곤해 보이는데. 너무 심각하게 인생 살지 마. 한순간이잖아."

"예 맞습니다. 떠나고 나면 모든 것이 끝인데 왜 그리 버둥대고 사는지 말입니다. 이 은행도 떠나고 나면 그만인데 말예요. 통합이니 뭐니 하면서, 네가 옳으니 내가 옳으니 이제 저도 진절머리가 나요."

"그래, 말이 나왔으니 말인데. 김전무가 회사를 떠난다면서? 그러면 크리스는 어떻게 되는 거야? 김전무랑 크리스는 가깝잖아. 그 분 꽤 오랫동안 글로벌은행에서 근무하셨다고 들었는데 말이야."

"그렇잖아도 요즘 심난해요. 저도 어떻게 해야 할지 모르겠어요. 뉴욕에 슬쩍 그 얘기를 꺼냈더니 무조건 조금만 기다려보라는 대답만 하더군요. 예전처럼 본사나 홍콩이 컨트롤을 하는 것도 아니고 해서. 글로벌은행 지점출신들이 모두 어려워 하고 있는 것 같아요. 임상무님께서는 어떠세요?"

"오늘 진하게 한 잔 하시고 다 잊어버리지요. 내일이면 또 해는 뜨겠지요, 뭐."

---

51) 무역금융이란 수출입거래와 결부된 국내거래 및 해외, 현지 거래의 각종 단계에서 필요한 자금을 다른 일반금융보다 유리한 조건으로 융통하는 것을 말한다.

"그런데 미안해. 오늘은 조금만 하자. 아무래도 조금 있다가 회사에 다시 들어가봐야 할 것 같아. 급한 일이 터진 것이 있어서 말이야. 내일 PMO회의실에서 보고도 해야 하고 말이야."

"아 참. 내일 PMO회의가 있군요. 저는 깜박했어요. 그 놈의 PMO, 정말이지 피를 말리는 것 같아요."

"미안해. 다음에는 내가 진짜 근사하게 한 잔 살께."

"그런데 임상무님, 뭐가 그리 바쁜 거죠?"

"크리스도 알고 있겠지만 통합은행이 되면 다른 은행으로 가겠다는 기업고객들이 좀 있잖아. 글로벌은행일 때는 글로벌본사와 같은 신용등급이어서 문제가 없었는데 대한은행과 통합은행이 되면 이름이 어떻게 되든 상관없이 신용등급이 글로벌본사보다는 낮아지기 때문에 자기 회사 정책상 신용등급이 낮은 은행과는 더 이상 거래를 할 수 없다는 거야. 그런 고객의 수가 절반이 넘으니 비상사태가 아니겠어. 외국계 기업고객들은 그렇다고쳐. 그런데 국내 기업고객들도 그러고 있으니 죽을 지경이야. 내가 RM을 맡고 있는 기업고객들 대다수가 그러고 있는 마당이야."

"저도 대충은 알고 있었지만 그 정도인지는 몰랐네요. 그런데 그런 고객들한테 무조건 도망가지 말라고 할 수도 없겠는데요. 방법을 찾아봐야 하지 않을까요?"

"뾰족한 방법이 없는 실정이야. 위에서는 무조건 붙들라고 하는데 내가 무슨 길거리에서 장사를 하는 것도 아니고. 그 동안 기업고객들과 관계야 좋았지만 없는 신용등급을 내가 만들 수도 없고 말이야."

"그런데 이 밤에 회사에 들어간다고 무슨 방법이 나오나요? 오늘 그냥 저랑 술이나 마셔요."

크리스는 임상무의 답변을 알면서도 한 번 졸라대 보았다.

"나도 그러고 싶어. 오늘 밤 10시에 뉴욕이랑 컨퍼런스콜이 있어. 무슨 얘기를 할지 모르겠지만 일단 콜에 들어가 봐야 할 것 같아."

"그러면 그 동안 혼자 술 마시고 있을 테니 미팅하고 오면 되잖아요."
"아니야. 콜이 얼마나 길어질지 몰라. 마음도 불편하고……."

"알았어요. 일단 오늘은 내가 지는 것으로 하고 다음에는 각오하시고 만나는 겁니다."

임상무의 표정이 어두워졌다.

"그런데 임상무님 제가 방금 생각이 났는데 도움이 될지는 모르겠지만 이건 어떨까요? 계속 당하지만 말고 한 번 밀어부쳐 보는 거 말이에요. 본사에서 계속 푸시(Push)한다고 궁지로만 밀리면 임상무님만 괴롭잖아요."

크리스가 뜸을 들이자 임상무는 궁금하다는 표정이었다.

"묘수라도 있는 거야?"

"본사한테 공을 넘기는 거죠. 고객이 신용등급을 문제 삼고 나왔으니 그 문제를 해결하자는 거죠. 대한은행의 낮은 신용등급은 어쩔 수 없는 거잖아요. 그러니 본사가 알아서 해야죠."

"어떻게 한다는 거야?"

"본사가 기업보증[52](Guarantee)을 서주면 되잖아요. 기업고객들이 요구하는 신용등급이 트리플에이(AAA)인데 대한은행의 신용등급이 트리플에이마이너스(AAA-)라고 하면 그 차이만큼은 본사에서 보증을 통해서 메워주면 되잖아요. 그렇게 되면 이제 공은 본사로 넘어간 게 되지 않을까요? 임상무님이 혼자 머리를 쥐어짜고 있을 필요가 없잖아요."

임상무의 눈알이 순간 번득이다가 다시 힘이 빠지고 있었다.

"크리스 좋은 생각이야. 왜 그 생각을 못했지. 그런데 본사에서 제안을 받아 줄까?"

52) 기업지급보증은 고객의 거래상대방이 입찰, 계약이행, 대출 등과 관련하여 신용도있는 제3자의 보증을 요청할경우 고객을 위해 거래상대방에게 보증을 제공하는 것을 말한다. 계약상의 주채무자인 고객이 계약상의 의무를 이행치 못하는 경우 채무자인 고객을 대신하여 본사가 지급보증채무를 이행할 수 있다.

"물론 거기에는 해결해야 할 문제가 있어요. 보증으로 커버해야 할 기업고객의 규모를 제가 잘 모르겠지만 본사가 보증을 서면 그 보증에 대한 대가를 대한은행이 지불해야 합니다. 대한은행 쪽에서 그 대가를 지불하지 않으려 한다면 본사가 보증을 하기는 어려워지겠죠. 거기다가 국가위험(Country Risk)을 줄이려고 대한은행을 지점(Branch)이 아닌 지사(Subsidiary) 형태로 가져가는 마당에 보증을 하며 다시 그런 위험을 감수하기는 싫어할 수도 있어요. 보증기간이 짧다면 모르지만 장기간 보증이 계속되어야 한다면 그 제안에 반대할 수도 있어요."

"내가 괜한 제안을 하는 건 아닐까?"

"아닙니다. 지금으로선 최선의 방법이에요. 그리고 대한은행이 앞으로 자리를 잡고 실적이 좋아진다면 신용등급이 상승할 것이고 본사의 보증이 필요 없는 날이 올 테니까요. 일단 제안을 해보는 건 나쁘지 않을 것 같아요."

컨퍼런스콜 시간을 10여 분 남겨 놓고 두 사람은 헤어졌다. 회사를 향해 가는 임상무의 축 처진 어깨가 왠지 무거워 보였다.

크리스는 분당행 직행버스에서 잠시 단잠을 청했다. 크리스는 전화기 진동소리에 잠이 깼다. 임상무한테서 온 메시지였다.

"크리스 고마워. 아직도 컨퍼런스 중이야. 크리스가 말한 대로 일단 공은 나한테서 떠난 것 같아. 내일 결과를 말해 줄게. 잘 들어가고 파이팅!"

모바일에 찍힌 시간을 보니 12시 10분 전을 가리키고 있었다. 크리스는 임상무가 내일 싱글거리면서 자신에게 찾아올 생각을 하니 기분이 좋아졌다.

다음 날 아침 크리스는 평소보다 일찍 사무실에 도착했다. 그런데 회사 정문을 열고 들어가는데 왠지 모를 적막감이 느껴졌다. 사무실에 도착하니 아직 아무도 출근하지 않고 있었다. 크리스는 아무 일도 없다는 듯이 컴퓨터를 켰다.

"크리스, 고마워……."

임상무가 새벽에 크리스에게 보낸 듯했다. 새벽 3시 20분이 이메일에 박혀 있었다.

"내가 뭐 해 준 게 있다고, 이 분이 술 사주기 싫어서 입으로 때우려고 하나. 왜 자꾸 고맙다고 하지."

크리스는 혼자 중얼거리고 있었다.

9시가 넘어가자 사람들이 컴퓨터 작동시키는 소리가 여기저기 들리기 시작했다. 사무실 벽에 걸려 있는 시계가 9시 50분을 가리키고 있었다. 그때 한 통의 이메일이 날아왔다. 임상무의 부고장이었다. 크리스는 무슨 이메일인지 알 수가 없었다. 누군가가 장난을 치고 있다는 생각을 했다. 임상무 방으로 전화를 했다. 자동응답기만 돌아 갈 뿐 임상무의 목소리는 들을 수가 없었다. 크리스는 급히 방문을 열고는 백이사가 있는 곳으로 달려갔다. 백이사가 담배를 피우러 나갔다는 말에 건물 옥상으로 달려 갔다. 그러나 그 곳은 폐쇄되어 있었다.

엘리베이터를 타고 내려오는 길에 자산관리부의 이과장을 만났다.

"안녕하세요. 소식 들었습니까? 삼성쪽 RM을 맡고 있던 임상무님이 글쎄 새벽에 옥상에서 그만……."

크리스는 온몸에 소름이 끼쳐 오는 것을 느꼈고 몸을 가눌 수가 없었다.

4장 조직관리-조직을 유연하게 운영하라

제이크는 크리스를 절대적으로 신임하고 있는 가운데 크리스와 이부장의 관계는 순탄치 않았다. 제이크와 크리스의 관계는 이부장에게는 큰 부담이 되고 있었다. 세 사람의 불편한 관계는 크리스의 노력에도 불구하고 쉽게 해결될 수 있는 문제가 아니었다.

제이크가 크리스에게 지시를 내린 일에 대해서 이부장이 이의를 제기하고 나섰다.

"크리스, 그 문제는 내가 처리해야 할 것 같은데. 그 사실에 대해서 나에게 보고를 했어야 하는 거 아닌가?"

이부장은 흥분하고 있었다. 그의 얼굴은 심하게 상기되어 있었다.

"제이크가 지시한대로 했을 뿐입니다. 저에게 처리하라고 지시한 일에 대해서 제가 다른 사람한테 전달을 하는 것은 도리가 아니다고 생각했습니다."

크리스는 평상심을 유지하려고 노력하고 있었다.

"내가 부서장이면 나한테 얘기해야 하는 것 아닌가?"

이부장은 제이크에 대한 비난을 크리스에게 돌리고 있었다.

"그 문제라면 제이크와 직접 얘기해 보셔야 하지 않을까요?"

크리스는 이부장과의 그런 대화가 싫었다. 쌓여가는 업무를 처리하기도 힘든 상황이었다.

크리스는 예상했던 것보다 통합과정이 고통스럽다는 생각이 들기 시작했다. 형식과 실질이 따로 진행되는 불확실성의 시간들이 사람들을 괴롭히고 있다는 자각을 하게 되었다. 통합은행의 조직이 원하는 것은 진정한 리더십(Leadership)이 아니라 정치적 힘인 듯했다.

통합과정에서 발생하는 불확실성의 시간들은 직원들에게는 가장 인내하기 힘든 과정이었다. 그래서 유능한 리더라면 그런 불확실성을 조기에 제거해 줄 수 있어야 한다. 그래서 통합에 대한 경험은 그런 문제를 해결할 수 있는 능력을 갖도록 할 것이다. 통합에 대한 아무런 경험이 없는 리더는 직원들을 하염없이 표류하게 만들 것이고 결국은 많은 통합비용을 치를 수 밖에 없을 것이다. 그리고 불확실성의 문제는 '우리는 우리, 저들은 저들 신드롬'(We and They Syndrome)을 만들어 내어 성공적인 통합에 치명타를 가하기도 한다.

크리스도 그런 신드롬으로부터 예외는 아닌 듯했다.

"김전무님, 저쪽(They)에서는 아직 문제의 심각성을 모르고 있는 것 같아요. 왜 우리(We)만 이렇게 열을 올려야 하는지 모르겠어요."

크리스는 대한은행 노조의 파업이 계속되고 있는 동안 몰려드는 업무로 신경이 곤두서 있었다. 대한은행 직원들로부터는 협조를 전혀 받을 수가 없는 지경이었다.

"크리스, 아직도 우리, 저들이라고 얘기하나? 이제 통합은행이 된 마당에 그런 말은 적당하지 않은 것 같네."

김전무는 눈살을 찌푸렸다.

"죄송합니다. 직원들이 그런 말을 해서 저도 모르게 익숙해져 버린 것 같습니다. 앞으로는 주의토록 하겠습니다."

글로벌은행에서 승승장구해 온 크리스에게는 통합은행의 조직은 많은 고통을 주고 있었다. 제이크와 김전무가 크리스를 인정하고 신뢰하고 있다고는 하나 조직의 생리는 직책이나 업무의 '공식적'인 구성에 의해서 이루어지기 때문에 크리스에게 많은 심적 부담을 주고 있었다.

크리스가 속한 조직이 발표된 후, 김전무는 크리스에게 직접적인 말을 피하면서도 크리스의 눈치를 살피는 일이 많아졌다.

"크리스, 힘들어도 조금만 참게나. 궁극적으로는 자네 같은 사람이 필요하네. 현재의 조직은 임시적인 것이고 중요한 것은 업무능력이니 시간이 가면 평가가 달라지지 않겠는가."

그러나 통합은행은 크리스를 담을 수 없는 듯했다. 크리스의 업무는 하루가 다르게 늘어났다. 거기에다 제이크는 이부장이 처리한 일에 대해서 불만족하고 있었다. 결국 이부장이 처리한 일도 크리스가 재검토해야 했다. 제이크는 크리스에게 많은 업무를 맡기는 것으로 크리스를 신뢰하고 있다는 징표를 보여 주고 있었다. 그러나 조직이 크리스를 공식적으로 부서장으로 인정하지 않은 상황에서 업무만 늘어나는 것은 크리스에게는 바람직 하지 않은 꼴이 되어 가고 있었다.

뉴욕에서 아놀드가 이메일을 보내 왔다.

"크리스 별일 없지? 무슨 일이 있으면 꼭 연락줘, 그리고 아마 지금 힘들 것 같은데 조금만 참아줘. 시간이 필요하니 급하게 생각하지 말고……."

"아놀드 저는 괜찮습니다. 일이 조금 많이 있을 뿐입니다. 견딜만 해요."

회의 차 자금업무부를 들렀다. 한상무가 떠난 자금업무부는 왠지 텅 빈 사무실 같은 느낌이 들었다. 크리스의 마음은 조금씩 정리되어 가고 있는 듯했다. 그래서인지 이부장에 대해서도 측은지심이 생겼다.

"이부장도 그러고 보면 통합의 아픔을 겪고 있는 사람 중의 한 사람이야. 상사도 아래 직원들도 인정해 주지 않는 직책이 그 사람에게 무슨 의미가 있을까? 어쩌면 내가 회사를 그만 두고 나면 모든 것이 좋아질지도 몰라. 내가 없다면 제이크도 보다 적극적으로 이부장과 대화를 하려는 시도를 할 것이고, 뉴욕도 홍콩도 그렇게 할거야. 그래 그 선택이 나에게도 더 나은 길이 될지도 몰라. 지금 나에게 필요한 것은 질시하고 반목하면서 감정싸움이나 하고 있을 때가 아니야. 앞으로 해야 할 일이 얼마나 많은가? 때로는 가진 것을 버릴 줄 알아야 해. 현실에 안주하는 것보다 새로운 변화 앞에 도전할 수 있는 용기가 지금 나에게는 필요해."

자금업무부 회의가 끝이 나고 크리스는 방으로 돌아와 이런저런 생각으로 머리가 복잡했다. 이부장으로부터 전화가 왔다. 자금업무부에서 열렸던 회의에 대해서 다짜고짜 물어댔다.

"회의에 누가 참석했지? 회의결과는 뭐지요?"

크리스의 귀에는 그런 질문들이 더 이상 의미가 없는 듯했다.

"이부장님, 제가 이메일로 정리해서 보내드리도록 하겠으니 조금 기다리시죠."

이부장은 크리스의 가라앉은 목소리에 다른 대꾸를 하지 않았다.

크리스는 며칠 째 이부장에게 건네 줄 파일을 정리하고 있었다. 마지막으로 크리스는 퇴근하기 전, 김전무 앞으로 이메일로 보내어 사직서를 대신했다.

"이 길이 최선의 길이라 믿습니다. 그 동안 저에게 베풀어 주신 벅찬 사랑 감사합니다. 저를 이해해 주실 수 있으리라 믿습니다. 조직이란 인위적인 것이니 우리의 관계는 앞으로도 계속될 수 있으리라 저는 믿으며 떠나겠습니다. 건강하십시오."

다음 날, 크리스가 출근하자 김전무가 급히 찾았다. 어느새 크리스가 회사를 떠난다는 소문이 사무실에 퍼져 있는 듯했다.

"크리스, 자네 심정을 내가 잘 알고 있어. 내가 도움이 되어 주지 못하는 것이 아쉬울 뿐이야. 미안하네. 나는 자네를 잡을 수 있는 힘이 없네. 그런데 제이크가 펄쩍 뛰고 난리네. 제이크가 아마도 뉴욕과 홍콩에도 연락을 한 모양이네. 홍콩에서 로버트가 오늘 오후에 한국을 방문한다는군. 일단 조금만 기다려주게나."

크리스도 예상하지 못한 일이었다. 로버트로부터 전화가 연신 울려 되었으나 크리스는 받지 않았다. 제이크는 마음의 안정을 찾지 못하고 있는 듯했다.

오후 4시가 되자 홍콩에서 로버트가 도착했다. 로버트는 오자마자 제이크와 얘기를 나누고는 크리스를 찾았다.

"크리스 무슨 일이야? 왜 회사를 떠나려는 거야? 지금 홍콩과 뉴욕에서 난리가 났네."

"미안해요. 아무래도 제가 떠나는 것이 모두를 위해서 좋을 것 같아요. 그리고 무엇보다도 현재의 조직으로는 내가 할 수 있는 일이 별로 없는 것 같군요."

"우린 늘 모든 것을 함께 얘기해왔으니 나에게 무엇이 문제인지를 말해 주게. 내가 이렇게 급하게 날라온 것은 방법을 찾아보자는 뜻이네."

"로버트, 무슨 말인지 압니다. 그래요 이왕 떠날 것을 결심했으니 못할 말도 없겠지요. 현재의 조직구조로는 모든 사람을 어렵게 만들고 있습니다. 그렇다고 매니지먼트가 결정한 사안에 대해서 내가 어찌하겠습니까?"

"현재의 조직이 작동하지 않으면 바꾸면 될 일이지 않은가? 문제는 조직을 바꾸고 나면 크리스가 회사에 남을 건지에 대해서 우리에게 확답을 주어야 우리가 결정을 할 수 있다네. 어떻게 생각하나?"

크리스에게는 어려운 질문이었다. 왜냐하면 결정이 이루어지고 나면 이부장은 다른 부서로 옮겨 가야 할 것이 분명하기 때문이었다. 그렇다고 옮겨 간 부서가 마음에 들지 않는다고 해서 이부장은 다른 회사로 이직을 할 수 있는 형편도 아니었다. 크리스는 자신을 위해서 다른 사람을 희생시켜야 하는 상황이 싫었다. 크리스는 로버트의 질문에 답을 찾은 듯했다.

"저는 이부장이 원치 않는 일을 하게 하고 싶지는 않습니다. 그 사람은 경영능력은 좀 떨어지지만 나름대로는 열심히 하려고 합니다. 아무래도 제가 떠나는 것이 최선의 방법 같습니다."

로버트의 설득은 집요하게 계속되었다. 로버트는 크리스가 글로벌은행에 입사했을 때 글로벌은행 홍콩지역본부에 입사했고 두 사람은 친밀한 관계를 유지해 오고 있었던 터였다. 로버트는 진심으로 크리스가 회사를 떠나는 것을 원치 않고 있는 듯했다.

두 사람은 스타벅스에서 3시간이 넘도록 입씨름을 하고 있었다. 크리스는 로버트가 진지하게 자신의 문제를 고민해 주는 것이 고마웠다.

"로버트 좋습니다. 이렇게 하면 어떨까요?"

로버트는 크리스의 표정을 살피며 크리스가 하려는 말에 귀를 쫑긋 세웠다.

"이부장과 저의 업무를 나누는 것은 어떨까요? 말하자면 '공동부서장'(Co-Heads)을 도입하는 것 말입니다. 그렇게 되면 내가 하는 일은 내가 마음껏 진행할 수도 있고 이부장의 체면도 살려 줄 수 있으니 두 마리 토끼를 다 잡은 격이 되지 않을까요?"

크리스는 자신이 제안하고 있는 것이 어떤 의미를 갖고 있는지를 잘 알고 있었다. 자신에게는 결코 유리한 방식이 아니라는 것을 알고 있었다. 통합의 숙제가 진행되고 있는 과정에서 매니지먼트가 흔히 사용하는 방법이라는 것도 M&A 컨설팅 업무를 경험한 크리스가 모를 리가 없었다. 그러나 크리스는 분명 큰 그림을 그리고 있었다. 회사를 떠나지 않을 것을 결심한 이상 통합프로젝트는 크리스에게도 풀어 나가야 할 숙제이다. 그리고 그 숙제를 풀기 위해서는 혼자의 힘만으로는 할 수가 없다. 동료가 필요하고 동지가 필요한 것을 크리스는 알고 있었다. 통합프로젝트는 큰 틀 안에서 풀어 나가야 하는 숙제이다. 지엽적이고 자기 이기적인 것만 생각하다 보면 통합프로젝트는 성공할 수가 없게 되는 것이다.

"크리스, 고마워. 그 정도는 문제가 없네. 제이크와 얘기 해서 내일이라도 당장 그렇게 조직을 재정비토록 하겠네."

진정한 리더가 되기 위해서는 고통을 기꺼이 감수할 수 있어야 한다. 앞으로 다가올 변화의 소용돌이를 분명 예감하고 있음에도 불구하고 도전장을 던진 것이다.

조직이 변화의 숙제를 안고 있는 상황에서 리더의 역할이 매우 중요하다. '매니저'와 '리더'와는 다르다. 매니저는 상사가 임명한다. 그러나 리더는 주위 사람들이 누군가를 리더로 자연스럽게 인정하는 것으로 탄생하는 것이다. M&A란 임명된 매니저들만으로는 추진할 수 없는 일이다.

조직의 통합은 진정한 리더십이 있을 경우에 성공할 수 있다. 조직의 리더는 현실적 이해관계에 집착한 나머지 이윤 창출의 원천인 사람 자체를 소홀히 할 경우 조직에게 결국 치명적인 타격을 주게 된다. 최고경영자는 중간리더와 의사소통을 원활히 하여 불필요한 불신, 두려움, 그리고 무관심을 종식시킬 수 있어야 한다. 리더가 소유할 수 있는 가장 경쟁력 있는 자산은 인적 자원이다. 진정한 리더는 균형잡힌 생각을 하고, 의사결정에 다른 사람의 가치관을 존중하며, 부하 직원을 진심으로 아끼고, 회사와 회사의 목적에 대해 열의를 가지고 있으며, 감정을 솔직히 표현하고, 이윤을 내는 데 균형잡힌 시각을 가지고 있고, 민감한 부분을 감추려 하지 않으며, 어려운 때일수록 더 솔직해야 할 것이다.

5장 갈등관리-큰 그림(Bic Picture)으로 이해하라

김전무가 얼굴에 희색을 띠며 크리스 방으로 찾아왔다.

"크리스 이 번일은 잘 되었네. 나로서는 어찌할 수 없는 일이었는데 제이크가 예상 밖으로 강경하게 밀어 부치는 바람에 모는 것이 살 된 것 같네."

"감사합니다. 저로서는 어쩔 수 없었습니다. 조직이 일을 할 수 있는 환경을 만들어 주지 못한다면 떠날 수 밖에 없는 것 같아요."

"이제는 마음을 편하게 먹게나."

"저도 나중에 어떻게 되든지 이제는 편하게 생각하기로 마음 먹었습니다. 그런데 본부장님께서는 괜찮으세요?"

"으……응. 나야 괜찮지 뭐. 늘 기도하는 마음으로 살려고……."

김전무는 말을 흐리고 있었다. 얼굴빛이 그리 밝아 보이지 않았다. 통합은행의 새로운 비전을 직원들과 함께 나누던 예전의 모습은 어디론가 사라지고 없는 듯했다.

크리스는 인사본부의 김전무를 우연히 길에서 만났다. 김전무는 크리스가 글로벌은행 지점에 입사를 했을 때 인사부담당자로 크리스를 인터뷰했던 사람이었다. 그리고 그 일이 인연이 되어 두 사람은 친밀한 관계를 유지하고 있던 차였다.

"크리스, 요즘 어때요? 아직 많이 바쁘죠?"

"안녕하세요. 인사부도 만만치 않은 걸로 알고 있습니다만……."

김전무는 크리스의 말에 동조한다는 표정으로 미간을 찌푸려 보였다.

"그런데 이야기 들었어요?"

"무슨 얘기를?"

"며칠 전에 이행장과 제이크가 한판 했다고 하던데."

"무엇 때문에요?"

"조직문제 때문이라지 아마……."

김전무는 자세한 얘기를 하지 않았다. 크리스는 무슨 사연인지 궁금했지만 급히 어디론가 가고 있는 김전무를 멈추게 할 수는 없었다.

"금시초문인데, 나중에 식사나 같이 하시죠."

"그래요. 내가 내일 연락할께요."

제이크와 이행장의 갈등에 대한 소문은 겉잡을 수 없이 번지고 있었다. 크리스는 왠지 가슴이 답답해지는 느낌이 들어 무슨 영문인지 알아야겠다는 생각이 들었다. 인사본부의 김전무에게 연락을 했다. 김전무는 기다렸다는 듯 저녁식사에 응해 주었다.

"김전무님, 잘 지내셨어요 죄송합니다. 제가 너무 바빠서 연락을 못 드렸습니다."

크리스가 먼저 말을 꺼냈다.

"아니예요. 내가 먼저 연락을 했어야 하는데……통합이니 뭐니 빨리 자리가 잡혀야 사람 노릇을 할텐데."

김전무는 푸념섞인 말을 늘어 놓았다.

"그러데 지난번에 잠깐 말씀하신 게 어떤 내용입니까?"

크리스는 아무것도 모른 척 하면서 넌지시 물었다.

"크리스는 아직 모르고 있었구나. 이행장과 제이크가 싸운 얘기……아는 사람은 다 아는 얘기인데. 나도 전해 들은 얘기지만……."

"무슨 내용인지 뜸들이지 말고 얘기해 주세요."

김전무가 말문을 열었다.

"알고 있는 것처럼 제이크가 행장 말을 잘 듣지 않잖아. 예전부터 두 사람 사이가 좋지 않았는데 이번에 제대로 한판 붙은 모양이야. 크리스 부서가 조정될 때까지는 행장이 참고 있었는데 며칠 전에 업무평가가 끝이 나자 난리가 났었다는 거야."

"M&A의 기본 아닙니까? CEO가 인수된 은행에서 나오게 되면 CFO는 인수은행에서 나오는 법. 그러다 보면 두 사람이 갈등하는 건 충분히 있을 수 있는 일이잖아요. 본사에서는 CFO를 내세워 CEO를 견제하려 할 것이고 CEO는 그런 통제를 벗어나려고 하다 보면 두 사람은 갈등하게 되는 건 당연한 일이지요. 그런데 뭐가 그리 난리가 났다는 얘기입니까?"

"그게 말이야……크리스가 중간에 끼여 있다는 것이 문제지."

"무슨 말씀을? 제가 왜요? 제가 혹 잘못한 일이라도 있나요?"

"아니야. 크리스가 뭔가를 잘못했다는 소리가 아니고 어찌보면 두 사람의 기싸움(Power Game)인거지 뭐."

김전무는 다시 말을 이어갔다.

"제이크가 크리스를 무척 좋아하나 봐. 하긴 그건 다 알려진 사실이지. 그런데 제이크가 이번 개인평정(Appraisal)에서 이부장에게 좋지 않은 등급을 주었대. 내가 보기에는 충분히 객관적인 기준에 따라 그렇게 한 모양인데. 글쎄 그것이 문제가 된 거야. 사실 제이크가 평정한 것은 혼자 결정한 것도 아닌데 말이야. 제이크가 평정을 하고 행장에게 결재를 올렸는데 행장이 결재를 반려했다는 거야. 제이크에게 재평정할 것을 요구했다는 거야."

"그런 일이 있었군요. 저는 아무것도 모르고 있었네요. 그런데요?"

"문제는 제이크가 그리 호락호락한 사람이 아니잖아. 자기 직원에 대해 자신이 평정한 것에 대해 행장이 이래라저래라 하니 가만히 있을 리가 없지."

“그래서 한판 붙은 거예요?”

“실은 예전의 글로벌은행에서는 있을 수 없는 일이지. 부서장이 부서직원들을 평가하면 특별한 문제가 없는한 지점장은 당연히 결재만 하는 것으로 부서장의 의견을 존중해주었는데 말이야. 행장이 각 부서직원들을 모두 파악하고 있는 것도 아닐텐데. 그러니 제이크가 수긍할 리가 없지.”

“그렇군요. 그런데 내가 왜 중간에 끼여 있죠?”

“그게 말이야. 사실은 통합이 되면서 처음부터 크리스를 부서장으로 해야 된다는 것이 제이크의 생각이었어. 다른 사람들도 그렇게 생각하고 있었어. 그런데 행장의 반대로 그렇게 되지 못했었지. 제이크가 크리스를 100% 신뢰하고 있다는 것은 크리스도 알고 있잖아. 뉴욕에서도 크리스를 높이 평가하고 있고 말이야.”

김전무는 크리스의 눈치를 살피고 있었다.

“저를 인정해 주는 건 기분 좋은 일이지요. 그런데 자꾸 삼천포로 빠지지 말고 본론으로 들어가세요.”

“오케이 알았어. 내가 오늘 너무 많은 것을 얘기해 주는 게 아닌지 모르겠네. 그런데 크리스가 한동안 잘 버텨주었잖아. 그래서 다들 크리스가 괜찮구나 하고 있는 찰라에 크리스가 폭탄을 터뜨린 거였어. 그때도 제이크는 부서를 크리스에게 맡길 생각을 했었는데 크리스가 공동부서장을 제안하는 바람에 당분간은 그렇게 가는 것도 괜찮을 것 같다는 생각을 한 거지. 지금와서 하는 얘기지만 그때 크리스가 그런 제안을 하지만 않았어도 이렇게 골치아픈 일은 없었을런지도 몰라? 아무튼…….”

“중요한 것은 통합을 성공적으로 이루어내는 것이잖아요. 다들 어려워 하고 있는데 내 것만 찾는 건 제 스타일이 아닙니다. 다들 함께 잘 살자고 하는 건데. 저는 지금도 후회는 없습니다. 통합하자는 거지, 서로 빼앗자는 것은 아니잖아요. 제가 못하면 누군가 잘 할 수 있는 사람이 맡아야죠.”

“크리스는 그래서 평이 좋은 거야. 내가 사람은 잘 뽑았다니까.”

“혹시 다른 하고픈 말씀이 있으신 거는 아니고요?”

"아 참, 내 정신 좀 봐. 나이가 들면 오락가락한다니까. 평정얘기를 한다는 것이 그만. 결국 평정문제는 두 사람이 싸우는 바람에 실마리를 찾지 못하고 있었지. 그래서 인사본부장이 두 사람 사이에 끼어들어 중재를 하게 되었지 뭐야. 행장이 평정문제는 양보하는 것으로 하고 제이크가 당분간 조직에 손대지 않는 것으로……."

크리스는 잠시 생각에 잠기면서 김전무의 마지막 말을 제대로 알아듣지를 못했다.

"제 생각에는 평정문제만으로 두 사람이 싸운 건 아닌 것 같아요. 결국은 본사 대 한국지사의 기싸움(Power Game) 아니겠어요. 우연히 그 곳에 저와 이부장님이 그 자리에서 있었던 거고요. 일하기도 벅찬데 신경써야 할 일이 너무 많은 것 같네요."

"너무 신경 쓰지 마세요. 크리스야 능력이 있으니까 다른 일을 해도 되잖아요."

"예. 그런데 통합작업을 하면서 많은 것을 배우게 되는 것 같아요. 업무만 열심히 한다고 해서 되는 것도 아니고 말예요. 하지만 저는 시간이 가면 모든 것이 제자리를 찾아 갈거라 봐요. 그리고 분명한 것은 우리 은행장님이 우리 은행을 비전있는 조직으로 만들어 갈 거라 봐요. 글로벌은행과 같은 세계적인 은행을 이끌어 가려면 편협된 마인드를 가지고 어떻게 그것이 가능하겠어요? 저는 우리 은행장님이 대의에 따르는 분이라고 생각해요. 시간이 지나고 나면 모두들 희망을 얘기할 수 있으리라 생각해요."

"그리고 저는 통합의 끝을 보고 싶어요. 앞으로 분명 쉽지 않으리라는 건 어느 정도 예상하고 있었어요. 그런데 겪어보지도 못한 어려움에 대한 두려움 때문에 누구가 쉽게 경험해 볼 수 없는 통합작업을 중도에서 그만 둔다는 것은 비겁하다는 생각이 들었어요. 중도 하차하면 사람들에게 재미있는 얘기의 결말을 들려 줄 수 없잖아요. 일단 한번 가보지요 뭐. 통합과정에서 갈등은 큰 그림(Big Picture) 속에서 이해해야 하고 해결해야 한다고 봐요."

6장 재무관리 – 선업무 후통합하라

재무적 가치평가모델은 성공적인 통합전략에서 매우 중요하다. 재무통합은 Target에 대한 초기 가치평가작업과 함께 시작된다. 기치평가 작업에서 다양한 사업적 가정들이 인수작업 단계에서 만들어지며, 실사작업을 거치면서 확인된다. 그런 후, 통합의 중요한 실마리를 갖고 있는 가치평가모델은 통합단계에서는 사업모델이 되는 것이다.

통합작업에 가장 민감한 부서는 재무관리부서이다. 대회의실에서 보고위주로 진행되는 회의와는 별도로 소그룹 부서미팅이 별개로 진행되었다. 재무관리부서의 통합작업은 뉴욕 본사의 회계팀 소속인 키이스와의 컨퍼런스콜을 하면서 시작되었다. 한국에서는 회계담당 직원 네 명이 함께 컨퍼런스콜에 참가했다.

“다들 아시다시피 공개매수가 완결되는 시점이 곧 글로벌그룹이 대한은행을 인수하는 시점입니다. 5월 1일부터는 대한은행은 글로벌그룹의 자회사로 회계상 보고 의무가 생깁니다. 따라서 5월달 보고를 위해서 대한은행의 재무제표를 미국회계기준으로 전환해야 할 것입니다.”

5월 1일까지는 한 달 정도 남은 상태였다. 글로벌은행의 회계담당 책임자인 최이사의 얼굴이 붉어지고 있었다.

“시간이 너무 없습니다. 대한은행은 미국회계기준으로 회계보고를 해 오지 않았기 때문에 한국회계기준에 의해 만들어져 있는 원장 항목들을 다시 미국회계기준에 의해 재분류(Remapping)해야만 합니다. 이 작업은 만만치 않은 작업입니다. 시간을 더 줄 수는 없는지요? 그리고 본사 회계보고를 6월 1일부터 적용할 수는 없는지요? 아무래도 주어진 시간 안에 작업을 한다는 것은 불가능해 보입니다.”

키이스는 전화기에 무언가 열심히 말을 하고 있었지만, 최이사는 Mute버튼을 누른 채

크리스와 대한은행에서 온 권부장에게 불평을 늘어 놓았다.

"도대체 이게 말이나 됩니까? 어떻게 이렇게 짧은 시간에 회계보고 작업을 마치라는 건지."

권부장은 말없이 머리를 흔들어 보이고 있었다.

이번에는 크리스가 키이스에게 질문을 던졌다.

"키이스, 분명하지 않아서 그런데 한 가지 질문을 하겠습니다. 5월 1일부터 보고하는 내용에 매수법(Purchase Accounting)에 의해 결정된 영업권(Goodwill)에 관한 내용도 포함하는 건가요?"

"일단 그 부분은 걱정하지 않아도 됩니다. 당분간 영업권회계처리는 뉴욕에서 담당할 것입니다. 그런 후 일정 시간이 흐른 후에 한국에서 회계처리(Push Down Accounting) 하도록 할 것입니다. 현재 상황에서는 일단 대한은행의 회계계정(Chart of Accounts)을 미국회계(US GAAP) 계정에 맞추어 재분류하는 것이 급선무입니다. 질문에 답이 되었나요?"

"감사합니다. 그런데 제가 한 가지 제안을 하겠습니다. 현재로서 주어진 시간 안에 대한은행의 계정을 미국회계기준에 맞추어 모두 전환한다는 것은 무척 힘든 일 같습니다. 그래서 현재 최선의 대안은 최하위 계정을 갖고 재분류작업을 하는 것보다 최상위나 중간 정도의 계정을 기준으로 재분류하는 작업이 해볼 만해 보입니다. 그런 후 차츰 최하위 계정으로 확장해 나가는 것은 어떤지요?"

"좋은 대안 같군요. 일단 최대한 가능한 범위에서 작업을 해 보고 초안보고서(Draft reporting)를 가급적 빠른 시일 안에 보내주세요. 우리도 여기서 한 번 상의해 보도록 하겠습니다."

일단 급한 불은 끈 셈이었다. 컨퍼런스룸에 모인 사람들의 안도의 한숨 소리가 여기저기에서 들려 왔다. 컨퍼런스콜이 끝나자 미국회계보고서 업무를 맡고 있는 김차장이 무언가 이해가 되지 않는다는 표정을 하며 크리스에게 질문을 해 왔다.

"그런데 P-GAAP이 무엇인가요? 앞으로 어떻게 한다는 건지 저는 확실히 모르겠어요."

키이스는 컨퍼런스콜 내내 P-GAAP이라는 말을 자주 사용했다. 그곳에 모인 사람들에게는 분명 생소한 말임에는 틀림없었다. M&A가 일어나지 않고는 들어보기 힘든 단어이기 때문이다. 거기에다 아무도 사전적으로 P-GAAP에 대한 교육이나 설명을 해 주지 않았던 터였다.

"오늘 이렇게 모였으니 설명을 하도록 하겠습니다. 다들 잘 알고 있는 것처럼 대한은행 인수를 위해서 회계법인이 실사작업을 실시했어요. 그리고 그 실사작업을 통해서 대한은행의 자산과 부채의 공정가액(Fair Market Value)을 결정했습니다. 그런데 결정된 공개매수가액은 그런 공정가액을 초과하고 있어요. 바로 그 초과금액이 영업권 (Goodwill)을 일컫는 것입니다. 그리고 이러한 금액들에 대해 회계처리하는 것을 매수법에 의한 회계처리 곧, 매수법회계(Purchase GAAP)라고 합니다."

크리스는 설명을 이어갔다.

"그런데 대한은행을 인수한 주체는 우리 본사이니 이러한 회계처리는 원칙적으로 본사에서 해야 맞겠지만 우리가 늘 해 오던 것처럼 편의상 우리가 여기서 보고서를 작성하는 것입니다. 미국회계 목적상 최근에 바뀐 회계원칙에 의하면 영업권은 감가상각(Amortization)을 하지 않고 매년 Impairment Test를 해서 Impairment 기준에 해당되면 Write off를 하도록 되어 있습니다. 그런데 여기서 문제는 인수가 확정된 시점에 결정된 영업권 금액은 향후 1년간은 조정을 할 수가 있습니다. 따라서 조정되는 금액을 우리가 계속 따라 가서 조정을 해 주어야 합니다. 이것이 만만찮은 작업이 될 것 같습니다. 회계팀에서 누군가 맡아서 해주어야 할 것 같습니다. 이왕 말이 나온 김에 김차장이 하는 것은 어떤가?"

김차장은 부담스러운 눈치를 보이자, 크리스는 설명을 이어갔다.

"일단 누가 해야 할지에 대해서는 나중에 결정하기로 하지. 그리고 마지막으로 키이스가 'Push Down'이라는 용어를 사용했는데, 그것은 영업권을 당분간 뉴욕에서 회계처리한 후 영업권이 더 이상 조정되지 않는 1년 후가 되는 시점에 한국에서 회계처리할 수 있도록 한다는 의미입니다. Push Down to Korea라는 말입니다."

김차장은 이해가 된다는 듯 연신 고개를 끄덕여 보였지만 컨퍼런스콜에 참석했던 직원들은 모두 심각한 표정을 하고 있었다.

대한은행 보고서를 미국회계기준에 맞춰 간신히 보고를 하고 있는 상황에서 대한은행과 글로벌은행이 합병을 했다. 이제부터는 두 은행의 보고서 체계를 통합해야 한다. 두 은행의 보고서 체계가 다르기 때문에 차이점(GAP) 분석이 우선적으로 이루어져야 했다. 글로벌은행은 거래위주의 시스템 환경을 갖고 있다보니 보고서를 산출하는 원장시스템이 대한은행보다 세련되어 있지 못했다. 대부분의 외국계기업이 그러하듯이 원장시스템의 한계를 인력이 극복하도록 되어 있었다. 원장시스템의 차이는 단순한 문제가 아니었다.

GAP분석을 위해서 재무관리부서 직원들이 함께 모였다.

"대한은행은 하나의 원장을 가지고 있습니다. 기업금융이든 소비자금융이든 한 원장에 거래 내역이 모두 모여서 처리가 되고 있습니다만 글로벌은행은 두 개의 원장이 따로 있는 것 같습니다. 어떻게 이 원장들을 통합해야 할지 고민입니다."

대한은행 재무팀을 맡고 있던 김차장이 먼저 말을 꺼냈다.

"맞아요. 중요한 차이가 바로 원장시스템의 체계(Architecture)입니다. 그러한 차이는 여러 가지 이유에 기인합니다. 금융당국이 국내 시중은행에게 요구하는 보고규정을 외국은행에게는 똑같이 적용하지 않았기 때문에 외국은행들은 보고시스템에 많은 투자를 하지 않고 대신 인력에 의존하여 보고의무를 수행해 왔어요. 그리고 외국은행은 영업과 마케팅을 우선적으로 중요하게 생각하고 회계보고 업무는 후선업무로 중요성에서 밀린 것이 현실입니다. 이제 차이점은 찾았으니 어떻게 통합하면 될 것인지에 대해서 답을 찾으면 될 것 같아요. 제가 보기에는 보고 목적으로는 보고서의 정확성을 확보하면 될 것이니 한꺼번에 완벽하게 원장을 통합한다는 것은 욕심일 것 같아 보입니다."

글로벌은행의 재무팀을 맡고 있던 정이사가 의견을 내놓았다.

"일단 소비자금융 쪽부터 통합하는 것이 어떨까요? 이쪽 원장은 닮은 데가 많이 있으니 통합하는 데 큰 어려움이 없을 듯합니다. 그러고 난 뒤 글로벌은행의 기업금융 원장도 통합해 나가는 방법이 좋을 듯한데요."

두 은행은 '은행'이라는 공통점만을 갖고 있을 뿐 많은 면에서 차이점을 보이고 있었다. 단순히 원장체계의 차이만 있는 것이 아니었다. 두 은행의 경영전략이 다르면 운영방식이 다르다. 운영방식이 다르면 영업방식이 다르고 후선업무의 지원방식도 달라지게 된다. 어찌 보면 원장시스템은 마지막 단계에서 보여 주는 차이점에 불과했다. 회의에 모인 사람들은 많은 물줄기의 끝에 서서 흘러 온 물을 어떻게 가두고 흘려 보낼 것인지를 고민하고 있는 것이다.

크리스가 잠시 소강상태에 있는 회의실의 분위기를 바꿔보려고 했다.

"모두들 문제점과 차이점을 잘 파악하고 있는 것 같아요. 근본적으로 다른 데가 많다 보니 어려움도 많은 것 같아요. 그러니 너무 스트레스 받지 말고 하나씩 해결합시다. 제가 여러분들의 이해를 돕기 위해서 조금 더 설명을 하도록 하겠습니다."

크리스는 잠시 숨을 돌리고 설명을 이어갔다.

"대한은행은 IMF 이후 정부의 정책방향에 따라 다른 은행들과 마찬가지로 은행업무의 시스템화를 진행했습니다. 그래서 은행이 더 이상 인적자원을 통해 이익을 창출하는 것이 아니라 시스템을 통해서 장사를 하는 곳이 되었어요. 지점망을 통해 일반적인 업무는 모두 ATM을 통해서 하고 대출업무나 프라이빗 뱅킹 업무는 주로 지점직원들을 통해 하게 된 것입니다. 시스템화는 직원들의 순환보직제[53]와도 잘 맞고 은행에서 발생하게 될 사고도 막을 수 있게 했습니다. 내부통제를 시스템적으로 하게 된 것입니다. 하지만 완벽한 것은 없습니다. 지나치게 시스템에 의존하다 보면 잘못된 시스템에서 발생하는 문제는 엄청난 재앙이 될 수도 있어요. 반면에 글로벌은행과 같은 외국계 금융사들은 최소한의 시스템으로 은행을 운영해 왔어요. 시스템이 해야 하는 것을 인력이 대신해 주었지요. 물론 은행이 다루는 상품이 다양하지 않고 대형화가 되지 않았기 때문에 가능한 것입니다."

회의에 참석한 직원들이 지루해하는 모습을 보이는 듯해서 크리스는 하려던 말을 서둘러 마무리했다.

"그런데 기업금융 원장의 경우에는 문제가 좀 복잡한 것 같아요."

53) 순환보직제란 영업, 기획, 관리 등 각 부서별 담당자를 2~3년 주기로 바꿔주는 시스템. 특정 분야의 전문가보다는 각 부문에 능숙한 제너럴리스트를 겨냥하는 제도라는 점에서 '관리직의 다능인화'를 목표로 하고 있다.

글로벌은행의 본점보고 업무를 맡고 있는 이차장이 자신의 입장을 피력하고 싶어 하는 듯했다.

"무슨 문제인가요?"

"대한은행의 원장에는 소비자금융와 기업금융거래가 혼재해 있는 상황입니다. 예를 들면, 대출의 경우 기업고객과 개인고객이 함께 묶여 있어서 분리할 수 있는 입장이 되지 못합니다. 분리하기 위해서는 시간이 엄청나게 들 것 같아요. 지원이 필요할 것 같습니다."

"예상했던 문제입니다. 그 문제에 대해서는 다음 회의에서 다루도록 하지요. 인력지원에 대해서는 걱정하지 마세요. 계획을 세우고 있습니다."

글로벌 금융회사들이 지점형태로 국내에 진출해 있는 경우, 지점의 관련 시스템은 전산허브 역할을 하는 지역점에 있는 것이 대부분이다. 글로벌은행의 경우에도 원장시스템은 싱가포르에 서버를 두고 있었다. 글로벌금융회사들은 시스템관리는 싱가포르나 필리핀 등지에서 통합관리함으로써 관련 비용을 최소화하고 있었다. 통합된 시스템관리의 이점으로는 하드웨어 활용 면에서 적은 비용으로 최적의 시스템 활용이라는 이점 외에 인건비가 낮은 국가에서 관리함으로써 부대(Overhead)비용을 최소화 할 수 있다는 이점이 있다. 글로벌금융기관들은 시스템 허브를 홍콩이나 싱가포르의 지역점에 두고 각 나라에서는 필요한 부분을 조정할 수 있는 기능을 부여해 놓았다.

회계보고를 위한 원장의 통합은 이론적으로는 간단해 보이지만 실제적으로는 엄청난 시간과 노력이 필요했다. 매일매일 돌아가는 영업을 멈추고 원장을 새롭게 만들 수 있는 상황이 아니기 때문에 원장의 통합은 두 은행의 원장을 통합해야 하는 숙제도 있지만 매일매일 원장으로 흘러 들어오는 거래와 관련된 재무정보들을 어떻게 통제하며 많은 GAP이 있는 두 은행의 원장을 통합하느냐의 어려움이 있었다. 중요한 것은 우선 매일매일 일어나는 업무에 차질을 가져와서는 안된다. 먼저 업무를 진행하면서 통합작업이 이루어져야 한다.

7장 영업관리 – 시너지요인을 찾아라

성공적인 합병을 위한 가장 중요한 요소는 통합회사들 간의 장점을 서로 이해하고 그 장점을 통합 후 회사에 적극 활용하며, 상호 부족분은 보완하여 통합의 시너지를 극대화하는 일일 것이다.

합병한 두 은행이 갖고 있는 강점을 살펴보면, 대한은행의 경우 현재 기업금융(중소기업)과 개인금융의 비중이 60 대 40이며 프라이빗 뱅킹도 국내 은행 중에서 가장 일찍 시작해 상대적으로 많은 고객을 확보하고 있었다. 한편, 글로벌은행은 프라이빗 뱅킹을 비롯한 소비자금융에 강점을 갖고 있을 뿐 아니라, 그 동안 한국시장에서 대기업을 대상으로 기업금융 노하우도 쌓아왔다. 그러므로 글로벌그룹의 글로벌한 브랜드 파워와 전세계적인 영업망, 막강한 자원 및 우수한 자본력, 그리고 경영지원을 바탕으로 기존의 대한은행 영업망을 통해 한국의 금융여건에 맞는 영업을 실시한다면 영업수익의 개선과 판관비 절감, 조달비용 절감 등을 통한 시너지 효과를 창출할 수 있었다.

전략기획그룹을 새로 맡게 된 정부행장이 회의를 소집하기 전 급하게 '한국글로벌은행의 영업전략'이라는 제목으로 이메일에 첨부된 파워포인트 자료가 날라 왔다. 크리스는 자료를 열어 볼 시간도 없이 회의장으로 향했다. 회의장은 사뭇 진지했고 컨퍼런스콜을 통해 뉴욕과 홍콩에서도 적지 않은 사람들이 참석한 듯했다.

정부행장의 발표가 시작되었다.

"현재 국내 금융여건을 살펴볼 때 경제침체로 인해 지속되는 저금리와 은행권에서의 자본이탈로 기존의 예대마진과 수수료 기반의 수익모델로는 더 이상 만족할 만한 수익을 거둘 수 없는 상황입니다. 한편 최근, 노령화의 진전과 신흥 부유층들의 등장으로 프라이빗 뱅킹과 자산운용시장이 새로운 수익모델로 등장했으며 저희 은행도 이러한 환경변화에 대응하여 전략을 수립해야 한다고 생각합니다. 세계금융시장을 리드하는 글로벌그룹의 멤버로서 글로벌은행은 기존의 대한은행의 채널과 네트워크를 활용하여 국내 은행권의 새로운 수익모델로 떠오른 프라이빗 뱅킹 등 소매금융시장에 특화한다면 시장 선점을 통해 마켓 리더십을 확보할 수 있을 것으로 판단됩니다."

정부행장의 발표는 감동을 주고 있었다. 정부행장의 발표가 진행되고 있는 동안 회의실은 쥐죽은 듯 조용했다.

"다음으로는 사업을 3분야로 나누어 좀 더 구체적으로 설명하도록 하겠습니다. 각 사업부문별로 설명을 하는 동안 질문이 있으면 언제든지 해 주시길 바랍니다. 첫번 째는 프라이빗 뱅킹(Private Banking) 부문입니다."

"본론으로 들어 가기 전에 현재 한국글로벌은행의 지점망은 어느 정도입니까? 그리고 한국 내 다른 상업은행과 비교하면 어느 정도 위치에 있는지요."

전화기에서 갑작스러운 질문이 던져졌다. 누군지를 밝히지 않은 걸로 봐서 최고매니지먼트 중 누군가 임에 틀림없었다.

"예. 한국글로벌은행의 지점 수는 130여 개로 한국 내 대형은행보다는 숫적으로 열세에 있습니다만 외국계은행으로서는 선두를 차지하고 있습니다."

"오케이. 계속하세요."

더 이상의 질문은 없었지만, 정부행장은 긴장하고 있는 모습을 감추지 못하고 있었다.

"그럼 설명을 계속 진행하겠습니다. 현재, 시중은행은 개인고객 중 1억 원 이상의 예금을 예치한 소위 VIP 고객의 비중(고객수 기준)이 5퍼센트 미만인 것으로 추정되고 있습니다. 그리고 이들 VIP 고객의 예금금액 비중은 50~60퍼센트 수준인 것으로 추정됩니다. 국내 가계부문의 소득분야별 예금 통계를 보면 상위 30퍼센트에 해당하는 가계가 전체 예금의 60퍼센트를 차지하고 있는 실정입니다. 따라서 프라이빗 뱅킹 영업 전략의 성공 여부에 따라 은행 자금조달 구조에 영향을 줄 수 있을 것으로 보입니다. 앞으로도 한국글로벌은행은 본사로부터 계속 자금지원을 받겠지만 자체적으로 자금을 조달하는 것도 의미가 있을 것입니다. 참고로 예전 글로벌은행 프라이빗 뱅킹 VIP고객은 5억 원 이상 예금을 예치한 고객을 타깃으로 했습니다."

"그렇다면 한국글로벌은행은 앞으로 타깃으로 하는 고객의 예치금 금액을 하향 조정할 계획이다는 겁니까?"

전화기에서 또다른 목소리가 들여 왔다. 그도 누군지를 밝히지 않고 있었다.

"그렇습니다. 지점수가 많아진 만큼 저희도 국내 시중은행과 비슷한 영업방식으로 경쟁할 수 있을 것으로 보입니다. 시중은행들이 한국글로벌은행의 본격적인 시장진출에 대해 긴장하고 있는 상황입니다."

"그건 그렇지 않아요. 오히려 우리가 긴장해야 되는 건 아닌지 모르겠군요. 지점수가 아직 한국 시중은행과 경쟁이 되지 않는 상황에서 같은 방식으로 영업전략을 전개한다는 것은 사업적으로 위험요인이 될 듯도 합니다만."

소비자 금융대표를 맡고 있는 이부행장이 끼어 들었다.

"그 점은 염려하지 않아도 될 것 같습니다. 일단, 국내 고객들은 한국글로벌은행에 대한 로열티가 상당히 높기 때문에 충분히 승산이 있을 것입니다."

"그럼 제 발표를 계속 진행토록 하겠습니다. 다음은 개인 신용대출 부문입니다. 글로벌은행 서울지점의 가계대출은 그 규모가 크지 않았습니다. 대출금의 70퍼센트 이상이 가계대출이었으며, 이 중에서도 약 65퍼센트가 신용대출이었습니다. 신용대출 중에서도 3,000만 원 이하의 신용대출이 80퍼센트에 달했습니다. 국내 시중은행이 대체로 1억 원 이상의 신용대출 비중이 80퍼센트이고 3,000만 원 미만의 신용대출 잔액 비중은 5퍼센트 미만인 점을 감안하면 상당히 다른 개인 신용대출 전략을 구사하고 있었습니다. 그런데, 현재 HSBC, 제일은행 등 외국계은행이 잇따라 낮은 금리의 신용대출 상품을 출시하면서 공격적 영업에 나서고 있는 점과 신용대출 고객이 중산층 이상의 급여생활자인 점을 감안하면 개인 신용대출 시장 전략을 수정할 필요가 있을 것으로 보입니다."

정부행장이 신용카드사업에 대해서 발표를 이어 가고 있을 때 이행장이 시간이 너무 지체되니 속도를 낼 것을 요청하는 사인을 보냈다. 그런데 이번에는 홍콩지점의 CEO를 새로 맡은 척의 목소리가 들려왔다.

"대한은행을 인수한 것도 글로벌그룹이 한국에서의 소비자금융시장을 확대하기 위해서 입니다. 그러니 시너지효과를 보기 위해서 소비자금융 부문에서 영업전략을 잘 세워야 할 것입니다. 한국 내 시중은행과 같은 방식으로 영업을 하며 경쟁을 하는 것이 최선의 방법인지는 전략적으로 다시 판단해 보도록 하세요. 한국 내 시장상황이 어떤지 분석해서 알맞은 전략을 세우는 것이 바람직 할 것입니다. 한국의 금융소비자들이 글로벌은행을 선호하는 요인이 무엇인지 파악해서 강점을 파악해서 전략적으로 접근해야 합니다. 세부전략이 마련되면 홍콩에서 미팅을 가지도록 합시다."

"그러면 기업금융 부문으로 들어 가겠습니다. 이 부문에서는 글로벌은행과 비슷하게 사업을 전개해 나갈 것이어서 특별히 달라지는 전략은 없습니다. 단지 통합은행이 되면서 운용할 자금의 규모가 커지는만큼 예전에 신용금액(Credit Line)의 한계로 할 수 없었던 거래를 할 수 있어 영업을 확대할 수 있을 것으로 보입니다. 해외에 있는 관계사들과의 파생거래도 더 확대될 수 있기 때문에 관련이슈들에 대한 가이드라인이 필요할 것으로 보입니다."

정부행장은 크리스를 힐끗 보며 혹시나 나올지 모르는 질문에 대비하려는 듯했다.

"무슨 가이드라인을 말하는 겁니까?"

"해외거래에 대해서 그리고 관계사와의 거래에 대한 감독당국의 규정이 강화되고 있는 터라 컴플라이언스(Compliance)쪽으로부터 도움을 많이 받아야 할 것 같고……."

정부행장은 적절한 용어가 생각나지 않는지 크리스에게 신호를 보내고 있었다. 크리스는 신호를 알아차리고는 마이크에 다가갔다.

"재무기획부의 크리스입니다. 세무적인 요인도 있습니다. 관계사와의 거래에 대해서 세무당국은 이전가격세제(Transfer Pricing Taxation)[54]라는 명목으로 규제를 하고 있는데, 간단히 말씀드리면, 관계사(Related Party) 간의 거래에 대해서는 정상가격(Arm's Length Price)[55]을 적용하여 양 국가 과세당국간의 과세권이 공평하게 배분되어

54) 이전가격세제란 기업이 국외특수관계자와의 거래에 있어 정상가격보다 높거나, 낮은 가격을 적용함으로써 과세소득이 감소되는 경우, 과세당국이 그 거래에 대하여 정상가격을 기준으로 과세소득금액을 재계산하여 조세를 부과하는 제도입니다.

55) 정상가격이란 거주자 · 내국법인 또는 외국법인 국내사업장과 이들의 국외특수관계자간의 거래와 동일 · 유사한 거래로서 특수관계없는자(독립기업)간의거래(비교대상거래)에서 적용되었거나 적용될 것으로 기대되는 가격을 말한다.

야 한다는 것입니다. 자세한 내용은 담당부서와 협의하여 가이드라인을 제공토록 하겠습니다."

"감사합니다."

정부행장이 크리스를 향해 빙그레 웃어 보였다.

8장 시스템관리 - 통합보수(Integration Repair)하라

시스템통합을 위해 다음의 원칙이 필요하다. 첫째, 임의적인(discretionary) 프로젝트는 합병이 마무리 될 때까지 미뤄둬야 한다. 둘째, 각 사업부가 똑같이 시스템변환에 책임을 져야 한다. 셋째, 시스템통합은 조속히 착수되어야 한다. 시스템통합은 가장 먼저 착수되어야 하는 사안이다. 그리고 시스템통합은 통합의 마지막 이슈가 되기도 한다. 그만큼 중요한 사안으로 통합리더는 시스템통합의 중요성을 절대로 간과해서는 안된다.

글로벌그룹의 대한은행 인수는 일찌감치 세간의 관심거리가 되어 왔다. 글로벌그룹의 M&A에 대한 모든 과정이 관심거리가 되고 있었다. 신문에서는 글로벌은행과 대한은행의 시스템통합에 대한 분석을 연일 내 놓고 있었다.

"두 은행은 지난달 말에 금감원에 제출한 '통합 예비인가 신청서'에서 자금운용 부문 등 은행의 운용 체계와 관련해서는 글로벌은행 방식을 수용하되 전 세계적으로 한국이 가장 앞서가고 폭발적인 성장세를 이어가고 있는 인터넷뱅킹, 신용카드 부문에서는 대한은행 방식을 채택할 계획임을 밝힌 것으로 알려졌다. 특히 자금운용 부문에서는 리스크관리, 자금부채관리, 외환, 옵션, 이자율 데스크로 세분화하는 등 글로벌그룹 방식을 그대로 수용했다."

글로벌그룹의 대한은행 인수에 대한 금융당국의 승인요건 중에는 글로벌은행의 지역점 시스템을 모두 한국으로 이전해 오는 요구사항이 있었다. 따라서 시스템 통합작업은 조기에 착수되어야 하는 형편이었다. 그러나 전산통합은 초기부터 쉽지 않아 보였다. 시스템의 통합은 단순히 어느 시스템을 선택하느냐가 아니었다. 통합은행의 프로세스를 지원할 수 있는 적절한 기능(Functionality)을 선택한 다음, 어떤 시스템이 그런 기능을 최적으로 지원할 수 있느냐를 결정하면 된다. 그런데, 노동조합의 정치적인 논리는 기존시스템(Legacy System)을 포기하는 것이 곧 생존의 문제인 것처럼 보였다. 시스템 통합이 최적의 솔루션을 찾는 작업이라기보다 정치적인 도구로 이용될 수 있는 위험성을 갖고 있었다.

통합은행의 시스템 통합을 위해서 두 개의 다른 프로젝트가 진행되었다. 첫째는, 지역점에 있는 시스템을 국내로 이전하는 프로젝트이다. 이를 시스템이전(System Migration)이라 불렀다. 다른 하나는, 글로벌은행과 대한은행이 운영 중인 시스템 중에 적합한 시스템을 선택하는 문제이다. 이 프로젝트는 시스템변환(System Conversion)이라 불렀다. 통합과정에서 발생하는 시스템 문제의 해결은 A+B=C가 아니라 A+B=A 또는 B이어야 한다. 포기해야 하는 시스템이 생긴다는 의미이다.

자금업무부의 시스템이전에 대해 회의가 소집되었다.

자금업무부를 맡고 있는 제티가 먼저 입을 열었다.

"은행의 가장 핵심부서가 자금업무라는 걸 모두 아시고 있을 겁니다. 가장 우선적으로 통합해야 할 시스템이 바로 자금업무부에 소속되어 있는 시스템입니다. 매일매일 거래가 이루어지고 있고 1초만에 몇 백억이 날아갈 수도 있는 것이 자금업무부의 업무임을 생각할 때 가장 중요한 기능을 맡고 있는 곳이다 라고 할 수 있습니다."

제티는 회의장의 분위기를 무겁게 만들고 있었다.

"현 시점에서 우리가 가장 우선적으로 해결해야 하는 일이 무엇일까요? 먼저 대한은행의 자금업무(Treasury) 시스템을 사용할 것인지 글로벌은행의 자금업무(Treasury) 시스템을 계속 사용할 것인지 빠른 시일 내에 결정해야 합니다."

회의 참석자들은 침묵으로 일관하고 있었다.

그런 후, 일시에 갑론을박이 이어졌고 결국 글로벌은행 시스템으로 가는 것에 모두가 동의했다. 그 다음 문제는 시스템이전의 시기였다. 글로벌은행 시스템 서버가 지역점에 존재하고 있었기에 시스템을 이전해 오는 문제가 있었다. 기본적으로 통합과 더불어 가급적이면 빠른 시일 내에 이전이 이루어져야 한다는 게 한 목소리였다. 그런데 누가 무엇을 할 것인가에 대한 명확한 로드맵은 존재하지 않았다. 책임자는 있었지만 지휘자(Conductor)가 없는 듯했다. 서로의 입장만을 계속 피력할 뿐이었다.

시스템 통합작업이 진행되고 있는 동안 문제가 터졌다. 글로벌은행의 노조활동이 시작된 것이다. 직원들이 업무에서 손을 놓아 버렸고 업무가 제대로 돌아가지 않았다. 글로벌은행 시스템을 사용하기로 결정한 마당에 글로벌은행 직원들이 파업을 하고 있는 상황이라 더 이상의 업무 진행이 어려웠다. 어쩔 수 없이 한 동안 대한은행과 글로벌은행의 시스템이 공존하는 상황이 벌어진 것이다. 시스템이 통합되지 않은 상황에서는 어떤 거래는 글로벌은행 시스템에서 그리고 또 다른 거래들은 대한은행 시스템에서 이루어졌다. 한 고객의 거래가 거래 성격에 따라 두 시스템으로 나눠지기도 하고, 한 거래를 같은 고객이름으로 두 시스템에 만들어지기도 했다. 한 고객에 대한 거래를 다시 합산하여 정산해야 하는 불편함이 발생하게 되었다. 한 고객과의 거래로부터 발생된 손익을 결산조정하는 데 상당한 어려움이 발생했다.

긴급회의가 소집되었다.

자금업무부의 거래정산 업무를 맡고 있는 이부장이 말을 먼저 열었다.

"내부적으로 두 개의 시스템이 돌아가고 있어 거래 정산하는 것이 어렵습니다. 문제는 글로벌은행 시스템에 있는 거래와 대한은행 시스템에 있는 거래가 별개로 파악되어 과대하게 기록(Booking) 되었습니다."

"왜 그런 걸 이제 얘기하는 겁니까?

자금업무부의 제티가 언성을 높였다.

자금업무부에서는 문제를 이부장에게로 돌리려는 듯 화살을 쏟아 붓고 있었다. 시스템 통합이 되지 않아 발생한 문제였지만 누군가는 희생양이 되어야 할 처지였다. 이부장은 지역점에 있는 총책임자에게 이슈를 전달했지만 오히려 문제를 더 키우는 꼴이 되었다. 시스템 통합이 이루어지지 않은 상황에서 예상할 수 없이 발생한 문제임에도 불구하고 누군가는 비난을 받아야만 하는 상황이었다.

대한은행이 사용 중이던 시스템은 현업의 요구사항에 따라 시스템이 설계되어 있어 비교적 안정적인 시스템이었다. 그러나 기존의 글로벌은행 시스템은 지역점들이 사용하고 있는 시스템방식을 취하고 있었다. 또한 글로벌은행 시스템은 본점보고(Head Office Reporting)에 용이하게 되어 있었고 대한은행 시스템은 그럴 필요가 없었다. 처해진 상황에 따라 시스템은 당연히 다르게 설계되어 있었다. 문제는 이러한 시스템환경에 대한 면밀한 분석 없이 시스템을 선택한 것이 화근이 된 것이다.

글로벌은행의 파업이 마무리 되고 나자 이번에는 대한은행 쪽 노조의 파업이 시작되었다. 또다시 시스템이전은 미궁 속으로 빠져 들었다. 이부장은 대한은행 직원들의 몫까지 해야만 했다. 글로벌은행 시스템을 채택한 마당에 글로벌은행 시스템에서 산출된 데이터를 검증하는 작업에 대해 대한은행 직원들은 손을 될 수가 없었기 때문이었다.

지역점에서 파견된 프로젝트 책임자는 자신의 업무성과를 위해서 지나치게 시스템통합 프로젝트 진행을 독려하였다. 경영층은 시스템 통합의 중요성과 발생한 문제의 심각성을 제대로 파악하고 있지 못한 듯했다. 거기에다가 통합시스템에 대한 전체적인 그림을 제대로 그리지 못한 채 프로젝트가 진행되었다. 후선업무(Back - end)에 강한 시스템을 만들 것인가, 아니면 영업업무(Front - end)에 강한 시스템을 만들 것인가? 글로벌그룹 입장에서 감독(Control)하기 좋은 시스템을 만들 것인가 아닌가? 시스템환경과 시스템의 효율성을 따지기 전에 정치적으로 결정이 된 부분도 많은 것 같았다.

시스템 통합문제는 단순한 문제가 아닌 듯했다. 시스템통합 프로젝트 회의가 진행되고 있는 가운데, 어느 누구도 No라는 대답을 선뜻 할 수가 없었다. 시스템에 대한 확신을 가지지 못한 상황에서 아무도 선뜻 반대의 목소리를 낼 수가 없었던 것이다.

프로젝트매니지먼트팀 구성에도 문제가 있었다. 대한은행 쪽 직원이 총책임자를 맡고, 소비자금융 프로젝트매니저와 기업금융 프로젝트매니저는 글로벌은행 출신이 임명되었다. 거기에다가 지역점에서 PMO로 싱가포르에서 인력이 파견되었다. 싱가포르지점은 아시아지역의 시스템 허브역할을 하는 지점으로 산하에 아시아 지역 지점 및 지사들을 지원할 수 있는 시스템 부서가 있었다. 얼뜻 보아도 복잡하다. 글로벌은행출신 프로젝트매니저는 시스템개발을 직접 해본 경험이 없었고, 지역점에서 파견된 PMO직원은 대한은행의 시스템환경을 알리 없었다. 대한은행의 총책임자는 글로벌은행 시스템환경을 알리 없었다. 통합된 시스템에 대한 그림을 그리기 위해서는 양 시스템에 대한 그림을 그릴 수 있어야 하는데 전체적인 그림을 그리고 있는 매니저는 없었다.

시스템의 통합은 어느 시스템이 선택되느냐에 따라 직능이 사라지기도 하고 일거리가 없어지기도 한다. 따라서 시스템 통합은 단순히 시스템의 이전이나 통합의 문제가 아니고 죽느냐 사느냐의 문제인 듯했다. 거기에다가 시스템 통합작업을 이끄는 총책임자가

리더쉽을 발휘하지 못하면 구성원들은 통합은행을 위한 원칙이 아니고 자신들만의 원칙에 빠지기 쉽다. 그렇게 되면 자신들도 모르는 사이에 문제를 키우게 되고 문제가 터졌을 때는 이미 돌이킬 수 없는 지경이 되어 버린다.

크리스는 전산(Technology)그룹 CFO를 맡고 현황파악을 하기 위해 회의를 소집하는 대신에 프로젝트매니저들을 한사람 한사람 찾아 다녔다. 고부장과의 만남을 통해서 문제해결의 실마리를 찾은 듯했다.

"크리스도 아마 얼마 되지 않아 이 업무에서 손을 뗄 것입니다. 그러니 적당히 하며 편하게 있다가 다른 업무를 찾아보는 게 좋을 것입니다."

고부장은 식사를 하는 내내 부정적인 얘기만 늘어 놓았다.

"저도 그렇게 생각합니다. 그런데 업무를 맡았으니 은행보다 고부장님의 애로사항이라도 해결해 드릴 수 있기를 바랍니다. 가장 어려운 문제가 무엇인지 말씀해 주실 수 있을까요? 도움이 되도록 노력해 보겠습니다."

고부장은 소주를 연거푸 마시더니 힘들게 얘기를 꺼냈다.

"그 동안 프로젝트 책임자가 너무 자주 바뀌었어요. 전산부가 갈 데 없으면 오는 그런 곳으로 생각하나 봐요. 책임자가 자주 바뀌니 누가 책임지고 의사결정을 하려 하겠어요. 시늉만 하다가 생색만 내고 하니 프로젝트가 진행이 되겠습니까?"

"그랬었군요. 그래서 제가 왔지 않습니까? 저는 이 일을 통해 생색내러 온 게 아니니 한 가지 일이라도 해결해 드렸으면 좋겠습니다. 상황이 그러했으니 프로젝트책임자와 의사소통도 잘 되지 않았겠군요?"

"그러게 말입니다. 관심이 없는데 직원들과 의사소통이 제대로 될 일이 있겠습니까? 아무리 좋은 대안을 제시해도 실행이 되지 않았어요."

"현재 진척이 없는 시스템컨버젼 프로젝트에 대안이 있다는 말입니까? 벌써 몇 년을 끌어 온 것이 저도 이해가 되지 않습니다."

"답은 당연히 있어요. 기존의 대한은행 거래는 대한은행 시스템에 남겨 둔 채로 세월을 보내면 됩니다. 만기가 되어 해소가 될 때까지 그냥 내버려 두는 것입니다. 그리고 새로운 거래는 모두 글로벌은행 시스템에 기록하는 것입니다. 다른 대안이 나올 수가 없어요. 억지로 옮기려고 해 봤지만 매번 실패로 돌아갔지 않습니까?"

"아! 그렇네요. 무리하게 이전시킬 필요가 없네요. 무작정 이전만 해야 된다고 생각한 것이 잘못된 거네요. 그런데 그 동안 왜 그 생각을 못했지요?"

"새로운 프로젝트 책임자가 올 때마다 제안을 했지만 매번 묵살되었어요. 입맛에 맞지 않았나 보지요."

"그랬군요. 제가 이번에 매니지먼트에 제안을 해서 해결해 보도록 하겠습니다. 매니지먼트에서 시스템통합 때문에 골치 아파하고 있어요. 물론 지금까지 시스템쪽은 큰 관심을 두지 않았던 게 사실입니다. 사실 무관심하려고 그런 것은 아니었던 것 같아요. 시스템 문제는 비전문가들에게는 어려운 사안이잖아요. 아무튼 현재 문제점에 대해서 제가 충분히 보고토록 하겠습니다. 한 가지 당부드릴 말씀은 직원들도 그 동안 소외되었다는 생각을 버리고 혼자만의 원칙에서 벗어나는 것이 중요합니다. 제 생각에는 전산부가 은행에서 가장 중요한 부서라고 생각해요. 이제는 은행업도 사람이 하는 것이 아니고 시스템이 하는 것 아닙니까?"

"우리 입장을 이해해 주시니 정말 고맙습니다. 사실 그 동안 전산부로 온 매니저들 중에는 저희들을 직접 찾아와서 문제점에 대해 얘기하고자 하는 사람들은 아무도 없었습니다. 대회의실에 모두 모아 놓고 각 파트별로 이슈사항을 발표하고는 끝내는 식이었죠. 제가 파트별 프로젝트매니저들과 소그룹미팅을 주선해 보겠습니다."

통합이 순조롭게 진행되지 않는 프로젝트는 어디에도 발생한다. 통합프로젝트별로 정해진 시간 안에 진척이 없는 프로젝트에 대해서는 원인이 우선적으로 규명되어야 한다. 그러나 통합이 진행되는 동안에는 조직의 일시성과 불확실성 때문에 프로젝트를 책임지고 있는 매지저들이 근본적으로 문제를 해결하기보다는 성과위주로 치우치게 된다. 또한 프로젝트 구성원들과 적극적으로 의사소통하지 않고 형식적 소통으로 인해 프로젝트에 진척이 없다. 이런 경우, 통합보수(Integration Repair)가 적절하게 이루어져야 한다.

새로운 프로젝트매니저가 투입되어 문제점의 원인을 규명해야 하며, 프로젝트팀 구성원들과 함께 해결방안을 모색해야 한다. 통합보수가 제때 이루어지지 않으면 내부 구성원들의 사기 저하는 물론 심각하면 외부 고객에게도 영향을 끼칠 수 있다는 것을 인식해야 한다.

9장 비용관리-리더의 경험이 중요하다

통합작업이 진행되면서 계약관계를 새롭게 정립할 필요가 많아졌다. 고객과 맺었던 계약도 모두 갱신해야 했고 해외에 있는 관계사들과의 계약도 모두 바꿔야 했다. 달라진 이름과 주소만의 문제가 아니라 계약의 조건과 내용도 경우에 따라서는 변경되어야 했다. 계약관계를 새롭게 정립하는 일은 법무팀에게 많은 일거리를 주고 있는 동시에 크리스에게도 부담이 되는 일이었다. 통합작업이 중반부로 가면서 늘어난 통합프로젝트와 함께 계약의 종류도 다양해졌다.

제이크가 글로벌그룹 지역점인 싱가포르 지점으로 떠나고 얼마되지 않아 시스템이전 프로젝트 총책임자를 맡고 있는 빈센트로부터 이메일이 날라 왔다. 매일같이 쏟아지는 엄청난 이메일 속에서도 크리스는 그의 이메일을 금방 알아 볼 수 있었다. 제이크가 한국에 있는 동안 빈센트는 같은 내용으로 크리스를 괴롭힌 적이 있었기 때문이다.

크리스는 그의 요청에 의도적으로 답을 하지 않고 있었다. 그러자 김전무로부터 연락이 왔다.

"빈센트가 크리스한테 요청한 건에 대해서 아직 답을 못 받았다고 나한테 불만이 들어왔네. 어찌된 거지? 너무 바빠서 처리를 아직 못한 모양이네. 서둘러 답을 주게나."

"아, 참네. 그 친구 많이 안타깝네요. 사실은 제이크가 한국에 있을 때 똑같은 짓을 저에게 했었습니다. 자기가 요청한 건에 대해서 내가 답을 주지 않는다고 엄청 짜증을 부렸습니다. 그래서 자초지종을 제이크한테 설명을 드렸드니 제이크가 오히려 빈센트를 혼내 주었습니다. 이제 제이크가 가고 없다고 그 일을 또 전무님한테 얘기해서 자기 주장을 관철시키려는 것 같습니다."

"대체 무슨 문제인데?"

"빈센트가 맡고 있는 시스템이전 프로젝트와 관련된 것입니다. 아시는 것처럼 현재 싱가포르지점과 시스템 지원과 관련한 계약을 맺고 있습니다. 그런데 통합은행이 되면서 시스템이전과 함께 계약관계를 새로 정립해야 하는데 계약내용이 예전과 바뀌는 부분이 있습니다. 그 중에서 소프트웨어 관련해서 내부개발이냐 외부개발이냐에 따라 로열티문제가 발생할 수 있고 따라서 로열티를 지급하는 문제에 관해서는 세금을 원천징수해야 한다는 내용을 제가 자세하게 정리해서 이메일로 보내 주었습니다. 그리고 이해를 돕기 위해 제가 직접 찾아가서 부서직원들과 미팅을 하면서 부가적인 설명도 자세하게 해 주었습니다."

"그런데 왜 그 난리지?"

"글쎄 말입니나. 빈센트 얘기로는 예진 계약시를 그대로 사용하고 싶다는 얘기입니다. 싱가포르지점은 다른 나라 지점과 모두 그 계약서를 사용하는데 왜 한국과는 계약내용이 달라져야 한다는 겁니다. 계약을 변경해서 승인받는 데 시간도 걸리고 하니 그냥 예전 계약서를 사용하자는 겁니다. 이 문제를 제기한 지 벌써 석 달이 지나고 있는데 그 동안 승인을 받아도 받았을텐데 말입니다."

"거 참. 방법이 없겠는가? 계속 저렇게 떠들고 있느니 어쩌겠나?"

"제가 다른 방법도 알려 주었습니다. 예전의 Master계약서는 그대로 유지하고 우리한테만 적용되는 내용은 부계약서(Country Addendum)를 만들어 처리하면 된다고 말입니다."

"그래 그것도 못하겠다는 건가?"

"예. 제가 보기엔 계약서 문제가 아닌 것 같습니다. 자신이 생각지도 못한 세금문제가 나오니 프로젝트 예산(Budget)에 올렸던 숫자와 맞지 않아 저러는 것 같습니다."

"그렇구나!"

"프로젝트 예산문제는 본인이 알아서 처리해야 할 문제지 세금문제와 결부시키는 건 말이 안되는 것 같습니다. 제가 자문(Advisory)해 줄 수 있는 건 다 해준 것 같습니다. 이 문제로 저를 비난하고 다녀도 저로서는 어쩔 수가 없는 것 같아요. 원칙은 원칙이지 않습니까?"

"그래 알았네. 내가 얘기해서 세금효과만큼 프로젝트 예산을 증액할 수 있도록 해 보겠네."

통합작업이 진행되고 있는 동안 예상치 못한 일들이 수도 없이 일어났다. 그 중에서도 통합작업이 길어지면서 통합비용이 늘어나자 글로벌그룹은 통합비용에 대해 통제하기 시작했고 프로젝트매니저들은 통합비용을 줄이기 위해 안간힘을 쓰고 있었다.

통합프로젝트를 진행하면서 프로젝트매니저들이 흔히 범하는 실수는 프로젝트계획을 세우는 단계에서 거의 모든 경우에 자신의 예전 경험에만 의존하여 예산을 실행하는 경우가 많다. 경험은 중요한 교훈이 되는 것은 분명하나 원칙이 될 수는 없다는 것을 간과하고 있다. 프로젝트매니저는 프로젝트 전반에 대한 통찰력을 갖고 있어야 하며 잠재적인 이슈와 비용에 대해 파악하고 있어야 한다. 프로젝트매니저의 경험은 성공적인 통합을 위해서 매우 중요하다. 그런데 더 중요한 것은 프로젝트매니저의 의사결정은 자신의 제한된 경험에만 의존하지 말고 선례(Best Practice)에 근간을 두어야 한다. 또한, 프로젝트매니저가 최선의 의사결정을 내리기 위해서는 프로젝트팀원들 및 내부구성원들과 적극적으로 의사소통하여 자신의 경험과 외부의견(Feedback)의 조율을 통해 균형잡힌 의사결정을 내려야 한다.

PMI매뉴얼

Cross-Border M&A는 모든 과정이 중요하며 정밀한 계획과 엄격한 실사 하에 이루어져야 하지만 그 궁극적인 성패는 상당부분 인수 후 통합과정(PMI: Post Merger Integration)에 달려 있다고 할 수 있다. 특히 국내기업 간의 M&A에 비해 해외기업의 인수는 문화, 언어, 경영시스템 등 기업간 · 국가간 이질성을 통합하는 데 많은 어려움이 존재할 수 있다.

시스코(CISCO)의 경우 1) 고객이 3년 안에 원하는 기술만 인수, 2) 기술과 인재를 동시에 인수, 3) 피인수기업 직원 퇴사시 양사 CEO가 결재, 4) 인접지역 기업만 인수, 5) 3개월 내 시스템 통합 완료, 6) 6개월 이내에 가시적 성과 도출 등 주로 PMI 관련 M&A 철학을 6개의 원칙에 담아 M&A 성사 시 이를 반드시 지키도록 하고 있다. 한국기업들의 경우 해외 M&A 경험 부족으로 PMI에 대한 부담이 크기 때문에 효과적이고 체계적인 PMI를 위한 대책을 수립해야 할 필요가 있다.

PMI The Real Deal!

인수 후 통합 과정에서 피인수기업 임직원들이 반발해 이탈하게 되면 M&A는 결국 실패로 귀결된다. M&A의 초점은 초기에는 전략적 · 재무적 요소에 달려 있으나 인수 이후에는 조직 문화와 인사 측면으로 중심이 옮겨간다. 미국, 아시아태평양 및 브라질 등에서 M&A를 수행한 경험을 가진 190여 명의 CEO와 CFO를 대상으로 조사한 결과 인수 후 통합이 M&A성과에 가장 큰 영향을 미치며, 그 과정에서 가장 중요한 것은 핵심인재 유지라고 답하고 있다.

M&A 이후 인수기업은 피인수기업의 지식과 인력을 그대로 유지시키기 위해 해당 조직을 존중하여 낮은 통합의 정도를 유지하는 경우가 있는 반면, 구조조정이나 시너지를 통한 가치가 크다고 판단하여 피인수기업에 많은 변화를 주어 적극적으로 통합시키는 경우도 있다. 너무 낮거나 너무 높은 통합을 추구할 경우 의도했던 시너지를 일으키지 못하고 심지어 가치를 파괴시키므로, 인수 후 어떤 수준의 통합 전략을 취할 것인가의 문제는 성과에 결정적으로 영향을 미치는 요인이다.

통합 전략은 거래 목적을 적극적 투자, 범위의 확대, 규모의 확대로 나누어 세 가지 목적에 따라 달리 할 수 있다. 기능의 중복 영역이 낮은 범위의 확대의 경우 두 기업의 조직을 일부 유지하며 적절히 융합하되 피인수기업의 경영진을 많이 유지시키는 선택적인 통합을 고려할 수 있다. 반면 기능의 중복이 높은 규모의 확대에는 피인수기업을 완전히 통합하고 피인수기업의 경영진을 상대적으로 적게 유지시키는 포괄적인 통합이 유효하다고 주장하고 있다.

두 회사의 문화적 차이는 인수의 성패를 가늠하는 중요한 요소로, 두 기업 간 문화적 차이에 대한 인식이 M&A 결과의 유의한 예측지표라는 점은 실증 분석을 통해 검증된 바 있다. 국제 M&A에서 보다 세심한 통합이 요구되는 이유 역시 조직문화 통합은 물론 인종적·국가 문화적 차이도 고려해야 하기 때문이다. 두 조직의 국가와 기업문화에 차이가 크면 통합 비용이 커지고 시너지에 부정적인 영향을 끼친다고 주장하는 학자도 있다. 그러나 문화적 차이라는 것은 곧 배울 수 있는 역량이 다르다는 것을 의미하며, 서로 다름에서 얻은 시너지가 인수 후 기업 성과를 개선시킨다는 상반되는 연구를 제시되기도 했다. 상반되는 두 연구를 해석하기 위해 인수기업이 의도하는 인수 후 통합 수준이 국가 간 문화적 거리와 성과간의 관계를 조절한다는 결과를 제시한 학자도 있었다. 즉, 국가 간 문화적 거리가 높을 경우, 통합수준이 낮으면 성과에 긍정적인 영향을 미친다는 것으로, 두 기업의 국가적 문화가 다를수록 인수 후 통합 정도가 낮아지는 것이 바람직하다.

과거 한국·일본 기업의 구미 선진기업 인수가 대부분 실패로 끝난 원인은 인수기업이 피인수기업의 임직원 수용도를 고려하지 않고 빠른 통합을 절대선으로 생각하여 본사 통제 아래 점령군 행세를 하는 우를 범했기 때문이다. 대표적으로 1990년 일본의 마쓰시다는 미국의 MCA를 61억 달러에 인수했으나, 국가 간 기업문화에 대한 이해 부족으로 피인수기업의 인적자원 관리에 실패하여 M&A의 목적을 달성하지 못하였다. 일반적으로 빠른 통합이 좋지만, 한국 기업이 선진국기업을 인수할 때는 피인수기업 임직원들이 거부감을 가지는 일이 많기에 이들을 존중하면서 마음을 사는 방식으로 접근하는 보다 점진적이고 겸허한 통합 방식이 요구된다.

통합 수준을 신중하게 고려해야 하는 중요한 이유는 피인수기업의 저항을 최소화하여 핵심인력을 보존하기 위함이다. 핵심인력 이탈 방지를 위한 세부적인 방안으로는 첫째, 실사과정 시 핵심인력 파악이다. 핵심인력에 내재된 역량을 얻기 위해서는 기존 핵심인력을 파악하여 이들의 이탈을 사전에 방지할 필요가 있다. Barclays Bank의 경우 Lehman Brothers를 12억불에 인수한 후, 핵심인력 유지에 대한 보너스(Retention Bonus)로 16억불을 지불한 바 있다. 둘째, 호의적인 인수 태도이다. 인수 과정에서의 호의적인 태도는 피인수기업의 우수한 인력과 함께 일할 수 있는 기회를 제공하는 주요한 요인이다. 셋째, 피인수기업의 CEO 등 핵심임원을 유지하거나, 피인수기업의 핵심인력을 PMI 과정에 참여시키는 방안이다. 이들은 인수기업과 피인수기업 간의 연결고리 역할을 하며 상호 조직에 대한 이해를 높이고 피인수기업에 맞는 임직원 충성도 프로그램 개발을 가능케 하여 피인수기업의 인력 이탈 위험을 낮출 수 있다.

M&A에 성공하기 위해서는 PMI가 성공적으로 이루어져야 한다. 그렇다면 성공적인 PMI를 위해서 고려해야 할 가장 중요한 요인은 무엇인가?

첫째, PMI는 기업인수 전부터 준비되어야 한다.

PMI는 인수-피인수기업 간 서로 다른 전략과 프로세스, 조직, 문화 등 경영 전반의 다양한 영역을 통합하는 활동이다. 서로 다른 기능을 재배치하거나 통합함으로써 정보기술(IT) 시스템, 생산 설비 등 '하드웨어'는 물론이고 지휘체계, 일하는 방식, 보상제도 등 '소프트웨어'까지 하나로 융합하는 과정이라고 할 수 있다.

통합은 M&A 계약이 모두 끝난 후 시작하는 작업이라고 생각하지만 실상은 그렇지 않다. M&A 성공 확률, 특히 해외기업 M&A 시 당초 기대했던 시너지 효과를 얻기 위해서는 M&A 계약이 끝나기 이전 실사(due diligence) 단계에서부터 PMI를 준비해야 한다. 실사 기간에 인수 금액과 조건 협상에만 집중하는 한편, PMI에 대한 준비도 함께 해야 한다. 적정 인수 금액을 산정하는 것은 '승자의 저주'를 피하기 위해 매우 중요하지만 M&A의 궁극적 목적이 통합 후 가치 창출에 있는 만큼 실사 단계에서부터 PMI의 방향을 잡고 추진해야 한다. PMI는 '인수 후 통합'뿐 아니라 '인수 전 통합(Pre-Merger Integration)'의 또 다른 이름이라고 할 수 있다.

둘째, 인수 후 첫 100일간 가시적 성과를 도출해야 한다.

PMI의 목적은 통합 과정을 신속하게 진행해 가능한 한 빨리 새 조직이 수익을 창출할 수 있도록 해야 한다. 통합 절차가 느리고 더디게 진행될수록 의구심과 불확실성이 커질 수밖에 없다. M&A 직후 인수기업의 20~50%는 적게는 몇 달에서 많게는 몇 년 동안 생산성이 저하되는 '인수 후 표류기간'을 경험하게 된다. 통합 초반 어수선한 분위기를 신속하게 바로잡고 표류기간을 단축하려면 정교한 통합 계획을 세워 신속하게 PMI를 완료해야 한다고 주장한다. 통합의 속도는 기업 특성에 따라 달라지겠지만, 인수 후 100일에 PMI의 성공 여부가 달려 있다고 보는 견해가 많다. 인수 후 초기 100일 동안에는 조직 재구성, 제도 개선 등에 대한 기대감이 형성돼 피인수기업 직원들의 사기가 고취돼 있고 변화에 대한 수용도도 높아서, 인수 후 석 달 남짓한 기간에 가시적 변화를 이끌어내야 한다.

셋째, 선업무-후전략의 단계적 접근이 필요하다.

M&A가 끝난 후 실제 통합 단계에 들어갔을 때에는 부서별·기능별 특성에 따라 통합 순서와 절차를 정해야 한다. 해외 기업 M&A 후 통합 절차에 대해서는 처음에는 느리게 통합을 진행하다 점점 통합의 속도와 강도를 높여가는 방안, 업무 통합과 인적 통합을 분리해 차별적으로 추진하는 방안 등을 선택할 수 있다. 대개 업무 통합을 먼저 한 후 전략 통합을 실시하는 게 가장 일반적인 방법이다.

업무 통합은 각종 IT 시스템, 재무회계 규정, 재고 관리, 제품조달 계획, 자재소요 계획, 판매 분석, 주문처리 등 일반 경영관리 기능들을 하나로 통합하는 작업이다. 업무 통합은 대개 12~18개월에 끝내는 게 바람직하다. 전략 통합은 생산라인 통합, 생산기술 통합 등을 뜻하는 물리적 통합과 인수-피인수기업 간 문화를 통합하는 사회문화적 통합으로 세분할 수 있다. 전략 통합은 시간이 오래 걸리는 만큼 단기간에 무리하게 추진하면 부작용이 생길 수 있다.

마지막으로, 재무·법무 실사 외에 문화 실사도 함께 진행해야 한다.

M&A 실사 단계에서 재무·법무적 측면만 검토할 게 아니라 조직 구성원과 문화에 대한 실사도 함께 진행해야 PMI의 성공확률이 높아진다. 특히, 해외 기업 직원들은 이직에 대한 심리적 부담감이나 저항이 상대적으로 낮기 때문에 직장에 대한 만족도가 떨어지거나 미래에 대한 불안감이 커지면 직급의 고하를 막론하고 쉽게 전직을 고려할 수 있다. 해외 기업 인수 후 핵심 인력이 대거 이탈하는 사태를 방지하기 위해서는 M&A 전 면밀한 인적자원에 대한 실사를 통해 적정한 보상체계를 마련하는 사전적인 노력이 필요하다.

PMI 작업가이드라인

M&A가 성공하기 위해서는 엄청난 자본과 노력이 투입되어야 하는데도 불구하고 많은 기업들이 유기적 성장(Organic Growth)보다 M&A를 성장의 주요한 수단으로 삼고 있다. 그리고 M&A의 목적이 단기간의 재무적 성과를 내기 위해서 실행되었던 과거와는 달리 이제는 여러 가지 목적을 갖게 되었다. 특히, 영업력의 한계를 극복하기 위해서 실행되는 M&A에 있어서 가장 중요한 이슈는 단연코 인수 후 통합작업, 바로 PMI의 성공적인 수행이다. 적정한 가격으로 목표기업을 인수했다고 M&A에서 성공했다고 할 수 없는 이유가 바로 M&A의 성공이 PMI에 달려 있기 때문이다. 그런데 PMI의 성공은 War Room에서 진행되는 몇 주 간의 인수작업과는 다르다. 성공적인 PMI는 통합현장에서 얻은 '경험(Experience)'을 통해서만 가능하다.

PMI는 연구실에서 얻어지는 연구논문이 절대 될 수가 없다. 인수팀을 이끌어가는 리더들의 역량(Tacit Knowledge)과 함께 축적된 자료(Codified Knowledge)가 PMI를 성공으로 이끄는 열쇠가 된다. M&A가 기업이 성장하기 위해 필수적인 작업이라고 한다면 내부적으로 통합팀리더의 역량을 키우는 것은 반드시 해결해야 하는 숙제이다. 통합팀리더에게 요구되는 중요한 자질은 M&A의 전과정(Soup to Nuts Process)을 관리할 수 있는 통찰력을 가지고 있어야 한다. 그리고 크고 작은 딜(Deal)을 진행하면서 Best Practice와 교훈(Lessons Learned)을 문서화해서 향후 진행되는 Deal을 위해 참고할 수 있도록 해야 한다. 그래서 M&A의 전과정을 구조화(Structured)해서 체계적이고 유기적인 접근법을 찾아야만 한다. M&A는 단막극이 아니고 대하드라마라는 것을 명심해야 한다.

PMI의 성공적인 수행을 위해서 다음과 같은 절차와 내용을 파악하는 것이 많은 도움이 될 것이다.

M&A 프로세스에 대한 구조화 접근법

	인수전략수립	목표기업선정	목표기업실사	목표기업인수	조직통합	조직관리
주요활동	· 사업전략입안 · 성장전략입안 · 인수조건정의 · 전략실행방안	· 목표기업확인 · 목표기업선정 · 인수의향서 발행 · M&A 계획개발 · 비밀유지약정서 제안	· 실사실행 · 확인사실문서화 · 기초통합계획 입안 · 인수협상안 도출	· 인수형태결정 · 인수조건확정 ✓법적 ✓구조적 ✓재무적 · **핵심인력 및 통합팀 확보** · 인수확정	· **통합작업실행** ✓조직 ✓프로세스 ✓인적자원 ✓시스템	· 지속가능성공위한 사업전략입안 ✓내규와 정책 ✓목표와 측정방법 ✓교육 ✓**소통** ✓고객 ✓조직구조 ✓축하연과 이벤트
이슈 및 위험	· 비용 · 채널 · 내용 · 경쟁력 · 고객 · **국가** · 자본적정성	· 투자수익률/기업가치 · 전략적 유용성 · **문화적 적정성** · 타이밍 · 리더십적정성 · 잠재적 시너지 · 실행가능성	· 채무상황 · 직원보유 · 직원감축 · 재무적정성 · 통합이슈 · **시너지와 규모의 경제** · 투자수익률	· **인수가격** · 성과 · 인적자원 · 보장/보호 · 통제	· **속도** · 방해요인 · 비용 · 수익 · 결과물 · 소통 ✓주주 ✓일반인 ✓고객 ✓감독당국 ✓미디어 ✓직원	· 비용 · 채널 · 내용 · 경쟁력 · 고객 · 국가 · 자본적정성
산출물	· 사업전략보고서 · SWOT분석보고서 · 실무팀 구성	· 전문가집단구성 · 비밀유지약정서 · 기본의향서	· 실사보고서 ✓법률 ✓회계/서무 ✓문화	· 인수가결정 모델보고서	· 통합계획서	· 사업전략보고서 · 내부정책 및 내규

통합은 M&A프로세스 상으로 보면 목표기업을 인수한 후에 이루어지는 것으로 보이지만 실제적으로는 목표기업을 실사하는 단계에서부터 통합업무가 진행되어야 한다. 심지어 인수전략을 입안하는 단계에서 통합전략에 대해서도 고려하게 된다. 그래서 통합에 대한 작업은 빠르면 빠를수록 M&A 성공확률을 높이게 될 것이다.

PMI 내부절차 흐름도

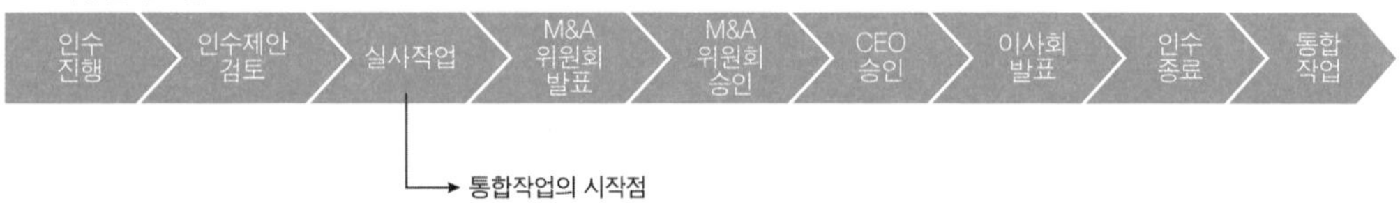

1. 통합에 대한 계획은 최대한 조속히 착수해야 한다. 실사작업과 동시에 착수되는 것이 최선이다. 또한 이를 위해 통합의 중요한 이슈는 실사업무가 진행되는 동안 파악한다.
2. 인수가 이루어지기 전 단계에서 M&A위원회와 이사회를 위한 발표자료에 통합에 대한 개괄적인 내용을 포함한다. 다음과 같이 3단계로 통합작업에 대한 계획이 포함되도록 한다.

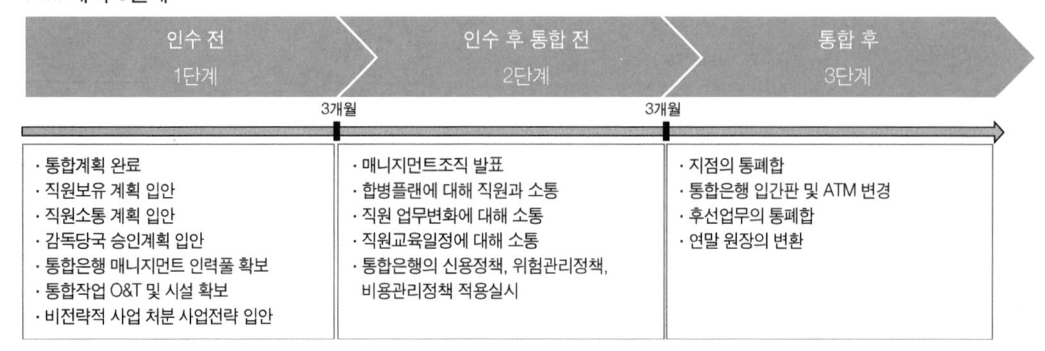

PMI 계획 3단계
인수 전
1단계
인수 후 통합 전
2단계
통합 후
3단계
3개월
3개월
· 통합계획 완료
· 직원보유 계획 입안
· 직원소통 계획 입안
· 감독당국 승인계획 입안
· 통합은행 매니지먼트 인력풀 확보
· 통합작업 O&T 및 시설 확보
· 비전략적 사업 처분 사업전략 입안
· 매니지먼트조직 발표
· 합병플랜에 대해 직원과 소통
· 직원 업무변화에 대해 소통
· 직원교육일정에 대해 소통
· 통합은행의 신용정책, 위험관리정책, 비용관리정책 적용실시
· 지점의 통폐합
· 통합은행 입간판 및 ATM 변경
· 후선업무의 통폐합
· 연말 원장의 변환

3. 가능하면 통합매니저(Integration Manager)가 실사업무에 관련되도록 한다. 실사업무가 진행되는 동안 통합매니저가 수행해야 하는 기본적인 사항은 다음과 같다.

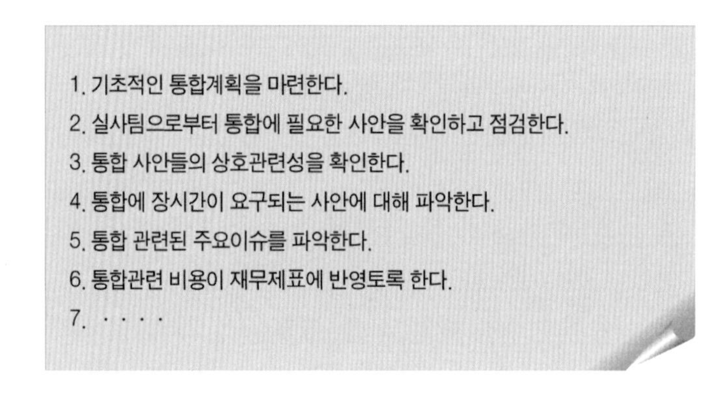
1. 기초적인 통합계획을 마련한다.
2. 실사팀으로부터 통합에 필요한 사안을 확인하고 점검한다.
3. 통합 사안들의 상호관련성을 확인한다.
4. 통합에 장시간이 요구되는 사안에 대해 파악한다.
5. 통합 관련된 주요이슈를 파악한다.
6. 통합관련 비용이 재무제표에 반영토록 한다.
7. · · · ·

4. 인수 딜이 종결되기 전에 인수하는 기업의 모든 사업부가 인수기업의 현 사업부 및 매니지먼트에 연결시켜 연관도(Mapping Map)를 작성할 수 있다. 연관도는 통합계획을 입안하는 동안 가급적 빠른 시일 내에 작성을 시작한다.

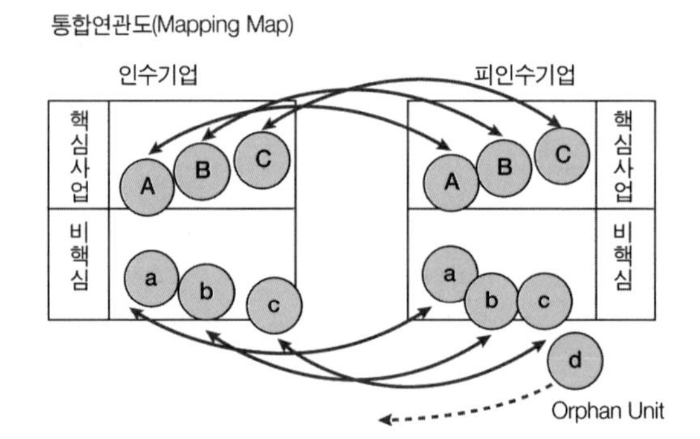

연관도는 인수한 은행의 사업부를 핵심사업과 비핵심사업으로 나누고 사업부별 책임자를 반드시 지정한다. 연관도에서 제외되는 부서(Orphan Unit)를 파악하고 적정한 평가가 이루어지도록 한다. 그런 후, 인수된 은행의 모든 사업부가 반드시 인수은행의 사업부별 책임자와 손익계산서 상에 연결(Mapping)되도록 한다. 그리고 인수된 은행의 핵심사업과 비핵심사업이 따라야 하는 신용, 재무보고서 등과 관련된 정책과 절차를 명확히 확인한다.

5. M&A 전과정에 대한 주요한 사건에 대한 시간표를 파악하고 있어야 PMI를 효과적으로 수행할 수 있다.

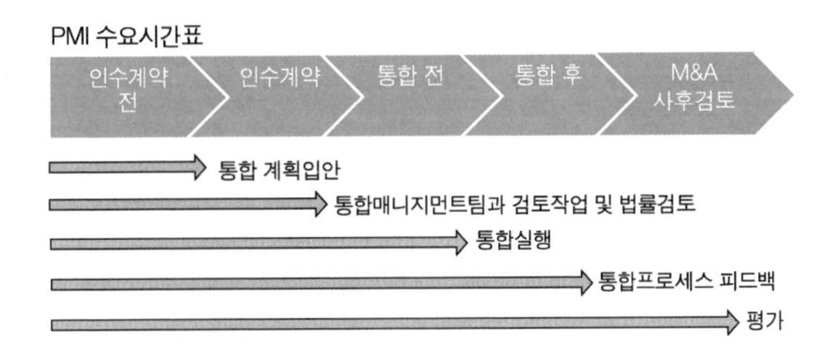

6. 통합성공요인(Key Success Factor)에 대한 추적방법론을 정의하고 확립한다.

우선 먼저, 다음과 같은 성공요인을 정의할 수 있다.

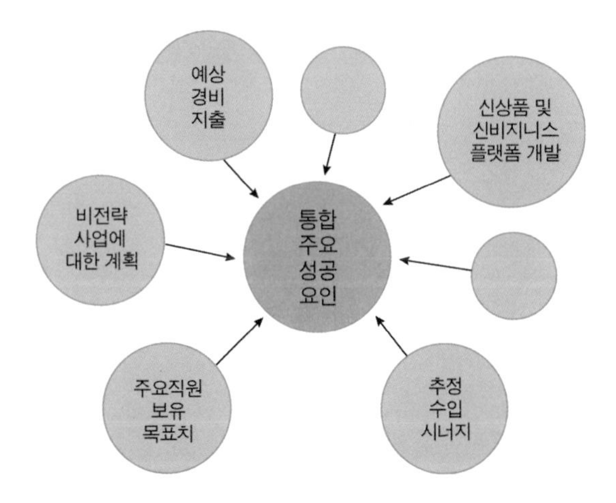

다음으로는, 성공요인 추적표준(Tracking Criteria)을 확립하고 성공요인을 측정한다. 성공요인 추적표준과 벤치마크는 통합과정과 인수 후 성과측정의 기준의 되

며, 직원들의 업무평가가 이 표준에 의해 이루어지도록 한다.

7. 통합업무에 관여하는 매니지먼트와 직원들의 책임과 역할을 정의한다.

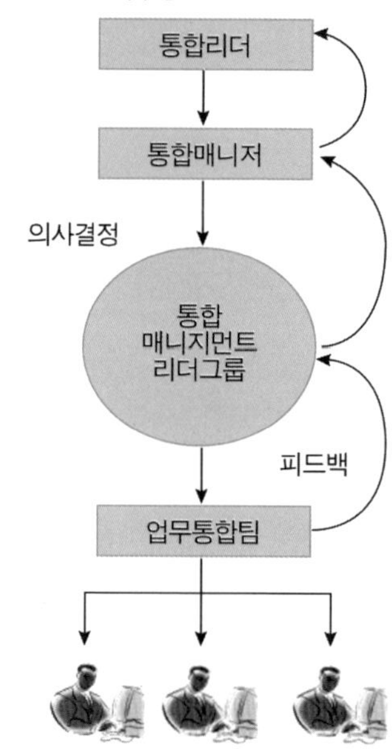

업무 주체	통합 업무
통합리더	• *통합리더는 전형적으로 최고간부급 임원이 맡는다.* • *통합프로세스에 대한 전반적인 방향과 통합우선순위를 제시할 수 있어야 한다.* • *통합리더는 통합매니지먼트팀리더들과 매주 통합진행 상황을 검토한다.* • *사업부 책임자 및 직능리더들이 제안한 통합이슈에 대해 정책적 결정을 내리고 제시된 제안사항에 대해 승인한다.*
통합매니저	• *통합업무를 전담하는 통합매니저는 모든 통합이슈의 중심에 있고 통합의 성공에 대해 책임을 져야 한다.* • *최고매니지먼트는 통합매니저가 매일 진행되는 통합 이슈 사항에 대해서 의사결정을 내릴 수 있도록 한다.* • *통합매니저는 통합에 참여하는 모든 이해관계자간의 의사소통을 촉진시킨다.* • *통합매니저는 전반적인 통합플랜을 입안하고 조정한다.*

업무 주체	통합 업무
통합매니저	• *통합매니저는 통합의 우선순위에 대해 파악하고 통합과정에서 통합주체들이 후순위 통합이슈로 곤경에 빠지게 해서는 안된다.* • *통합매니저는 인수된 은행의 모든 사업부들이 인수은행의 사업부에 업무적으로 또한 재무적으로 연결(Mapping) 되도록 한다.* • *통합매니저는 잠재적 문제가 통합프로세스에 영향을 주지 않도록 미리 파악하며 적절히 해소토록 한다.* • *통합매니저는 통합업무가 적절한 인적/물적자원(Resources) 에 의해 순조롭게 진행되도록 해야 한다.*
통합매니지먼트리더그룹	• *통합매니지먼트리더그룹을 구성하는 리더들은 모든 사업부와 기능그룹에서 선발하여 구성한다.* • *실사작업에 참여했던 리더들이 포함되는 것이 이상적이다.* • *리더는 통상적인 업무 외에 맡고 있는 부서와 사업에 대한 통합작업에 대해 책임을 진다.* • *리더들은 개략적인 통합체크리스트를 작성하며, 매주 열리는 통합팀리더그룹회의에 참석한다.*
통합업무팀	• *통합조직에서 최하위단위로 실무를 담당한다.* • *통합매니지먼트팀리더들은 각자 맡은 통합업무를 수행하기 위해서 소규모 업무통합팀을 구성하여 관련된 통합리더업무를 진행한다.*

8. 통합프로세스를 정의하고 통합도구(Tools)에 대해 교육한다. 통합프로세스의 정립을 통해서 통합업무간 상호작용을 확인하고 통합자원(Resources)에 관한 문제점을 파악한다. 또한, 통합일정상 중요한 이정표를 수립하고 통합완수를 위한 목표일정을 결정하며, 통합수행에 필요한 중요한 경로를 파악하고 통합에 장시간이 요구되는 사안에 대해서는 사전에 파악한다.

통합프로세스	내 용
통합회의	• *통합회의를 매주 혹은 정기적으로 실시한다.* • *통합회의는 통합리더와 통합매니저가 주관한다.* • *통합계획 대비 진척상황을 관리하기 위한 포럼을 열어 파악된 이슈를 공유하고 추적관리한다.* • *가능하면, 통합매니지먼트리더그룹의 리더들은 직접 회의에 참석 토론하여 통합관련된 이슈들에 대해 소통이 원활히 이루어지도록 한다.*

통합프로세스	내 용
통합일정	• 통합일정을 확립한다. • 통합프로세스의 전과정에 대한 중요업무와 일정에 대해 전반적인 검토를 한다. • 통합완수될 주요업무에 대해 개괄적인 내용과 소요되는 시간에 대해 파악한다.
통합도구	• 통합프로젝트관리에 필요한 통합도구를 배포한다. • 통합리더연락처를 배포한다. • 통합이슈체크리스트와 이슈로그를 작성토록 한다. • 통합업무리스트는 업무통합팀이 상세하게 작성토록 한다. • 통합일정표를 작성하여 통합프로젝드 매니저가 마스터일정표를 작성할 수 있도록 한다.
통합보고	• 최고경영자들에게 정기적으로 보고한다. • 최고비지니스매니저가 통합매니지먼트에 속하도록 한다. • 통합매니저는 통합에 관한 요약노트를 1페이지가 넘지 않도록 하여 정기적으로 발행하여 보고한다. • 요약노트에는 이슈업데이트, 일정, 그리고 통합관련 위험요인과 위험제거용인 등을 포함한다.

9. 오퍼레이션과 시스템통합에 일관성을 유지해야 한다. 시스템통합의 성공이 은행통합 성공의 중요한 열쇠이다. 다음과 같은 원칙을 세울 수 있다.

✓ *업무부와 전산부는 반드시 통합되어야 한다.*

✓ *최적의 플랫폼 선택은 적정한 논리에 바탕을 두어야 한다. 두 회사 시스템의 개별적인 비교를 통해서 최적의 시스템을 선택해야 한다. 최적의 시스템 선정에 사업적 필요, 유지비용 및 시스템의 유용성 및 나이를 충분히 고려해야 한다.*

✓ *하나의 공통 플랫폼으로 시스템을 통합하는 것이 최선이다. 또한 최적의 시스템이 반드시 인수기업의 시스템일 필요는 없다.*

✓ *통합하는 시스템이 전부일 필요는 없다. 통합되어야 하는 부분만 통합될 수 있다. 완전히 다른 상품을 취급하는 시스템이 별개로 운영될 수 있도록 할 수 있다. 같은 상품을 취급하는 시스템의 일부분만 통합되는 것이 적정할 수 있다.*

✓ *사용될 시스템의 선택은 업무부, 전산부, 그리고 사업부 총책임자가 함께 결정한다. 지리적으로 떨어진 책임자들에 의해서 의사결정이 내려져야 하는 경우, 양*

업무 및 전산부 총책임자들이 함께 의사결정에 참여하여 각 프로세스를 확인하고 결정을 내린다.

아울러 다음과 같은 업무지침을 고려해야 한다.

시스템통합 기본지침서

1. 시스템통합에 언급되는 관련용어들은 일관성 있게 정의하고 사용하며, 통합에 소요되는 시간을 포함한 상세일정표를 관리한다.
2. 통합에 소요되는 지원이 충분한 지 평가한다.
3. 실사작업이 진행되는 동안 후선업무(Back-office) 통합을 통해 절감할 수 있는 비용에 대해 추정한다.
4. 실사작업 시에 통합을 통해 즉각적인 통합효과를 볼 수 있는 부분을 확인한다.
5. 시스템을 어떻게 할 것인지에 대한 방향을 가급적 빠른 시일 내에 결정한다. 실사작업이 진행되고 있는 동안에 결정하는 것이 이상적이지만 최소한 인수가 종결되기 전에 결정하는 것이 바람직하다.
6. 통합되는 시스템간의 차이(Gap)분식을 상세히 실시한다.
7. 아웃소싱(Outsourcing)한 서비스에 대해서 평가하여 아웃소싱서비스가 지속될 필요가 있는 지 결정한다. 필요시에는 아웃소싱 서비스를 종료하기 위한 전략을 개발한다.
8. 시스템통합이 이루어지기 전에는 양 시스템이 일정기간 동안 함께 운영될 필요가 있다. 이에 대한 이슈를 파악한다.
9. 시스템통합 관련 수행해야 하는 업무에 대해서 자세하게 정의를 내리고 파악한다.
10. 시스템통합이 시스템부서만의 문제로 끝나서는 안 된다. 반드시 사업부대표들과 통합매니저로부터 고객의 요구에 대해 충분한 피드백을 구하고 그에 따른 시스템통합이 이루어지도록 한다.
11. 통합된 시스템에 대해 사용자 및 스트레스(Stress)테스팅을 실시할 때 충분한 시간을 할애한다.
12. 통합된 시스템이 사용되기 전에 통합된 시스템을 사용하는 사용자들을 충분히 교육한다.
13. · · · ·

10. 인사부가 통합의 초기단계에 관여해야 한다.

통합에 대한 발표 후에 인사통합팀이 가장 먼저 통합현장에 투입되어야 한다. 인사통합팀에는 인사통합프로젝트매니저를 포함해 인사부장, 직원보상을 담당하는 인사전문가들 모두 포함해야 한다. 인사통합에 필요한 기본지침은 다음과 같다.

인사통합 기본지침서

1. 인사통합팀은 인수한 기업의 인사부와 함께 직원보유프로그램과 직원의 퇴직에 대해 협업한다.
2. 인수한 기업의 인사부와 사업부책임자들이 어느 직원을 보유해야 하는지에 대해 잘 파악하고 있기 때문에 그들을 통해 피드백을 받는다.
3. 단기적으로 보유해야 직원과 장기적으로 보유해야 하는 직원을 구별하여 보상체계를 마련한다.
4. 직원들에 대한 프로필을 종합적으로 관리할 수 있는 '직원마스터리스트'를 확보하여 통합이 진행되는 동안 관리한다.
5. 인수가 완료되는 시점까지 직원들에 대한 보상을 포함한 근로조건에 대한 일반적인 내용이 소통되도록 한다.
6. 인수 후에는 더 상세한 내용의 근로조건에 대해 소통한다.
7. 인수기업의 업무프로세스와 시스템에 대해서 각 사업부책임자와 인사부가 직원들에게 교육이 실시되도록 한다.
8. 인수한 기업의 직원 중 업무통합으로 어려운 처지에 빠진 직원을 구제할 방안을 찾는다. 통합된 업무의 직원들을 위해 다른 업무를 찾아주고 전직지원을 위한 프로그램을 개발한다.

11. 원활한 소통이 이루어져야 한다.

통합에 관계하는 모든 이해당사자들(직원, 주주, 미디어, 감독당국 등)과 소통을 원활히 해야 한다. 소통은 성공적인 통합을 위해서 매우 중요한 요소이다. 통합이 진행되고 있는 동안에는 내부 또는 외부와 소통하는 채널을 일원화하고 반드시 인수기업의 정책에 따라 소통이 이루어져야 한다. 직원들의 우려와 고객의 소리에 귀기울이고 해결책을 모색하며, 사업부책임자들에게 직원과 고객들을 유지할 수 있는 도구를 제공한다.

12. 통합프로세스에 대한 피드백을 문서화한다.

일단 통합작업이 어느 정도 마무리 되면, 통합에 관여한 팀들은 피드백을 제공한다. 피드백 내용에는 통합을 진행하는 데 있어 성공요인은 무엇이며, 실패요인이 무엇인지, 그리고 장래 또 다른 통합이 진행될 경우에 대한 제언을 포함한다. 이러한 피드백을 문서화해서 통합지침서로 활용할 수 있도록 한다.

PMI 커뮤니케이션(Communication) 가이드라인

적절하고 효율적인 커뮤니케이션은 성공적인 통합을 위하여 가장 중요한 요소이다. 커뮤니케이션은 다음과 같은 의미에서 매우 중요하다.

- 통합 프로세스에 대한 사실정보를 제공한다.
- 직원들과 고객 모두의 관심사를 전달한다. 자신과 관련된 직원들에게 필요한 정보를 전달한다.
- 직원들의 관심사 및 그들의 관점을 표출할 수 있는 기회를 제공한다.
- 모든 내·외부적인 커뮤니케이션이 규제사항 및 경영진의 관심 아래 잘 이행되고 있는지 확인하는 데 기여한다.
- 인수기업의 비전과 경영 목적에 대한 효과적인 이해를 돕는다.
- 커뮤니케이션 계획은 통합과 관련된 내·외부적인 이슈에 대한 리스트로서 각 메시지에 대하여 "누가, 무엇을, 언제, 그리고 어떻게"와 관련한 사항들에 대한 설명을 제공한다.
- 전달하고자 하는 메시지를 어떠한 방식으로 커뮤니케이션 할 것인지와 이에 대한 시간표를 만드는 것도 도움이 된다.
- 커뮤니케이션 방법은 사전적인 것과 사후적인 것이 있다. 사전적인 것으로는 뉴스레터 및 보도자료가 있으며, 사후적인 것으로는 Q&A세션과 핫라인의 운영이 있다.
- 커뮤니케이션이 반드시 다루어야 할 핵심 이슈들은 다음과 같다.
  - 합병 이유
  - 합병이 합병 및 피합병 직원들에게 미치는 영향
  - 통합프로세스 기간 동안 활용 가능한 자원
  - 통합프로세스의 진행 사항 업데이트

커뮤니케이션 방법

타깃 그룹	방 식	커뮤니케이션 방법
직원	Pro-active	- 뉴스 게시판 - 스페셜 이벤트 - 스텝 커뮤니케이션 미팅 - 직원들로부터 관련 피드백 접수 - 인트라넷 - CD 혹은 비디오

타깃 그룹	방 식	커뮤니케이션 방법
직원	Re-active	- Q&A - 핫라인 설치
고객	Pro-active	- 통합에 관한 레터 발송 - 보도자료 및 광고자료 배포 - 지역단위 고객 이벤트 개최 - 지점별 브로셔 배포 - 주요고객들과의 일대일 미팅
	Re-active	- 합병 웹사이트 - 고객서비스 Help Desk
미디어	Pro-activc	- 보도자료 - 기자회견 - 기자인터뷰 - 합병웹사이트 - 가상공보실

커뮤니케이션 주의 사항

- 직원들은 일반적으로 그들의 상사 혹은 관리자로부터 직접 변화 및 변경 사항에 대한 설명을 듣고 싶어 한다. 타인으로부터 정보를 대하면 불확실성으로 인한 불안감을 증폭시키게 된다.
- 커뮤니케이션은 가능한한 지역단위별로 이루어져야 한다. 커뮤니케이션을 위해서 소규모 단일그룹별로 조직해라. 의사소통은 정직하게, 단도직입적이고 타당하게 이루어져야 한다. 지역단위의 문화적 특성과 연관된 변경 사항의 범주정도는 파악해야 한다.
- 커뮤니케이션은 조직 내 인사관련 질문사항에 적절히 응답할 수 있도록 인사부 및 업무 관련 부서의 책임자들과 밀접한 관계를 통해 이루어져야 한다.
- 고용직원수의 감소, 급여, 복지, 경영의 변화에 관한 커뮤니케이션을 함에 있어서, 인지하고 있는 사항과 그렇지 못한 것에 대하여 논의해야 한다. 또한, 합병에 관련해서 가장 언급하기 꺼려지는 사항(특정 부서의 해체 혹은 직위의 소멸)에 대하여 가장 적극적으로 논의해야 한다.

커뮤니케이션 실행시의 함정

	원타임 커뮤니케이션의 제공	청중에 대한 오해	지속적이고 일관적인 메시지 전달의 실패	"완벽한 메시지" 전달을 위해 메시지 생성의 지연
이슈	합병이 끝난 이후 이에 관한 커뮤니케이션이 이루어지지 않고 추가 follow－up도 진행되지 않음. 직원들은 추후 필요한 정보들에 대해서 정보들의 출처에 대해서 정확히 이해하지 못한채 해당 정보를 받아들이게 되는 경우	통합프로세스에 대한 정보가 관련 당사자들에게 적절히 전달되지 못하는 경우	많은 개인들이 통합프로세스에 관하여 직원들에게 전달되는 정보 전달 과정에 개입될 경우, 해당 정보의 정확성에 대한 혼란이 초래	경영진이 직원들과 커뮤니케이션을 하기에 앞서, 통합프로세스에 관한 일부 혹은 전부의 질문사항에 대한 답변을 제공할 때까지 시간을 지연
해결방안	－커뮤니케이션 된 각 정보들에 대한 우선순위를 정하고, 각 통합 단계에서 요구되는 정보들을 파악한다. －동일 메시지에 관해서 한 번 이상의 커뮤니케이션을 하여 메시지를 확인한다. －투명하고, 진행중이며, 쌍방향 커뮤니케이션 프로세스를 확립한다.	－청중의 니즈를 이해하는 것. 예를 들어, 통합의 초기 단계에서 직원들은 보통 합병의 목적 및 필요성보다는 그들의 급여 및 고용안정성을 더 걱정하게 된다. －직원들에게 정확한 정보를 제공하는 것, 즉, 긍정적인 면과 부정적인 측면의 뉴스를 모두 제공해야 한다. 직원들은 보통 부정적인 뉴스보다 불확실성을 더 두려워한다.	－간소화된 정보의 흐름 : 특정 개인을 통합 프로세스 정보에 대한 대변인으로 지정하여 역할을 수행하도록 한다. －분명하고 명확한 커뮤니케이션 채널의 확립 : 통합 프로세스에 관한 질문들과 관심사들에 대한 일관된 답변이 가능하도록 채널을 만들 필요가 있다. －관련 정보에 대한 발표시 고위 임원	－비록 모든 질문에 만족스러운 답변을 제공하지 못할지라도, 가능한 한 통합 과정의 초기에 커뮤니케이션을 진행한다. －통합에 관련된 정보를 실시간으로 업데이트하고 커뮤니케이션한다.

	원타임 커뮤니케이션의 제공	청중에 대한 오해	지속적이고 일관적인 메시지 전달의 실패	"완벽한 메시지" 전달을 위해 메시지 생성의 지연
			진을 대동하여 통합 프로세스에 대한 경영진의 관심과 노력을 확인시킨다.	

PMI 인사(Human Resources) 가이드라인

- 통합과정에서의 가장 중요한 목표는 주요 직원들을 확보하는 것이다. 최고의 직원들은 가치를 창조하고 합병을 통해 이루고자 하는 시너지를 궁극적으로 생산하는 사람들이다. 또한, 이러한 인적자원은 조직의 창의적 다양성을 양성시키고, 역량의 깊이 및 대체 자원 역량 확보에 대한 도움을 제공한다.
- 최고 직원들을 보유하고 그들에게 동기를 일으키기 위해서는, 의사소통 라인의 개발이 필요하고, 즉시 그 결과 고용 결정이 빠르게 이루어지도록 해야 한다.
- 초기 과정에서 합병된 기업의 최고 인재를 확인하는 것이며 핵심인재의 유지를 통해 그들이 직장을 잃지 않을 것이라는 확신을 줘야 한다.
- 업무 전환 직원을 확인하는 것이 필요하다. 이를 통해 진행되고 있는 사업이 다음 사업으로 이어지도록 성공적으로 진행될 수 있도록 해야 한다. 인센티브 보유는 늘 필요하고, 일단 업무 전환 직원과 의사소통이 되면 직원들의 염려를 경감시켜 줄 수 있다. "해고"가 될 직원에 대한 결정은 신속하게 이뤄져야 한다.
- 성공적인 합병을 위한 또 다른 핵심 사항은 고위 경영진을 보유하는 것이다. 사람들은 자신들의 리더십을 신뢰하고 일관된 자세로 그들의 방향을 따라가는 경향이 있다. 고위 경영진은 인수기업의 경영진들과 실사 단계에서의 일련의 인터뷰를 통해 선정된다.

절차 검토

인사통합팀은 합병 공지 후에 바로 현장으로 투입되기 위해서 인수기업에서 한 팀이 구성되어야 한다. 팀의 구성원은 다음을 포함해야 한다.

✓인사관리자(현장에서 결정을 내릴 수 있는 임원)
✓급여 및 보상 전문가
✓인사 의사소통 조정가
✓준법전문가

- 인사통합팀은 직원 퇴직과 보유 프로그램을 조정하기 위해 합병된 회사 내의 인사부서와 함께 일을 진행한다. 합병된 회사의 인사부서는 "계속 일할 직원", 잠재적인 능력을 가진 핵심 직원, 회사연혁과 "적절성"을 확인하기 위해 필수적이다.
- 합병된 회사의 모든 직원들이 들어가 있는 완성된 "마스터 리스트(Master List)"는 가능하다면 빨리 확보되어야 한다. 이 리스트는 진행될 통합과정의 조정에 필요한 참고로 활용된다.
- 조직 강령 또한 의사결정과정을 돕기 위해서 확보되어야 한다.
- 인사통합팀은 인수기업과 합병된 회사의 연금, 급여보상과 정책을 비교・분석해야 한다.
- 인사통합팀은 합병된 회사의 영향을 받은 직원들에게 인수기업 계열회사와 외부 취업 박람회를 알선해주고, 이러한 직원들의 이력서 작성 및 인터뷰 기술을 돕기 위해 직업전환센터를 마련하고, 인수기업 내의 공석인 자리를 확인해야 한다.

보상관련 인사통합지침

- 장기적인 책임감을 이해한다. 외국 사례에서 행정 계획과 자구 표현을 이해한다. 이사진과 개별 직원들의 보험 계약을 이해한다.
- 보험회계사는 이익 부채 평가와 해고수당을 결정하기 위한 실사 단계에 참여해야 한다. 위험 평가는 직원의 해고나 조건 변경 같은 조항을 포함하는 특수 계약을 위해 파악해야 한다.
- 전환 보유 패키지는 너무 높게 책정되지 않도록 주의하라. 해고된 직원들에게 지불하는 많은 전환 보유금은 실제로는 영구적으로 일하게 될 관리자들에게는 저해 요소가 된다.
- 장래에 있을 소송을 피하기 위해 "서비스 시간(service time)"에 대한 문서화 작업 및 적절한 정의 부여에 신중을 기하고, 이러한 상황에서 사용될 용어들에 대해 주의해야 한다.
- 실사 기간 동안 인사관련 규정 및 노조의 법적 문제를 검토하라. 해외 인수의 경우

에는, 실사 단계에서 직업 위원회를 만족시켜야 한다.

• 합병 또는 인수의 유형은 통합 과정의 혜택을 통해 결정된다. 포괄적 기업인수의 경우 연금 부채는 보통 인수와 함께 이전된다. 하지만, 부분 사업 인수의 경우 연금 부채는 이전대상에서 제외될 수도 있다.

인사통합의 최우선순위 : *"우수 직원들을 확보하라"*

최우수 직원 확보의 도구로서 의사소통은 매우 의미가 있다. 직원들에게 직접적으로 영향을 끼치게 될 이슈에 대한 결정에 대해 알려주는 것에서부터 인수기업에 관한 정보에 대해서 의사소통하는 것은 새로운 문화에 대해 긍정적인 태도를 갖게 한다. 인사통합에 있이 중요한 것은 가장 먼지, 합병된 기업의 최고 인재를 확인해야 하며, 최고 인재를 보유하고 그들의 역량을 확보하기 위해서 다음을 주지할 필요가 있다.

✓급여를 인센티브 기회로 사용하라. 이러한 유형의 인센티브 프로그램은 주주가치 창조로 이뤄지고, 초기 합병으로 이어지게 된 사업기회를 갖는데 보상으로서의 기회를 제공하게 된다.

✓통합 프로세스에 해당되는 최고의 직원을 확보하라. 가능하다면 구체적인 프로젝트 팀으로 업무를 맡겨라.

✓합병이 성공했을 때, 직원들에게 부여될 수 있는 혜택에 대해 강조하라. 더 큰 기업일수록 모든 사람들에게 많은 기회가 있다는 것을 의미한다.

✓보유한 직원들에게 맞는 역할을 찾아라. 동기가 떨어지는 업무에 동기부여가 큰 직원을 배치하는 것은 오히려 역효과가 날 수 있다.

PMI 국제조세 프로세스

Cross-Border M&A를 통해 해외에 소재한 기업을 인수합병하는 경우, 통합과정뿐만 아니라 향후 인수한 기업의 통제(Governance)와 관련해 국제조세가 새로운 이슈로 등장한다. 기업활동이 국경 내(In-border)에서만 이루어지지 않고 국경간(Cross-Border)에 이루어지면서 국경간 세무는 중요한 사안으로 부각된다.

국경간거래(Cross-Border transaction)란 거래 당사자 어느 한 쪽이나 양쪽이 비거주자 또는 외국법인이 수행하는 거래로서 유형자산 또는 무형자산의 매매 및, 그 밖에 거래자 당사자의 손익과 자산에 관련된 모든 거래를 말한다. 국경간거래는 양 방향으로 일어날 수 있는데, 외국인의 국내투자나 국내 사업활동을 의미하는 외국인의 국내거래(Inbound transactions)와 내국인의 국외투자나 사업활동을 의미하는 내국인의 국외거래(Outbound transactions)가 있다.

한편, 국경간거래에 적용되는 과세원칙(Taxation Rule)은 ***거주지국(Residency Country)*** 과세원칙과 ***원천지국(Source Country)*** 과세원칙이 있다. 거주지국 과세원칙은 납세자가 어디에 거주(Residence)하느냐를 기준으로 과세가 일어나는 것을 말하고 원천지국 과세원칙은 소득창출(Source)이 어디서 일어나느냐를 기준으로 과세가 결정되는 것을 말한다. 실제적으로는 하나의 과세원칙만을 적용하지 않고, 대부분의 국가에서는 자국 내에서 거주하는 거주자(Resident)에게는 거주지국 과세원칙을 적용하고 해외에 거주하는 비거주자(Non-resident person)에게는 원천지국 과세원칙을 적용하는 것이 일반적이다.

국경간거래에 대해서는 한 국가가 일방적으로 과세권을 독점할 수 없기 때문에 국가간 조세조약(Tax Treaty)을 체결하여 과세권을 나누게 된다. 따라서 조세조약의 주된 목적은 국가간 과세권의 배분이라고 말할 수 있다. 국경간거래를 하는 경우, 조세조약을 통해서 한 국가는 상대국과 충돌하는 과세권을 ***이중과세(Double Taxation)***방지 규정에 의해 조정하고 양 국가의 조세제도 차이를 이용한 ***조세회피(Tax Avoidance)***를 차단하여 양 국가는 조세수입을 배분하여 확보하게 된다.

국제법은 국내법과 같은 효력을 가지게 된다는 점에서 국제법에 해당하는 조세조약은 국내법과 동일한 효력을 가지며, 국제법상위설에 따라 조세조약과 국내법이 상충하는 경우에는 조세조약이 국내법에 우선하는 특별법적 지위에 있다. 현재 우리나라는 약 70여 개 국가와 조세조약을 체결하고 있다. 조문이 30여 개 정도 밖에 되지 않는 조세조약으로 국경간 거래에 대한 모든 세무 사안을 규정할 수는 없다. 조세조약에서 규정하지 않고 있는 이슈에 대해서는 양국의 국내세법의 규정을 적용한다. 한국세법에 의하면, 소득세법 중 비거주자에 대한 규정, 법인세법 중 외국법인에 관한 규정, 조세특례제한법의 외국거래와 관련된 규정이 국경간거래에 적용될 수 있는 대표적인 세법이 될 수 있다. 물론, 조세조약이 체결되지 아니한 국가와 국경간거래는 우리나라 세법 규정에 의해서 과세된다.

조세조약에서도 사업소득(Business Income)에 대해서는 과세하지 않도록 정하고 있는 것처럼 국경간거래를 하는 양 국가간의 과세권을 확보하는 것보다 더 중요한 것이 양

국가간에 자본의 흐름이 원활해야 하고, 인적/물적 거래가 조세문제로 방해를 받아서는 안된다. 그럼에도 불구하고 국경간조세 문제는 면밀히 다루어져야 할 중요한 사안임에는 틀림없다.

국경 내에서만 제한된 사업활동을 전개하던 기업이 Cross-Border M&A를 진행한 경우, PMI과정에서부터 국제조세 이슈를 필연적으로 만나게 된다. 글로벌그룹 Cross-Border M&A 스토리의 주인공인 크리스가 국제조세전문가인 테드와 함께 M&A과정에서 만나게 된 국제조세 이슈에 대해 정리해 본다.

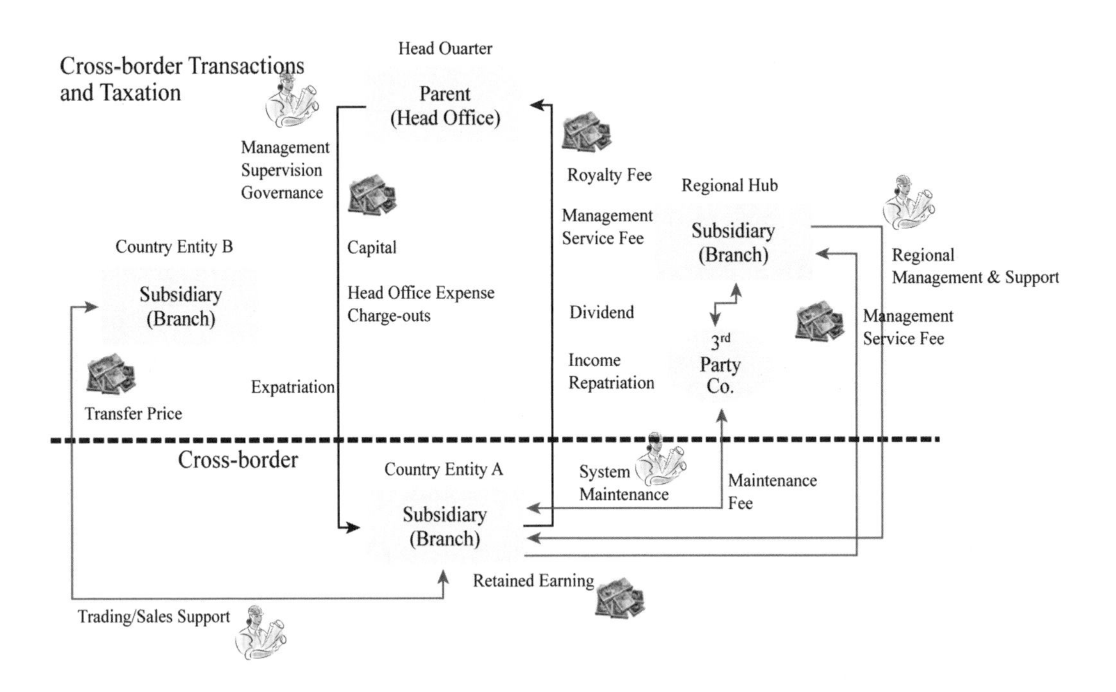

■ 조세조약과 Treaty Shopping

"요즘 조세조약을 이용한 조세회피 문제로 시끄럽네요. 그에 비하면 글로벌그룹의 대한은행 인수는 대단한 결정인 것 같아요."

테드는 가끔씩 크리스에게 전화를 해서 국제조세에 관한 최근 동향에 대해 업데이트를 해 주곤 했다. 글로벌그룹의 대한인수 건과 관련해 테드는 국경간 세무이슈에 대한 외부 전문가로 크리스와 호흡을 맞추고 있었다.

"물론입니다. 글로벌그룹은 단기투자 수익목적으로 한국시장에 들어온 게 아니지요. 그러니 Treaty Shopping은 글로벌그룹과는 상관없는 얘기입니다. 글로벌그룹이 3조를 투자한 마당에 앞으로 시너지효과를 조속히 확보하는 게 가장 중요한 일입니다. 그렇지 않아도 다음 주에 있는 컨퍼런스콜에서 Treaty Shopping에 관한 내용에 관해 제가 발표를 해야 할 것 같은데 도와주실 수 있는지요?

"물론입니다. 내일 오전까지 제가 간략히 정리해 둔 내용을 보내드리겠습니다."

[핵심요약 – 조세조약과 Treaty Shopping]

Treaty Shopping이란 다국적기업이 특정한 국가와 사업을 진행하거나 회사를 설립하고자 할 때, 국가간의 조세조약을 검토하게 된다. 조세조약 체결 국가 중에서 조세부담(Tax Burden)을 가장 가볍게 할 수 있는 국가를 선택하여, 그 국가에 형식상 회사(Paper Company)를 설립하거나, 최소한 조세조약상 조세혜택을 누릴 수 있는 국가와 거래가 있었던 것처럼 위장하여 부당하게 조세조약의 비과세 혜택을 받게 되는 것을 말한다.

조세조약 남용을 통해 조세를 회피하는 일반적인 유형은 다음과 같다.

- 조세조약 상 비과세 또는 '제한세율'이라 일컫는 저세율을 적용받기 위해 조세피난처(Tax Haven)에 명목상회사(Paper Company)를 설립하고 우회적으로 국내 채권이나 지분증권에 투자하여 이자소득이나 배당소득에 대한 과세를 회피한다.
- Paper Company에 특허권(Copyright) 등 각종 라이센스를 소유, 등록 후 국내법인과 사용료계약을 체결토록 하여 사용료소득에 대한 과세를 회피한다.
- 조세조약 상 주식양도차익(Capital Gains)이 면제되는 조세피난처에 Fund를 설립한 후, 국내기업의 지분증권에 단기적으로 투자하여 과세를 피하면서 막대한 주식양도차익을 실현한다.

Treaty Shopping에 관한 근거 및 방지조항은 OECD모델협약에 의한 OECD모델조약에서 찾을 수 있다. 조세조약을 남용하는 것을 막기 위해서 수익적 소유자(Beneficial Owner) 개념이 도입되었으며, 조세협약 해석에 있어서 국내법상 실질과세(Substance Over Form) 원칙을 적용하는 것은 조세협약의 목적, 취지와 상충되지 않음을 명시하고 있다.

수익적 소유자는 법적 소유자(Legal Owner)와 대비되는 개념으로서 수취하는 소득에 대하여 실질적 · 경제적 처분권(권리의 취득, 변경, 소멸권 등)을 가지며 그와 관련된 위험을 실질적으로 부담하는 당해 소득이 실질적으로 귀속되는 경제적 소유자(Economic Owner)를 의미한다. 조세조약에서는 고정사업장이 없는 경우 사업소득 비과세, 이자 · 배당 · 사용료 등 투자소득에 대한 제한세율 적용, 주식양도소득 비과세 등 각종 혜택을 규정하고 있으며, 그 혜택들은 해당 소득의 실질적 소유자가 상대 체약국의 거주자인 경우에만 적용하도록 하고 있다. 즉, 소득을 사실상 수취하는 자가 따로 있는 경우에는 그 자를 수익적 소유자로 보아 조세조약 또는 세법을 적용하여야 한다는 것이다.

실질과세원칙에 의하면, 조세조약상 이자 · 배당 · 사용료 등에 대한 원천징수세율이 "0"이거나 낮은 경우 원천징수를 회피하기 위하여 유리한 조세조약을 적용받을 수 있는 국가에 자회사인 도관회사(Conduit Company)를 설립하거나 당사국과 체약국 사이의 조세피난처에 설립한 도관회사(Conduit Company)를 이용하는 경우가 있다. 이러한 경우, 형식상 설립된 회사의 거주지국이 아니라 수익적 소유자의 거주지국과 체결된 조세조약상의 세율을 적용하며, 수익적 소유자의 거주지국과 조세조약이 체결되지 않은 경우에는 국내세법을 적용하게 된다.

조세조약의 남용과는 상관없이 글로벌금융회사들은 글로벌금융네트워트의 강점을 이용해서 절세효과를 누릴 수 있다.

| 사례연구 - 조세조약과 채권 이자소득 |

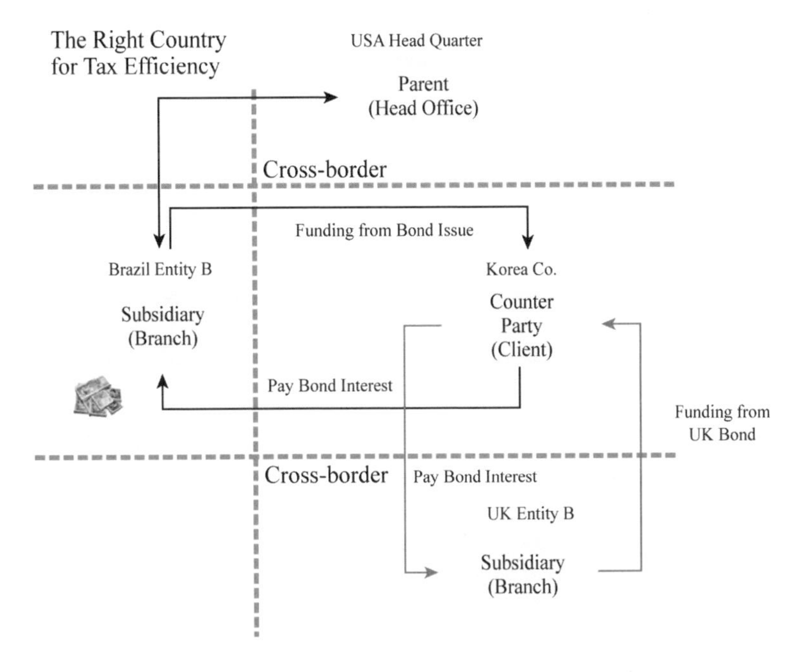

글로벌그룹의 고객인 한국의 A제조업체가 채권을 발행하여 자본조달을 계획하고 있다. A사는 글로벌그룹의 영국Branch와 거래를 하고자 했다. 이에 대해 본사 채권부(Fixed Income Securities Division)의 라이언이 급하게 컨퍼런스콜을 제안했다.

"한국의 A사로부터 펀딩제의가 들어 왔습니다. 펀딩의 형태는 채권 발행입니다. 발행되는 채권의 금액이 커서 세금이 중요한 이슈가 될 것 같아 콜을 제의하게 되었습니다. 그리고 여러 가지 상황을 고려해 볼 때 이번 펀딩 건과 관련해서 자금부(Treasury) 상황을 고려하면 영국 쪽에서 맡는 게 좋을 듯해 보입니다."

컨퍼런스콜에는 여러 사람이 들어와 있는 듯했다. 미국본사의 아놀드도 오랜만에 참여했다.

아놀드의 말이 이어졌다.

"영국Branch를 통할 경우 채권에 대한 이자소득에 대해 한-미조세조약에 따라 이자소득에 대한 세금을 부담해야 합니다. 반면에 자금부 사정이 허락한다면, 브라질의 현지법인은행을 이용하면 한-브라질조세조약에 따라 양 국가간 채권발행에 따른 이자소득

에 따른 이자소득세가 면제됩니다. 이 점을 감안해 이번 거래는 브라질 현지법인은행과 성사토록 하는 것이 최선의 절세방안으로 보입니다. 채권의 규모가 워낙 커서 이자수입에 대한 이자소득세가 크다는 것을 고려하면 말입니다. 크리스 생각은 어때요?"

"저도 동감합니다. 영국은 Branch형태로 운영되고 있기 때문에 이번 채권발행하는 건과 관련해서는 한-미조세조약이 적용될 것입니다. 세금측면에서 보자면, 현지법인은행 형태로 운영되고 있는 글로벌은행 브라질 쪽을 고려해 보는 것이 적절해 보입니다."

"잘 알겠습니다. 일단 세무 쪽 이슈는 파악했으니 자금부와 협의해서 진행토록 하겠습니다. 콜에 참여해 주셔서 감사합니다. 그리고, 크리스. 추가적으로 한국 쪽 상황에 대해서 몇 가시 상의해야 할 것이 있으니 내일 다시 Offline으로 통화하시지요."

"오케이. 그렇게 하시지요."

■ **과소자본(Thin Capitalization)세제**

크리스는 PMO회의에서 제기된 이슈에 대해서 상의하기 위해 테드에게 전화를 했다.

"테드, PMO회의에서 자본금에 대한 문제가 제기되었습니다. 두 은행을 합병한 후에 흡수되는 법인의 자본금은 본사로 회수할 계획인가 봅니다. 그리고 관련해서 새롭게 탄생하는 은행의 자본금은 최소화하는 방안을 모색하자고 하는군요. 현재 본사가 어려운 상황이라 가급적이면 해외에 있는 자회사나 지점의 자본금을 최소화하려는 움직입니다. 그래서 자본금은 줄이고 차입금을 늘리는 방안을 고려하고 있습니다만."

"그런 경우, 세법상으로는 과소자본(Thin Capitalization)이슈에 대해서 고려를 해 봐야 합니다. 본·지점간에 자본금 없이 100% 차입금 형태로 할 수만 있으면 좋겠지만 그렇게되면 감독당국과 세무당국에서 좋아하지 않겠죠."

"그렇겠죠. 차입금 형태로 자본을 들여오면 이자지급에 대한 비용으로 처리하여 세금효과도 있으니 그렇게 되면 좋겠지만 사모펀드와 은행비지니스는 다르니 그렇게 할 수 없겠죠.

"크리스, 일단 이렇게 하시죠. 적정한 자본금 수준을 파악하기 위해서는 시나리오분석을 해 봐야 할 것 같아요. 차입금이 자본금의 일정한 수준을 넘어서게 되면 차입금에 대해 지불하는 이자를 비용으로 인정해 주지 않으니 시나리오별로 테스트를 해 봐야 할 것 같아요."

"알겠습니다. 회의에서 보고를 할 때, 금융당국에서 요구하는 자본적정성과 함께 과소자본으로 인한 법인세상 이자비용에 대한 기회비용도 함께 분석한 내용도 포함해야겠어요."

[핵심요약 - Thin Capitalization 세제]

외국법인의 국내자회사에 대한 자금지원 형태는 지분출자(Equity Capital)와 자금대여(Debt Capital)로 구분될 수 있다. 그런데 자금의 형태에 따라 국내자회사에 발생하는 비용(배당, 지급이자)에 대한 과세원칙은 다르다. 자본에 대한 배당은 법인세 상 비용으로 인정되지 아니하나 차입금에 대한 지급이자는 비용으로 인정된다. 이와 같은 과세상의 차이로 인해 국내자회사는 외국법인인 국외지배주주로부터 자금을 조달할 때 출자의 형식보다는 차입금의 형식을 더 선호하게 된다. 과소자본(Thin Capitalization)이란 이러한 자금조달형태로 조세부담을 덜고자 국외지배주주가 인위적으로 국내자회사에 대한 출자를 줄이고 차입을 늘리는 행위를 말한다.

그런데 국내자회사가 소재하는 국가에서는 납세자의 과세소득 감소로 인해 조세수입이 감소하게 되기 때문에 이러한 행위를 규제하게 된다. 따라서, 기업이 국외지배주주 등에게 지급하는 과다보유 차입금에 대한 이자를 법인세법 상 비용으로 인정하지 않는 제도를 도입하게 된 것이 과소자본세제이다.

| 사례연구 – 과소자본세제와 자본구조 |

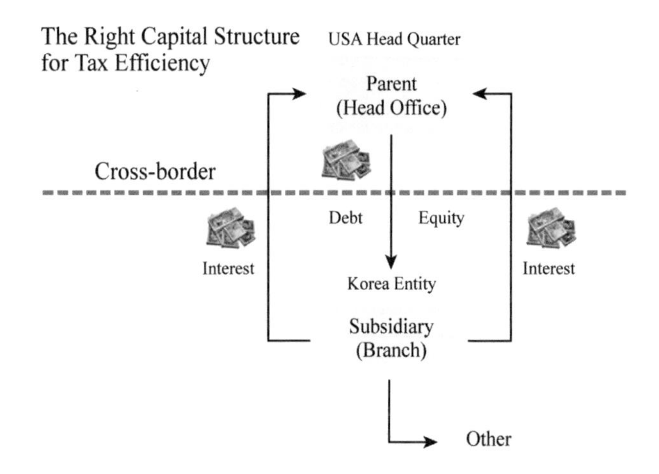

글로벌은행은 본점이나 지역점으로부터 자금을 차입하여 새로운 거래에 필요한 자금으로 운용하기 때문에 차입금과 자본금의 비율이 시시때때로 변한다. 따라서 자본구조의 변화에 따라 과소자본기준(Threshold)을 초과하는지에 대해 매일 모니터링할 필요가 있다. 크리스는 가장 단순한 가정을 통해서 과소자본 모니터링용 스프레드시트를 테스트해 볼 것을 주문했다.

미국법인 A는 2002년 1월 1일에 100% 출자하여 비금융회사인 한국자회사 A Korea를 설립하였다. A Korea는 다음과 같이 자금을 차입하고 해당 이자를 지급하였다.

- 2005년 1월 1일 미국본사로부터 ₩600,000,000을 차입하고 국내은행에서 미국본사 지급보증으로 ₩400,000,000 추가적으로 차입한 것으로 가정한다.
- 각 차입금에 대한 이자율은 연 10%로 동일하고 지급이자는 ₩100,000,000인 것으로 가정한다.
- 2005년도 말 A Korea의 대차대조표는 다음과 같다고 가정한다.

대차대조표			2005년도 말 현재
자산	1,200,000,000	부채	1,000,000,000
		자본금	100,000,000
		주식발행초과금	50,000,000
		이익잉여금	50,000,000
자산합계	1,200,000,000	부채/자본합계	1,200,000,000

과소자본의 계산 및 처분은 다음과 같이 이루어진다.

- 국외지배주주인 미국법인 A의 출자금액에 대한 차입금의 배수를 계산하여 과소자본 여부를 판단한다.

차입금적수(1,000,000,000×365) / 국외지배주주의 내국법인 출자금액적수(200,000,000×65) = 5배
※ 차입금 = 1,000,000,000원(직접 600,000,000원 + 지급보증 400,000,000원)

차입금이 미국법인 A의 출자금액의 3배를 초과하므로 과소자본세제 적용대상이 된다. 여기서 과소자본의 판단을 비금융업의 경우의 기준은 3배이며, 금융업의 경우는 6배임.

- 법인세법 상 비용 불인정되는 지급이자를 계산한다.

지급이자(1,000,000,000) × [차입금 적수(1,000,000,000×365 - 국외지배주주의 내국법인 출자금액적수(200,000,000×365) × 3배) / 차입금적수(1,000,000,000×365)
= 40,000,000

즉, 지급이자 중 40,000,000이 비용으로 불인정된다.

- 소득을 구분하여 처분한다.
(1) 국외지배주주에게 귀속되는 부분

손금불산입 지급이자(40,000,000) × [직접차입금적수(600,000,000×365) / 총차입금적수(1,000,000,000×365)] = 24,000,000

이 금액은 '배당'으로 처분된다.

(2) 국내은행에게 귀속되는 부분
40,000,000 - 24,000,000 = 16,000,000

나머지 16,000,000은 기타사외유출로 처분한다.
- 국외지배주주인 미국법인에 지급한 것으로 간주되는 배당으로 처분되는 금액에 대해서는 조세조약에서 제한하고 있는 세율에 따라 과세되고 기타사외유출로 처분되는 금액에 대해서는 아무런 세제혜택을 받을 수가 없게 된다.

■ **이전가격(Transfer Pricing)세제**

"대한은행은 국내영업을 해왔기 때문에 관계사(Related Party)거래에 대해서는 아무런 경험이 없었을 것으로 보입니다. 그래서 통합과정에서 가장 중요한 이슈가 관계사와의 이전가격(Transfer Price)에 대한 프로세스를 정립하는 일이 될 것 같습니다. 크리스가 이 부분에 대해서 할 일이 많을 것 같네요."

지금껏 오랫동안 업무를 함께 해 온 탓에 테드는 이제 크리스가 무슨 일을 고민하고 있는지 알고 있었다.

"맞습니다. 일단 직원들에게 관계회사간의 이전가격 이슈에 대해서 교육을 해야 할 것 같아요. 일단 글로벌그룹의 이전가격에 대한 전반적인 정책(Trasnfer Pricing Policy: TP Policy)에 대해 교육을 실시할 계획입니다. 글로벌그룹 본사와는 국내규정과 본사규정의 차이점을 어떻게 조정할 것인지에 대해 협의한 후에 지침서를 만들고 이전가격에 대한 프로세스를 정립할 계획입니다. 테드가 많이 도와주어야겠습니다."

"물론입니다. 사안(Module)에 따라서는 사전가격협의(Advance Pricing Arrangement: APA)절차를 진행하는 것도 좋을 듯 합니다만."

"일단 거래유형부터 모두 파악하고 관계사간 이전가격프로세스부터 정립한 후에 선택적으로 APA를 진행하도록 하시죠. 글로벌그룹은 본사 TP Policy에 강한 자신감을 가지고 있기 때문에 APA에 대해서는 거부감을 가지고 있긴 합니다만 꼭 필요하면 진행을 해야겠지요."

테드가 크리스의 말에 의구심이 들어 하는 눈치였기 때문에 부가적인 설명을 해주어야 했다.

"그럴만한 이유가 있어요. 글로벌그룹 생각에는 자신들이 만들어 놓은 TP Policy가 전세계적으로 통해야 한다고 생각해요. 다른 나라의 세무당국을 충분히 설득시킬 수 있다는 얘기지요. 만약에 한국의 국세청이 글로벌그룹의 TP정책에 대해 인정해 주지 않는 TP이슈에 대해서는 미국 IRS와 협의하면 한국에서 인정받지 못한 세제혜택에 대해서 미국에서 누릴 수 있다는 논리입니다."

"잘 알겠습니다. 한국의 이전가격조정보고서(Country Addendum)를 만들 때 분석을 철저히 해야겠어요."

[핵심요약 – 이전가격세제]
이전가격세제란 기업이 국외 특수관계자(Realted Party)와의 거래에 있어 정상가격(Arm's Length Price)보다 높거나, 낮은 가격을 적용함으로써 과세소득이 감소되는 경우, 과세당국이 그 거래에 대하여 정상가격을 기준으로 과세소득금액을 재계산하여 조세를 부과하는 제도이다.

과세당국뿐 아니라 납세의무자도 이전가격 해당 거래 시에는 법령상의 정상가격결정방법을 통하여 정상가격을 찾아 이를 적용하여야 하며, 이러한 과정에 관한 자료(Transfer Pricing Report)를 구비하고 있어야 한다. 국내세법규정에 따르면, 납세의무자는 과세표준 신고 시에 관계사 간에 적용된 이전가격의 타당성을 설명할 수 있는 기본 자료를 신고첨부자료로 제출하여야 하며, 이전가격조사를 받는 경우에는 적용한 가격이 정상가격임을 입증할 수 있는 구체적인 자료를 과세당국에 제출하여야 한다. 이러한 자료제출 의무의 원활한 이행이 이루어지지 않을 때에는 납세의무자는 과태료를 부과받을 수 있도록 하고 있다.

한편, 국경간 거래가 이루어지는 경우, 이전가격과 관련하여 과세당국 간의 분쟁의 소지를 미연에 방지하기 위하여 납세의무자는 향후에 적용하고자 하는 정상가격산출방법을 '사전승인제도(Advance Pricing Arrangement)'를 통해 미리 세무당국으로부터 승인받을 수 있도록 하고 있다.

국외특수관계자(Related Party)란 거주자, 내국법인 또는 외국법인 국내사업장의 국외특수관계자로서 다음과 같다.

- 당해 내국법인 또는 국내사업장을 가진 외국법인의 의결권있는 주식(출자지분 포함. 이하 같음)의 100분의 50 이상을 직・간접적으로 소유하는 경우로서 외국에 거주하거나 소재하는 자(주주 및 출자자 포함)
- 당해 거주자・내국법인 또는 국내사업장을 가진 외국법인이 의결권 있는 주식의 100분의 50 이상을 직・간접으로 소유하는 다른 외국법인
- 당해 내국법인 또는 국내사업장을 가진 외국법인의 의결권 있는 주식의 100분의 50 이상을 직・간접으로 소유하는 자가 의결권 있는 주식의 100분의 50 이상을

직 · 간접으로 소유하는 다른 외국법인(동 외국법인의 국내사업장 포함)

- 당해 거주자 · 내국법인 또는 국내사업장과 비거주자 · 외국법인 또는 이들의 국외사업장과의 관계에서 일방과 타방 간에 자본의 출자관계, 재화 · 용역의 거래관계, 자금의 대여 등에 의하여 소득을 조정할 수 있는 공통의 이해관계가 있고, 거래당사자의 일방이 다음 어느 하나의 방법에 의하여 타방의 사업방침의 전부 또는 중요한 부분을 실질적으로 결정할 수 있는 경우, 비거주자 외국법인 또는 이들의 국외사업장
- 당해 국내사업장을 가진 외국법인의 본점 또는 다른 국외사업장

■ 정상가격(Arm's Length Price)이란?

거주자, 내국법인 또는 외국법인 국내사업장과 이들의 국외특수관계자간의 거래와 동일 또는 유사한 거래로서 특수관계가 없는 자(독립기업)간의 거래(비교대상거래)에서 적용되었거나 적용될 것으로 기대되는 가격을 말한다. 여기에서 동일 또는 유사한 거래라 함은 거래된 재화 또는 용역의 종류 및 특성, 계약조건, 거래당사자가 수행한 기능 및 부담한 위험, 시장 및 경제여건 등의 측면에서 당해 특수관계거래와 비교가능성이 있는 거래를 말한다.

정상가격산출시 비교대상거래를 특수관계가 없는 제3자간의 국제거래로 한정하였으나, 대부분의 기업들이 국제거래와 국내거래를 동시에 수행하므로 국제거래만을 비교대상거래로 하는 경우 자료확보가 곤란하여 비교대상거래에 국내거래도 포함하도록 개정함으로써 납세자부담을 완화하고 있다.

| 사례연구 – 이전가격세제 이자율 조정 |

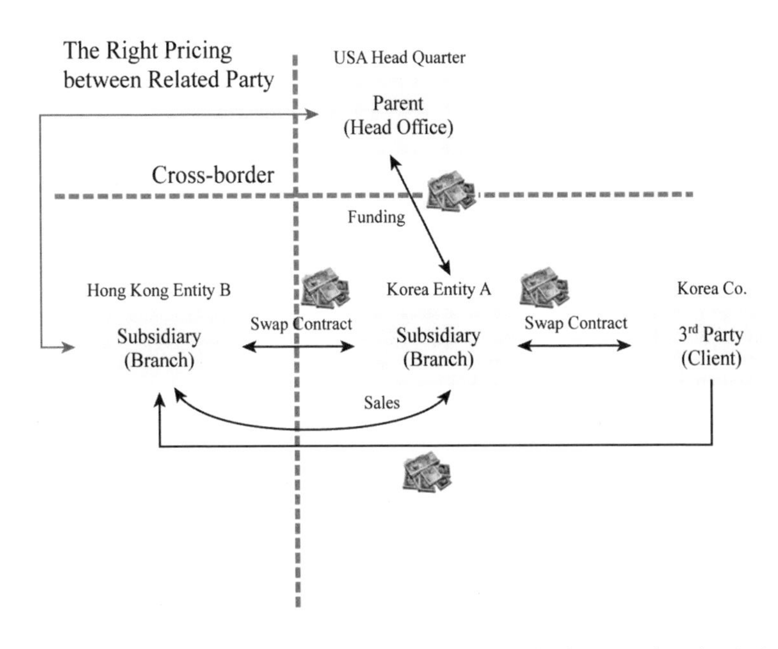

글로벌금융네트워크를 통해 글로벌금융회사들은 효율적으로 자본을 운용한다. 글로벌 그룹의 국내 현지법인은행은 미국의 본사로부터 자금을 싼 이자로 빌려오게 된다. 이때 차입해 오는 차입금에 적용되는 이자금액이 이전가격(Transfer Price)의 대상이 된다. 미국본사 입장에서는 차입해 주는 차입금에 대해 높은 이자율을 적용하고자 할 것이다. 그러나 이에 대해 한국의 국세청은 이전가격세제 이슈를 제기하게 되고 차입금에 대해 정상가격(Arm's Length Price)을 적용할 것을 요구하게 된다. 만약에 한국의 글로벌현지법인은행이 정상가격보다 높은 이자율로 이자를 지급한 것으로 판명이 되면 정상가격 이상으로 지급한 이자에 대한 세제혜택은 부인되게 된다. 이 때 중요한 것이 정상가인 이자율을 어떻게 결정하느냐이다. 이자란 거래 대상이나 거래상대방에 따라 천차만별로 적용될 수 있기 때문에 정상가로 볼 수 있는 이자율을 결정하는 것이 만만치 않다. 대부분의 경우, LIBOR(London Interbank Offered Rate)[56]를 기준금리(Benchmark Rate)로 하여 경제적 분석(Economic Analysis)을 통해 조정률(+/− basis point)을 정하게

56) 리보(LIBOR, London Interbank Offered Rate, 런던 은행간 금리)는 런던의 주요 은행 사이에서 단기자금을 조달하는 이자율을 말한다. 이자율은 콜 금리(overnight rate)부터 장기 이자율도 포함한다. 리보 금리는 매일 오전 11시 30분(영국 시간), 영국은행가협회를 대신하여 톰슨 로이터가 집계하여 발표한다. 많은 금융기관, 대부업체, 신용카드회사의 금리가 리보 금리를 기반으로 운영되고 있다. 파생상품과 기타 금융상품 중 최소한 3500억 달러가 리보를 기반으로 운영되고 있다.

된다. 조정률을 결정할 때, 유사한 사례에 적용된 이자율(Comparable Rate)이 중요한 참고(Reference)가 된다.

한편, 한국의 글로벌은행은 본사로부터 펀딩(Funding)한 자금으로 국내 고객사와 스왑계약(Swap Contract)을 맺는다. 고객과 맺은 스왑거래와 같은 파생거래(Derivatives Contract)는 노출되는 위험(Risk)을 피하기 위해서(Hedge) 반대거래(Back-to-back transaction)를 체결하게 되는데, 대부분 해외에 있는 관계사와 반대거래에 대한 계약을 체결하게 된다. 이러한 파생거래와 관련해서 한국글로벌은행의 장부상에는 국내고객과의 스왑거래와 해외 관계사와의 거래과 모두 기록(Booking)되면서 수익과 비용을 별도로 인식하게 된다. 그런데 이와는 다르게 한국글로벌은행이 국내고객과 해외관계사와 체결하는 직접거래에 대해 당사자로서 개입하지 않고 중개자 역할만 수행할 수도 있다. 이런 경우, 해외관계사가 국내고객과의 파생거래로 인식하는 수익의 일부를 한국글로벌은행으로 배분(Attribution)토록 해야 한다. 이에 대해서 글로벌그룹은 관계사간 이전가격 원칙(Transfer Pricing Policy)을 만들어 적용토록 하고 있다. 이 원칙에 따르면, 해당 거래에 관계하는 관계사들의 기능(Function)에 대해 분석하고 정의하는 경제적 분석을 통해 관계사간에 배분하는 수익의 구조를 결정한다. 일반적으로 적용되는 원칙으로는 스왑거래의 경우 마켓스프레드(Market Spread)를 관계사간에 50/50으로 배분한다. 즉, 거래를 위해서 판매(Sales)활동을 한 국내은행이 스왑거래에서 일반적으로 인식되는 수익(Spread)의 절반을 취하고 자금을 운영하고 기타 다른 의사결정을 하는 해외관계사가 수익의 절반을 취하게 된다. 로컬스프레드(Local Spread)에 대해서는 판매(Sales)활동을 한 국내은행이 모두 취하게 된다. 로컬스프레드의 경우는 국내은행의 세일즈 역량에 전적으로 의지하여 결정되는 수익이기 때문에 전부가 국내은행이 취하는 수익인 것이다.

■ 본점경비(Head Office Allocated Expense)/경영자문료(Management Service Fee)

"테드, 글로벌은행이 Branch였을 때 본점으로부터 배부받았던 경비 지급에 대해서 별도의 프로세스가 필요할까요?

테드는 글로벌지점의 본점경비 업무에 대해 자문한 적이 있었기 때문에 관련 이슈에 대해서 잘 알고 있었다.

"일단 본점경비 명목으로 지급했던 내용에 대해서 이번 기회에 면밀히 검토해 봐야 할 것 같아요. 일단은 글로벌은행지점이 이제 한국글로벌은행으로 현지법인은행이 되었으니, 형식적으로는 본점경비보다는 경영자문료 지급이라는 명목이 맞겠네요. 일단 형식적으로 좀 더 격식을 갖춰야 할 것 같아요. 자문료를 지급하는 모든 해외관계사와 계약을 체결해야 할 것 같아요. 그리고 지급하는 경비의 내역에 대해서 증빙을 확실히 해 두어야 할 것 같고요."

"새롭게 시작하는 마당이라 경비내역과 경비산출방법에 대해서 검토가 필요하겠군요. 관계사간의 금전적인 거래이니 이 또한 이전가격 이슈가 되겠네요."

"크리스, 맞습니다. 다른 다국적기업의 경우는 지급하는 경비 금액이 워낙 커서 예전에 얘기한 적 있었던 사전가격협의(Advance Pricing Arrangement) 절차를 밟아서 프로세스를 단순화한 경우도 있습니다. 이 절차를 한 번 고려해 보는 것도 좋을 듯합니다만."

"그 문제라면 글로벌그룹은 조금 다른 입장입니다. 한국에 배부한 경비가 한국에서 세무상 인정을 받지 못하면 미국본사가 미국세무당국인 IRS와 협의를 진행하겠다는 입장입니다. 한국에서 인정받지 못하는 경비는 미국에서 인정받겠다는 겁니다. 일단 한국국세청이 배부된 경비에 대한 거부권을 표시하면 그를 바탕으로 미국국세청과 협의를 진행할 수 있다고 하는군요."

"예 알겠습니다. 그러면 그 동안 배부된 경비내역과 미국본사에서 경비산출을 위해서 어떤 방법론을 사용했는지에 대해 검토해 보기로 하시지요."

[핵심요약 – 본점경비 / 경영자문료]

외국기업의 현지법인의 국내원천소득금액계산을 위하여 각 사업연도의 익금총액에서 공제될 손금은 국내원천소득에 관련되는 익금에 합리적으로 배분되는 것에 한정된다. 즉, 법인세법에서 규정하는 손금은 국내원천소득과 관련되는 수입금액으로 자산가액과 국내원천소득에 합리적으로 배분되는 것이어야 한다. 따라서 외국법인의 현지법인이 국내에서 지출한 비용이라 할지라도 국내원천소득과 합리적인 관련성이 없는 것은 소득금액의 계산상 손금으로 용인되지 않으며, 당해 외국법인의 국내원천소득의 발생과 합리적으로 관련되는 것은 공통경비로서 현지법인의 본점 및 관련 해외지점경비라 할지라도 손금으로 용인될 수 있다. 즉, 외국기업의 현지법인의 비용이 국외의 본점이나 다른 지점에서 발생된 경비라 할지라도 국내원천소득과 합리적으로 관련되는 경우에는 과세소득 계산시 손금으로 인정되며, 관련 본·지점에서 발생된 공통경비의 국내 사업장(현지법인)에의 배분방법은 법인세법에서 규정하고 있다.

본점은 국내사업장의 영업활동에 관한 기획, 지원, 지도·감독, 분석, 통계 및 관리 업무를 수행하기 위해 필요한 경비를 배분할 수 있고, 기타 해외관련점은 상품의 공급, 자금의 공여 등 국내사업장의 영업수익을 발생시키는데 직접으로 관련되는 업무를 수행하기 위해 발생한 경비를 배분할 수 있다.

배분대상 경비의 범위는 관련 본·지점에서 발생한 경영비 및 일반관리비에 해당하는 경비로서 그 경비가 국내사업장에 대한 산업상 또는 상업상의 이윤을 얻는 데 합리적으로 관련이 있다고 인정되는 경비항목과 금액이어야 한다. 다만 그 경비가 발생국의 조세법령의 규정에 국내사업장의 수입금액에 따라 손금으로 공제되는 것이어야 한다.

국내지점에 배분되는 전세계 관련점의 경비는 다음 공식에 의해 계산된다.

배분액=배분대상경비액×(국내사업장의 수입금액/전세계 관련점의 수입금액)

여기에서 수입금액은 배분대상경비와 관련하여 발생하였다고 인정되는 산업상 또는 상업상의 수입금액이어야 한다. 배부대상경비의 배부액 계산에 있어서 외화의 원화환산은 당해 사업연도의 외국환거래법에 의한 기준환율 또는 재정환율의 평균을 적용하며, 관련점 경비의 배부방법 등에 대한 자세한 내용은 국세청장이 정한 국세청고시에서 정하고 있다.

| 사례연구 – 본점경비의 배부프로세스 |

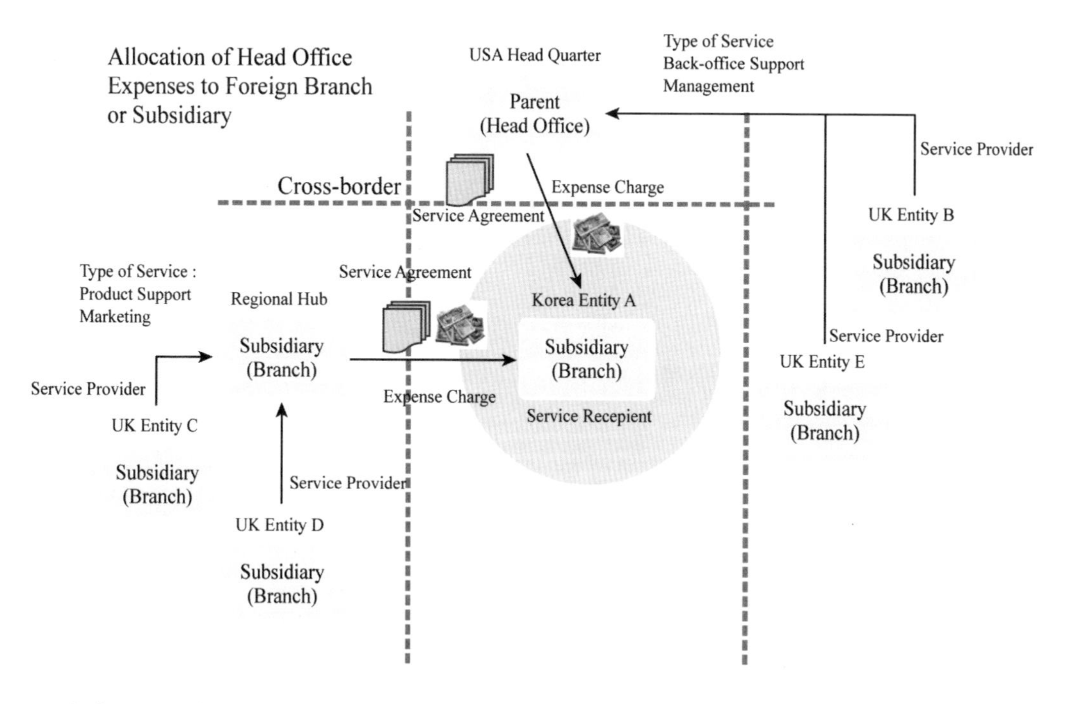

본점으로부터 본점경비에 대한 자료가 도착했다. 크리스는 서둘러 미팅을 소집했다. 재무기획부, 법무팀, 그리고 준법감시부에서 참여한 미팅에 테드도 함께 참석했다.

"이렇게 회의를 하게 된 것은 본점경비에 대한 건 때문입니다. 본사는 이런저런 핑계를 대서 많은 비용을 우리은행 쪽으로 떠넘기려고 할 것입니다. 그래서 저희로서는 가급적 모든 위험요소를 제거한 최소한의 경비를 지급하고자 합니다. 제가 먼저 간략하게 전반적인 내용을 설명드리고 질문이 있으시면 저한테 하셔도 좋고 여기 오신 국제조세전문가인 테드한테 하셔도 됩니다."

준법감시부에서 온 하부장이 질문을 던졌다.

"그렇잖아도 금융당국에서도 본점경비에 대해서 관심이 많습니다. 철저하게 준비를 해야 할 것 같아요. 나중에 금융당국 감사에서도 본점경비 지급에 대해 세심하게 조사를 하게 될 것 같습니다."

"맞습니다. 금융당국에서도 매우 관심이 높은 분야입니다. 물론 세무당국과는 관점이

다릅니다. 금융당국입장에서는 경비지급에 대한 내부통제(Internal Governance)가 잘 갖춰져 있는지에 대해 초점을 맞출 것입니다. 하여튼 우리가 이번에 프로세스를 잘 정립해 둬야 향후 금융당국 감사와 세무당국 감사에 대처할 수 있을 것입니다."

크리스의 설명이 이어졌다.

"제가 대략적인 내용을 설명해 드리겠습니다. 현재 글로벌그룹은 본점경비에 대한 내부정책이 마련되어 있습니다. 그 정책에 따르면, 본점경비와 관련해서 전세계적으로 서비스를 제공하는 관계사와 서비스를 제공받는 관계사로 나눠집니다. 우리는 전적으로 서비스를 받는 회사에 해당되며, 여기서 서비스라고 하면 해외 관계사들이 우리은행의 여러가지 사업을 해외에서 지원하는 것으로 주로 후선업무(Back-office)와 관련된 내용들입니다. 본사에서 보내온 자료에 의하면 우리를 지원해 주는 해외 관계사들의 수가 21개 정도 됩니다."

"그러면 비용 정산을 하기 위해서 21개 회사들과 모두 계약을 맺어야 하는 겁니까?"

재무기획부에서 온 이부장이 질문을 던졌다.

"글로벌은행이 현지법인은행이 되었으니 그렇게 해야 할 것으로 보입니다."

법무팀의 이차장이 크리스 대신 대답을 해 주었다.

"맞습니다. 종전에는 본사와 서비스계약(Service Level Agreement)만 맺었습니다만 앞으로는 개별적으로 모두 맺어야 할 것입니다. 그런데 비용정산은 일단 본점에서 하게 됩니다. 따라서 비용에 대해서 우리 쪽에서 지급하기가 적절하지 않은 부분에 대해서는 본사와 연락하여 조정하게 됩니다. 개별적으로 모두 연락해서 조정하기란 불가능하겠죠."

"경비를 어떻게 조정한다는 거죠."

"제가 모두에서 말씀드렸던 것처럼 본점에서 청구한 경비를 무작정 지급하는 건 감사위험(Audit Risk)이 너무 많습니다. 그래서 우리 쪽에서 본점에서 청구하는 경비의 내역을 보고 부적절한 경비는 지급하지 않으려고 합니다. 결국 본점경비를 조정한다는 것입니다."

재무기획부의 이부장의 질문이 이어졌다.

"어떤 기준으로 경비를 조정하게 되는 거지요? 무작정 조정하자고 해서는 안될 것 같은데요."

"오늘 테드 회계사님이 미팅에 참석한 이유가 바로 그 점에 대해서 설명하기 위해서입니다."

"예. 그 점에 대해서 제가 설명을 드리도록 하겠습니다. 일단 본점에서 청구한 경비는 본점 기준에 의한 것입니다. 본점경비를 지급하는 입장은 고려하지 않은 것입니다. 그래서 본점경비를 지급하는 입장에서 경비 지급의 적정성을 판단해 볼 필요가 있습니다. 이를 위해서 2가지 테스트(Test)를 해 볼 수 있습니다. 첫째는, 관련성(Relevance Test)입니다. 지급하는 경비가 우리 쪽 사업활동과 관련이 있어야 한다는 것입니다. 따라서 본점이 우리 쪽을 단순히 관리감독(Stewardship)하는 데 소요된 비용이나 글로벌그룹의 주주(Shareholder)를 위해서 사용된 비용은 우리 쪽 영업과 직접적으로 관련이 된 것이라 보기 힘들기 때문에 이 비용들은 지급되는 비용항목에서 제외해야 할 것으로 보입니다. 둘째는, 수익성(Benefit Test)입니다. 영업활동을 통해서 창출되는 수익과 관련이 있는 비용이어야 한다는 것입니다. 수익/비용 대응의 원칙이 적용되는 것을 말합니다. 이 테스트들을 통해서 본점경비를 조정(Carve-out)하는 작업이 필요할 것으로 보입니다."

"설명 감사합니다. 그리고 설명을 더 하자면, 본점에서 보내온 경비와 다른 형태의 경비가 지역점으로부터도 옵니다. 성격이 다른 비용인데, 주로 금융상품과 마케팅 지원과 관련된 비용입니다. 본점경비보다 더 수익과 직접적인 관계가 있는 비용들이라 보면 됩니다. 이 부분에 대해서는 특별히 조정할 부분은 없는 것 같습니다."

"자, 이제 각 파트별로 무슨 일을 해야 할지 감이 잡히시죠?"

■ 비거주자(Non-resident)와 고정사업장(Permanent Establishment)

통합이 진행되고 있는 가운데, 매일 같이 새로운 얼굴의 외국인들이 크리스 사무실을 방문했다. 미국과 한국에서 이중생활을 하고 있는 고객, 통합프로젝트를 하기 위해 국내에 파견온 외부회사 직원들, 그리고 PMO 프로젝트를 수행하기 위해 글로벌은행을 방문한 내부직원들…… 새로운 얼굴을 매일같이 대하는 일은 크리스만의 일은 아닌 듯했다.

인사부의 최부장이 얼굴에 홍조를 띠며 크리스방을 찾았다.

"크리스, 요즘 인사부를 찾아오는 사람들 때문에 죽겠어요. 우리를 찾아와봐야 별로 도움도 안되는데 일단 인사부한테로 연락와요. 그래서 할 일을 못하겠어요."

"무슨 일인데 그러세요?"

"프로젝트 때문에 한국에 들어온 외국인들이 거처를 어디에 두어야 하느냐, 렌트계약은 어떻게 해야 하느냐는 등 요청하는 게 너무 많아요. 그리고 월급처리는 어떻게 해야 하는지……."

"그렇지 않아도 최부장님이 저한테도 사람을 많이 보내셨던데요. 새로운 사람들이 오면 모두 저랑 최부장님 몫이네요. 하하하"

"아 참. 내 정신봐. 질문은 안하고 엉뚱한 소리만 했네. 그래서 그 사람들이 요구하는 게 모두 세무이슈랑 엮어 있어서요. 지난번에 교육을 해 주셨어도 잘 모르겠어요. 일단 제일 중요한 것이 '거주자(Resident)'에 해당하는지에 대한 확실한 가이드라인이 필요해요."

"아 예. 그렇지 않아도 제가 정리해 둔 것을 이메일로 보내드리려 했어요. 일단 한 번 보시고 연락주세요."

크리스가 최부장한테 전달한 메모는 다음과 같은 내용이 적혀 있었다.

외국인의 거주자판정 가이드라인은 다음과 같으니 참조하시기 바랍니다.

- 개인이 양국의 거주자인 경우에 있어서 거주자판정은 조세협약 규정에 따르는 것인바, 제일 먼저 항구적 주거를 기준으로 거주자 판정합니다. 항구적 주거(permanent home)란 그 개인이 자기의 가족과 함께 거주하는 장소를 말합니다.
- 만약 항구적 주거가 양국에 모두 있거나 어느 쪽에도 없는 경우에는 그의 인적, 경제적 관계가 가장 밀접한 이해관계의 중심지(center of vital interests)를 기준으로 판단합니다.
- 이해관계의 중심지가 없거나 결정할 수 없을 때에는 일상적 거소(habitual abode)를 중심으로 판단합니다.
- 이 또한 불확실한 경우에는 그가 시민인 체약국의 거주자로 봅니다.

- 이 기준에 의거 한국의 거주자로 판정이 되었을 경우에는 소득세법 제3조의 규정에 의하여 전세계소득(Wroldwide Income)에 대하여 대한민국에 납세의무를 지는 것이며, 반대로 타국의 거주자로 판정이 될 경우에는 한국 내 원천소득에 대하여만 한국에서 소득세 신고납부의무가 발생합니다.

"어머나, 깔끔하게 정리해 주셨네. 감사해요."

"그런데 최부장님, 한 가지 요청할 것이 있습니다. 파견된 직원에 대해서는 지난번에 말씀을 드린대로 처리하시면 될 것 같은데, 요즘 보니 프로젝트 관련해서 본점이나 지역점에서 직원들이 수시로 들락거리는 것 같아요. 그 직원들에 대해서 방문일지를 인사부에서 기록해 두어야 할 것 같아요.

"그건 무엇 때문이지요?"

"방문하는 직원들이 1년에 6개월 이상 초과하여 방문하면 세무상 문제가 생길 수 있거든요. 1년 이상 체류하게 되면 당연히 국내 직원으로 볼 수 있고, 6개월을 초과해서 방문하게 되면 사업장이 국내에 있는 걸로 봐서 소위말하는 '고정사업장' 이슈가 발생할 수도 있어서요. 물론 체류 일수만 가지고 판단할 문제는 아니지만 일단은 인사부 쪽에서 여기 드리는 기록카드(Travel Record)를 작성해야 할 것 같아요."

"잘 알겠습니다. 혹 떼러 왔다가 혹 붙여서 가네요. 하하하"

[핵심요약 - 고정사업장]

국내고정사업장(Permament Establishment)이라 함은 외국기업이 사업의 전부 또는 일부를 수행하는 국내의 고정된 사업장소를 말한다. 일반적으로 조세조약에서는 고정사업장 또는 항구적 시설이라고 하고 국내세법에서는 국내사업장이라고 한다.

외국기업이 국내에 고정사업장을 가지고 있는지 여부에 따라 그 외국기업에 대한 과세문제는 아래와 같은 차이가 있으므로 외국기업의 국내지점, 사무소 등이 고정사업장에 해당되는지 여부의 판정은 매우 중요하다.

• 사업소득에 대한 과세권

우리나라가 체결한 조세조약은 예외없이 "일방체약국의 기업이 타방체약국 내에 고정사업장을 가지고 있지 않는 한 타방체약국에서 발생한 그 기업의 사업소득에 대하여 그 타방체약국은 과세할 수 없다"고 규정하고 있다. 따라서 조세조약 체결국의 거주자인 외국기업이 국내에 고정사업장을 가지고 있지 않은 경우에는 조세조약에 의하여 그 외국기업의 '사업소득(Business Income)'에 대하여 국내에서 과세할 수 없다.

• 제한세율 적용

조세조약상 비거주자의 이자, 배당, 사용료 등 투자소득(Passive Investment Income)에 대하여는 일정한 세율(제한세율)을 초과하여 과세할 수 없다. 그러나 그러한 소득이 고정사업장과 실질적으로 관련된 경우에는 제한세율이 적용되지 아니하고 거주자의 사업소득과 동일하게 과세된다.

• 국내원천소득에 대한 과세방법

외국기업이 국내에 고정사업장을 가지고 있는지 여부에 따라 과세방법에 차이가 있다. 즉, 고정사업장을 가지고 있는 외국기업은 그 고정사업장에 귀속되는 국내원천소득에 대한 법인세를 신고 및 납부하여야 하나, 그 고정사업장에 귀속되지 아니하는 소득 및 고정사업장이 없는 외국기업의 국내원천소득(부동산소득, 산림소득, 양도소득은 제외)에 대하여는 그 소득을 지급하는 자가 법인세를 원천징수(Withholding)하여 납부하여야 한다.

고정사업장은 일반 고정사업장과 간주 고정사업장으로 구분할 수 있다. 일반 고정사업장은 외국기업이 국내에서 사업의 전부 또는 일부를 수행하는 고정된 장소를 말하며, 이에는 지점, 사무소, 판매장소 등과 같은 형태의 고정사업장과 조세조약상 일정기간 이상 존속하는 경우에 한하는 건설공사현장이 고정사업장이 된다. 한편, 간주 고정사업장은 외국기업이 국내에 계약을 체결할 권한을 가지고 있는 자 및 기타 이에 준하는 자를 통하여 국내에서 사업활동을 하는 경우에는 그 외국기업은 국내에 고정사업장을 가지고 있는 것으로 간주된다.

• 일반 고정사업장

고정사업장은 "기업이 사업의 전부 또는 일부를 수행하는 고정된 사업장소"라고 정의된다. 따라서 고정사업장이 성립되기 위하여는 외국기업의 국내지점, 지사, 연락사무소 등이 다음과 같은 세 가지 요건을 충족시키는 경우에 그 명칭 여하에 관계없이 고정사업장이 되며 세 가지 요건 중 어느 하나라도 충족시키지 못하면 고정사업장이 될 수 없다.

A. 사업장소가 존재할 것(The existence of a place of business, 장소적 개념) – 사업장소라 함은 기업의 사업활동을 수행하기 위하여 사용되는 건물, 시설 또는 장치 등을 말한다. 사업장소는 사업수행을 위한 건물이 없거나 사업수행에 건물을 필요로 하지 아니하는 경우에도 존재(숙소, 호텔 등)할 수 있다. 기업이 일정한 공간을 임의로 사용하면 사업장소는 존재하는 것이다. 기업이 그 건물 등을 임의로 사용하는 한 그 건물 등이 당해 기업의 소유인지, 임차한 것인지는 불문한다.

B. 사업장소가 고정되어 있을 것(The place of business must be fixed, 기간적 개념) – 사업장소의 고정이란 사업장소가 어느 정도의 기간 동안 계속적으로 특정위치에 존재하는 것을 말한다, 그러나 사업장소를 구성하는 시설이 토지에 정착되어야 하는 것은 아니며 그러한 시설이 특정위치에 머물러 있으면 족하다. 도로나 운하의 건설, 수로의 준설, 파이프라인의 부설 등과 같이 공사의 진행에 따라 그 위치가 변경되어도 관계없다.

C. 고정된 사업장소를 통하여 사업이 수행될 것(The carrying on of the business of the enterprise through the fixed place of business, 기능적 개념) – 고정된 사업장소가 고정사업장이 되기 위하여는 기업가, 그 종업원 또는 기타 기업의 지시를 받는 자가 그 고정된 사업장소를 통하여 사업의 전부 또는 일부를 수행하여야 하며, 사업활동이 중단됨이 없이 계속적으로 수행되어야 하는 것은 아니다. 사업활동이 반드시 생산적 성격을 가져야 하는 것은 아니나 그 사업활동이 그 기업의 사업상 예비적 · 보조적인 활동이 아니어야 한다. 그 활동이 사업상 예비적 · 보조적인 활동인 경우에는 그 사업장소는 고정사업장이 될 수 없다.

법인세법 및 조세조약은 고정사업장이 될 수 있는 장소를 예시하고 있다.

(1) 지점 · 사무소 또는 영업소
(2) 상점 기타의 고정된 판매장소
(3) 작업장 · 공장 또는 창고
(4) 6월을 초과하여 존속하는 건축장소, 건설 · 조립 · 설치공사의 현장 또는 이와 관

련되는 감독활동을 수행하는 장소

(5) ***고용인***을 통하여 용역을 제공하는 경우로서 다음 중 어느 하나에 해당되는 장소
- 용역의 제공이 계속되는 12월 기간 중 합계 6월을 초과하는 기간 동안 용역이 수행되는 장소
- 용역의 제공이 계속되는 12월 기간 중 합계 6월을 초과하지 아니하는 경우로서 유사한 종류의 용역이 2년 이상 계속적·반복적으로 수행되는 장소

그런데 외국기업이 국내의 고정된 사업장소를 통하여 사업활동을 수행하는 경우에도 그 사업활동이 당해 외국기업의 사업상 ***예비적·보조적*** 활동에 해당하는 경우에는 그 고정된 사업장소는 고정사업장에 해당하지 아니한다. 예비적·보조적 활동을 수행하는 사업장소의 예시는 다음과 같다.

(1) 외국기업의 자산의 단순한 구입만을 위하여 사용하는 일정한 장소

(2) 외국기업이 판매를 목적으로 하지 아니하는 자산의 저장 또는 보관을 위하여만 사용하는 일정한 장소

(3) 외국기업이 광고·선전, 정보의 수집과 제공, 시장조사 기타 그 사업수행상 예비적이고 보조적인 성격을 가지는 사업활동만을 행하기 위하여 사용하는 일정한 장소

(4) 외국기업이 자산을 타인으로 하여금 가공하게 하기 위하여만 사용하는 일정한 장소

• 간주 고정사업장

외국기업이 국내에 일반 고정사업장을 가지고 있지 아니한 경우에도 국내에 자기를 위하여 계약을 체결할 권한을 가지고 있는 자와 기타 이에 준하는 자를 통하여 국내에서 사업활동을 하는 경우에는 그 외국기업은 국내에 고정사업장을 가지고 있는 것으로 간주된다. 그 고정사업장으로 간주되는 일정한 자를 '종속대리인(Dependent Agent)'이라 한다. 이는 국내에 정상적으로 지점을 개설하여 사업을 영위하고 원천지국에 제세를 신고하는 경우와는 달리 지점 대신 종속대리인을 두고 사실상 지점을 둔 경우와 동일한 경제적 효과를 거두면서 원천지국에서의 납세의무를 회피하는 경우와의 형평을 유지하기 위한 제도이다.

종속대리인의 유형은 다음과 같다.

(1) 외국법인의 자산을 상시 보관하고 관례적으로 이를 배달 또는 인도하는 자인 자산보유대리인
(2) 중개인 · 일반위탁매매인 기타 독립적 지위의 대리인으로서 주로 특정 외국법인만을 위하여 계약체결 등 사업에 관한 중요한 부분의 행위를 하는 자인 계약체결대리인. 이들이 자기사업의 정상적인 과정에서 활동하는 경우를 포함한다.
(3) 재보험사업을 제외한 보험사업을 영위하는 외국법인을 위하여 보험료를 징수하거나 국내소재 피보험물에 대한 보험을 인수하는 자 외국법인에는 당해 외국법인의 과점주주. 당해 외국법인이 과점주주인 다른 법인 기타 당해 외국법인과 특수관계에 있는 자를 포함한다.

종속대리인의 요건은 국내세법과 조세조약간에 다소 차이가 있는데, 계약체결대리인의 요건을 보면 다음과 같다.

(1) 대리인이 외국법인을 위하여 계약을 체결할 수 있는 권한을 가지고 있어야 한다. "계약"이라 함은 외국법인의 고유사업과 관련하여 체결하는 계약을 말하며 당해 외국법인의 사무실의 임차 또는 종업원의 고용 등을 의미한다. 기업의 내부적인 경영 · 관리활동과 관련하여 체결하는 계약은 포함되지 아니한다. 또한 "계약을 체결할 수 있는 권한"이라 함은 당해 대리인이 당해 외국법인을 구속할 수 있는 계약의 중요하고 세부적인 사항에 관하여 상담 협의할 수 있는 권한을 말하며 당해 대리인이 그 계약체결권을 가지고 있는 경우에는 비록 그 외국법인이나 그 외국법인이 있는 국가의 제3자가 그 계약서에 서명 또는 날인할지라도 그 대리인이 한국에서 그 권한을 행사한 것으로 본다.
(2) 대리인이 그 권한을 반복적으로 행사하여야 한다. "반복적 행사"라 함은 장기의 대리계약에 의하여 계약체결권을 계속적 · 반복적으로 행사하는 경우뿐만 아니라 2개 이상의 단기 대리계약에 의하여 계약체결권을 계속적 · 반복적으로 행사하는 경우도 포함된다.
(3) 독립대리인이 아니어야 한다. 조세조약상 외국기업이 대리인을 통하여 국내에서 사업활동을 하는 경우에도 그 대리인이 독립대리인에 해당하면 고정사업장이 있는 것으로 간주되지 아니한다. 또한 국내세법상 "외국기업의 사업과 동일 또는 유사한 사업을 하며 그 사업의 성격상 불가피한 필요에 따라 그 외국기업을 위하여 계약체결에 관한 업무를 행하는 자"를 통하여 국내에서 사업활동을 하는

경우에도 고정사업장이 있는 것으로 간주되지 아니한다.

기계를 제조·판매하는 외국법인이 한국 내의 구매자들에게 기계를 판매함에 있어, 국내의 종속대리인이 구매자들을 상대로 판매촉진(Sales promotion), 가격협의 및 조정, 기타 계약성사를 위한 실무적인 활동을 수행하면서 거래에 관련된 제반서류나 거래외관은 외국법인의 명의로 하는 경우, 이는 종속대리인의 국내활동이 당해 외국법인의 간주고정사업장을 구성하는 전형적인 사례이다. 즉 당해 외국법인은 국내에 판매업지점을 두고 사업을 영위한 다른 법인과 동일한 세부담을 원천지국에서 하게 되는 것이며, 이 경우 국내의 종속대리인은 외국법인의 간주고정사업장에 대한 납세의무와는 무관한 것이며 다만 외국법인으로부터 수령한 수수료는 대리인 자신의 수입금액이므로 이에 대하여만 납세의무가 있다.

한편, 조세조약상 외국기업이 대리인을 통하여 국내에서 사업활동을 하는 경우에도 그 대리인이 중개인, 위탁매매인 기타 독립적 지위의 대리인이고, 또한 그 대리인이 자기 사업의 통상적 과정에서 그러한 활동을 하는 경우 그 외국기업은 국내에 고정사업장을 가진 것으로 보지 아니한다. 이러한 대리인을 '독립대리인(Independent Agent)'이라 한다.

독립대리인이 되기 위하여는 다음의 두 가지 요건을 충족시켜야 한다.

(1) 대리인이 법적 및 경제적으로 당해 외국기업으로부터 독립된 지위에 있어야 한다. 독립적인지 여부는 대리인이 당해 외국기업에 대하여 부담하고 있는 의무의 정도, 사업상의 위험을 부담하는 자가 누구인지 여부, 그리고 대리하는 외국기업의 수 등에 의하여 판단한다.
(2) 대리인이 자기 사업의 통상적 과정에서 외국기업을 위한 활동이 수행되어야 한다. 대리인이 경제적인 관점에서 보아 자신의 사업활동 영역에 속한다기보다 외국기업의 영역에 속하는 활동을 그 외국기업을 대신하여 수행하는 경우 그 대리인은 자기 사업의 통상적인 과정에서 활동한 것이라고 할 수 있다. 따라서 대리인이 외국법인으로부터 독립된 지위에 있는지의 여부를 결정함에 있어서는 다음 사항을 고려하여 결정한다.
   - 업무감독의 정도. 그 대리인이 외국법인을 위한 활동을 함에 있어 당해 외국법인으로부터 세부적인 지시나 통제를 받는 경우에는 그 대리인은 당해 외국

법인에 대하여 독립적이라고 할 수 없다.

-사업상의 위험 부담. 그 대리인의 외국법인을 위한 사업활동으로 인하여 발생하는 사업상의 위험을 당해 외국법인이 부담하는 경우에는 그 대리인은 당해 외국법인에 대하여 독립적이라고 할 수 없다.

-전속대리인인지의 여부. 대리인이 외관상으로는 독립적 지위의 대리인이라고 하더라도 그 대리인이 전적으로 또는 거의 전적으로 특정 외국법인을 위하여 활동하는 경우에는 그 대리인은 독립적 지위의 대리인으로 볼 수 없다.

| 사례연구 - Private Banker와 고정사업장 |

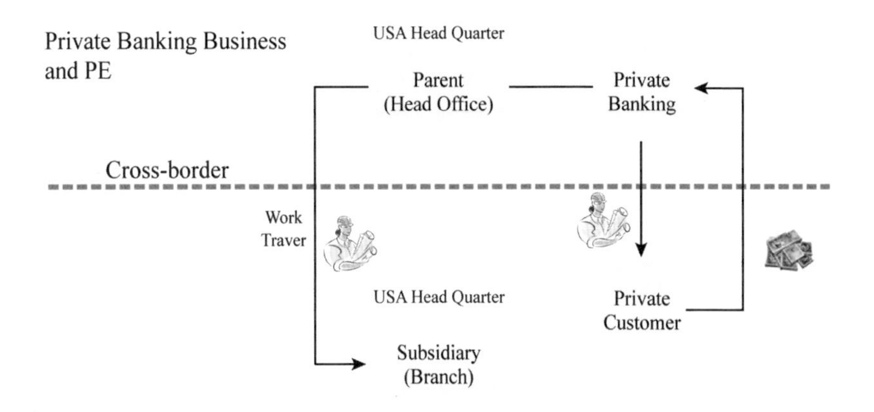

통합프로젝트는 단기간에 종결되지 않는다. 따라서 통합프로젝트에 투입되는 인력에 대한 계획을 세심하게 세워야 한다. 6개월 이상 진행되는 프로젝트라면 투입되는 인력을 파견(Dispatch)형식으로 하여 국내에 고정사업장이슈가 발생하지 않도록 파견된 직원이 거주자신분으로 업무를 수행할 수 있도록 해 주어야 한다. 물론 6개월 이상 국내에서 체류하지만 수행하는 업무가 보조적이고 예비적인 활동이라고 볼 수도 있다. 하지만 통합프로젝트는 M&A성공의 중대한 업무임을 고려하면 논란의 여지를 없애는 것이 바람직하다. 글로벌그룹은 통합프로젝트의 성격에 따라 PMO에 투입되는 인력에 대해 파견근무를 결정했다. 6개월 이상 장시간이 요구되는 프로젝트에 투입되는 직원은 파견근무토록 했으며, 프로젝트를 수행하기 위해 여행을 빈번히 하는 직원들에 대해 여행기록을 남기도록 하여 업무수행에 수반된 여행일수가 6개월이 넘어가지 않도록 관리했다.

한편, 글로벌그룹은 국경간 프라이빗 뱅킹 업무를 진행함에 있어 고정사업장 이슈가 발생하지 않도록 하고 있다. 국내 고액자산가들이 해외에 설립된 헤지펀드나 사모펀드에 투자하기를 원하는 경우, 글로벌그룹의 프라이빗 뱅커들은 국내 지점이나 사무실을 거치지 않고 직접적으로 국내고객과 접촉한다. 국내고객을 만나기 위해 국내로 여행하는 프라이빗 뱅커들은 한국글로벌은행 국내영업망과 사무실에 접근하지 못하도록 하여 독립적으로 업무를 수행토록 한다. 또한, 프라이빗 뱅커들이 국내에서 수행하는 업무는 주로 해외 투자상품의 소개 정도이며 투자결정에 대한 계약은 고객이 해외사무실을 방문하여 체결토록 하고 있다. 국내에서는 보조적이고 예비적인 활동만 수행토록 하여 고정사업장 이슈가 발생하지 않도록 한다. 글로벌그룹은 프라이빗뱅커들이 해외에서 수행하는 활동에 대해 가이드라인을 만들어 지침으로 사용토록 하며 내부규정(Internal Policy)을 만들어 적용하고 있다.

5막

M&A 평가(EVALUATION)

1장 M&A 프레젠테이션 Framework

M&A Proposal

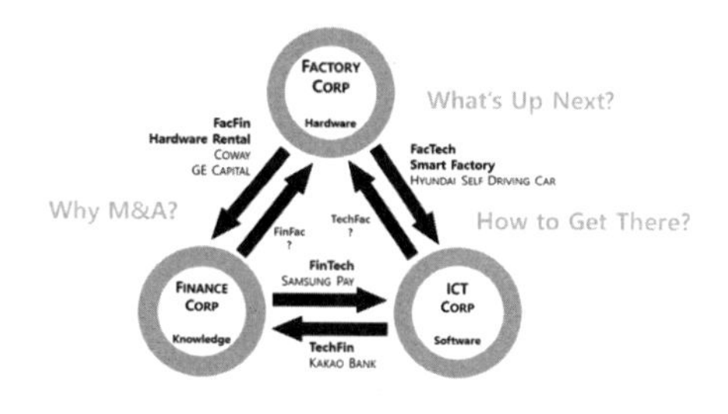

March 31, 2021
M&A Group
YOUR COMPANY xxx

Purpose of Transaction

- As the world is experiencing COVID-19 related crisis, YOUR COMPANY considers it an opportunity to Bounce Forward, not just Bounce Back. Where THE TARGET is undergoing a severe economic difficulties in recession, YOUR COMPANY xxx finds it an opportunity to make a stepping stone for entering A NEW market THROUGH A CROSS BORDER M&A.
- YOUR COMPANY plans to SET UP A NEW Business through ESTABLISHING A SUBSIDIARY in THE COUNTRY OF xxx ......
- In order to successfully set up a new subsidiary in THE COUNTRY OF xxx, YOUR COMPANY xxx believes that efficient and effective Post Merger Integration (PMI) process should be very important. To this end, YOUR COMPANY xxx will implement an operating model that minimizes pertinent risks but, at the same time, secures positive synergies in the early stage of integration by establishing work and control processes for a successful cross-border business.

Purpose of Transaction (Cont'd) – "Resilience"

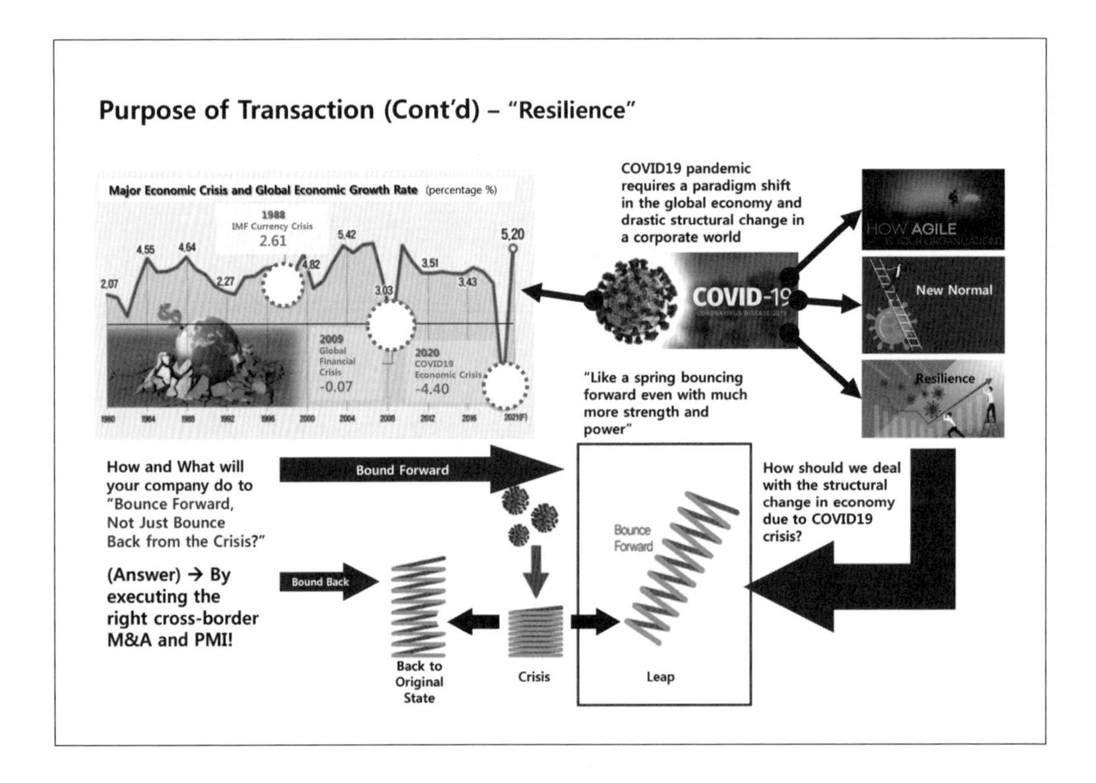

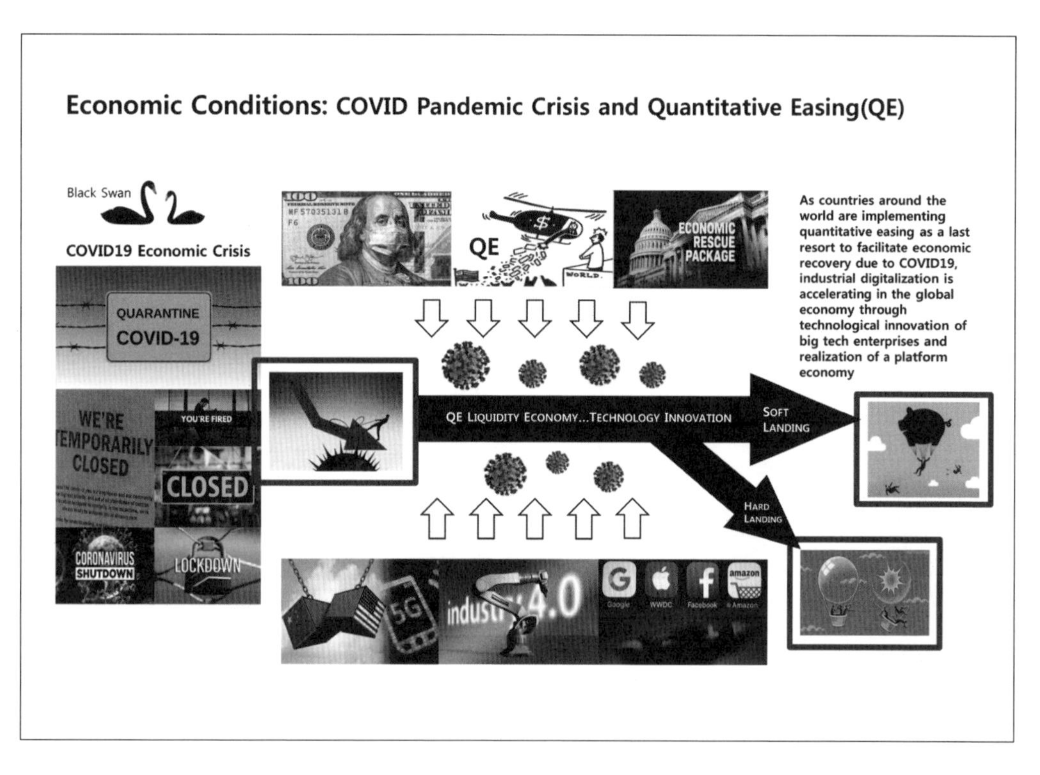
Economic Conditions: COVID Pandemic Crisis and Quantitative Easing(QE)
Black Swan
COVID19 Economic Crisis
QUARANTINE
COVID-19
WE'RE TEMPORARILY CLOSED
YOU'RE FIRED
CLOSED
CORONAVIRUS SHUTDOWN
LOCKDOWN
QE
ECONOMIC RESCUE PACKAGE
As countries around the world are implementing quantitative easing as a last resort to facilitate economic recovery due to COVID19, industrial digitalization is accelerating in the global economy through technological innovation of big tech enterprises and realization of a platform economy
QE LIQUIDITY ECONOMY...TECHNOLOGY INNOVATION
SOFT LANDING
HARD LANDING
5G
industry 4.0
Google
WWDC
Facebook
amazon

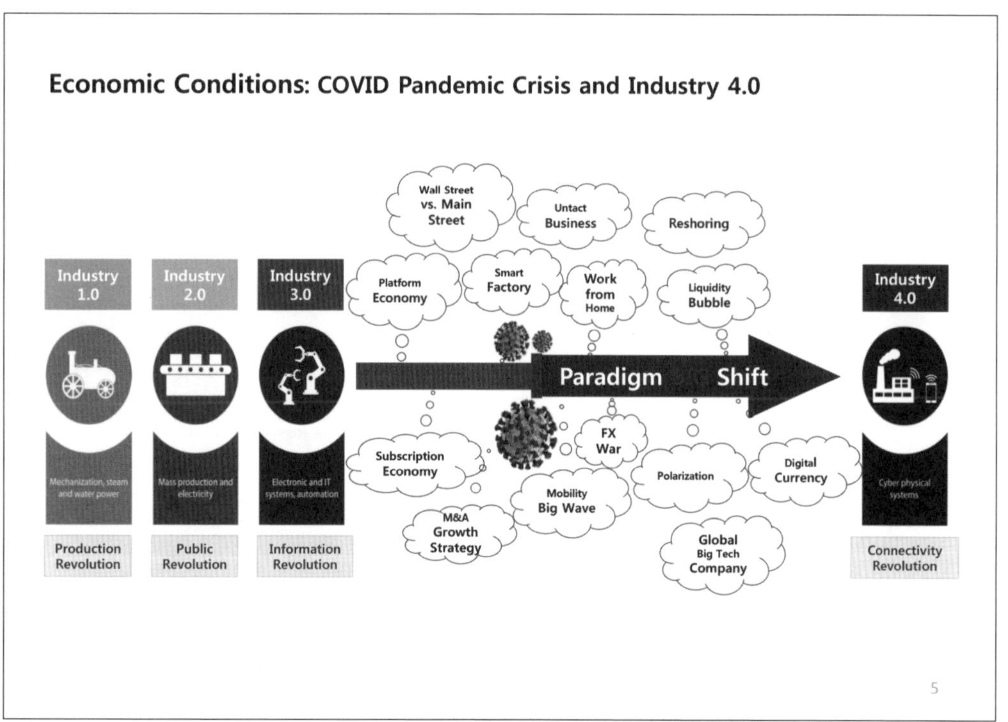
Economic Conditions: COVID Pandemic Crisis and Industry 4.0
Industry 1.0
Industry 2.0
Industry 3.0
Industry 4.0
Mechanization, steam and water power
Mass production and electricity
Electronic and IT systems, automation
Cyber physical systems
Production Revolution
Public Revolution
Information Revolution
Connectivity Revolution
Wall Street vs. Main Street
Untact Business
Reshoring
Platform Economy
Smart Factory
Work from Home
Liquidity Bubble
Paradigm Shift
Subscription Economy
FX War
Polarization
Digital Currency
Mobility Big Wave
M&A Growth Strategy
Global Big Tech Company
5

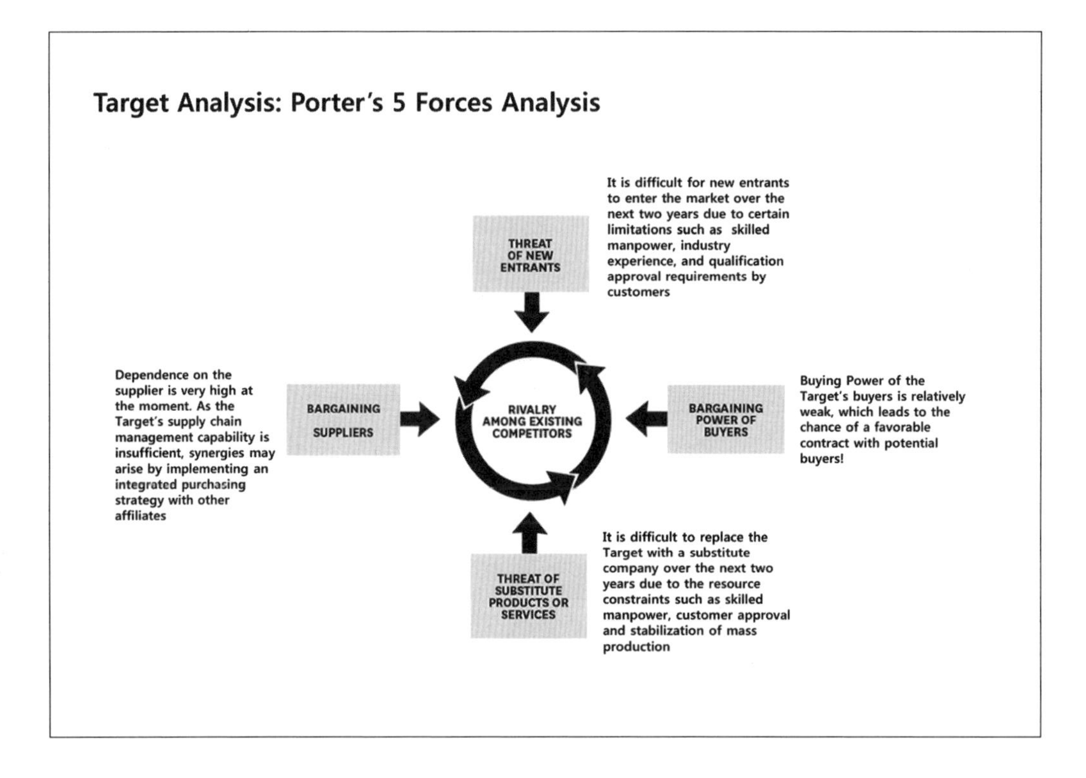
Target Analysis: Porter's 5 Forces Analysis
THREAT OF NEW ENTRANTS
It is difficult for new entrants to enter the market over the next two years due to certain limitations such as skilled manpower, industry experience, and qualification approval requirements by customers
BARGAINING SUPPLIERS
Dependence on the supplier is very high at the moment. As the Target's supply chain management capability is insufficient, synergies may arise by implementing an integrated purchasing strategy with other affiliates
RIVALRY AMONG EXISTING COMPETITORS
BARGAINING POWER OF BUYERS
Buying Power of the Target's buyers is relatively weak, which leads to the chance of a favorable contract with potential buyers!
THREAT OF SUBSTITUTE PRODUCTS OR SERVICES
It is difficult to replace the Target with a substitute company over the next two years due to the resource constraints such as skilled manpower, customer approval and stabilization of mass production

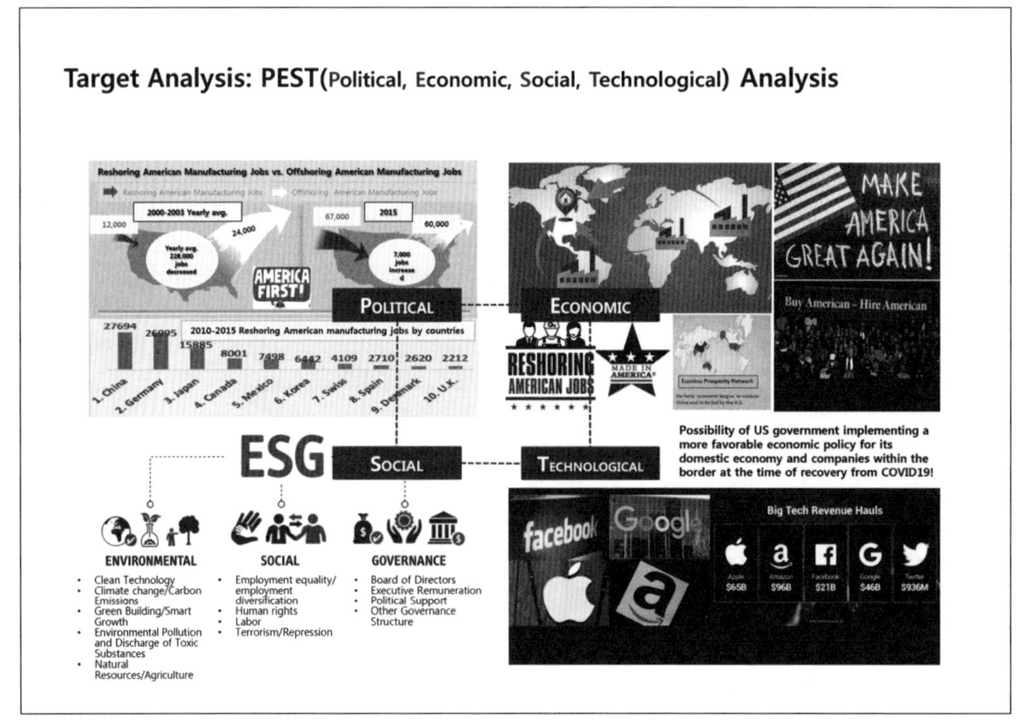
Target Analysis: PEST(Political, Economic, Social, Technological) Analysis
Reshoring American Manufacturing Jobs vs. Offshoring American Manufacturing Jobs
2000-2003 Yearly avg.
2015
AMERICA FIRST!
2010-2015 Reshoring American manufacturing jobs by countries
27694
26995
15885
8001
7498
6442
4109
2710
2620
2212
1. China
2. Germany
3. Japan
4. Canada
5. Mexico
6. Korea
7. Swiss
8. Spain
9. Denmark
10. U.K.
POLITICAL
ECONOMIC
MAKE AMERICA GREAT AGAIN!
Buy American - Hire American
RESHORING AMERICAN JOBS
MADE IN AMERICA
ESG
SOCIAL
TECHNOLOGICAL
Possibility of US government implementing a more favorable economic policy for its domestic economy and companies within the border at the time of recovery from COVID19!
ENVIRONMENTAL
Clean Technology
Climate change/Carbon Emissions
Green Building/Smart Growth
Environmental Pollution and Discharge of Toxic Substances
Natural Resources/Agriculture
SOCIAL
Employment equality/employment diversification
Human rights
Labor
Terrorism/Repression
GOVERNANCE
Board of Directors
Executive Remuneration
Political Support
Other Governance Structure
facebook
Google
Big Tech Revenue Hauls
Apple $65B
Amazon $96B
Facebook $21B
Google $46B
Twitter $936M

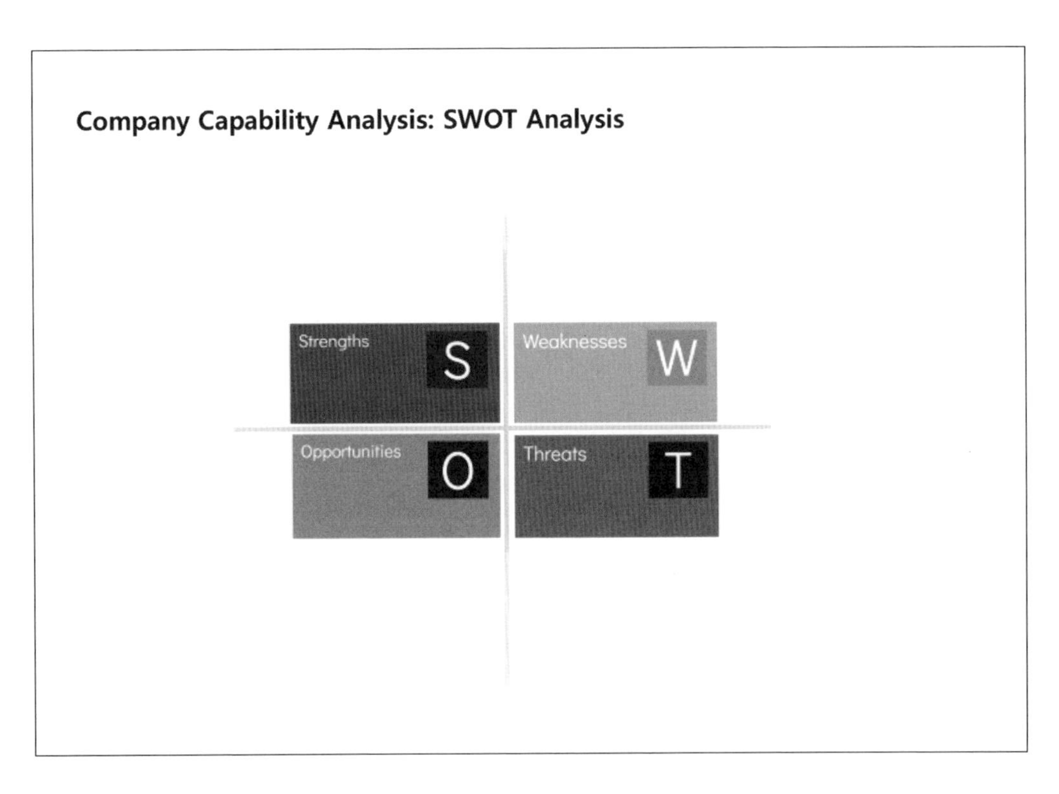
Company Capability Analysis: SWOT Analysis
Strengths
S
Weaknesses
W
Opportunities
O
Threats
T

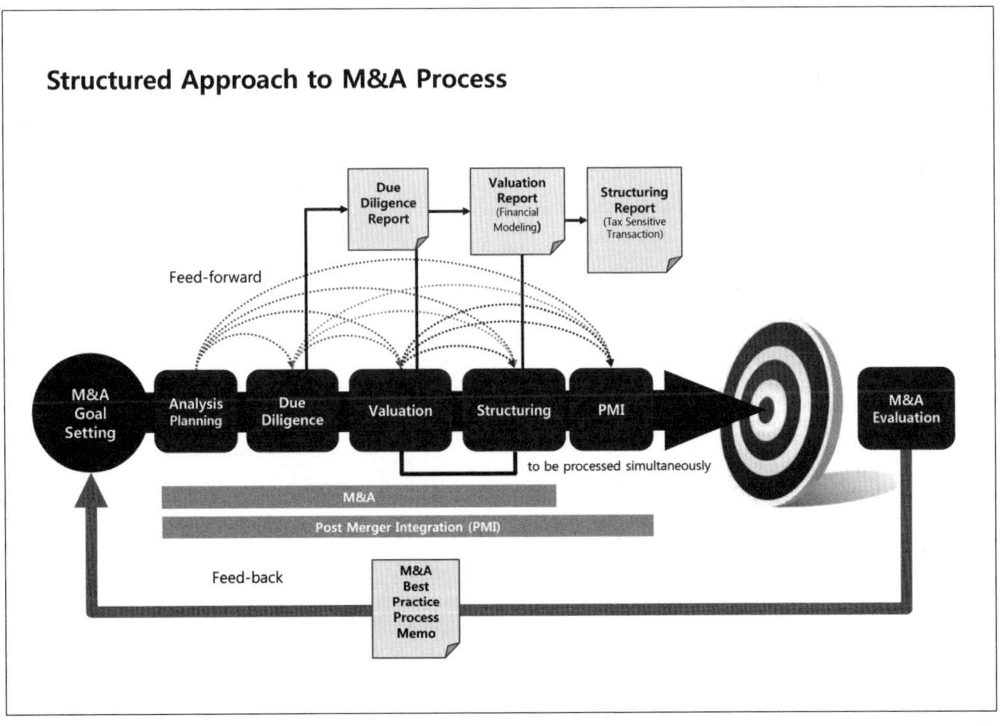
Structured Approach to M&A Process
Due Diligence Report
Valuation Report (Financial Modeling)
Structuring Report (Tax Sensitive Transaction)
Feed-forward
M&A Goal Setting
Analysis Planning
Due Diligence
Valuation
Structuring
PMI
M&A Evaluation
to be processed simultaneously
M&A
Post Merger Integration (PMI)
Feed-back
M&A Best Practice Process Memo

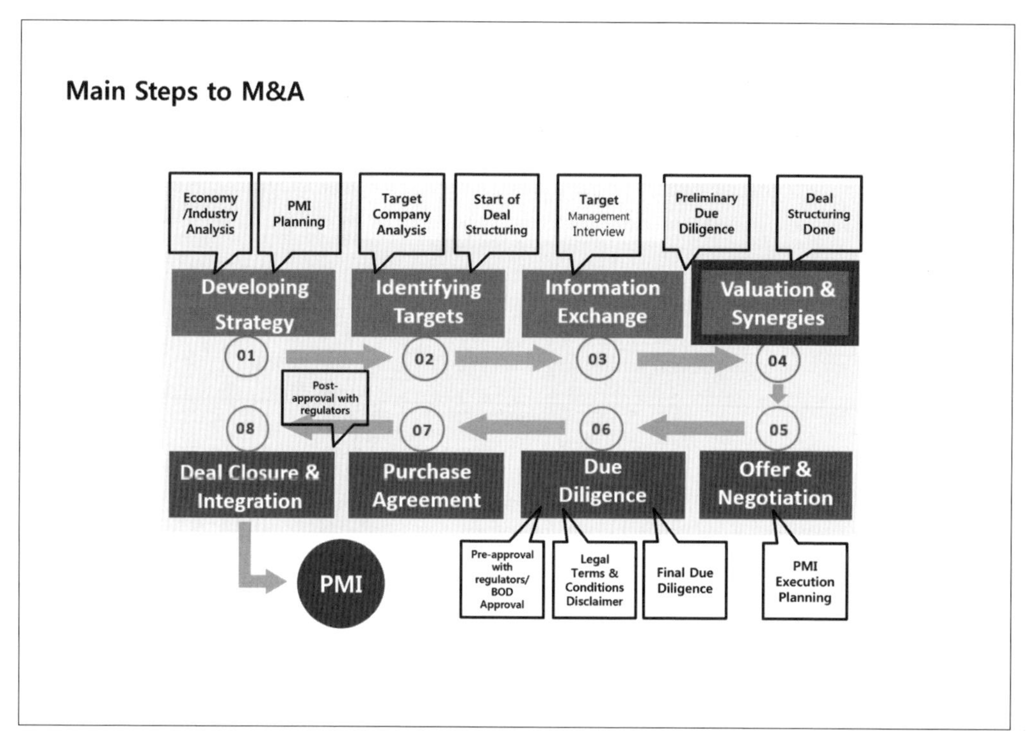
Main Steps to M&A
Economy /Industry Analysis
PMI Planning
Target Company Analysis
Start of Deal Structuring
Target Management Interview
Preliminary Due Diligence
Deal Structuring Done
Developing Strategy
Identifying Targets
Information Exchange
Valuation & Synergies
01
02
03
04
Post-approval with regulators
08
07
06
05
Deal Closure & Integration
Purchase Agreement
Due Diligence
Offer & Negotiation
PMI
Pre-approval with regulators/ BOD Approval
Legal Terms & Conditions Disclaimer
Final Due Diligence
PMI Execution Planning

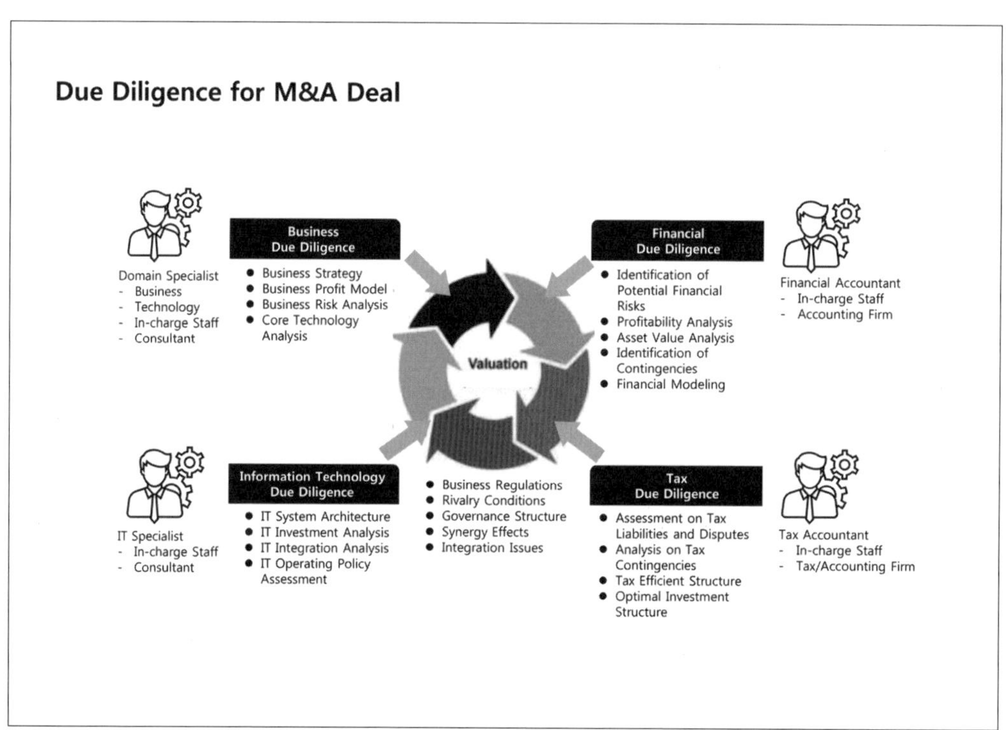
Due Diligence for M&A Deal
Domain Specialist
- Business
- Technology
- In-charge Staff
- Consultant
Business Due Diligence
● Business Strategy
● Business Profit Model
● Business Risk Analysis
● Core Technology Analysis
Financial Due Diligence
● Identification of Potential Financial Risks
● Profitability Analysis
● Asset Value Analysis
● Identification of Contingencies
● Financial Modeling
Financial Accountant
- In-charge Staff
- Accounting Firm
Valuation
IT Specialist
- In-charge Staff
- Consultant
Information Technology Due Diligence
● IT System Architecture
● IT Investment Analysis
● IT Integration Analysis
● IT Operating Policy Assessment
● Business Regulations
● Rivalry Conditions
● Governance Structure
● Synergy Effects
● Integration Issues
Tax Due Diligence
● Assessment on Tax Liabilities and Disputes
● Analysis on Tax Contingencies
● Tax Efficient Structure
● Optimal Investment Structure
Tax Accountant
- In-charge Staff
- Tax/Accounting Firm

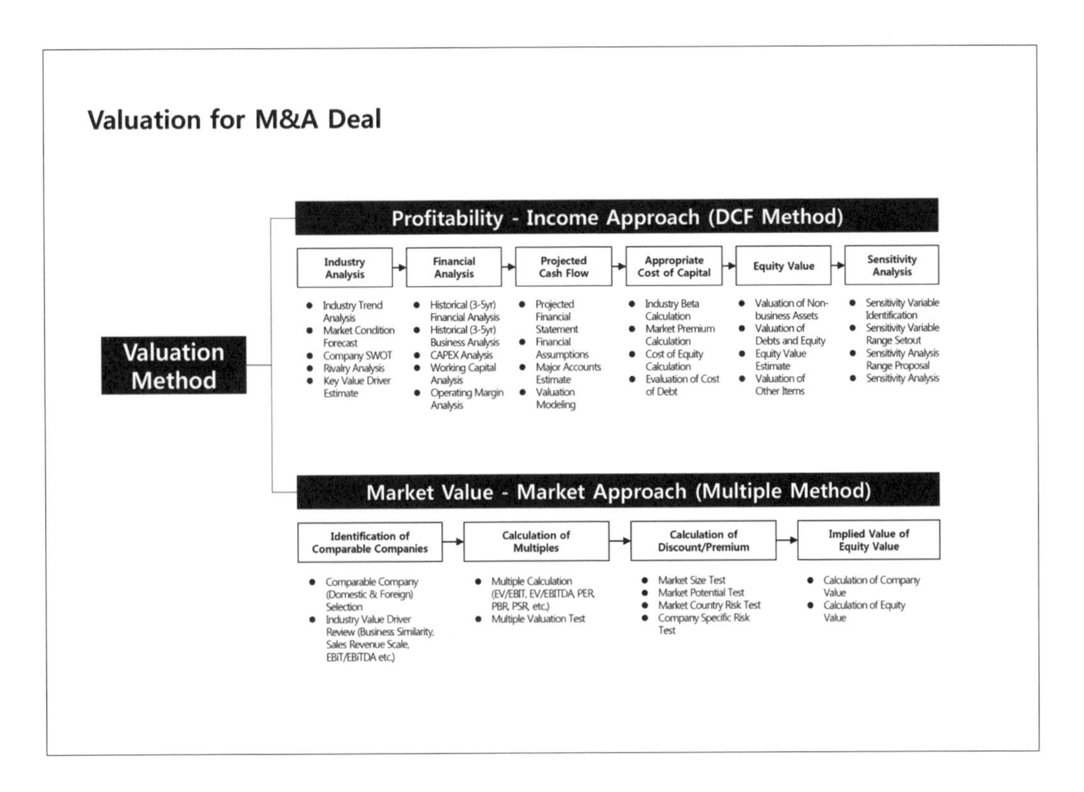
Valuation for M&A Deal
Valuation Method
Profitability - Income Approach (DCF Method)
Industry Analysis
Financial Analysis
Projected Cash Flow
Appropriate Cost of Capital
Equity Value
Sensitivity Analysis
Industry Trend Analysis
Market Condition Forecast
Company SWOT
Rivalry Analysis
Key Value Driver Estimate
Historical (3-5yr) Financial Analysis
Historical (3-5yr) Business Analysis
CAPEX Analysis
Working Capital Analysis
Operating Margin Analysis
Projected Financial Statement
Financial Assumptions
Major Accounts Estimate
Valuation Modeling
Industry Beta Calculation
Market Premium Calculation
Cost of Equity Calculation
Evaluation of Cost of Debt
Valuation of Non-business Assets
Valuation of Debts and Equity
Equity Value Estimate
Valuation of Other Items
Sensitivity Variable Identification
Sensitivity Variable Range Setout
Sensitivity Analysis Range Proposal
Sensitivity Analysis
Market Value - Market Approach (Multiple Method)
Identification of Comparable Companies
Calculation of Multiples
Calculation of Discount/Premium
Implied Value of Equity Value
Comparable Company (Domestic & Foreign) Selection
Industry Value Driver Review (Business Similarity, Sales Revenue Scale, EBIT/EBITDA etc.)
Multiple Calculation (EV/EBIT, EV/EBITDA, PER, PBR, PSR, etc.)
Multiple Valuation Test
Market Size Test
Market Potential Test
Market Country Risk Test
Company Specific Risk Test
Calculation of Company Value
Calculation of Equity Value

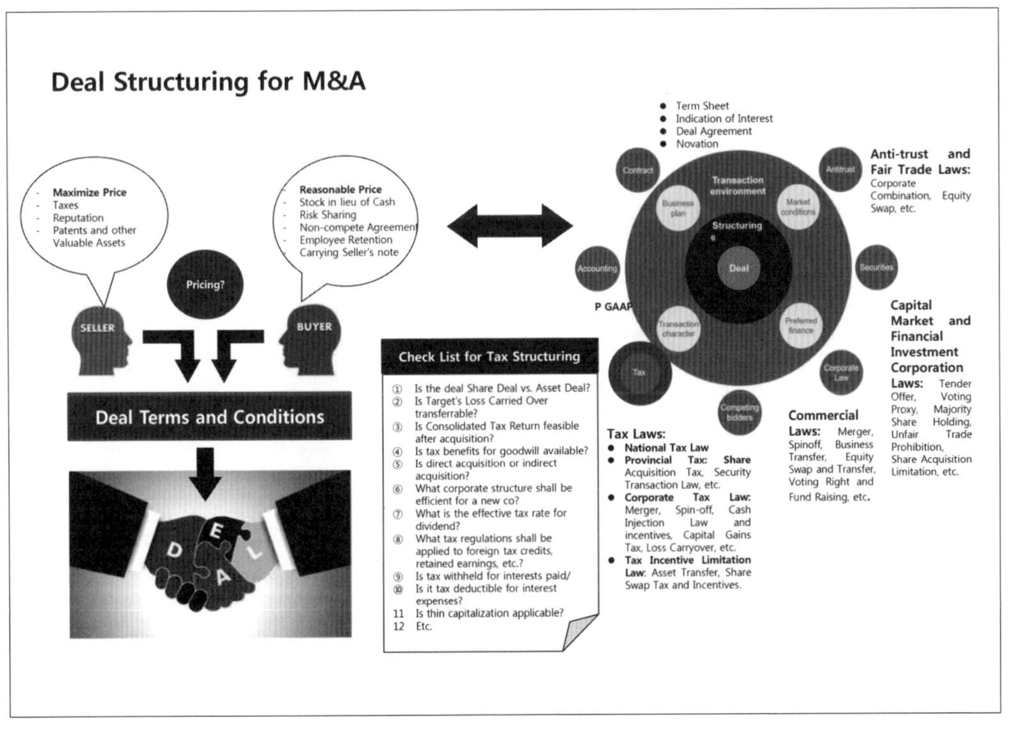
Deal Structuring for M&A
Maximize Price
Taxes
Reputation
Patents and other Valuable Assets
Reasonable Price
Stock in lieu of Cash
Risk Sharing
Non-compete Agreement
Employee Retention
Carrying Seller's note
Pricing?
SELLER
BUYER
Deal Terms and Conditions
D E A L
Check List for Tax Structuring
① Is the deal Share Deal vs. Asset Deal?
② Is Target's Loss Carried Over transferrable?
③ Is Consolidated Tax Return feasible after acquisition?
④ Is tax benefits for goodwill available?
⑤ Is direct acquisition or indirect acquisition?
⑥ What corporate structure shall be efficient for a new co?
⑦ What is the effective tax rate for dividend?
⑧ What tax regulations shall be applied to foreign tax credits, retained earnings, etc.?
⑨ Is tax withheld for interests paid/
⑩ Is it tax deductible for interest expenses?
11 Is thin capitalization applicable?
12 Etc.
Term Sheet
Indication of Interest
Deal Agreement
Novation
Contract
Antitrust
Transaction environment
Business plan
Market conditions
Structuring
Deal
Accounting
Securities
P GAAP
Transaction character
Preferred finance
Tax
Corporate Law
Competing bidders
Anti-trust and Fair Trade Laws: Corporate Combination, Equity Swap, etc.
Capital Market and Financial Investment Corporation Laws: Tender Offer, Voting Proxy, Majority Share Holding, Unfair Trade Prohibition, Share Acquisition Limitation, etc.
Commercial Laws: Merger, Spinoff, Business Transfer, Equity Swap and Transfer, Voting Right and Fund Raising, etc.
Tax Laws:
National Tax Law
Provincial Tax: Share Acquisition Tax, Security Transaction Law, etc.
Corporate Tax Law: Merger, Spin-off, Cash Injection Law and incentives, Capital Gains Tax, Loss Carryover, etc.
Tax Incentive Limitation Law: Asset Transfer, Share Swap Tax and Incentives.

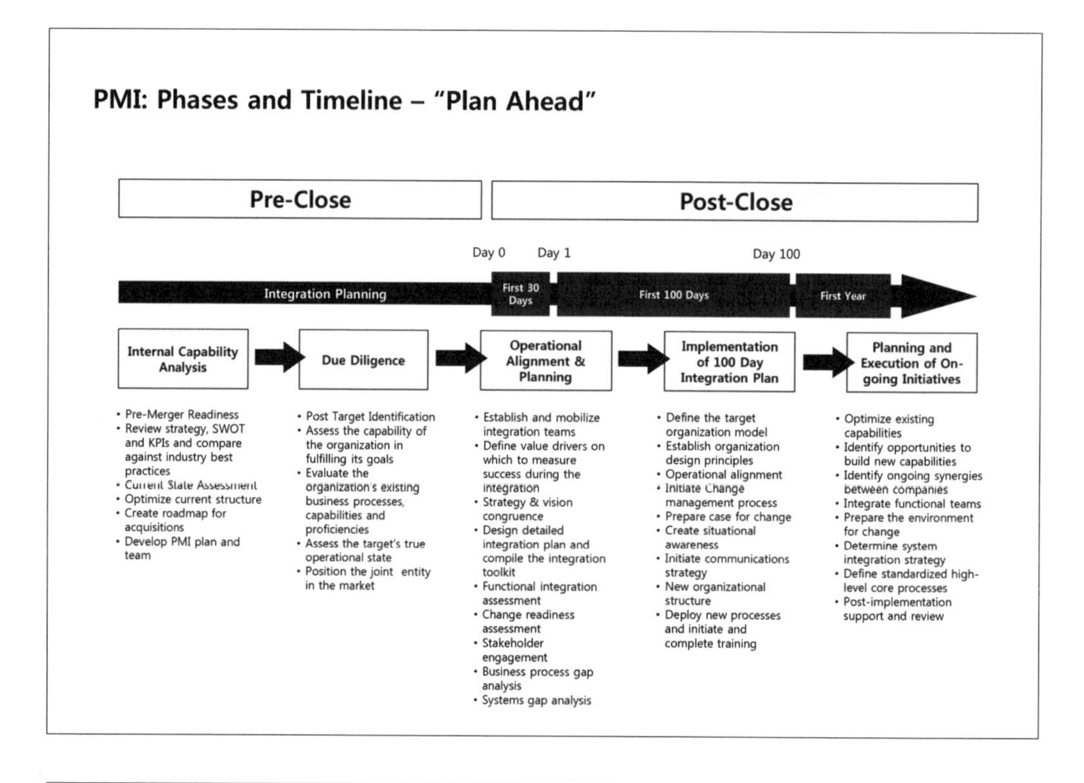
PMI: Phases and Timeline – "Plan Ahead"
Pre-Close
Post-Close
Day 0
Day 1
Day 100
Integration Planning
First 30 Days
First 100 Days
First Year
Internal Capability Analysis
Due Diligence
Operational Alignment & Planning
Implementation of 100 Day Integration Plan
Planning and Execution of On-going Initiatives
• Pre-Merger Readiness
• Review strategy, SWOT and KPIs and compare against industry best practices
• Current State Assessment
• Optimize current structure
• Create roadmap for acquisitions
• Develop PMI plan and team
• Post Target Identification
• Assess the capability of the organization in fulfilling its goals
• Evaluate the organization's existing business processes, capabilities and proficiencies
• Assess the target's true operational state
• Position the joint entity in the market
• Establish and mobilize integration teams
• Define value drivers on which to measure success during the integration
• Strategy & vision congruence
• Design detailed integration plan and compile the integration toolkit
• Functional integration assessment
• Change readiness assessment
• Stakeholder engagement
• Business process gap analysis
• Systems gap analysis
• Define the target organization model
• Establish organization design principles
• Operational alignment
• Initiate Change management process
• Prepare case for change
• Create situational awareness
• Initiate communications strategy
• New organizational structure
• Deploy new processes and initiate and complete training
• Optimize existing capabilities
• Identify opportunities to build new capabilities
• Identify ongoing synergies between companies
• Integrate functional teams
• Prepare the environment for change
• Determine system integration strategy
• Define standardized high-level core processes
• Post-implementation support and review

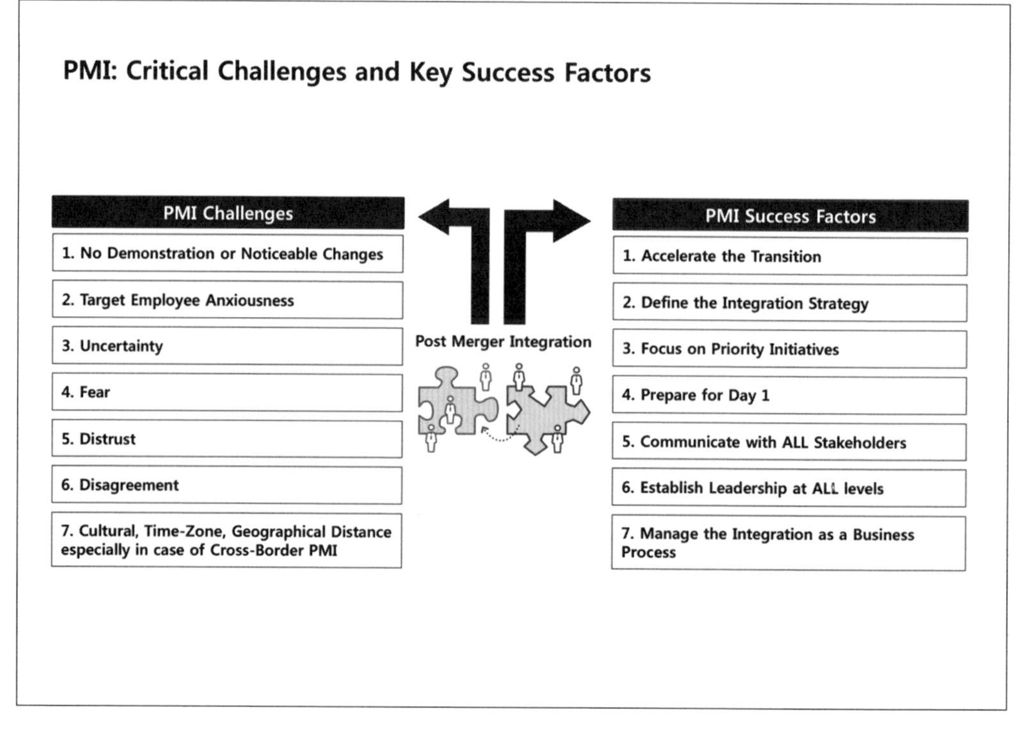
PMI: Critical Challenges and Key Success Factors
PMI Challenges
1. No Demonstration or Noticeable Changes
2. Target Employee Anxiousness
3. Uncertainty
4. Fear
5. Distrust
6. Disagreement
7. Cultural, Time-Zone, Geographical Distance especially in case of Cross-Border PMI
Post Merger Integration
PMI Success Factors
1. Accelerate the Transition
2. Define the Integration Strategy
3. Focus on Priority Initiatives
4. Prepare for Day 1
5. Communicate with ALL Stakeholders
6. Establish Leadership at ALL levels
7. Manage the Integration as a Business Process

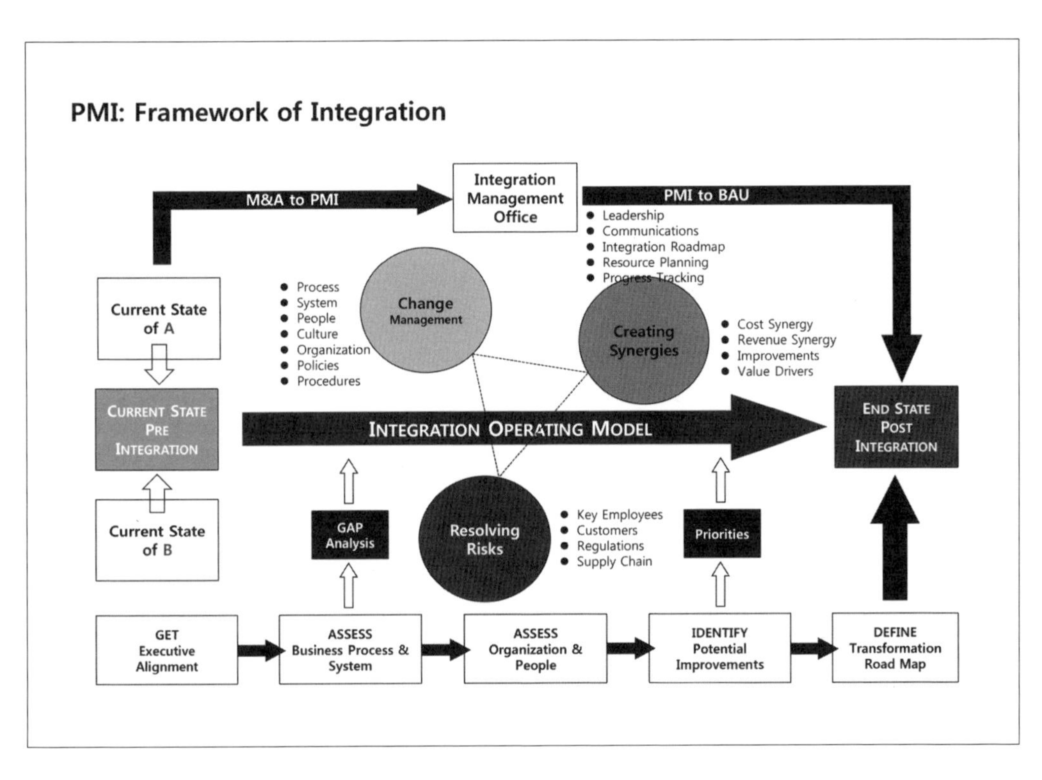
PMI: Framework of Integration
M&A to PMI
Integration Management Office
PMI to BAU
Leadership
Communications
Integration Roadmap
Resource Planning
Progress Tracking
Current State of A
Process
System
People
Culture
Organization
Policies
Procedures
Change Management
Creating Synergies
Cost Synergy
Revenue Synergy
Improvements
Value Drivers
Current State Pre Integration
Integration Operating Model
End State Post Integration
Current State of B
GAP Analysis
Resolving Risks
Key Employees
Customers
Regulations
Supply Chain
Priorities
GET Executive Alignment
ASSESS Business Process & System
ASSESS Organization & People
IDENTIFY Potential Improvements
DEFINE Transformation Road Map

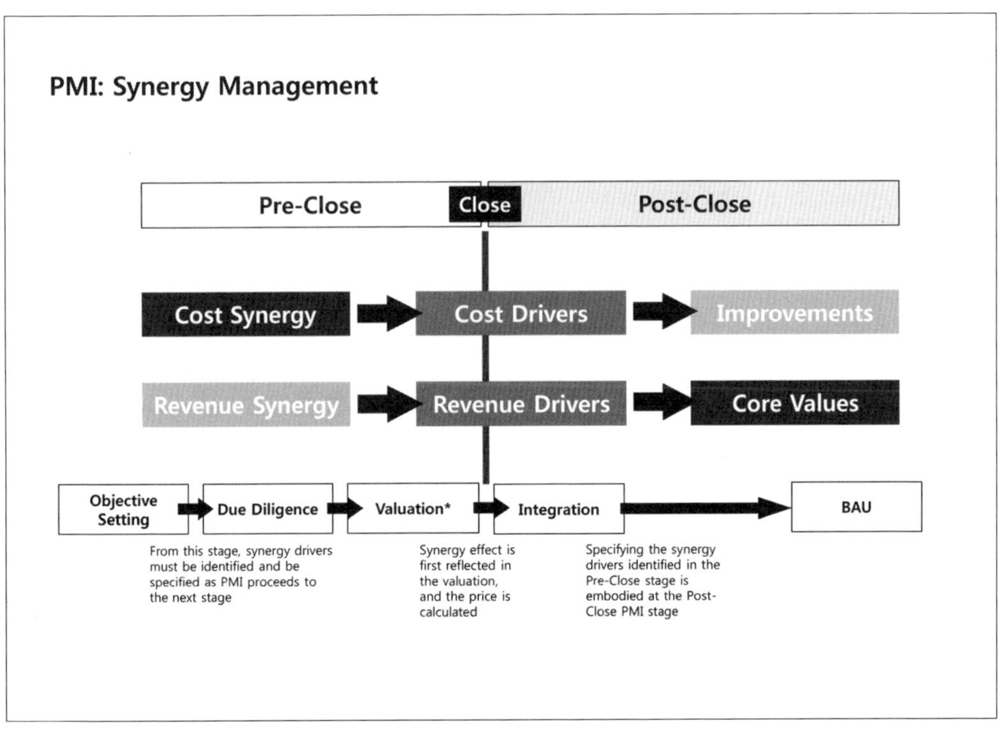
PMI: Synergy Management
Pre-Close
Close
Post-Close
Cost Synergy
Cost Drivers
Improvements
Revenue Synergy
Revenue Drivers
Core Values
Objective Setting
Due Diligence
Valuation*
Integration
BAU
From this stage, synergy drivers must be identified and be specified as PMI proceeds to the next stage
Synergy effect is first reflected in the valuation, and the price is calculated
Specifying the synergy drivers identified in the Pre-Close stage is embodied at the Post-Close PMI stage

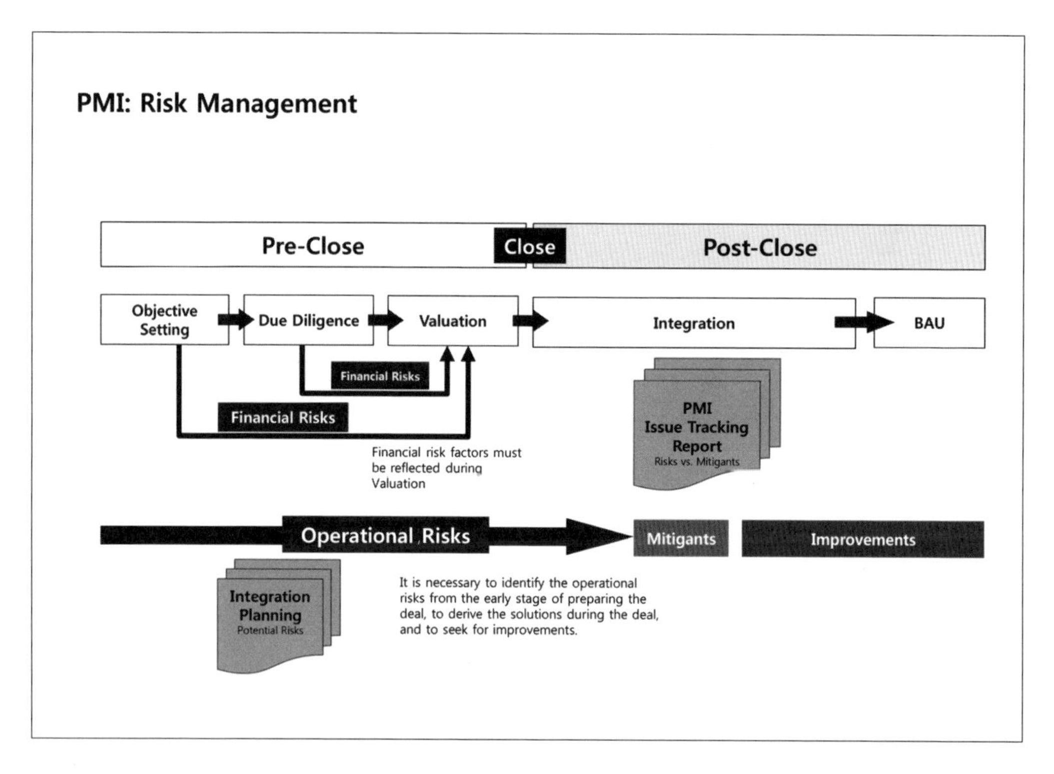
PMI: Risk Management
Pre-Close
Close
Post-Close
Objective Setting
Due Diligence
Valuation
Integration
BAU
Financial Risks
Financial Risks
Financial risk factors must be reflected during Valuation
PMI Issue Tracking Report
Risks vs. Mitigants
Operational Risks
Mitigants
Improvements
Integration Planning
Potential Risks
It is necessary to identify the operational risks from the early stage of preparing the deal, to derive the solutions during the deal, and to seek for improvements.

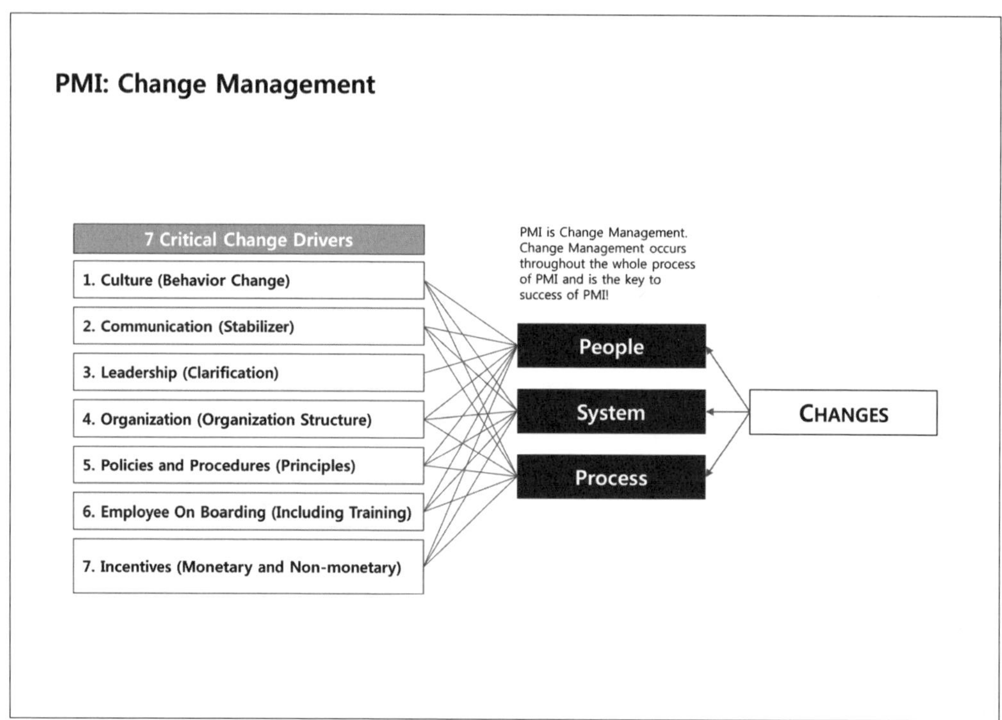
PMI: Change Management
7 Critical Change Drivers
1. Culture (Behavior Change)
2. Communication (Stabilizer)
3. Leadership (Clarification)
4. Organization (Organization Structure)
5. Policies and Procedures (Principles)
6. Employee On Boarding (Including Training)
7. Incentives (Monetary and Non-monetary)
PMI is Change Management. Change Management occurs throughout the whole process of PMI and is the key to success of PMI!
People
System
Process
CHANGES

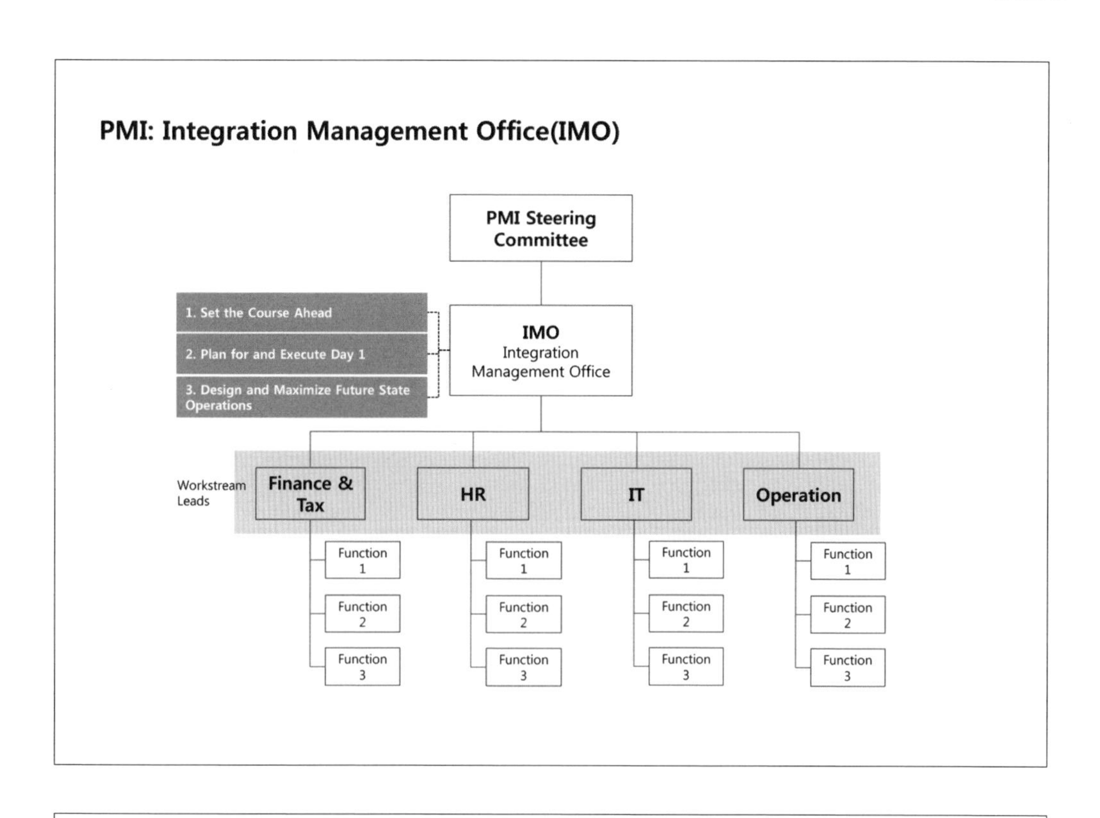

PMI: Communication Plan

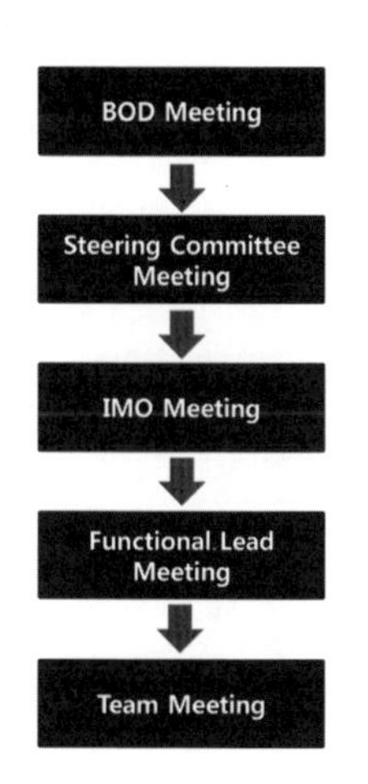

"Communication! Communication! Communication!"

Name	Frequency	Method	Audience	Owner
BOD Meeting	Upon M&A approval	Meeting	BOD Members	BOD Members
Steering Committee Meeting	Monthly	Meeting	CEO, Management, Department Head	CEO
IMO Meeting	Weekly	Meeting	Head of IMO, IMO Members, Functional Leads	IMO Head
Functional Lead Meeting	Every two weeks	Meeting	Functional Leads, Team Leaders	Functional Leads
Team Meeting	Daily	Meeting	Team Members	Team Head
Others	As necessary	Newsletter, etc.	Wider group	Various

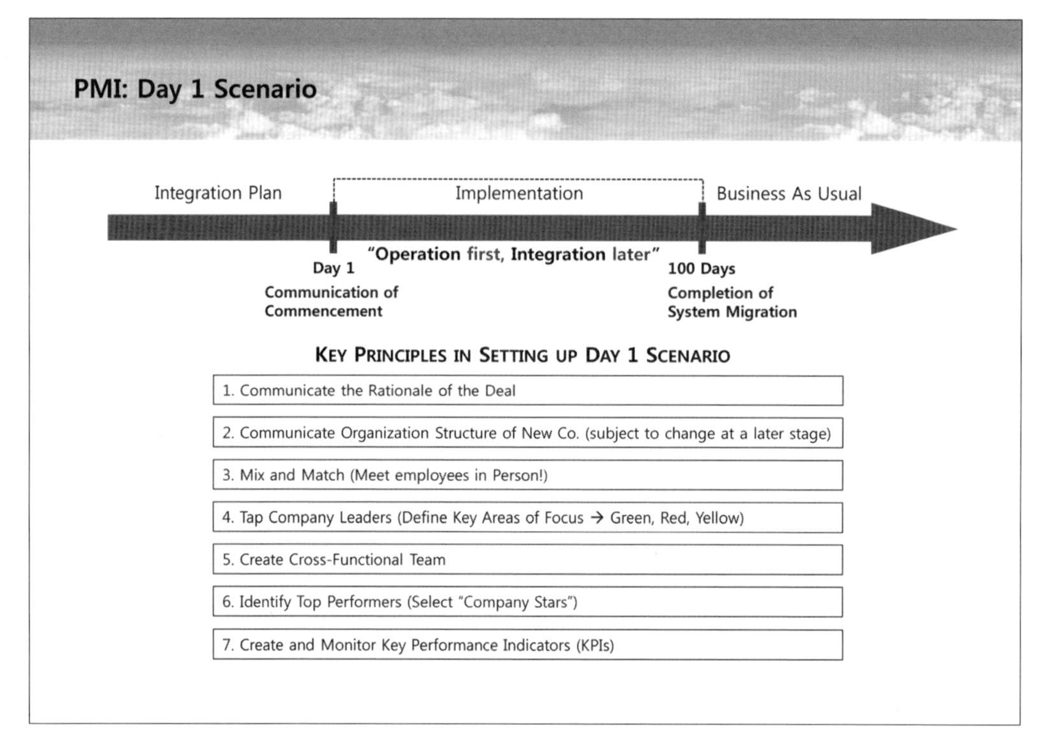
PMI: Day 1 Scenario
Integration Plan
Implementation
Business As Usual
Day 1
"Operation first, Integration later"
100 Days
Communication of Commencement
Completion of System Migration
KEY PRINCIPLES IN SETTING UP DAY 1 SCENARIO
1. Communicate the Rationale of the Deal
2. Communicate Organization Structure of New Co. (subject to change at a later stage)
3. Mix and Match (Meet employees in Person!)
4. Tap Company Leaders (Define Key Areas of Focus → Green, Red, Yellow)
5. Create Cross-Functional Team
6. Identify Top Performers (Select "Company Stars")
7. Create and Monitor Key Performance Indicators (KPIs)

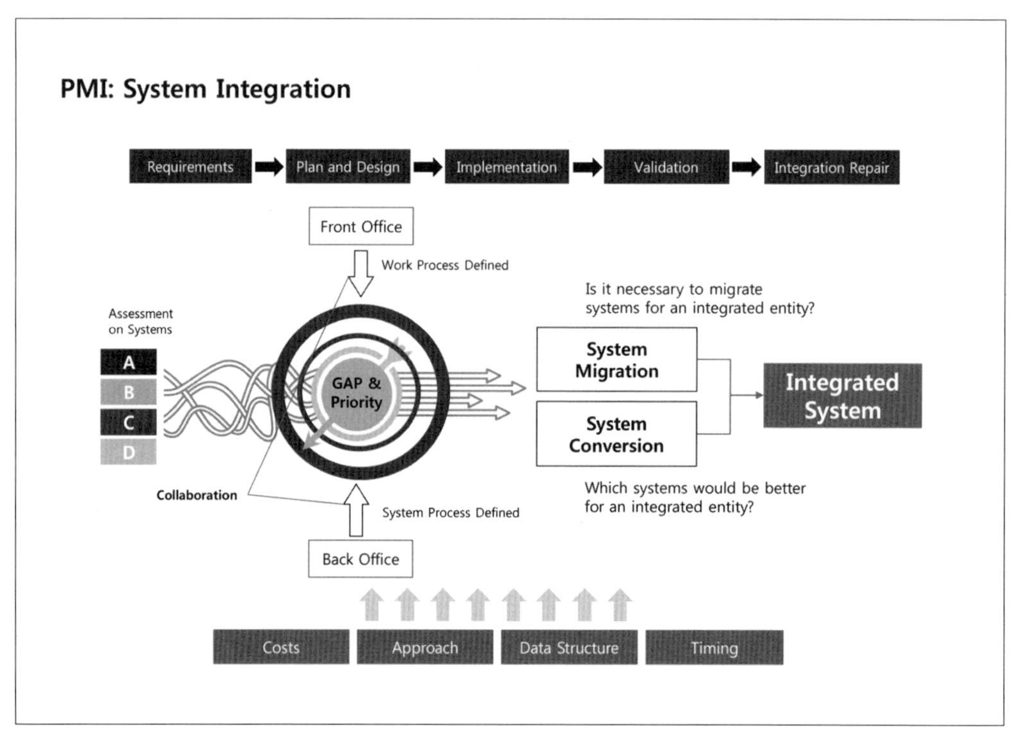
PMI: System Integration
Requirements
Plan and Design
Implementation
Validation
Integration Repair
Front Office
Work Process Defined
Assessment on Systems
A
B
C
D
GAP & Priority
Collaboration
System Process Defined
Back Office
Is it necessary to migrate systems for an integrated entity?
System Migration
System Conversion
Integrated System
Which systems would be better for an integrated entity?
Costs
Approach
Data Structure
Timing

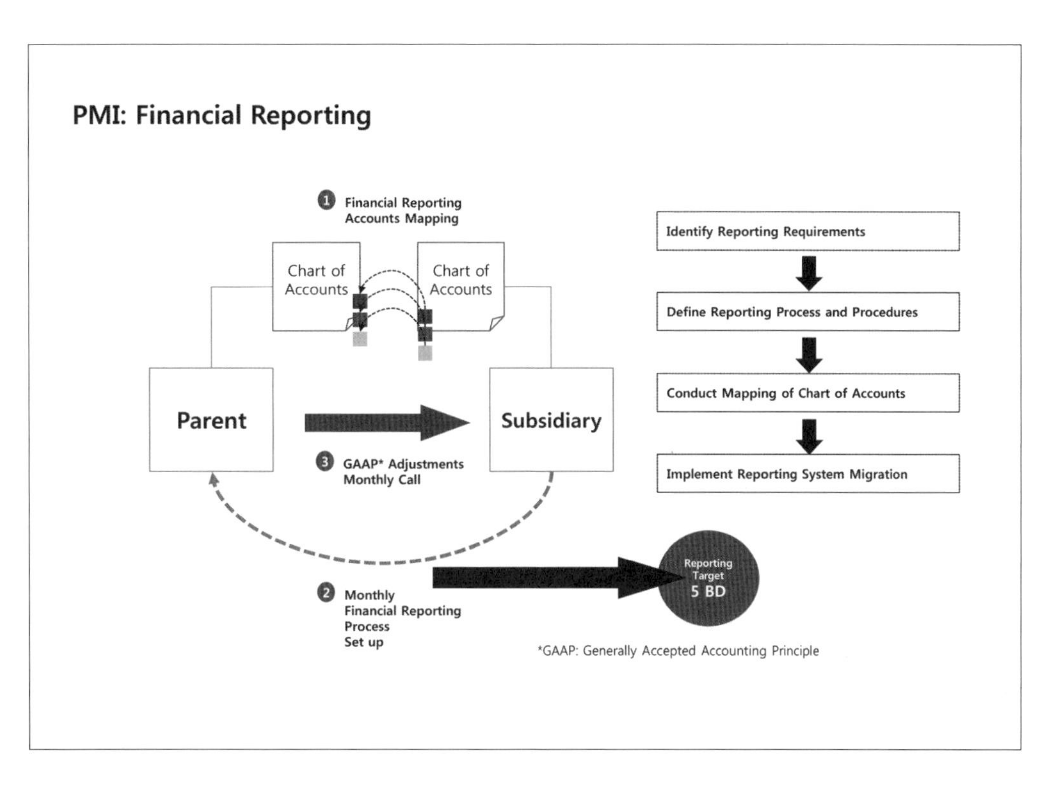
PMI: Financial Reporting
1 Financial Reporting Accounts Mapping
Chart of Accounts
Chart of Accounts
Parent
Subsidiary
3 GAAP* Adjustments Monthly Call
2 Monthly Financial Reporting Process Set up
Reporting Target 5 BD
Identify Reporting Requirements
Define Reporting Process and Procedures
Conduct Mapping of Chart of Accounts
Implement Reporting System Migration
*GAAP: Generally Accepted Accounting Principle

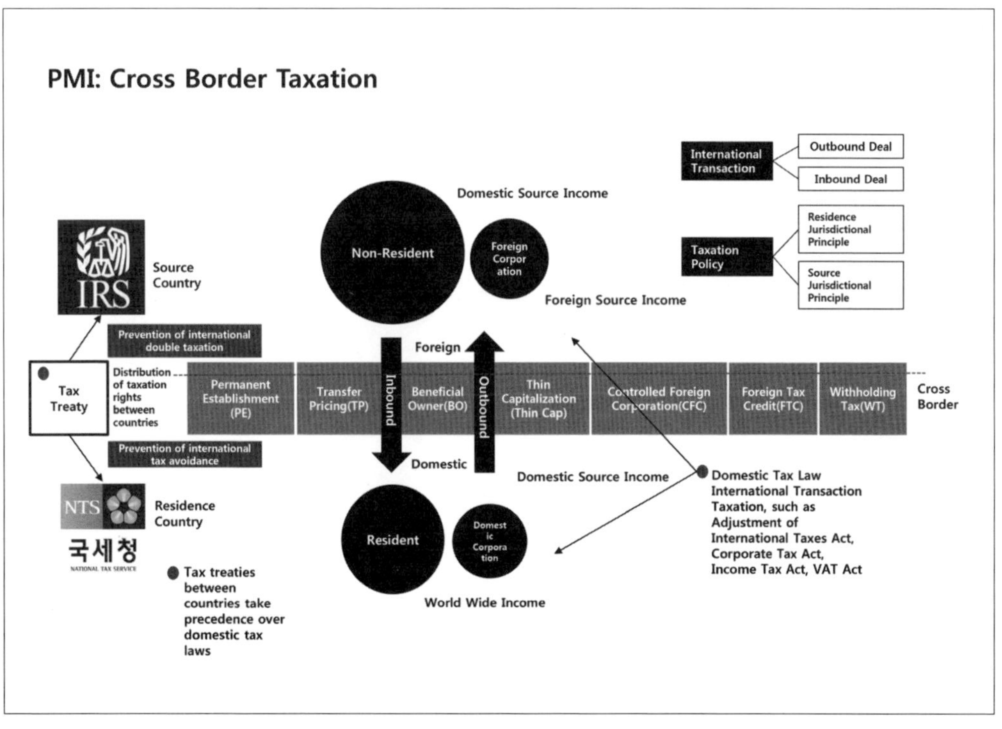
PMI: Cross Border Taxation
International Transaction
Outbound Deal
Inbound Deal
Taxation Policy
Residence Jurisdictional Principle
Source Jurisdictional Principle
Domestic Source Income
Non-Resident
Foreign Corporation
Foreign Source Income
IRS
Source Country
Prevention of international double taxation
Tax Treaty
Distribution of taxation rights between countries
Permanent Establishment (PE)
Transfer Pricing(TP)
Beneficial Owner(BO)
Thin Capitalization (Thin Cap)
Controlled Foreign Corporation(CFC)
Foreign Tax Credit(FTC)
Withholding Tax(WT)
Cross Border
Foreign
Inbound
Outbound
Domestic
Prevention of international tax avoidance
NTS
Residence Country
국세청
Domestic Source Income
Domestic Tax Law International Transaction Taxation, such as Adjustment of International Taxes Act, Corporate Tax Act, Income Tax Act, VAT Act
Resident
Domestic Corporation
World Wide Income
Tax treaties between countries take precedence over domestic tax laws

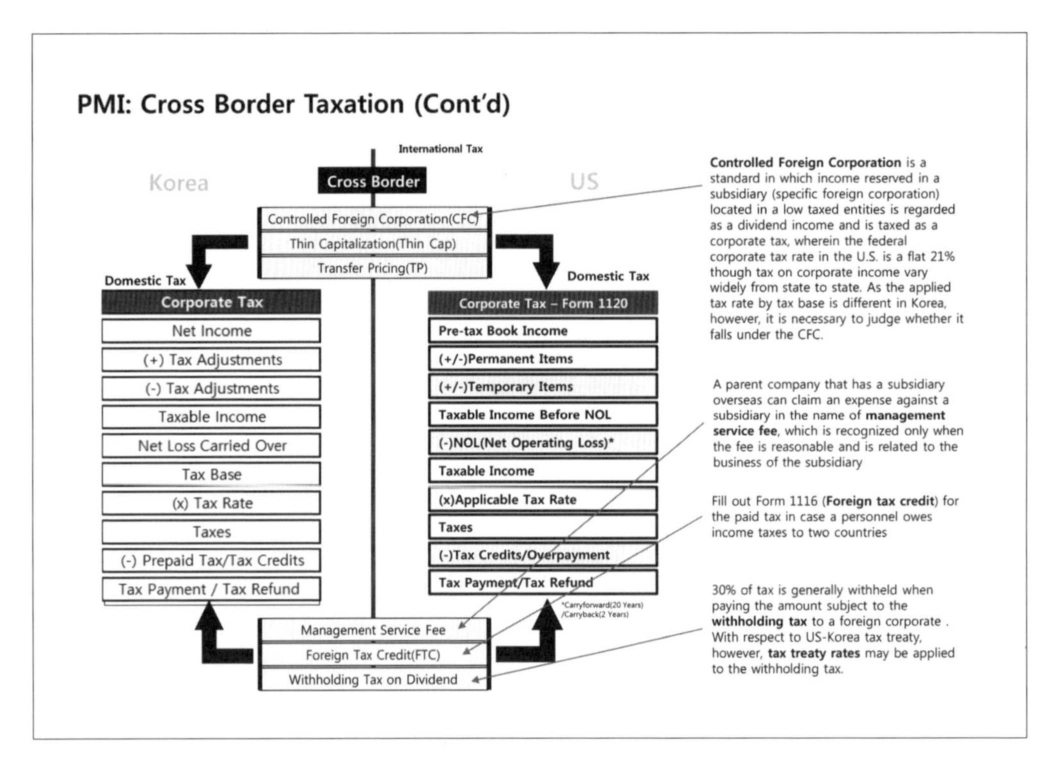
PMI: Cross Border Taxation (Cont'd)
International Tax
Korea
Cross Border
US
Controlled Foreign Corporation(CFC)
Thin Capitalization(Thin Cap)
Transfer Pricing(TP)
Domestic Tax
Corporate Tax
Net Income
(+) Tax Adjustments
(-) Tax Adjustments
Taxable Income
Net Loss Carried Over
Tax Base
(x) Tax Rate
Taxes
(-) Prepaid Tax/Tax Credits
Tax Payment / Tax Refund
Domestic Tax
Corporate Tax – Form 1120
Pre-tax Book Income
(+/-)Permanent Items
(+/-)Temporary Items
Taxable Income Before NOL
(-)NOL(Net Operating Loss)*
Taxable Income
(x)Applicable Tax Rate
Taxes
(-)Tax Credits/Overpayment
Tax Payment/Tax Refund
*Carryforward(20 Years) /Carryback(2 Years)
Management Service Fee
Foreign Tax Credit(FTC)
Withholding Tax on Dividend
Controlled Foreign Corporation is a standard in which income reserved in a subsidiary (specific foreign corporation) located in a low taxed entities is regarded as a dividend income and is taxed as a corporate tax, wherein the federal corporate tax rate in the U.S. is a flat 21% though tax on corporate income vary widely from state to state. As the applied tax rate by tax base is different in Korea, however, it is necessary to judge whether it falls under the CFC.
A parent company that has a subsidiary overseas can claim an expense against a subsidiary in the name of management service fee, which is recognized only when the fee is reasonable and is related to the business of the subsidiary
Fill out Form 1116 (Foreign tax credit) for the paid tax in case a personnel owes income taxes to two countries
30% of tax is generally withheld when paying the amount subject to the withholding tax to a foreign corporate . With respect to US-Korea tax treaty, however, tax treaty rates may be applied to the withholding tax.

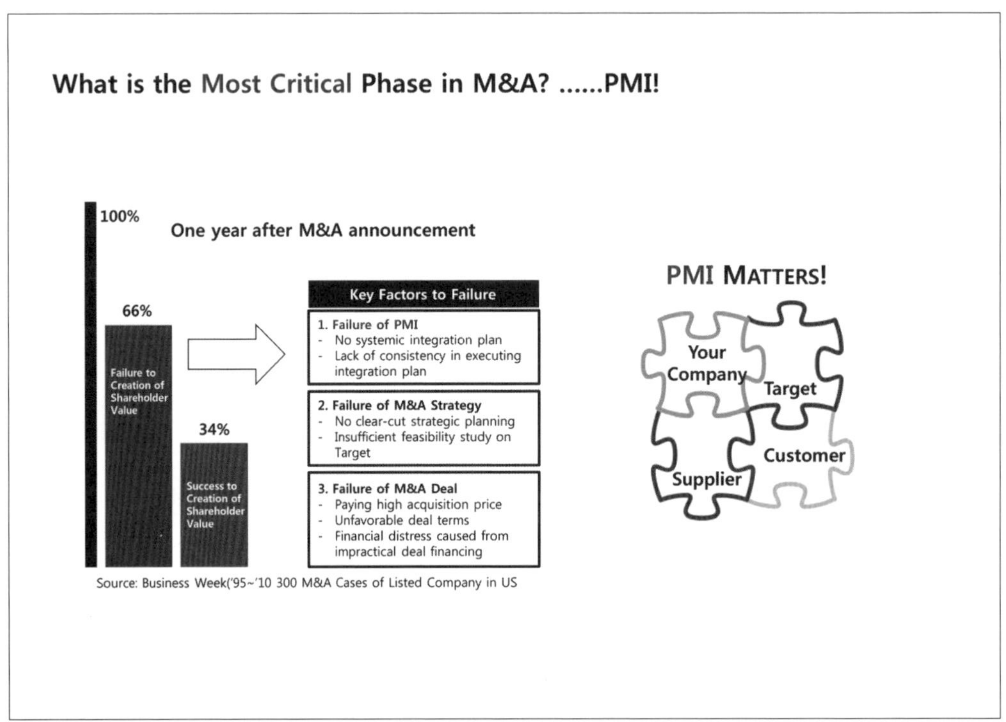
What is the Most Critical Phase in M&A? ......PMI!
100%
One year after M&A announcement
66%
Failure to Creation of Shareholder Value
34%
Success to Creation of Shareholder Value
Key Factors to Failure
1. Failure of PMI
- No systemic integration plan
- Lack of consistency in executing integration plan
2. Failure of M&A Strategy
- No clear-cut strategic planning
- Insufficient feasibility study on Target
3. Failure of M&A Deal
- Paying high acquisition price
- Unfavorable deal terms
- Financial distress caused from impractical deal financing
Source: Business Week('95~'10 300 M&A Cases of Listed Company in US
PMI MATTERS!
Your Company
Target
Customer
Supplier

What is Important after M&A and PMI? ......Evaluation!

Plan

Do

See

BEYOND NUMBERS

Evaluate the whole process of M&A and update M&A Process Memo for the reference of future deals. Evaluation on current M&A deal should be beyond numbers! M&A shall not be just numbers after all.

Evaluation Checklist

- Purpose and Direction right?
- Revenue Synergy created?
- Cost Synergy created?
- Strategic Goals achieved?
- A New Company sustainable?
- Acquisition Price appropriate?
- Lessons from Integration documented?
- Best Practice done?
- Homework for the Next Deal identified?

What is the Real Deal in M&A and PMI? ......Team Work!

THE SPIRIT OF TEAM WORK

An annual roundtrip journey of more than 5,000 miles at speed of 50mph or more

7 PRINCIPLES OF TEAM WORK   Lessons from Geese Flying

One Goal | Team Building | Sharing | Encouraging | Understanding | Rejuvenating | Surviving

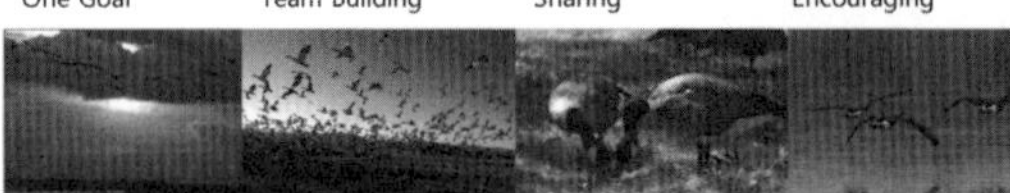

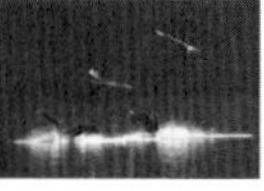

Individual talent will only be multiplied when that person joins forces with others!
The real key to successful M&A is TEAM WORK!

Thank You!

2장 M&A 프로세스 가이드라인

I. M&A 개요

목차

이 메모는 3개 Section으로 구성되었다.

- Section Ⅰ : 이 섹션은 반복적인 사용을 위한 일상 가이드로 설계되다. 이 섹션은 이 메모가 적용되는 거래와 적용이 제외되는 거래의 정의를 포함한. 즉, 향후 착수될 수 있는 특정 거래에 필수적으로 준수해야 할 적용 사항이 있는지 결정하는데 도움을 줄 것이다. 또한, 이 섹션은 회사의 M&A거래와 연계된 단계별 승인과 통지의 절차와 주요 고려사항에 대한 요약을 담고 있다. 이 섹션의 마지막 파트는 Section II의 주요 목차테이블과 첨부문서들에 대하여 간략히 기술하고 있다. 이 섹션은 나머지 섹션들과 분리되어 일상 가이드로 사용될 수 있도록 설계하였고, 나머지 섹션들은 더 상세한 지침이 요구될 때 참고할 수 있도록 하였다.
- Section Ⅱ : 이 섹션은 취득(전략투자와 조인트 벤처 포함)과 매각(분사와 (주식)매도 포함) 과정에서 단계별로 요구되는 승인과 통지의 절차와 다른 중요한 행동지침에 대한 가이드를 제공된다. 이 섹션은 또한 회사의 M&A 거래 관련하여 특정보조 모듈을 포함하고 있다.
- Section Ⅲ : 이 섹션의 첨부문서는 SectionI과 SectionII에서 언급되어 상호 참고가 가능한 문서들을 포함하고 있으며, 또한 M&A 조직 연락망, M&A 거래와 관련한 회사의 정책, 다른 요구사항 등에 대한 자료를 포함하고 있다.

이 프로세스 메모에서 사용되는 특정 용어들은 [첨부10]에 정의되어 있다. [Business Head]와 같이 본래 고유의 의미를 가지고 있는 용어들이 이 프로세스 메모 내에서도 사용되면서 특정 의미로 사용될 수 있으니 [첨부10]을 참고하여 용어의 정의를 파악하는 것이 바람직하다.

A. 서론

M&A 활동은 그룹 내에서 중요한 역할을 지속하고 있다. 따라서 M&A에서 탁월함은 그룹의 제반 사업에 매우 중요하다. 취득과 매각 거래 프로세스는 전사적 전략목표 지원을 보다 원활히 한다. 따라서 최근 조직적인 변화를 반영하기 위해 프로세스 메모는 계속적으로 업데이트된다. M&A거래가 개시되기 전에 업데이트 된 내용에 관하여는 이 프로세스 메모를 통해 숙지하여야 한다. 업데이트된 프로세스 메모는 이전 M&A프로세스 업무절차 등을 대체한다.

1. M&A 프로세스 목적

이 프로세스 메모에서 기술된 회사의 M&A프로세스는 대단히 중요한 목적을 가지고 있다.

- M&A거래 시 절차와 승인 명확화
- 내부 M&A활동과 인력에 대한 조직화(조정) 촉진
- MA&거래의 검토와 평가 위한 표준체계 마련
- M&A거래 실행의 지속적 고품질 수준 유지
- 외부 M&A시장에 회사의 조직화된 접근법 제시

2. M&A시장 조직화된 접근

Corporate Center와 긴밀한 관계를 통하여 M&A거래에서 중요한 역할을 수행하는 것이 회사의 접근방법이다. 이러한 긴밀한 관계를 이루기 위하여 계약에 앞서 비밀유지계약을 고려해야 한다. 프로세스를 시작하기 위해 [첨부3]에 기재된 [SM&A] 조직과 [M&A LEGAL] 팀으로 연락을 한다.

외부 M&A시장에 관한 조직화된 접근법은 회사 규모의 성장에 맞는 M&A 거래 기회에 대한 회사의 의도를 내부적으로 합치시키지 못할 때 예기치 못한 사고들이 발생하므로 매우 중요하다. 예기치 못한 사고는 M&A시장을 혼란스럽게 하고 회사의 신용에 악영향을 입힐 수 있다. 회사는 시장접촉활동(예를 들면, 제3자 투자은행과 접촉)을 조직화하기 위해 향상된 절차를 마련해야 한다.

3. M&A거래 정의

이 메모는 계열사를 포함한 전체 그룹사의 c-level 승인 절차를 포함하고 있다. M&A거래는 합병, 취득, 매각(분할 또는 (주식)매도 포함), 조인트벤처와 전략투자(지배지분인지 여부와 상관 없음)를 포함한다. 이는 회사의 이익에 부합하는 영업활동과 재무보고에 통합되는 사업 또는 자산 등을 대상물로 한다.

M&A거래에 포함되지 않는 거래 :

- 회사가 자문사(Advisor) 혹은 재무중개자(Financial Intermediary)로 참여하는 제3자 고객거래
- 회사의 전략적인 요소와 무관하고 향후 영업에 통합되지 않는 상업투자은행으로서

순수 재무자산 및 자본시장 투자거래
- 대체투자(예시: 벤처캐피탈)
- M&A와 무관한 자본비용지출(회사의 비용관리 정책과 자본비용지출제안 정책 적용을 받는 건)
- 독립적인 무형자산(즉, 부채, 직원, 기타자산 등을 포함하지 않는 건)의 구매. 단, 총자산가치(GAV)가 $100M 인 경우 M&A거래 예외 사항에 적용되는지 SM&A조직과 논의 필요.
- 특정 고객자산거래(Attachment B참고)

M&A거래와 관련하여 거래대상에 포함되는지 여부, M&A프로세스가 적용되는 거래규모에 대한 분류에 혼선이 있는 경우 [첨부3]의 POC 정의되어 있는 [M&A Legal], [Sector M&A team], [SM&A]에 연락하여 논의하여야 한다.

4. M&A프로세스 예외

회사의 CEO, CFO 또는 CAO는 [SM&A]조직에 조기단계에서 승인절차의 축소(완화) 또는 모든 거래단계에서 승인 강화를 지시할 수 있다. 단, [M&A Committee], [CEO]와 [BOD]의 승인과 통제절차는 축소(완화)할 수 없다.

5. M&A프로세스 주요 인력구성

- M&A Committee(MAC) : 회사의 CFO를 의장으로 하는 M&A위원회는 M&A거래를 검토하고 승인한다. 현재 M&A위원회 멤버를 확인하기 위해서는 [첨부3]을 참고하면 된다.

- Strategy M&A Leaders : 회사 내 M&A거래에 책임이 있는 [Corporate Center group]이며, 현재 SM&A그룹 멤버를 확인하기 위해서는 [첨부3]을 참고하면 된다.

- Business M&A Leads : 각 부문(Sector)에는 M&A거래 실행을 위하여 한 명 이상의 전문가들이 있다. 특히, 부문 내 특정 중요 사업단위(Unit)의 경우 M&A 전담 전문가들이 포진해 있다. 부문(sector) M&A 전문가에 대한 정보는 [첨부3]을 참고하면 된다.

- M&A Legal partners : M&A 법률 파트너는 M&A거래의 다양한 법률적인 관점을

실행하는데 도움을 주기 위하여 구성되어 있다. M&A법률 파트너에 대한 정보는 [첨부3]을 참고하면 된다.

- Corporate M&A Functions : 회사의 기능부서(세금, 자금, O&T, CRS, 인사, 지적재산권(IP), 회계, 리스크, 컴플라이언스)에는 M&A 거래를 위한 전문가들이 포진되어 있다. 각 기능부서별 M&A POC에 대한 정보는 [첨부3]을 참고하면 된다.

- Other Key Players : 정보보안(Information Security), IR(Investor relations) 등 기타 회사의 기능부서에는 정기적으로 M&A거래에 참여하는 인력이 있다. 기타 기능부서들의 M&A POC에 대한 정보는 [첨부3]을 참고하면 된다.

B. M&A프로세스 개요

1. 취득을 위한 승인프로세스

[첨부1]의 표는 승인, 전략투자 또는 조인트벤처의 각 단계별 요구되는 승인 및 통지의 절차를 요약하고 있다. 각 단계별 필수 승인절차 등은 거래금액(TV) 또는 총자산가치(GAV)가 설정된 금액수준을 초과하는지 여부를 기반으로 하여 규정되어 있다. 거래금액(TV) 또는 총자산가치(GAV)를 설정된 금액과 비교할 경우에는 아래 예시와 같이 보수적으로 결합(AND)조건을 충족하여야 한다. 해당 승인 및 통지절차는 [첨부1]을 참고하면 된다.

<예시>
거래금액(TV) = $80MM
총자산가치(GAV) = $1.1B

상기 예시의 경우 상대적으로 금액단위가 큰 총자산가치(GAV)의 승인 및 통지절차를 따라야 한다.

M&A 관련하여 사업유닛(Business Unit)과 회사(Corporate)의 상호작용은 모든 경우에 장려하고 있는데, 특정 이벤트(trigger events)가 발생한 경우에는 회사의 M&A 개입이 의무화 된다.

(1) M&A거래의 첫 단계는 시장 접촉(Market contact)이며, 금액이 큰 경우 통지(Notification)가 필요하다.

(2) 다음 단계는 비밀유지계약의 실행이며, 이 경우 항상 회사의 개입이 의무화 된다.
(3) 취득의 단계별 업무는 Section Ⅱ.A에 기술되어 있지만 모든 취득, 조인트벤처, 전략투자가 이 모든 단계를 포함하는 것은 아니다. 따라서 만약 단계별 정의된 승인 및 통지절차가 거래상 특정 단계가 제외되어 누락되는 경우 다음 단계 승인절차를 위해 반드시 누락된 승인이 충족돼야 한다(예시 : 특정 취득(TV>1B or GAV>10B)에 있어 최종응찰(Final Bid) 단계가 없는 경우 최종계약을 위한 이사회 승인에 앞서 누락된 CEO와 [M&A위원회(MAC)]의 승인이 반드시 충족돼야 한다).
(4) [첨부1]에 요약된 승인 및 통지의 절차는 회사(Corporate) 수준에서 필요한 승인 및 통지절차를 포함하고 있으며, 부문(Sector)수준에서 필요한 승인 및 통지절차를 포함하고 있지는 않다. 부문(Sector)수준의 승인 및 통지절차는 [Sector M&A team]과 별도의 논의가 필요하다.
(5) 통합(Integration)프로세스와 관련된 최선의 실무사례 그리고 가이드라인에 대해서는 [첨부14]을 참고하면 된다. 특정거래(TV≧$500MM or GAV≧5B)의 경우 [Sponsoring Business]는 거래승인을 위해 [M&A위원회(MAC)]에 통합계획(Integration Plan)을 제출해야 하며, 이는 거래종결일(Deal Close Date) 전에 승인을 획득해야 한다.

승인의 기록은 서면으로 유지돼야 하는데, 이메일에 의한 승인(이사회 승인의 예외사항과 함께)도 이러한 요구사항을 충족한다.

2. 매각을 위한 승인프로세스

[첨부2]의 표는 매각, 분할, (주식)매도의 각 단계별 요구되는 승인 및 통지의 절차를 요약하고 있다. 각 단계별 필수 승인절차 등은 취득의 경우와 같이 거래금액(TV) 또는 총자산가치(GAV)가 설정된 금액수준을 초과하는지 여부를 기반으로 하여 규정되어 있다. 하지만, 매각의 프로세스 절차들은 취득과는 약간의 차이가 있다.

(1) M&A거래의 첫 단계는 시장 접촉(Market contact)이며, 금액이 큰 경우 통지(Notification)가 필요하다.
(2) 다음 단계는 외부 재무자문사의 선택적(optional) 고용으로, 이 경우 항상 회사(Corporate) 승인이 필요하다.
(3) 매각의 단계별 업무는 Section Ⅱ.B에 기술되어 있지만 모든 매각들이 이 모든 단계를 포함하는 것은 아니다. 따라서 만약 단계별 정의된 승인 및 통지절차가 거래

상 특정 단계가 제외되어 누락되는 경우 다음 단계 승인절차를 위해 반드시 누락된 승인이 충족돼야 한다.

(4) [첨부2]에 요약된 승인 및 통지의 절차는 회사(Corporate) 수준에서 필요한 승인 및 통지절차를 포함하고 있으며, 부문(Sector)수준에서 필요한 승인 및 통지절차를 포함하고 있지는 않다. 부문(Sector)수준의 승인 및 통지절차는 [Sector M&A team]과 별도의 논의가 필요하다.

승인의 기록은 서면으로 유지돼야 하는데, 이메일에 의한 승인(이사회 승인의 예외사항과 함께)도 이러한 요구사항을 충족한다.

3. 통지

특별히 예외사항으로 허용되지 않았다면, 통지는 책임자(person) 혹은 책임기구(body)에 사전 통지되어 합리적인 기간 동안 관련된 행위를 종결할 수 있도록 해야 한다. CEO에게 통지하는 주된 책임자는 [Business Head]와 [SM&A Head]이다.

4. 외부 자문사의 고용

아래 (1)~(5)와 같이 자문사의 각 유형에 따른 고용을 위한 특별한 요구사항들이 존재한다.

(1) 외부 변호인의 고용은 [M&A Legal]의 사전 승인 없이는 허용되지 않는다. [첨부5]

(2) 투자은행(IB)는 [SM&A]책임자 또는 [Sponsoring Business]책임자의 사전 승인 없이는 허용되지 않는다.

(3) 외부컨설턴트는 [Sponsoring Business] 매니저 또는 [SM&A]책임자의 승인하에서만 고용할 수 있고, 각각의 경우에 CFO와 협의가 필요하다.

(4) 회계법인, 특히 KPMG는 [M&A Accounting][첨부3]의 승인과 함께 오직 M&A 문제에 대해서만 고용할 수 있다. 타당하다고 판단되면, [M&A Accounting]은 [Deal Team]을 도울 수 있으며, 이 경우 KPMG(또는 다른 회계법인)의 사용을 위해 추가적인 승인이 필요하다. M&A거래와 관련된 회계법인의 고용은 외부감사인 정책을 준수하여야 하며, 특히 독립성 위배를 조심해야 한다.

(5) Tax : KPMG는 다른 회계법인과 차별화된 특별한 지식과 전문성을 보유하고 있지 않다면 세금업무에 고용돼서는 안 된다. M&A거래와 관련된 회계법인의 고용은 외부감사인 정책을 준수하여야 하며, 특히 독립성 위배를 조심해야 한다.

5. 규제에 대한 고려

때때로, M&A거래를 위해 요구되는 규제승인이 있을 수 있으므로 [M&A Legal]과 사전에 특정 거래에 존재할 수 있는 규제에 대해 논의하는 것이 중요하다.

6. 중요한 회사 정책들과의 연계

M&A프로세스와 상호 연계된 회사의 몇몇 정책들이 있으며 아래의 정책들을 포함하고 있다.

(1) 개인거래정책(PTP) : 회사의 M&A 거래에 참여하는 개인들은 개인거래정책(PTP)에 적용될 수 있다. 만약 개인거래정책과 관련해 문의사항이 있다면 [Corporate Compliance]에 문의하면 된다.
(2) 정보보안 : M&A거래는 항상 기밀정보의 보호를 포함하고 있다. 정보보안 실무와 절차에 대한 확인해야 한다.
(3) 구조화금융 : M&A거래는 구조화금융의 특성요소를 포함하여 고객조직의 특정 부채들은 재무상태표 상에 부채로 나타나지 않을 수 있다. Section Ⅱ.C.4에 기술된 구조화금융에 대한 보완정책모듈(Supplemental Policy Module)을 참고하여 구조화금융 이슈가 존재하는 경우 통제하는 방법에 대한 업무기술을 확인해야 한다.
(4) 기타 유관 정책들 : M&A거래와 유관한 비용관리정책(EMP), 자본비용지출제안정책(CEP), 외부감사인 정책, 매니저 커뮤니케이션가이드라인 등과 같은 기타 다른 정책들이 있다.

7. 향후 진행을 위해 사용 가능한 자료

[SM&A]와 [M&A Legal]은 재무모델서식과 비밀유지계약 표준양식과 같은 도구들을 제공하고 있다. 이러한 다양한 서식 및 도구들은 첨부문서(Attachments)에서 자료 확인하여 사용가능하며, 일부 자료의 경우 eRooms Database와 같은 특정 보안 데이터 사이트에서 사용 가능하다.

C. 참고 가이드

A. 취득, 전략투자 또는 조인트벤처 프로세스	
주요 절차	동시에 발생하는 활동
1. 시장접촉 (1) 시장접촉 서론 (2) 시장접촉을 위해 요구되는 통지	
2. 비밀유지계약 실행 (1) 초안/협상 (2) 리소스 (3) 비밀유지계약 실행을 위해 요구되는 통지와 승인 (4) 중앙데이터베이스 보유	i. 프로젝트 코드명 ii. 외부자문사 공유
3. 예비입찰 (1) 정의 (2) 예비입찰 제출을 위해 요구되는 통지와 승인	i. 팀조직 구성 ii. 최초 재무모델링 iii. M&A위원회 사전회람 iv. 실사조사
4. 최종입찰 (1) 정의 (2) 최종입찰 제출을 위해 요구되는 통지와 승인 (3) 특별승인이슈	i. M&A위원회 프로세스 ii. 계약의 문서화와 협상
5. 법적 구속력이 있는 약속 (1) 계약 (2) 법적 구속력이 있는 약속을 위한 통지와 승인 (3) 기타 승인	i. 커뮤니케이션을 포함한 서명과 종결활동 - 커뮤니케이션 - 자금송금 - 종결유보행위 ii. 통합 iii. OAR 및 종결 후 후속활동

B. 매각, (주식)매도 또는 분할 프로세스	
주요 절차	동시에 발생하는 활동
1. 시장접촉 (1) 시장접촉을 위해 요구되는 통지	
2. 재무자문사의 고용 / Teaser 회람 (1) 서론 (2) 재무자문사의 고용 / Teaser 회람을 위해 요구되는 통지와 승인 (3) 규제이슈에 대한 예상	i. 팀조직 구성
3. 매각 프로세스의 착수 (1) 매각 프로세스 착수를 위한 통지와 승인	i. 비밀유지계약 / 독점권 ii. 프로젝트 코드명 iii. 매각준비 - Memorandum 제공 / 입찰설명서 - 계약초안 - 데이터룸 설치 iv. 재무모델링
4. 실사를 위한 입찰자 선정 (1) 실사 입찰자 선정을 위한 통지와 승인	
5. 최종입찰 선정 (1) 서론 (2) 최종입찰 선정을 위한 통지와 승인 (3) 특별 승인 이슈	i. M&A위원회 프로세스 ii. 계약의 문서화와 협상 - 일반 - 전환지원 계약 - 역실사
5. 법적 구속력이 있는 약속 (1) 법적 구속력이 있는 약속을 위한 통지와 승인	i. "통합해제"와 종결 후 후속활동

C. 보조 M&A 프로세스 - 유관 모듈
1. 외부 자문사의 공유
2. 커뮤니케이션 (1) 루머 / 언론사 문의 (2) 거래개시공개
3. 통합과 OAR
4. 구조화금융정책
5. 정보보안과 개인거래정책
6. 복수사업 거래
7. M&A 참여하는 회사기능부서

D. 첨부문서

첨부1. 취득을 위한 승인 및 통지절차

첨부2. 매각을 위한 승인 및 통지절차

첨부3. 회사 M&A POC 연락처

첨부4. 소비자 자산 면제 메모(M&A 절차면제 거래)

첨부5. 외부전문가 고용을 위한 가이드라인

첨부6. 실사접근법과 표본요약

첨부7. M&A위원회 프로세스와 프레젠테이션 개요 샘플

첨부8. 매각을 위한 M&A위원회 메모랜덤 샘플

첨부9. 이사회 프레젠테이션 개요 샘플

첨부10. 주요용어사전

II. M&A 주요 프로세스

A. 취득, 전략투자 또는 조인트벤처 프로세스

Section Ⅱ는 취득, 전략투자 또는 조인트벤처의 각 단계별 요구되는 승인, 통지 그리고 기타 중요한 활동들에 대한 가이드를 제공하고 있다. 각 단계별 요구되는 승인 및 통지는 다음 [첨부1] 표를 참고하면 된다. [첨부1] 표에 요약된 승인 및 통지의 절차는 회사(Corporate) 수준에서 필요한 승인 및 통지절차를 포함하고 있으며, 부문(Sector)수준에서 필요한 승인 및 통지절차를 포함하고 있지는 않다. 부문(Sector)수준의 승인 및 통지 절차는 [Sector M&A team]과 별도로 논의가 필요하다.

1. *시장접촉*
2. *비밀유지계약 실행*
3. *예비입찰*
4. *최종입찰*
5. *법적 구속력이 있는 약속*

1. 시장접촉

(1) 서론

가능성 있는 취득 또는 매각거래를 위해 제3자와 접촉하여 정보를 수집하고 탐색하는 것은 "통지"와 같은 절차가 요구된다. 제3자와 접촉은 회사가 제안을 받을 수도 있고(inbound), 제안을 할 수도 있을 것이다(outbound).

"통지"의 절차는 적절한 [Business Head] 또는 [SM&A coverage officer]에 의해 주로 이메일로 진행되는 것이 가장 최선이다. 그밖에 [Corporate Public Affairs organization]이 외부인원과 커뮤니케이션 하는 것이 최선일 수도 있다. 이러한 경우 추가적인 가이드를 위해 커뮤니케이션에 대한 보조모듈Section Ⅱ.C.2을 참고하면 된다. 시장접촉을 위해 요구되는 통지절차는 별도로 제공한다.

회사의 통지절차는 거래가 특정되지 않은 초기단계의 접촉과 케쥬얼한 미팅에는 적용되지 않는다. 통지절차는 특정한 거래기회에 대하여 제3자와 초기단계 논의를 진행할 때 필수적으로 요구된다. 통지절차가 적용되는 제3자의 범위는 투자은행(IB), 변호사, 컨설턴트, 국가공무원, 사모펀드, 잠재적인 법인 거래상대방, 사업파트너 등을 포함한다. 취득과 관련하여 당사가 고용하고자 하는 전문가와의 논의는 Section Ⅱ.C.1에 기술된 "외부 자문사의 공유"에도 또한 적용되니 참고하면 된다.

통지의 절차를 필수적으로 요구하는 것은 M&A시장에서 회사의 조직화된 접근과 대응 법을 제시하여 혼선을 예방하기 위함이다. 그것은 또한 회사 자신이 보유하고 있는 투자은행(IB)과의 조화(조정)를 위해 필요하다. 예를 들면, 종종 제3자 투자은행(IB)은 타켓회사가 그들을 고용하지 않았음에도 불구하고 [Business Unit]이 타깃회사에 대해 가지고 있는 관심의 정도를 알기 위해 전화할 수 있다. [Business Unit]이 거래에 흥미를 표현한다면, 제3투자은행은 회사가 보유하고 있는 투자은행(IB)의 잠재적인 경쟁자로 그러한 (흥미)의사를 타깃법인 혹은 입찰경쟁자들에게 전달해 회사가 보유하고 있는 투자은행(IB)은 그 거래와 관련된 입찰 과정에서 타깃법인 혹은 다른 입찰 경쟁자들에 자문 등의 거래기회를 상실할 수 있다. 심지어 특정 거래에 대한 케쥬얼한 대화도 이처럼 그룹 내 다른 사업에 부정적인 결과를 불러올 수 있다.

(2) 시장접촉을 위해 요구되는 통지 [첨부1]

- [Business Head]승인 : 유관 [Businses Head](즉, [Business Head Committee]의 멤버인 [Senior Business Manager])는 잠재적인 M&A거래(TV≧$1B or GAV≧$10B)에 대해 아웃바운드 접촉은 사전에, 그리고 인바운드 접촉은 접수 후 즉시 통지 받아야 한다.
- [SM&A] : [Head of SM&A] 또는 [SM&A coverage officer]는 잠재적인 M&A 거래(TV≧$1B or GAV≧$10B)에 대해 아웃바운드 접촉은 사전에, 그리고 인바운드 접촉은 접수 후 즉시 통지 받아야 한다.

2. 비밀유지계약 실행

[M&A Legal]은 거래규모에 상관없이 모든 비밀유지계약에 대해 검토하고 승인해야 한다. 비밀유지계약의 주요 절차는 다음과 같다 :

(1) 초안 / 협상

[Business unit] 변호사들 또는 다른 적절한 인원이 M&A거래를 위한 비밀유지계약 초안을 작성하고 협상할 수 있다 : [M&A Legal]은 [M&A Legal]과 [Business unit]변호사의 협의를 통해 비밀유지계약 초안작성 및 협상에서 보조역할 또는 리드역할을 할 것이다.

(2) 리소스

- 서식 : [M&A Legal]은 특정거래형태에 따른 매수자측, 매도자측, 그리고 상호 비밀유지계약에 따른 표준서식들을 관리한다.
- 체크리스트 : 만약 매도자측 서식을 사용하는 경우 [M&A Legal]과 논의해야 한다. [M&A Legal]은 매수자의 관점에서 부적절하거나 누락된 조항이 없는지 확인할 수 있는 체크리스트를 관리하고 있으며, 민감한 조항(교착, 고용금지, 고객정보이용금지)과 비밀유지계약에 대한 예외사항에 대해 가이드라인을 제공하고 있다.
- 실행된 계약의 데이터베이스 : [M&A Legal]에 기존에 동일한 거래상대방과 실행된 비밀유지계약이 있는지, 또는 최선의 조항으로 협상하는데 유용한 자문사 데이터베이스가 있는 논의할 수 있다.

(3) 비밀유지계약 실행을 위해 요구되는 통지와 승인

- 모든 비밀유지계약의 [M&A Legal]의 승인 : [M&A Legal]은 거래규모와 상관없이 모든 실행되기 전 비밀유지계약에 대해 검토하고 승인해야 한다.
- [SM&A]로의 사전통지 : 특정거래[TV≧$25M or GAV≧$250M]에 대해, [SM&A]는 모든 비밀유지계약서 서명 전에 사전통지를 받아야 한다.
- 독점의 승인 : [SM&A]책임자 또는 피지명자와 [M&A Legal]책임자 또는 피지명자는 모든 M&A거래시점의 거래계약(매수자 – 매도자 관점여부 상관없이, 비밀유지계약서 – 취득계약서 – 매각계약서 – 기타거래문서 여부와 상관없이)에서 독점조항을 승인해야 한다.
- 교착조항의 승인 : [SM&A]책임자 또는 피지명자는 계약서상 모든 교착조항에 대해 승인해야 한다.
- 제한적인 계약조항의 통지 : [Deal Team]의 책임자는 [M&A HR]에 계약서상 제한적인 조항(고용금지, 고객정보이용금지) 등이 포함된 비밀유지계약이 실행되자마자 통지하여 [Business unit]과 적절할 [HR Manager]가 그러한 제한사항에 대해 알 수 있도록 해야 한다.
- 규제 : 때때로, 회사는 거래의 각 단계에서 규제기관에 통지하는 것이 필요할 수 있다. 요구되는 통지절차에 대해 [M&A Legal]과 논의가 필요하다.

(4) 중앙데이터베이스 보유

[Business Unit]은 잠재적인 M&A거래와 관련해 서명된 비밀유지계약서를 [M&A Legal]에 전달하여 회사의 중앙데이터베이스에 보관되도록 해야 한다.

ⅰ. 동시에 발생하는 활동-프로젝트 코드명

프로젝트코드명은 복제와 오해를 방지하고, 거래의 비밀을 유지할 수 있는 관점에서 명명되는 것이 최선이다. 모든 프로젝트코드명은 [M&A Legal] 변호사에 의해 승인받아야만 한다.

ⅱ. 동시에 발생하는 활동-외부자문사 공유

M&A거래를 위해 외부자문사(재무,법무,회계)를 보유하기 위해서는 특별한 절차가 적용되며, Section Ⅱ.C.1에 기술돼 있다.

3. 예비입찰

(1) 정의

구속력이 없는, 실사수행에 앞서 제출되는 입찰인 예비입찰은 일반적으로 가격범위(cf. 특정거래금액)를 포함하고, 매도자/타깃법인에 대한 회사의 최초의 관심을 표시하기 위함을 목적으로 한다. 의향서(Letter of Intent)를 통한 관심의 표시는 회사의 M&A 승인프로세스 목적을 위한 예비입찰로 간주된다.

(2) 예비입찰 제출을 위해 요구되는 통지와 승인 [첨부1]

다음의 승인들은 예비입찰에 앞서 반드시 획득하여야 하며, 다음의 통지들은 (다른 방식으로 언급되지 않았다면) 반드시 그러한 예비입찰의 제출에 앞서 즉시 발송돼야 한다.

1) [SM&A], [M&A Legal] and [Senior Business Manager]

- 특정거래(TV〈$25 and GAV〈$250M)에 대해 [M&A Legal]과 [SM&A]는 반드시 예비입찰 제출의 통지를 받아야만 한다.
- 특정거래(TV≧$25M or GAV≧$250M) :
  - [Sponsoring Business]의 [Senior Business manager]는 예비입찰 제출을 반드시 승인해야 한다. 그러한 승인은 특정거래(TV〈$50M and GAV〈$500M)에 대해서는 [Operating Committee, OCM]의 멤버인 [Sponsoring Business]

의 [Senior Business manager]중 한 명 에게 받을 수 있지만, 그보다 더 큰 거래의 경우에는 반드시 [Business Heads Committee, BH]의 [Senior Business Manager]에게 승인 받아야 한다.

- [SM&A]는 반드시 모든 예비입찰의 제출을 승인해야만 한다. [SM&A]는 모든 예비입찰들이 [M&A tax]와 [M&A accounting]의 검토를 받았음을 보증해야 한다.
- [M&A Legal]은 예비입찰의 제출에 앞서 반드시 모든 예비입찰문서(동봉되는 거래계약서 논의를 포함한)를 검토하고 승인해야 한다.

2) CEO로의 사전통지 : 특정거래(TV≥$100M or GAV≥$1B)에 대해서는 CEO로의 사전통지가 필요하다. [Sponsoring Business]의 [Senior Business Manager]는 사전통지의 전달과 전달이 되었음을 확인할 책임이 있다.

ⅰ. 동시에 발생하는 활동－팀조직 구성

[SM&A]는 [M&A Legal], [Sponsoring Sector M&A Function]과 함께 취득, 전략투자 또는 조인트벤처의 예비입찰 준비와 이후의 단계에 관련하여 회사 M&A기능의 적절한 인력들과 논의해야 한다.

[SM&A]는 [M&A Legal], [Sponsoring Sector M&A Function]과 함께 실사 시 또는 실사에 앞서 [Transaction team]의 멤버가 잠재적인 거래의 기밀성을 인지하고, 실사과정에서 얻게 되는 타깃법인의 정보를 사용해서는 안된다는 것을 충분히 인지하였음을 커뮤니케이션 하였음을 보증할 것이다. 그러한 커뮤니케이션은 서면이 아닌 구두로 하여도 되지만, 그러한 구두내용을 메모나 이메일을 통해 문서화 하는 것이 적절하다. [SM&A]그룹의 책임자 또는 피지명인과 [M&A Legal]의 책임자 또는 피지명인은 잠재적인 거래의 민감성을 고려하여 방법이 적절하다면 [Transaction team]에 참여하는 모든 직원들의 업데이트된 리스트를 유지하는데 요구 되어지는 재량권을 가질 것이다.

ⅱ. 동시에 발생하는 활동－최초 재무모델링

[SM&A Financial Structuring team]은 [Sponsoring Business]와 특정거래(TV≥$50M or GAV≥$500M)를 위한 재무모델링을 협업해야 하며 주요한 활동은 다음과 같다.

- M&A 거래를 위한 재무모델의 관리 또는 관리를 할 [Sponsoring Business M&A leader]의 지정
- 정밀한 재무예측치(모델)을 개발하기 위한 [Sponsoring Business]와의 협업

M&A거래를 위한 모든 재무모델은 회사의 취득모델 표준을 준수하여야 한다. 또한 재무모델은 [첨부8]에 요약된 위험자본비용 산출에 적용되는 표준메트릭스를 준수해야 한다. 만약 필요하다면 최신 재무모델서식 등 전자파일을 [SM&A Financial Structuring team]에 연락하여 수령할 수 있다.

iii. 동시에 발생하는 활동 – M&A위원회 사전회람(프레젠테이션)
최종적으로 [M&A Committee]의 승인을 필요로 하는 거래들의 경우, [M&A Committee]의 부의장은 [Sponsoring Business]에 사전 프레젠테이션을 요청할 수 있다.
- 만약 요청 받는다면, 사전 프레젠테이션은 예비입찰제출 전, 본실사의 착수 전에 [M&A Committee] 정기미팅 시 하는 것이 최선이다.
- 사전 프레젠테이션은 [M&A Committee]의 승인을 얻기 위한 본 프레젠테이션 보다는 상세하지 않을 것이고 추후 수정 및 확인이 필요한 불완전한 정보들을 포함할 수 있을 것이다.
- [Sponsoring Business]의 시니어매니저 또는 피지명인이 [M&A Committee]에 대한 사전 프레젠테이션을 진행할 것이다.

iv. 동시에 발생하는 활동 – 실사조사
특정거래(TV≧$50M or GAV≧$500M)에 대해서는 최소한의 회사 표준을 준수하여 실사가 이뤄질 것이다.
- [SM&A]는 [Sponsoring Business]와 함께 실사팀을 구성하고 실사 프로세스를 관리할 것이고, 실사팀의 리더로 활동하거나 혹은 리더를 지정할 것이다.
- [SM&A]는 M&A거래를 위해 필요한 전문성을 소유한 조직 [Corporate M&A functional area]의 개입(참여)을 조정할 것이고 거래를 위한 도움을 제공할 것이다.
- 본실사를 위한 공수를 투입(착수)하기에 앞서 [SM&A]의 승인이 필요하다.
- Note : 만약 거래를 위해 [M&A Committee]에 사전 프레젠테이션이 필요한 경우, 본실사가 시작되기 전에 이뤄지는 것이 최선이다.

실사책임자
각각의 거래는 실사 프로세스를 관리하기 위한 실사책임자가 지명돼야 하고, 실사책임자는 다음의 책임이 있다 :
- 실사팀의 구성 및 실사과정에서 검토돼야 하는 부분에 대한 팀원 업무배분
- 실사팀에 실사목적 등에 대한 확립 및 충분한 커뮤니케이션
- 실사결과에 대한 효과적인 문서화 및 커뮤니케이션(즉, [M&A Committee] 또는 의사결정자 들이 검토할 수 있도록 실사팀원들의 개별 실사결과를 취합하고 주요 항목들에 대한 요약)
- 실사결과에 대해 미확정된 부분에 대한 명확한 정리

- 실사팀의 모든 멤버가 모든 주요한 실사 이슈에 대해 실사책임자에게 보고하였음을 보증
- [첨부9]에 따른 최소한의 표준실사를 충족하였음을 보증
- 실사책임자는 [첨부10]에 따른 거래승인서식에 서명해야 한다.

4. 최종입찰

(1) 정의

타깃법인에 제출된 입찰은 법적인 구속력은 없지만 M&A거래를 지속하고자 하는 회사의 진지한 의향을 표시하는 것이다. 최종입찰은 향후 M&A거래를 진행하기 위한 도덕적인 약속(도의)으로 간주될 수 있지만(최종 계약의 성립을 위해) 추가적인 회사의 승인을 얻어야 하는 것 등을 포함하여 향후 충족되어야 하는 조건들이 남아있을 것이다.

만약, 최종입찰 이후에 추가적인 승인절차가 남아있지 않다면, 최종입찰의 제출 전에 Ⅱ.A.5에 명시된 법적 구속력이 있는 약속에 대한 승인 및 통지의 절차가 충족돼야 한다.

(2) 최종입찰 제출을 위해 요구되는 통지와 승인 [첨부1]

법적으로 구속력이 있는 약속에는 추가적인 승인이나 통지의 절차가 있음을 유념해야 한다. Ⅱ.A.5에 기술된 이러한 추가적인 승인과 통지(보다 큰 거래에 대한 이사회의 승인이나 통지와 같은)의 절차는 최종입찰 이후에 제반 충족해야 할 조건 및 승인/통지의 절차가 명확하다면 최종입찰 단계에서 요구되지는 않는다.

최종입찰을 위한 필수적인 승인절차는 거래의 성격 및 규모에 따라 달라지지만, 특정거래(TV≧$100M or GAV≧$1B)의 경우는 [Senior Business Manager], [M&A Committee], CEO로부터 승인이 필요하다.

다음의 승인들은 최종입찰에 앞서 반드시 획득하여야 하며, 다음의 통지들은 (다른 방식으로 언급되지 않았다면) 반드시 그러한 최종입찰의 제출에 앞서 즉시 발송되어야 한다.

- [Business Head] 승인 : [Sponsoring Business]의 [Senior Business Manager]는 반드시 거래의 규모와 상관없이 M&A거래에 해당되는 모든 취득, 전략투자, 조인트

벤처에 대해 최종입찰의 제출을 승인해야만 한다. 그러한 승인은 특정거래(TV〈$50M and GAV〈$500M)에 대해서는 [Operating Committee]의 멤버인 [Sponsoring Business]의 [Senior Business Manager]중 한 명에게 받을 수 있지만, 더 큰 규모의 거래에 대해서는 [Business Heads Committee]의 멤버인 [Senior Business Manager]에게 반드시 승인 받아야 한다. 그러한 승인은 반드시 최종입찰을 위한 [M&A Committee]의 후속승인을 위한 거래제출 전에 득하여야 한다.

- [M&A Legal] 승인 : [M&A Legal]은 특정거래(TV〈$25M and GAV〈$250M)의 최종입찰 제출 전에 모든 최종입찰 문서사본을 받아야 한다. [M&A Legal]은 특정거래(TV≧$25M and GAV≧$250M)의 모든 최종입찰 문서를 검토하고 승인해야만 한다. (그러한 승인은 [M&A Committee]의 승인을 통해 문서화 될 수 있다)
- [SM&A] 승인 : [SM&A]는 특정거래(TV〈$25M and GAV〈$250M)의 최종입찰 제출 전에 모든 최종입찰 문서사본을 받아야 한다. [SM&A]은 특정거래(TV≧$25M and GAV≧$250M)의 모든 최종입찰 문서를 검토하고 승인해야만 한다. (그러한 승인은 [M&A Committee]의 승인을 통해 문서화 될 수 있다)
- [M&A Committee] 승인 : [M&A Committee]는 특정거래(TV≧$50M or GAV≧$500M)와 회사의 보통주가 발행되는 M&A거래의 모든 최종입찰 문서를 검토하고 승인해야만 한다. [M&A Committee]에 승인을 위해 제출되는 모든 거래는 최소한 최종입찰제출 24시간 전에 제출돼야 한다. [M&A Committee]의 재량으로 M&A거래의 승인과 관련하여, [M&A Committee]는 M&A거래가 발생하는 국가(들)에 관련한 브리핑을 [Risk Management]로부터 받을 수 있다.

i. 동시에 발생하는 활동-M&A위원회 프로세스
특정거래(TV<$100M and GAV<$1B)에 대해 [M&A Committee]는 거래의 검토와 승인을 위해 대면미팅을 하는 것이 필요한 것으로 간주된다. 하지만, [M&A Committee]의 의장, 부의장 또는 피지명인은 그러한 승인에 대해 회의록(memorandum)의 회람(circulation)에 근거하여 승인을 할 권한을 가지고 있다.

[M&A Committee]에 대한 M&A거래 프레젠테이션과 관련한 절차는 별도로 기술되어 있다.

거래승인서명을 통한 [M&A Committee]승인의 문서화 절차는 별도로 기술되어 있다.

- CEO 승인 : 특정거래(TV≧$100M or GAV≧$1B)와 회사의 보통주가 발행되는 M&A거래는 최종입찰 제출 전에 CEO의 승인을 받아야 한다. 상기 거래에 해당되지 않는 경우에는 필수로 요구되는 CEO와 커뮤니케이션 절차는 없다. CEO승인은 CEO로부터 [SM&A]책임자로의 이메일 또는 거래승인서명서식을 통해 반드시 문서화 돼야 한다.
- 이사회 : 최종입찰이 계약상 구속력을 가지지 않는 이상(즉, 최종입찰 이후 후속단계에 승인절차가 추가적으로 남아있는 경우), 일반적으로 최종입찰에 대한 이사회의 승인을 필요로 하지 않는다. 이사회의 승인을 필요로 하는 계약상 구속력을 가지는 거래의 금액범위 등에 대한 기술은 Section Ⅱ.A.5.b.6-7을 참고하면 된다.

(3) 특별승인이슈

- 보증 : 회사의 [Treasury]는 반드시 회사의 보증을 승인해야 하며, [M&A Legal]은 반드시 보증의 서식을 승인해야 한다. 일반적으로 그러한 보증을 위한 필요사항은 매각, 조인트벤처, 그리고 (우발부채 또는 기존부채인수가 있는)취득과 관련하여 발생한다. 그룹의 계열사는 보증과 관련하여 자체적인 필수 승인절차를 가지고 있으니 그러한 보증이 필요한 경우에는 [Sector M&A contact]와 논의하면 된다.
- 주식보상계획/스톡옵션의 부여 : 타깃회사 경영진 및 임직원에 대한 새로운 주식보상계획을 위해서 [Pay and Compensation Committee]의 승인이 필요하다. 그리고 제약조건이 있는 주식의 부여, 스톡옵션의 부여, 타깃회사의 경영진, 임직원 또는 컨설턴트에게 제공된 보상성격의 대여금(Forgivable Loan) 인수(assume)할 경우에도 승인이 필요할 수 있다. [Deal Team]의 책임자는 그러한 승인절차 등 필요요건에 대해 [HR/Benefits]와 반드시 논의해야 한다.
- 지분(주식)의 발행 : 주식의 발행을 포함한 M&A거래는 최종입찰 제출 전에 반드시 [M&A Committee]와 CEO의 승인이 필요하다. 주식발행을 포함하는 M&A거래는 법적으로 구속력을 가지는 계약을 체결하기에 앞서 반드시 이사회의 승인을 받아야 한다. 만약 M&A거래가 주식의 발행을 포함한다면 특정거래(TV≧1B or GAV≧10B)는 모든 승인과 통지절차가 이뤄져야 한다.
- 규제 : 때때로, 회사는 거래의 각 단계에서 거래의 규제기관에 통지하는 것이 필요할 수 있다. 요구되는 통지절차에 대해 [M&A Legal]과 논의하는 것이 바람직하다.

ii. 동시에 발생하는 활동 - 계약의 문서화와 협상

일반사항 : [The Sponsoring Business], [SM&A] 와 [M&A Legal]은 모두 계약조건 협상과 거래계약의 준비에 있어 각자 정도에 맞게(varying degrees) 참여한다.

실사결과의 반영 : [SM&A]와 [M&A Legal]은 [Sponsoring Business], [Diligence participants]와 함께 협업해 거래계약을 협상하는 팀에게 모든 중요한 실사이슈를 커뮤니케이션 하는 것을 보증해야 한다.

5. 법적 구속력이 있는 약속

(1) 계약

정의가 명확한 문서화의 실행, 또는 추가적인 승인절차를 필요로 하지 않는 입찰서

(2) 법적 구속력이 있는 약속을 위한 통지와 승인 [첨부1]

모든 승인은 어떠한 계약의 실행에 앞서 반드시 득해져야 하고, (다른 방식으로 언급되지 않았다면) 모든 통지는 반드시 계약의 실행에 앞서 이뤄져야 한다.

- [Business Head] 승인 : 거래의 최종입찰에 있어 특정거래(TV〈$25M and GAV〈$250M)는 [Sponsoring Business]의 [Senior Business Manager] 승인을 필요로 하지 않지만, 법적구속력이 있는 약속의 실행에 앞서서는 반드시 승인을 득해야 한다. 그러한 승인은 [Operating Committee] 소속인 [Sponsoring Business]의 [Senior Business Manager]인 누구에게나 승인 받을 수 있다.
- [M&A Legal] 승인 : [M&A Legal]은 반드시 모든 법적구속력이 있는 약속에 대해 검토하고 승인해야 한다.
- [SM&A] 승인 : [SM&A]는 특정거래(TV〈$25M and GAV〈$250M)와 관련해 법적구속력이 있는 모든 약속에 대해 반드시 사전 통지를 받아야 한다. 그리고 [SM&A]는 특정거래(TV≧$25M or GAV≧$250M)와 관련해 법적구속력이 있는 모든 약속에 대해 반드시 검토하고 승인해야 한다.
- CFO 통지 : [M&A Committee]의 승인을 필요로 하지않는 거래(즉, TV〈$50M and GAV〈$500M)에 대해, CFO는 법적구속력이 있는 약속의 실행 전 혹은 실행 이후 즉시 통지를 받아야 한다. 그러한 통지는 반드시 거래구조, 가격, 사업의 성격과 소유권 그리고 기타 중요한 조건들(비경합조건, 고용의 금지, 법인을 구

속하는 제한조항을 포함한)에 대해 강조하는 거래요약서식(Form of a deal summary)의 형태로 이뤄져야 한다.

- CEO 승인 : CEO가 이미 최종입찰 단계에서 승인을 한 경우에 법적 구속력이 있는 약속을 실행함에 있어 CEO의 승인은 재차 필요로 하지 않는다. 최종입찰 단계가 없었던 거래의 경우에는 상기 최종입찰 단계의 CEO승인에서 기술된 바와 같이 같은 방식으로 승인의 절차가 이뤄져야 한다. 특정거래(TV≧$100M or GAV≧$1B)와 회사의 보통주가 발행되는 M&A거래는 최종입찰 제출 전에 CEO의 승인을 받아야 한다. 상기 거래에 해당되지 않는 경우에는 필수로 요구되는 CEO와 커뮤니케이션 절차는 없다. CEO승인은 CEO로부터 [SM&A]책임자로의 이메일 또는 거래승인서명서식을 통해 반드시 문시화 돼야 한다.
- 이사회 통지와 승인 : 보통주 발행을 수반하지 않는 특정거래($100M≦TV〈1B or $1B≦GAV〈$10B)는 법적 구속력을 가지는 약속을 체결하기 전에 이사회에 사전 통지가 필요하며 승인을 필요로 하지는 않는다.
  - [M&A Committee]와 CEO의 승인은 이사회 통지 전에 반드시 이뤄져야 한다.
  - 이사회로의 통지는 [Corporate Secretary]또는 피지명인에 의해 별도로 승인받지(authorized) 않았다면, 반드시 대외공표(public announcement)되기 전에 이뤄져야 한다.
  - [Sponsoring Business]의 [Business Head] 와/또는 [M&A Committee]의 의장(또는 피지명인)은 반드시 [M&A Committee] 프레젠테이션을 바탕으로 의사회에 회의록(memorandum)을 준비해야 한다. [SM&A]는 이러한 자료들을 준비하는데 도움을 주어야 한다.

주식 발행을 수반하는 특정거래(TV≧1B or GAV≧$10B)는 법적 구속력을 가지는 약속을 체결하기 전에 이사회의 승인을 필요로 한다.

- 이사회의 승인을 받기에 앞서 모든 거래는 반드시 [M&A Committee]와 CEO의 승인을 받아야 한다. 그러한 [M&A Committee]와 CEO의 승인은 구두로 이뤄질 수도 있지만, 특정 이벤트의 경우 법적구속력이 있는 약속의 체결 전에 거래승인서명 서식으로 이뤄져야 한다.
- 이사회의 기승인이 이뤄진 거래에 대해 수정이나 항목이 추가된 경우에는, 중요성의 정도에 따라 추가적인 이사회의 승인을 필요로 할 수도 있다.

- 이사회에 보고되는 프레젠테이션 자료에 대한 책임은 [SM&A]와 [Business Head]에게 있다. 이사회 프레젠테이션 자료에 들어가는 재무정보와 기타 주요내용은 [M&A Committee]의 승인을 반드시 받아야 하며, [Corporate Secretary]에 의해 검토돼야 할 것이다. 또한 [SM&A]는 이사회 프레젠테이션에 활용될 출력물의 사전 복사본을 준비하여 적절한 [Corporate functions](세무, 자금, O&T, CRS, HR, IP, 회계, 리스크, 컴플라이언스)들이 검토하여 검토내역이 이사회 프레젠테이션 자료에 적절히 반영되도록 할 책임이 있다. 이사회 프레젠테이션 샘플은 [첨부9]을 참고하면 된다.
- [SM&A]는 이사회결의를 포함한 최종 프레젠테이션 자료들이 적어도 이사회 미팅 5영업일 이전에(별도의 마감일이 요구되지 않았다면) 사용 가능하도록 배포할 책임이 있다. 이사회 자료의 배포는 [Corporate Secretary]또는 피지명인에 의해 통제된다.
- 이사회 프레젠테이션은 CFO, [SM&A]와 협의하여 [Sponsoring Business]의 책임자(또는 피지명인)에 의해 진행된다.

(3) 기타 승인

[M&A Legal]은 M&A 거래와 관련하여 모든 필요한 반독점, 기타 규제승인 등을 준수하고 준비하기 위해 내부 및 외부의 규제 전문가(변호사)들과 조정해야 한다.

ⅰ. 동시에 발생하는 활동 – 커뮤니케이션을 포함한 서명과 종결활동

a) 커뮤니케이션 : [Deal Team] 책임자 또는 피지명인은 종합적인 커뮤니케이션 계획의 실행과 개발을 이끌어야 한다. 커뮤니케이션의 대상은 종업원(회사와 타깃 법인), 신용평가사, 주주. 애널리스트 집단, 다양한 규제기구, 그리고 언론 등을 포함할 것이다. (Section Ⅱ.C.2)

b) 자금송금과 기타자금문제 : [Deal Team]의 책임자는 거래를 완료하기 위한 적절한 자금의 송금과 기타 자금활동에 대해 조정할 것이다.

c) 종결유보행위 : M&A거래에 포함된 개인들이 거래의 종결을 유보시키는 여러 규제(반독점법 등)에 대한 법적인 행위에 대한 가이드라인들을 이해하는 것이 중요하다. 즉, 반독점법의 경우는 종결을 유보하여 거래상대방이 독립적인 법인으로서 운영하고 경쟁하는 것을 필요로 한다. [M&A Legal]와 [Business Unit Counsel]은 허용 가능한 정보공유의 범위, 통합계획, 고객상호작용과 기타 행위 등에 대한 적절한 사전종결행위 가이드라인을 개발하기 위해 논의하는 것이 필요하다.

ii. 동시에 발생하는 활동 – 통합
[SM&A Integration]은 회사의 핵심자산으로 고도의 통합을 목적으로 설계한 통합실무와 절차에 대해 개발하였다.

특정거래(TV≧$500M)에 있어 [Sponsoring Business]는 [SM&A integration]에 통합계획을 제출해야 한다. 이러한 통합계획은 검토를 위해 CEO와 CAO에게 제출될 것이다. 또한 [Sponsoring Business]는 [M&A Committee]에 통합계획을 제출하는 것이 필요하다. 통합계획은 거래 서명의 2~4개월 이내에 제출돼야 하고 거래의 종결 전에 반드시 제출돼야 한다. CEO, CAO 또는 [SM&A]책임자는 그들의 재량으로, 거래규모가 작은 거래에 대해 통합계획의 검토를 위해 CEO 와 CAO에게 제출하도록 하고 [M&A Committee]에 프레젠테이션 할 것을 요구할 수 있다.

iii. 동시에 발생하는 활동 – OAR 및 종결 후 후속활동
지속적인 취득검토(OAR) : 지속적인 취득검토(OAR)는 IT시스템, 인적자원, 재무성과(취득법인의 재무에 미치는 영향성을 포함) 등을 포함한 통합의 진행사항과 상태에 초점을 맞춰 매달 반복적인 분석을 하는 행위이다. 특정거래(TV≧$500M 또는 [SM&A]책임자의 재량으로 보다 작은 규모의 거래)에 대한 취득이 종결된 다음해 동안 [SM&A integration]은 통합의 진행사항, 재무성과 등을 모니터링하고 해당 내용들을 포함하여 CEO, CFO, CAO에게 매달 보고할 것이다. CFO, CAO 또는 [SM&A] 책임자의 재량으로 이러한 모니터링과 리포팅이 추가로 1년 더 연장될 수 있다.

감사와 위험검토(ARR) : 특정거래(TV>$200M or GAV≧$2B)에 대해 취득종결 후 90일 안에 감사와 위험검토(ARR)가 등급이 정해지지 않은(unrated) 거래종결리뷰를 수행해야 한다. 종결 시(at close) 리뷰는 다음 (1)~(3)에 대한 최초의 평가를 얻기 위해 수행되는 제한적인 감사이다. (1)위험과 통제환경, (2)거래를 지원하는 실사프로세스 (3)최초의 통합계획과 실사결과물과의 관계. 감사와 위험검토(ARR)는 종결 시 리뷰의 결과물을 [Audit Committee]에 보고하고, 리뷰 시 발견된 이슈에 대해 개선될 때까지 개선계획에 대한 실행사항을 추적관리 해야 한다.

종결 시 검토의 완료 후 12~24개월 이내에, 감사와 위험검토(ARR)는 주기적인 취득의 감사수행을 시작한다.

종결 후 책무(의 수행) : 종결 후 책무(의 수행)를 모니터링하고 문서화해야 한다.

B. 매각, (주식)매도 또는 분할 프로세스

SectionⅡ.B는 매각, 분할 또는 (주식)매도의 각 단계에서 요구되어지는 승인, 통지와 기타 중요한 활동에 대한 가이드를 제공하고 있다. 각 단계별 요구되는 승인 및 통지는 다음 [첨부2] 표를 참고하면 된다. [첨부2]표에 요약된 승인 및 통지의 절차는 회사(Corporate) 수준에서 필요한 승인 및 통지절차를 포함하고 있으며, 부문(Sector)수준에서 필요한 승인 및 통지절차를 포함하고 있지는 않다. 부문(Sector)수준의 승인 및 통지절차는 [Sector M&A team]과 별도로 논의하는 것이 필요하다. 일반적으로, 매각, 분할 또는 (주식)매도는 내부적인 승인과(또는) 통지를 필요로 하는 다음의 이정표(milestones)를 포함하고 있다.

1. *시장접촉*
2. *재무자문사의 고용/Teaser 회람*
3. *매각 프로세스의 착수*
4. *실사를 위한 입찰자 선정*
5. *최종입찰 선정*
6. *법적 구속력이 있는 약속*

1. 시장접촉

시장접촉에 대한 상세 배경은 Ⅱ.A.1에 기술되어 있으며, 매각과 관련하여 통지에 대한 특정한 규칙은 아래와 같다.

(1) 시장접촉을 위해 요구되는 통지 [첨부2]

- [Business Head] Approval : 유관 [Businses Head](즉, [Business Head Committee]의 멤버인 [Senior Business Manager])는 잠재적인 M&A거래(TV ≥$1B or GAV≥$10B)에 대해 아웃바운드 접촉은 사전에, 그리고 인바운드 접촉은 접수 후 즉시 [Sponsoring Business]로부터 통지 받아야 한다. 특정거래($100M≤TV〈$B or $1B≤GAV〈$10B)의 경우에는 아웃바운드 접촉은 사전에, 그리고 인바운드 접촉은 접수 후 즉시 통지가 [Business Head Committee]의 멤버인 유관 [Senior Business Manager] 에게 이뤄지거나 또는 [Operating Committee]의 멤버인 유관 [Senior Business manager]에게 이뤄져야 한다.
- [SM&A] : [Head of SM&A] 또는 [SM&A coverage officer]는 잠재적인 M&A

거래(TV≥$1B or GAV≥$10B)에 대해 아웃바운드 접촉은 사전에, 그리고 인바운드 접촉은 접수 후 즉시 통지 받아야 한다.

2. 재무자문사의 고용 / Teaser 회람

(1) 서론

매각프로세스에서 중요한 2가지 절차 중 하나는 M&A거래를 위해 재무자문사를 고용할지 여부와 "Teaser 메모"로 알려진 사전 거래정보 회람에 대한 결정 여부이다. 잠재적인 매수자를 식별하는 것을 포함하여 마케팅 프로세스를 이 단계에서 최초로 계획하는 최선이다. [SM&A]와 [M&A Legal]은 이러한 활동들에 대해 [Sponsoring Business]에 도움을 제공할 것이다.

M&A 거래를 위한 외부 재무, 법률, 회계 자문사를 보유하는데 있어 특별한 규칙들이 적용되는데 상세한 설명은 Section Ⅱ.C,1에 기술돼 있는 [보조모듈 : 외부자문사의 공유]를 참고하면 된다.

(2) 재무자문사의 고용 / Teaser 회람을 위해 요구되는 통지와 승인 [첨부2]

- [M&A Legal] : [M&A Legal]은 외부 법률 자문사의 고용을 승인해야 하고, 외부 관계자에 제공되는 모든 매각자료의 배포에 대해 검토하고 승인해야만 한다.
- [SM&A] : 특정거래(TV≥$25M or GAV≥$250M)의 매각, 분할과 (주식)매도와 관련하여 외부관계자에 제공되는 모든 매각자료의 배포와 외부 재무 자문사의 고용에 대해서는 [SM&A]의 승인을 필요로 한다. 보다 규모가 작은 거래에 대해서는 사전통지(승인보다 완화된 절차)가 되어야 한다.

(3) 규제이슈에 대한 예상

때때로, 회사는 거래의 각 단계에서 규제기관에 통지하는 것이 필요하다. 상세한 대응은 [M&A Legal]과 논의해야 한다.

ⅰ. 동시에 발생하는 활동 - 팀조직 구성

[SM&A]는 [M&A Legal], [Sponsoring Sector M&A Function]과 함께 매각, 분할 또는 (주식)매도의 후속단계와 Teaser의 준비와 관련하여 회사 M&A기능의 적절한 인력들과 논의해야 한다.

[SM&A]는 [M&A Legal], [Sponsoring Sector M&A Function]과 함께 실사 시 또는 실사에 앞서 [transaction team]의 멤버가 잠재적인 거래의 기밀성을 인지하고, M&A

거래에서 얻게 되는 거래상대방의 정보(미공개 정보 등)를 사용해서는 안 된다는 것을 충분히 인지하여야 함을 커뮤니케이션 하였음을 보증할 것이다. 그러한 커뮤니케이션은 서면이 아닌 구두로 하여도 되지만, 그러한 구두내용을 메모나 이메일을 통해 문서화 하는 것이 바람직하다. [SM&A]그룹의 책임자 또는 피지명인과 [M&A Legal]의 책임자 또는 피지명인은 잠재적인 거래의 민감성을 고려하여 방법이 적절하다면 [Transaction team]에 참여하는 모든 직원들의 업데이트된 리스트를 유지하는데 요구되는 재량권을 가질 것이다.

3. 매각 프로세스의 착수

잠재적 입찰자와의 최초 접촉 이후에, [SM&A]와 [Sponsoring Business manager]는 입찰자의 관심의 정도가 매각프로세스(독점협상 또는 경매)를 후속적으로 진행해도 될 정도인지를 파악하고 결정해야 한다.

매각 프로세스는 일반적으로 잠재적 매수자와 기밀유지계약 체결, 제안서 작성 및 회람, 응찰, 실사 등의 절차를 포함한다. 이러한 절차들에 대해 상세내역은 아래에 기술돼 있다.

(1) 매각 프로세스 착수를 위한 통지와 승인 [첨부2]

- [Business Head]승인 : 매각 프로세스의 착수는 [Sponsoring Business]의 [Senior Business manager]와 [M&A Legal]의 승인을 필요로 한다. 특정거래(TV〈$50M and GAV〈$500M)의 경우는 [Operating Committee]의 멤버인 [Sponsoring Business]의 [Senior Business Manager] 중 한 명의 승인을 받으면 되는데, 보다 규모가 큰 거래의 경우에는 [Business Heads Committee] 멤버인 [Sponsoring Business]의 [Senior Business Manager]로부터 승인을 반드시 받아야 한다.
- [SM&A] 승인 : 특정거래(TV≧$25M or GAV≧$250M)에 대해 [SM&A]는 반드시 매각 프로세스의 착수를 승인해야 한다.
- CEO 승인 : 특정거래(TV≧$100M or GAV≧$1B)에 대해 CEO는 반드시 매각 프로세스의 착수를 승인해야 한다.

i. 동시에 발생하는 활동 – 비밀유지계약 / 독점권
만약, Teaser 검토 이후에 잠재적 매수자가 매각프로세스 참석을 위해 기밀정보에 관심을 보인다면, 잠재적 매수자는 반드시 기밀유지계약을 실행해야 한다. 처분에 있어 회사는 기밀유지계약을 준비해야 할 것이고, [M&A Legal]이 그러한 계약을 위해 반드시 사용돼야 하는 서식을 관리하고 있다. 취득과 같이 매각에서도 [M&A Legal]은 거래규모와 상관없이 모든 기밀유지계약에 대해 검토하고 승인해야 한다.

독점권 : [SM&A]와 [M&A Legal]은 모든 M&A거래시점의 거래계약(매수자 – 매도자 관점여부 상관없이, 비밀유지계약서 – 공급계약서 – 기타거래문서 여부와 상관없이)에서 독점조항을 승인해야 한다.

ii. 동시에 발생하는 활동 – 프로젝트 코드명
프로젝트코드명은 복제와 오해를 방지하고, 거래의 비밀을 유지할 수 있는 관점에서 명명되는 것이 바람직하다. 모든 프로젝트코드명은 [M&A Legal] 변호사에 의해 승인 받아야만 한다.

iii. 동시에 발생하는 활동 – 매각 준비

a) 메모랜덤 제공 / 입찰 설명서 : 만약 필요하다고 간주되면, [Sponsoring Business]는 [SM&A]와 함께 타깃법인에 대해 설명하는 포괄적인 메모랜덤 제공(Offering Memorandum)을 준비할 것이다. 잠재적인 입찰자가 기밀유지계약을 체결한 이후에 [Deal Team]의 책임자는 메모랜덤을 제공(OM)하고, 만약 준비가 됐다면 입찰설명서도 배포할 것이다. 입찰안내서는 반드시 [M&A Legal]의 승인을 받아야만 하고, 일반적으로 최초입찰의 제출을 위한 타이밍과 기타 가이드라인에 대해 안내할 것이다. 또한, [SM&A](특정거래(TV≧$25M and/or GAV≧$250M)의 경우에만)와 [M&A Legal]은 OM의 최종본과 입찰권유에 사용될 모든 자료에 대해 승인을 해야 한다.

b) 계약 초안 : 만약 계약서 초안이 잠재적인 매수자에게 배포가 되는데, 그 초안이 수정돼 중간 또는 최종입찰에 제출될 것으로 예상된다면, [SM&A](특정거래(TV≧$25M and/or GAV≧$250M)의 경우에만), [M&A Legal]와 [Sponsoring Business]가 그러한 매각계약서 초안을 준비해야 할 것이다..

c) 데이터룸 설치 : 잠재적인 매수자는 최대한 많은 자료를 검토하여 사전점검하기를 원할 것이다. 이러한 검토를 위한 데이터룸은 매각될 자산 혹은 사업으로부터 분리된 공간에 보통 설치된다. [SM&A](특정거래(TV≧$25M and/or GAV≧

$250M)의 경우에만) , [M&A Legal]와 [Sponsoring Business]가 그러한 데이터룸에 비치될 자료들을 결정하고 또한 데이터룸의 전체적인 설치와 관리에 대해 책임을 질 것이다.

iv. 동시에 발생하는 활동 – 재무모델링

[SM&A Financial Structuring team]은 [Sponsoring Business]와 특정거래(TV≧$50M or GAV≧$500M)를 위한 재무모델링을 협업할 것이다. 주요한 활동은 다음과 같다.

- M&A 거래를 위한 재무모델의 관리 또는 관리를 할 [Sponsoring Business M&A leader]의 지정
- 정밀한 재무예측치모형(잠재적 매각이익, 분할사업에 배분될 영업권 등을 포함한)을 개발하기 위한 [Sponsoring Business]와의 협업
- 목표판매가와 자산의 공정가치 평가

국내가 아닌 해외에서 발생하는 거래(Cross – Border Deal)의 경우 통화와 자본헷지에 대한 이슈를 검토해야 하며, 이러한 이슈에 대해 [M&A Treasury]가 [Deal Team]에 도움을 제공할 것이다.

재무모델링은 [SM&A Financial Structuring team]이 관리하는 매각모형표준을 준수해야만 한다. [SM&A Financial Structuring team]의 연락처는 [첨부3]을 참고하면 된다.

4. 실사를 위한 입찰자 선정

[SM&A]와 [M&A Legal]은 실사를 위한 입찰자 선정을 위해 [Sponsoring Business]와 협업할 것이다. [SM&A]와 [M&A Legal]은 데이터룸에 접근할 수 있는 잠재적 입찰자에 대한 승인에 앞서 반드시 입찰자의 신원에 대해 통지 받아야 한다.

(1) 실사 입찰자 선정을 위한 통지와 승인[첨부2]

- 필수통지 (TV〈$100M and GAV〈$1B인 거래) : 특정거래 ($25M≦TV〈$100M or $250M≦GAV〈$1B)의 경우 실사를 위한 입찰자의 선정에 앞서 반드시 [SM&A]와 [M&A Legal]에 통지가 돼야 한다. 이러한 통지는 잠재적 입찰자의 데이터룸 접근 허용이 되기 전에 이뤄져야 한다.
- 필수승인 (TV≧$100M or GAV≧$1B인 거래) : 특정거래(TV≧$100M or GAV

≥$1B인 거래)의 경우 실사를 위한 입찰자의 선정에 앞서 반드시 [SM&A]의 승인이 필요하다. 이러한 승인은 잠재적 입찰자의 데이터룸 접근 허용이 되기 전에 득하여야 하고 [M&A Legal]은 잠재적 입찰자의 선정에 대해 사전서명통지를 받아야 한다.

상기 승인이 필요한 규모가 큰 거래의 경우 [SM&A]는 실사 관련 조직의 개입(Involvement) 조정을 포함한 실사프로세스 전반을 관리할 것이다. 이러한 조정에 있어 "통합해제" 프로세스를 관리한 매니저 선임을 포함시켜 추후 회사의 분할과정을 감독하도록 하는 것이 바람직하다.

5. 최종입찰 선정

(1) 서론

법적으로 구속력이 있는 약속에는 추가적인 승인이나 통지의 절차가 있음을 유념해야 한다. 이러한 추가적인 승인과 통지(보다 큰 거래에 대한 이사회의 승인이나 통지와 같은)의 절차는 최종입찰 이후에 제반 충족해야 할 조건 및 승인/통지의 절차가 명확하다면 최종입찰 단계에서 요구되지는 않는다.

(2) 최종입찰 선정을 위한 통지와 승인 [첨부2]

다음의 승인들은 최종입찰(법적구속력이 없는)의 수용에 앞서 반드시 획득하여야 하며, 다음의 통지들은 반드시 그러한 최종입찰 수용에 앞서 즉시 발송되어야 한다.

- [Business Head]승인 : [Sponsoring Business]의 [Senior Business Manager]는 특정거래(TV≥$25M or GAV≥$250M)규모의 모든 매각, 분할 또는 (주식)매도와 관련한 최종입찰자 선정에 관해 승인해야만 한다. 그러한 승인은 특정거래(TV〈$50M and GAV〈$500M)에 대해서는 [Operating Committee]의 멤버인 [Sponsoring Business]의 [Senior Business Manager]중 한 명에게 받을 수 있지만, 더 큰 규모의 거래에 대해서는 [Business Heads Committee]의 멤버인 [Senior Business Manager]에게 반드시 승인 받아야 한다. 후자의 경우에 그러한 승인은 최종입찰을 위한 [M&A Committee]의 승인을 위해 제출하기 전에 득하여야 한다.
- [M&A Legal]승인 : [M&A Legal]은 특정거래(TV≥$25M or GAV≥$250M)에 대해 모든 최종입찰 선정을 위한 승인을 해야 한다. (그러한 승인은 [M&A

Committee]의 승인을 통해 문서화 될 수 있다.) [M&A Legal]은 특정거래(TV〈$25M or GAV〈$250M)에 대한 최종입찰자 선정을 통지 받아야 한다.

- [SM&A]승인 : [SM&A]은 특정거래(TV≧$25M or GAV≧$250M)에 대해 모든 최종입찰 선정을 위한 승인을 해야 한다. (그러한 승인은 [M&A Committee]의 승인을 통해 문서화 될 수 있다.)
- [M&A Committee]승인 : [M&A Committee]는 특정거래(TV≧$50M or GAV≧$500M)의 모든 최종입찰 문서를 승인해야만 한다. [M&A Committee]에 승인을 위해 제출되는 모든 거래는 최소한 예정된 최종입찰 수용의 24시간 전에 제출돼야 한다. [M&A Committee]의 재량으로 M&A거래의 승인과 관련하여, [M&A Committee]는 M&A거래가 발생하는 국가(들)에 관련한 브리핑을 [Risk Management]로부터 받을 수 있다.

i. 동시에 발생하는 활동-M&A위원회 프로세스

특정거래(TV<$100M and GAV<$1B)규모를 가지는 매각, 분할, (주식)매도의 경우 [M&A Committee]의 승인은 일반적으로 회의록의 배포(Distribution of Memo)를 통해 득하였다고 간주된다. 하지만, [M&A Committee]의 의장 혹은 부의장은 [M&A Committee] 대면회의에서 승인을 요청할 재량권을 가지고 있다. 회의록을 통해 배포되는 경우, 법적구속력을 가지는 약속이 체결되기 전에 거래승인서명 양식이 작성 완료돼야 한다.

특정거래($100M<TV<$1B and $1B<GAV<$10B)규모를 가지는 매각, 분할, (주식)매도의 경우 [M&A Committee]의 승인은 일반적으로 [M&A Committee] 미팅에서 이뤄진다. 하지만, [M&A Committee]의 의장 혹은 부의장은 회의록의 배포(Distribution of Memo)를 통해 승인을 득할 재량권을 가진다.

[M&A Committee]에 대한 M&A거래 프레젠테이션과 관련한 절차는 별도로 기술돼 있다.

- CEO승인 : 특정거래(TV≧$100M and GAV≧$1B)규모를 가지는 매각, 분할, (주식)매도의 경우 최종입찰의 선정에 앞서 CEO승인이 필요하다. 상기 거래에 해당되지 않는 경우에는 필수로 요구되는 CEO와 커뮤니케이션 절차는 없다. CEO승인은 CEO로부터 [SM&A]책임자로의 이메일 또는 거래승인서명서식을 통

해 문서화 될 수 있다.

- 이사회 승인 : 최종입찰이 계약상 구속력을 가지지 않는 이상(즉, 최종입찰 이후 후속단계에 승인절차가 추가적으로 남아있는 경우), 일반적으로 최종입찰에 대한 이사회의 승인을 필요로 하지 않는다. 이사회의 승인과 통지를 필요로 하는 계약상 구속력을 가지는 거래 등에 대한 기술은 Section Ⅱ.B.6.a.5-6을 참고하면 된다.

(3) 특별승인 이슈

- 보증 : 회사의 [Treasury]는 반드시 회사의 보증을 승인해야 하며, [M&A Legal]은 반드시 보증의 서식을 승인해야 한다. 그룹의 계열사는 보증과 관련하여 자체적인 필수 승인절차를 가지고 있다. 그러한 보증이 필요한 경우에는 [Sector M&A contact]와 논의가 필요하다. 추가적으로, [Risk Management]는 그러한 보증이 승인되었음을 통지 받아야 한다.

ii. 동시에 발생하는 활동-계약의 문서화와 협상

a) 일반 : [The Sponsoring Business], [SM&A] 와 [M&A Legal]은 모두 계약조건 협상과 거래계약의 준비에 각자 정도에 맞게(varying degrees) 참여해야 한다. 각자 책임의 정도는 거래의 주어진 상황에 따라 달라질 수 있다.

b) 전환지원 계약(TSA) : [Sponsoring Business]는 계약기간 동안 전환지원과 관련한 의무 수행에 책임이 있기 때문에 전환지원계약과 관련한 협상과 개발의 지원에 필수적인 역할을 수행한다.

c) 역실사 : [SM&A]와 [M&A Legal]은 만약 입찰자에 대한 역실사를 수행하는 것이 적절하다면, [Sponsoring Business]의 역실사 수행을 지원해야 한다.

6. 법적 구속력이 있는 약속

(1) 법적 구속력이 있는 약속을 위한 통지와 승인 [첨부2]

다음의 승인과 통지는 법적 구속력이 있는 최종입찰의 수용과 관련하여 요구된다. 모든 승인은 어떠한 계약의 실행에 앞서 반드시 득해져야 하고, 모든 통지는 반드시 계약의 실행에 앞서 이뤄져야 한다.

- [Business Head] 승인 : 거래 최종입찰수용에 있어 특정거래(TV〈$25M and GAV〈$250M)는 [Sponsoring Business]의 [Senior Business Manager] 승인을

필요로 하지 않지만, 법적 구속력이 있는 약속의 실행에 앞서서는 반드시 승인을 득해야 한다. 그러한 승인은 [Operating Committee] 소속인 [Sponsoring Business]의 [Senior Business Manager]인 누구에게나 승인 받을 수 있다.

- [M&A Legal]승인 : [M&A Legal]은 반드시 모든 법적구속력이 있는 약속에 대해 검토하고 승인해야 한다.
- [SM&A] 승인 : [SM&A]는 특정거래(TV≧$25M or GAV≧$250M)와 관련해 법적구속력이 있는 모든 약속에 대해 반드시 검토하고 승인해야 한다.
- CFO 통지 : [M&A Committee]의 승인을 필요로 하지않는 거래(즉, TV〈$50 and GAV〈$500M)에 대해, CFO는 법적구속력이 있는 약속의 실행 전에 반드시 통지 받아야 한다. 그러한 통지는 반드시 거래구조, 가격, 사업의 성격과 소유권 그리고 기타 중요한 조건들(비경합조건, 고용의 금지, 법인을 구속하는 제한조항을 포함한)에 대해 강조하는 거래요약서식(form of a deal summary)의 형태로 이뤄져야 한다.
- 이사회 통지와 승인 : 특정거래($100M≦TV〈1B or $1B≦GAV〈$10B)는 법적 구속력을 가지는 약속을 체결하기 전에 이사회에 사전 통지가 필요하며 승인을 필요로 하지 않는다.
  - [M&A Committee]와 CEO의 승인은 이사회 통지 전에 반드시 이뤄져야 한다.
  - 이사회로의 통지는 [Corporate Secretary]또는 피지명인에 의해 별도로 승인받지(authorized) 않았다면, 반드시 대외공표(public announcement)되기 전에 이뤄져야 한다.
  - [Sponsoring Business]의 [Business Head] 와/또는 [M&A Committee]의 의장(또는 피지명인)은 반드시 [M&A Committee]프레젠테이션을 바탕으로 의사회에 회의록(memorandum)을 준비해야 한다.
  - [SM&A]는 이러한 자료(memorandum)들을 준비하는 데 도움을 줄 것이다. 특정거래(TV≧1B or GAV≧$10B)는 법적 구속력을 가지는 약속을 체결하기 전에 이사회의 승인을 필요로 한다.
  - 이사회의 승인을 받기에 앞서 모든 거래는 반드시 [M&A Committee]와 CEO의 승인을 받아야 한다. 그러한 [M&A Committee]와 CEO의 승인은 법적구속력이 있는 약속의 체결 전에, 문서(이메일 포함)와 함께 구두로 이뤄질 수 있다.
  - 이사회의 기승인이 이뤄진 거래에 대해 수정이나 항목이 추가된 경우에는, 중

요성의 정도에 따라 추가적인 이사회의 승인을 필요로 할 수도 있다.

[SM&A]는 이사회에 보고하는 프레젠테이션 일정 수립에 주요한 책임을 가지고 있다.

- 이사회에 보고되는 프레젠테이션 자료에 대한 책임은 [SM&A]와 [Sponsoring Business Head]에게 있다. 이사회 프레젠테이션 자료에 들어가는 재무정보와 기타 주요내용은 [M&A Committee] 의장의 승인을 반드시 받아야 하며 [SM&A]는 이사회 프레젠테이션에 활용될 출력물의 사전 복사본을 준비하여 적절한 [Corporate functions] (리스크, 컴플라이언스)들이 검토하여 검토내역이 이사회 프레젠테이션 자료에 적절히 반영되도록 할 책임이 있다.
- [SM&A]는 이사회결의를 포함한 최종 프레젠테이션 자료들이 적어도 이사회 미팅 5영업일 이전에(특별한 사정이 없다면) 사용 가능하도록 배포할 책임이 있다. 이사회 자료의 배포는 [Corporate Secretary]또는 피지명인에 의해 통제된다. [첨부3]
- 이사회 프레젠테이션은 CFO, [SM&A]와 협의하여 [Sponsoring Business]의 [Business Head]에 의해 대면으로 진행된다.

• 규제 : 법적 구속력이 있는 약속의 체결과 관련하여 잠재적으로 요구되는 규제기관의 동의/통지와 관련하여 [M&A Legal]과 논의가 필요하다.

i. 동시에 발생하는 활동–"통합해제"와 종결 후 후속활동

통합해제 : [SM&A Integration]은 회사의 핵심자산으로 고도의 통합을 목적으로 설계한 통합실무와 절차에 대해 개발하였다. 상당수의 이런 통합실무와 절차가 "통합해제"에도 적용될 수 있다. 통합실무에 대한 절차정보는 [SM&A Integration Group]에 문의하여 얻을 수 있다.

종결 후 후속활동 : 종결 후 후속활동을 문서화하고 모니터하기 위해 요구되는 상세내역은 별도로 준비한다.

C. M&A 보조 프로세스

1. 외부 자문사의 공유

M&A거래와 관련하여 재무, 법률, 회계분야 외부 자문사를 공유하기 위해서는 특별한 규칙이 적용된다.

(1) 특정거래(TV〈$25M and GAV〈$250M)의 경우 [SM&A]는 외부자문사(법률제외) 공유에 대한 사전통지를 반드시 받아야 하고, [M&A Legal]은 자문계약을 위한 서식과 법률자문사의 보유 및 대금지급을 위한 승인을 반드시 해야 한다.

(2) 기타거래(TV≧$25M or GAV≧$250M)

- 외부 법률 자문사 : 외부 변호인의 고용은 [M&A Legal]의 사전 승인 없이는 허용되지 않는다. 외부자문사의 공유를 위한 현재의 요건은 [첨부5]에 기술돼 있다. M&A거래를 위한 변호사 보유의 별도의 규정이 없는 경우 [Sponsoring Business]가 외부 법률 자문사의 보유에 대한 대금지급을 위한 비용코드를 제공하는 것을 권고하고 있다. [M&A Legal]은 외부 법률 자문사에 의해 수행된 용역에 대한 인보이스와 대금청구서 등을 반드시 승인해야 하고, [M&A Legal]의 승인 이후에 대금청구서 등은 회사내부 [Sponsoring Business]의 변호사에게 전달되어 [M&A Legal]의 대금지급에 대한 효력이 발생하기 전에 내부재무통제 프로세스에 따라 검토되어야 한다. 복수의 [Sponsoring Business]가 있는 경우 [M&A Legal]은 재무통제목적을 위해 대금청구서를 [GCO]에게 전달할 것이다.
- 투자은행(IB) : 투자은행(IB)은 [SM&A]책임자의 사전승인 없이 고용돼서는 안 된다.
  - 자문서비스는 "도관(conduit)"절차를 통해서만 할 수 있다. 도관의 목적은 회사의 결정이 이루어질 때 까지 미공개정보에 대해 제한된 그룹에만 정보 공유를 제한하면서 상호 합의된 결정을 할 수 있도록 하는 것이다. 지정된 도관(conduit)은 [SM&A]의 책임자이고 [SM&A]책임자는 모든 계약을 승인해야 한다. 수수료 수준은 그룹 내에서 사전에 협의된 것으로 거래 별로 추가적인 개별협상은 없을 것이다.
  - 대체 가능한 투자은행(IB)은 특별한 역량을 가지고 있는 경우 고용 가능하다. 이러한 경우 고용편지(engagement letter)가 반드시 실행돼야 한다. [SM&A]는 반드시 사전에 투자은행 고용계약을 승인하여야 하고, [M&A Legal]은 반드

시 실행 전 모든 고용편지(engagement letter)를 승인해야 한다.

- 투자은행(IB)이 아닌 [Group Business]는 사전 재무정보의 모델링과 준비에 책임이 있다.

• 회계법인

- M&A거래를 위한 KPMG의 보유는 반드시 [M&A Accounting]의 승인을 받아야 하고, [Sponsoring Business Manager] 또는 [SM&A]책임자의 승인도 필요하다. 만약 적절하다면 [M&A Accounting]은 KPMG의 사용을 위한 추가적인 승인과 함께 [Deal team]을 지원할 것이다. 동일한 절차가 그룹의 현지 감사인(Local Auditor)의 사용에도 적용된다. KPMG가 수행할 수 있는 용역의 범위에는 취득과 관련한 특정 실사활동이 포함되고 허용 가능한 실사용역에는 회계이슈자문, 회계검토, 통제검토, 세금자문, 그리고 합의된 절차들을 포함한다. 한편, KPMG는 다음의 용역을 제공하여서는 안된다 : 투자은행(IB) 용역, 타깃법인 선정과 평가, 사업분석, 거래 구조화, 계리평가, 가치평가, 그리고 기타 외감법 독립성에 위배되는 회계작성 용역, 전문화된 법률자문(준법/자금세탁방지) 등.

  KPMG를 포함한 회계법인의 고용은 회사의 외부감사인정책을 반드시 준수해야 한다.

- KPMG를 제외한 다른 회계법인, 가치평가법인 그리고 기타 회계와 연관된 자문사 보유를 위해 적절한 절차에 대한 안내를 위해 [M&A Accounting]과 논의하면 된다. 회계자문사 등과 관련된 대금지급은 3자 대금지급에 대한 회사의 정책과 요구사항들을 준수하며, [Sponsoring Business Manager] 또는 [SM&A]책임자가 승인할 것이다.

- KPMG는 다른 회계법인과 차별화 된 특별한 지식과 전문성을 보유하고 있지 않다면 세금업무에 고용돼서는 안 된다. 그러한 고용이 필요한 경우 반드시 [M&A Accounting]과 [M&A Tax]의 허가가 필요하다.

• 기타 외부 컨설턴트 : 기타 외부 컨설턴트는 [Sponsoring Business Manager] 또는 [SM&A group head]의 승인에 의해서만 고용될 수 있다. 외부 컨설턴트에게 지급되는 수수료는 제3자의 고용과 대금지급에 대한 정책과 필수요구사항에 따라 지급될 것이고 반드시 [Sponsoring Business Manager] 또는 [SM&A group head]의 승인을 받아야 한다.

2. 커뮤니케이션

(1) 루머/언론사 문의

회사의 정책은 오프더레코드를 포함하여 M&A거래를 고려하고 있음을 대외적으로 공표하지 않는 것이다. 이러한 정책의 예외사항은 반드시 [Deal Team]의 책임자에 의해 [Corporate Public Affairs], [M&A Legal]와 함께 조정돼야 한다.

회사는 취득 또는 기타 거래에 대해 그것이 사실이든 아니든 루머에 대해 부인할 수 없다. 심지어 현시점에 논의되고 있지 않은 잘못된 루머라 할지라도 현시점에 부인한다면 추후 루머의 대상이 된 회사와 M&A거래에 대해 논의하게 된 경우 회사는 공시규정에 의해 이러한 변화사항을 공시할 의무가 생길 것이다.

[Corporate Public Affairs]는 M&A거래와 관련된 언론의 질의사항에 대해 그 즉시 통보 받아야 하고 회사의 대응은 전세계적으로 일관성 있도록 조정되어야 한다. [M&A Deal]책임자는 [Corporate Public Affairs]와 사전에 M&A거래 관련한 언론발표와 커뮤니케이션 계획에 대해 논의하는 것이 바람직하다. (상세내역은 아래기술 참고) [M&A Legal]은 반드시 이러한 논의에 참여돼야 한다.

(2) 거래개시 공개(Rollout of Transaction)

[Deal Team] 책임자 또는 피지명인은 종합적인 커뮤니케이션 계획의 실행과 개발을 이끌 것이다. 커뮤니케이션의 대상은 종업원(회사와 타깃법인), 신용평가사, 주주. 에널리스트 집단, 다양한 규제기구, 그리고 언론 등을 포함할 것이다.

다수의 [Corporate functions]은 일반적으로 외부를 대상으로 한 정보 의사소통에 개입될 것이다.
이것은 다음을 포함합니다.

외부 청중	회사 기능부서
규제기관, 그리고 만약 적절하다면, 국가공무원과 커뮤니티그룹	일반 법률고문(변호인), 은행 규제관리, 정부대상관계관리 ([SM&A], [M&A Legal]과 조정)
애널리스트 집단	재무, IR
언론/미디어	[Corporate Public Affairs] (CPA)

외부 청중	회사 기능부서
신용평가사	자금
주요 글로벌 협력사	[SM&A]와 [M&A Legal] (조달과 기타 유관 내부 그룹과 협의)

[Deal Team] 책임자는 [Sponsoring Business]과 함께, 상기 기술된 [Corpoate Functions]과 협의하여 모든 조정된(조직화된) 커뮤니케이션 계획에 책임을 질 것이다. 이사회의 승인을 받거나 통제가 된 거래에 대해, [Corporate Public Affairs]는 언론 공표에 대해 서명을 하고, IR은 애널리스트 집단에 공개될 내용에 대해 서명을 해야만 한다.

게다가, [General Counsel], [Finance and Capital Markets]은 회사와 상장계열사(타상장사 지분 5%이상을 보유하고 있는 계열사 포함) 등에 잠재적으로 영향을 미칠 수 있는 모든 M&A거래에 대해 자본시장 공시목적으로 서명을 해야만 한다.

3. 통합과 OAR

모든 거래에 대해 [Sponsoring Business]는 통합과정을 주도하고 최종적으로 통합결과에 대한 책임이 있다.

[SM&A Integration Group]은 통합과 관련해 [Sponsoring Business]에 통합관리 가이드, Tool 등을 제공하는 자문기관 역할을 한다. CEO, CAO, [SM&A]책임자, [M&A Committee]의 재량에 따라 [SM&A Integration Group]의 참여는 통합활동의 지원에서부터 공동책임자까지 범위 조정될 수 있다.
[SM&A]책임자의 재량으로 [Integration Group]은 M&A 통합의 필수조건이 충족되고 M&A거래의 승인과정에서 검토된 통합계획 등이 실제 실행되고 있음을 보증할 것이다.

특정거래(TV≥$500M)에 대해 [Sponsoring Business]는 [SM&A Integration Group], CEO, CAO에 통합계획을 제출하는 것이 필요하고, 그러한 통합계획은 [M&A Committe]에 계약 서명체결 후 2-4개월 안에(단, 계약 종결 전) 프레젠테이션 돼야 한다. 거래의 규모가 더 작은 경우(TV〈$500M)에도 CEO, CAO, [SM&A]책임자의 재량으로 상기 절차가 이뤄질 수 있다. 특정거래(TV≥$500M 또는 [SM&A]책임자의 재량으로 보다 작은 규모의 거래)에 대한 취득이 종결된 다음해 동안 [SM&A integration]은 통합의 진행사항,

재무성과 등을 모니터링하고 해당 내용들을 포함하여 CEO, CFO, CAO에게 매달 보고가 되어야 할 것이다("OAR"). CFO, CAO 또는 [SM&A]책임자의 재량으로 이러한 모니터링과 리포팅이 추가로 1년 더 연장될 수 있다. "동시에 발생하는 활동-통합", "동시에 발생하는 활동-종결 후 후속활동", "동시에 발생하는 활동-통합해제", "동시에 발생하는 활동-종결 후 후속활동"을 참고하면 추가적인 정보를 얻을 수 있다.

회사의 통합실무에 대한 상세정보를 위해, [SM&A Integration Group]와 논의가 필요하다. [첨부3]

통합에 책임 있는 [SM&A]멤버는 매각 관련 "통합해제"활동에서도 유사한 기능을 수행할 것이다. 통합 관련한 상세내역과 가이드 관리에 책임 있는 [SM&A]멤버의 연락처는 [첨부3]을 참고하면 된다.

4. 구조화금융정책

회사의 구조화금융정책은 거래상대방의 부외부채와 관련된 중요한 금융거래에 적용된다. 그러므로 신용공여 혹은 3자신용공여 지원을 포함하는 M&A거래 또는 기타 내재금융요소(예를 들면, 선불선물 또는 과내가격옵션) 를 포함하는 M&A거래의 경우 반드시 구조화 금융정책을 관리하고 해석하는 [Coporate Structured Finance Group]의 검토를 받아야 한다.

[Corporate Structured Finance Group]은 [Corporate Head of Accounting Policy], [M&A Legal]책임자, 그리고 [Senior Risk Officer](또는 피지명인)로 구성되어 있다. 구조화금융정책이 적용되거나 혹은 적용되는지 불명확한 거래에 대해 [Corporate Structured Finance Group]은 소견을 [M&A Committee]에 보고해야 하며 그 이상 추가적인 행위는 요구되지 않는다.

5. 정보보안과 개인거래정책

M&A는 일상적으로 기밀정보의 공유가 이뤄진다. 모든 M&A전문가들은 반드시 회사의 행동강령에 규정된 기밀정보에 대한 정책을 준수해야 한다. M&A보안위반을 피하기 위한 체크리스트는 회사의 M&A정보보안 실무와 절차에 마련돼 있다.

추가적으로 [Deal Team]의 멤버는 회사의 M&A커뮤니티([SM&A], [M&A Legal] 그리고 [M&A functions]) 안팎으로 이뤄지는 정보공유에 대해 필수적으로 알아야 하는 기본을 숙지하고 운영해야 한다. 다음의 항목은 반드시 회피돼야 할 정보공유의 사례이다.

- M&A프로세스 외부인과 이뤄지는 전사 혹은 사업단위의 정보 공유
- 전체 청중(audience)에 공유하는게 적절하지 않은 광범위한 범위의 논의

[Corporate M&A Community]에 속하지 않은 [Deal team]의 멤버가 현재 논의되고 있는 M&A거래에 대한 미공개정보에 접근한 경우 [Deam team]의 멤버는 회사의 개인거래정책에 적용이 될 수 있다. 개인거래정책에 저촉되는지 여부에 대한 확인을 위해 [Global Corporate Compliance]와 논의하는 것이 필요하다. [첨부3]

6. 복수사업거래

M&A거래가 [Sponsoring Business] 이외의 사업유닛(business units)을 포함하거나 영향을 미치는 경우 특별한 고려사항이 발생하게 된다. 일반적인 예시는 다음과 같다.

- 취득한 영업이나 자산의 부분이 [Sponsoring Business]이외의 사업에 배치되는 취득
- [Sponsoring Business] 이외의 사업에서 사용되던 자산의 상당한 감소를 불러오는 매각, 또는 잔존(잔여)사업에 중요한 영향(매각사업과 잔존사업에 존재했던 기존 배치의 변화와 같은)을 미치는 매각
- [Sponsoring Business] 이외의 사업에 영향을 미칠 수 있는 비경합 또는 독점거래 의무

상기의 거래들과 기타 복수의 사업들을 포함하거나 영향을 미치는 거래의 경우, [SM&A]와 [Sponsoring Business]는 그러한 상호 영향을 받는 사업의 대표자를 파악하고 참여시킬 책임이 있다. [M&A Committee]의 승인을 요하는 거래에 대해 [Sponsoring Business]는 [M&A Committee]에 상호 영향을 받는 모든 사업유닛(business units)를 참여시켰음을 확실히 하는 것이 필요하다.

7. M&A에 참여하는 회사기능부서

[SM&A]와 [M&A Legal]외에 M&A거래에 참여하는 다수의 회사기능부서(corporate functions)들이 있다. 이러한 기능부서들은 M&A 거래에서 특정한 역할들을 수행할 것이며 각각의 기능부서들의 역할정보를 확인하기 위해서는 [SM&A coverage officer]에게 연락하면 된다. 각 기능부서들의 연락처는 [첨부3]에서 확인 가능하다.

회사의 기능부서들은 다음을 포함한다.

- M&A 세금
- 자금
- 회사 회계정책
- 감사와 리스크검토
- 은행규제관리
- 준법
- 리스크관리
- 인사(HR)
- 운영과 기술(O&T)
- 법인부동산서비스(CRS)
- 지적재산권(IP)
- 법인 커뮤니케이션/홍보(공보)
- 법인거버넌스(이사회 등)
- 전략 & M&A 정보보안
- 정부대응
- 통합/통합해제
- IR
- 법인 리포팅
- 위험자본배분
- 재무와 자본시장 법률고문(변호인)

III. M&A 참고자료

첨부1. 취득을 위한 승인 및 통지절차

첨부2. 매각을 위한 승인 및 통지절차

첨부3. 회사 M&A POC 연락처

첨부4. M&A 프로세스 면제

첨부5. 외부전문가 고용을 위한 가이드라인

첨부6. 실사접근법과 표본요약

첨부7. M&A위원회 프레젠테이션

첨부8. 매각을 위한 M&A위원회 메모랜덤 샘플

첨부9. BOD 프레젠테이션 샘플

첨부10. 주요용어사전

[첨부1] 취득을 위한 승인 및 통지절차

Corporate M&A Approval Process for Acquisition, Strategic Investments and Joint Ventures

Transaction Value(*1)	〈$25MM			
	AND			
Gross Asset Value(*1)	〈$250MM			
	OCM	Legal	SM&A	CFO
Market Contact				
CA Execution(*3)		A		
Preliminary Bid		N	N	
Final Bid (must be non-binding)	A	A	N	
Legally Binding Commitment	A	A	N	N

Transaction Value(*1)	$25MM to〈 $50MM			
Gross Asset Value(*1)	$250MM to〈 $500MM			
	OCM	Legal	SM&A	CFO
Market Contact				
CA Execution(*3)		A	N	
Preliminary Bid	A	A	A	
Final Bid (must be non-binding)	A	A	A	
Legally Binding Commitment		A	A	N

Transaction Value(*1)	$50MM to〈 $100MM			
Gross Asset Value(*1)	$50MM to〈 $1B			
	BH	Legal	SM&A	MAC
Market Contact				
CA Execution(*3)		A	N	
Preliminary Bid	A	A	A	
Final Bid (must be non-binding)	A			A(*4)
Legally Binding Commitment		A	A	

Transaction Value(*1)	$100MM to〈 $1B					
Gross Asset Value(*1)	$1B to〈 $10B					
	BH	Legal	SM&A	MAC	CEO	BOD
Market Contact						
CA Execution(*3)		A	N			
Preliminary Bid	A	A	A		N	
Final Bid (must be non-binding)	A			A	A	
Legally Binding Commitment		A	A			A/N(*5)

Transaction Value(*1)	$1B +					
	OR					
Gross Asset Value(*1)	$10B +					
	BH	Legal	SM&A	MAC	CEO	BOD
Market Contact	N(*2)		N(*2)			
CA Execution(*3)		A	N			
Preliminary Bid	A	A	A		N	
Final Bid (must be non-binding)	A			A	A	
Legally Binding Commitment		A	A			A(*6)

Definitions

A = Approval
= Notification

OCM = Senior Business Manager of the Sponsoring Business and Operating Committedd member
BH = Sr. Business Manager of Sponsoring Business and Business Heads Committee member

MAC = M&A Committee
CEO = Group Cheief Executive Officer
BOD = Group Borard of Directors

Legal = M&A Legal Group
SM&A = Strategy & M&A Group
CFO = Group Chief Financial Officer

Note

(1) 만약, 특정 거래 및 총자산가치가 특정 카테고리에 포함되지 않고 중첩되는 경우 보다 엄격한 기준이 적용된다.

(2) Inbound와 Outbound 커뮤니케이션에 통지의 절차가 필요하다.

(3) 교착 또는 독점조항을 포함하는 기밀계약(CA)의 경우 M&A Legal과 SM&A Head의 승인이 필요하다.

(4) 거래금액 $100미만(총자산금액 $1B이상)인 경우 대면회의에 의한 M&A위원회의 승인이 있어야 하지만 M&A위원회의 의장 혹은 부의장은 메모회람으로 대체할 수 있다.

(5) 그룹 이사회 통지가 필수이다.

(6) 그룹 이사회 승인이 필수이다.

※ 후속 단계의 승인은 반드시 선행단계의 승인을 득한 이후에 효력이 있다.

※ 취득과 관련하여 지분의 발행 혹은 보증이 발생하는 경우 특별한 승인의 절차가 필요하다. 해당거래는 $1B 거래금액에 준한 절차로 간주되어 이사회의 승인을 필요로 한다. (Ⅱ.A.4.C).

[첨부2] 매각을 위한 승인 및 통지절차

Corporate M&A Approval Process for Divestitures, Spin Offs and Sell Downs

Transaction Value(*1)	〈$25MM				$25MM to〈 $50MM				$50MM to〈 $100MM			
	AND											
Gross Asset Value(*1)	〈$250MM				$250MM to〈 $500MM				$50MM to〈 $1B			
	OCM	Legal	SM&A	CFO	OCM	Legal	SM&A	CFO	BH	Legal	SM&A	MAC
Market Contact												
Engagement of External Advisor/Ciculate Teaser(*3)		A	N			A	A			A	A	
Commence Sale Process(*4)	A	A			A	A	A		A	A	A	
Selection of Bidders for Due Diligence						N	N			N	N	
Selection of Final Bid (must be non-binding)		N			A	A	A		A			A(*5)
Legally Binding Commitment	A	A		N		A	A	N		A	A	

Transaction Value(*1)	$100MM to〈 $1B						$1B +					
							OR					
Gross Asset Value(*1)	$1B to〈 $10B						$10B +					
	BH	Legal	SM&A	MAC	CEO	BOD	BH	Legal	SM&A	MAC	CEO	BOD
Market Contact	N(*2)						N(*2)		N(*2)			
Engagement of External Advisor/Ciculate Teaser(*3)		A	A					A	A			
Commence Sale Process(*4)	A	A	A		A		A	A	A		A	
Selection of Bidders for Due Diligence		N	A					N	A			
Selection of Final Bid (must be non-binding)	A			A(*5)	A		A			A	A	
Legally Binding Commitment		A	A			A/N(*6)		A	A			A(*7)

Definitions

A = Approval

= Notification

OCM = Senior Business Manager of the Sponsoring Business and Operating Committedd member

BH = Sr. Business Manager of Sponsoring Business and Business Heads Committee member

MAC = M&A Committee

CEO = Group Cheief Executive Officer

BOD = Group Borard of Directors

Legal = M&A Legal Group

SM&A = Strategy & M&A Group

CFO = Group Chief Financial Officer

Note

(1) 만약, 특정 거래 및 총자산가치가 특정 카테고리에 포함되지 않고 중첩되는 경우 보다 엄격한 기준이 적용된다.

(2) Inbound와 Outbound 커뮤니케이션에 통지의 절차가 필요하다.

(3) 외부자문사의 고용은 선택사항이며, SM&A와 컴플라이언스는 필수적으로engagement letter를 받아야 한다.

(4) 기밀계약(CA)의 체결, 입찰의 간청(Soliciting), 데이터룸 컴파일링, 실사관리 등을 포함한다.

(5) 거래금액 $100미만(총자산금액 $1B이상)인 경우 대면회의에 의한 M&A위원회의 승인이 있어야 하지만 M&A위원회의 의장 혹은 부의장은 메모회람으로 대체할 수 있다.

(6) 그룹 이사회 통지가 필수이다.

(7) 그룹 이사회 승인이 필수이다.

※ 후속 단계의 승인은 반드시 선행단계의 승인을 득한 이후에 효력이 있다.

※ 매각과 관련하여 그룹의 보증이 발생하는 경우 특별한 승인의 절차가 필요하다. (Ⅱ.B.5.C)

[첨부3] 회사 M&A POC 연락처

M&A조직 구분	담당자	주소	이메일	전화번호 (팩스)
M&A Review Committee				
STRATEGY AND M&A GROUP				
M&A LEGAL GROUP				
SENIOR M&A PROFESSIONALS Sector M&A Contact Corporate Functions Regional Contancts				
SM&A COVERAGE AND OTHER FUNCTIONS				
BUSINESS HEADS COMMITTEE				
OPERATING COMMITTEE				

[첨부4] M&A 프로세스 면제

회사 고유의 사업을 영위하는 과정에서 발생하는 특정 규모 및 제한에 적용되는 프로그램 거래의 경우 상기 규정된 M&A 절차가 면제됩니다.

• 면제의 범위

1) 다음의 현금을 통한 취득 및 매각의 프로그램 거래의 경우 M&A절차 면제가 적용됩니다.
   - 그룹의 대출 및 모기지 서비스와 연계된 거래

2) 다음의 거래는 M&A절차가 면제되지 않습니다.
   - 부채의 인수, 지분취득, 임직원, 부지, 무형자산 등의 취득이 수반되는 프로그램 거래
   - 구조화 Deal 또는 복잡한 가격산정 과정이 있는 Deal
   - 회사와 지속적인 관계를 유지할 매도자와의 거래

• 면제 절차

1) 면제 적용되는 금액기준의 결정
2) 승인프로세스 : 금액기준별 면제의 적용 및 승인절차

〈ex〉대출

자산가치	필수승인절차
$125M<$300M	M&A절차 면제 : 사업부문장에 의해 승인된 위임자
$300M<$500M	M&A절차 면제 : 사업부문장
Over $500M	M&A절차 적용

※ M&A절차 면제가 적용되는 경우에도 실사 및 기능별(자금, 회계, 법무 등)검토를 포함한 최소한의 가이드라인은 각 사업부별 확립

3) 거래의 통지 : 구속력 있는 계약이 이뤄지기 전에 서면통지 절차가 이뤄져야 한다.
〈ex〉대출

자산가치	필수통지절차
$250M<$500M	Treasury
$300M<$500M	Head of SM&A and Head of Legal

4) 분기별 요약 : M&A절차가 면제된 거래의 경우 변동사항 등에 대해 분기종료 후 30일내 요약보고서를 작성하여 M&A Committee의 분기별 검토를 받아야 한다.

5) 해외거래에 대한 M&A Legal 통지 : 하단 [Schedule A]에 정의된 해외에서 이뤄지는 거래에 대해 최소 3일전에 M&A Legal에 통지가 이뤄져야 한다.

| Schedule A |

국 가	자산가치
일본	>$0
영국	>$125M
주의대상 국가(Watch－list Countries)	>$125M
비주의대상 국가(Non－Watch－list Countries)	>$250M

[첨부5] 외부전문가(변호사) 고용을 위한 가이드라인

회사의 M&A와 관련된 변호사 고용을 위한 가이드라인으로 외부 로펌의 선정 등과 관련한 회사의 정책을 수립하여 고용으로 인한 위험과 비용 등을 낮추기 위함이다. 회사의 외부 로펌 선정 시 M&A Legal과 반드시 커뮤니케이션이 이뤄져야 하며, 최종 선정 전에 사업부가 선호하는 로펌에 대한 고려가 이뤄져야 한다. 또한 해외 현지의 로펌을 고용하는 경우 가능하다면 국내 로펌의 의견도 충분히 반영해야 할 것이다.

법률자문 인보이스 절차

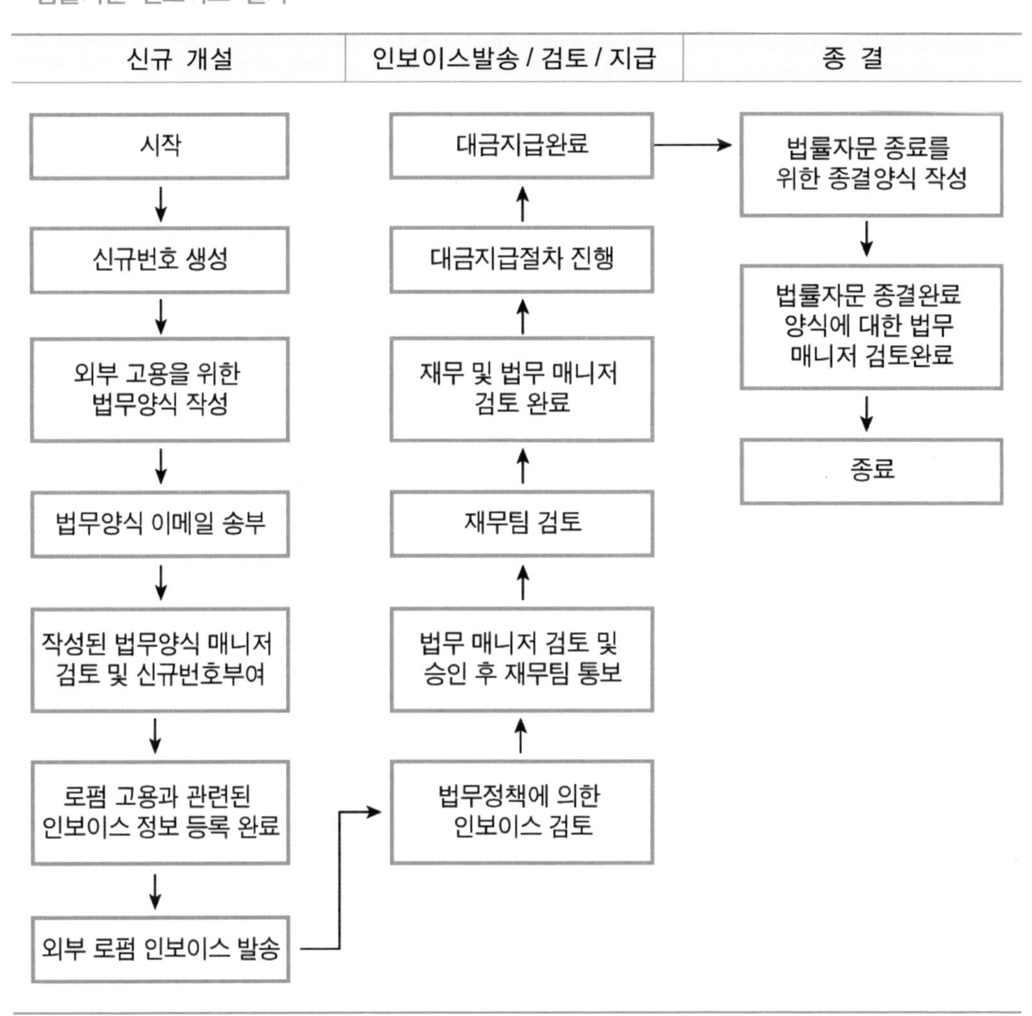

법률자문 신규개설 및 종결양식

1. Date of Engagement		2. Company Matter No. (Law Manager Matter #)	
3. New Matter Name			
4. Firm Reference Number			
5. Matter Description			
6. Matter Category/Type			
7. Confidential Matter(Y/N)			
8. Paying Party			
9. Percentage Split			
10. Matter Cost Estimate			
11. Company Lawyer Name			
12. Corp.Code		13. Cost Center	
14. Company Major Business			
15. Affiliate			
16. Key Company Contacts : – Financial Controller – Primary Manager – Approver			
17. Law Firm Name			
18. Law Firm Attorney Name			
19. Law Firm Attorney Address (Include Country and Region)			
20. Telephone Number			
21. Matter Closing Date			
22. Resolution Type			
23. Settlement/Judgement Amount			

[첨부6] 실사접근법과 표본요약

실사의 목적과 표준

- 취득 분석에 기초가 되는 재무 및 위험가정에 대한 조정 및 확인
- 중요한 재무, 법무, 규제, 컴플라이언스, 세금, 회계, 인사, 평판과 관련한 위험 식별
- 수익의 향상과 비용 절감을 위한 운영전략의 식별
- 신용공여에 따른 잠재적 리스크 및 신용정책의 차이 파악
- 통제환경과 사업실무의 평가
- M&A Committee의 거래승인을 위한 실사보고서 및 통합계획의 준비
- 거래계약에 포함되어야 할 이슈의 식별 및 M&A Committee, 협상팀에 실사 결과물 보고

실사 보고

- 실사종료 이후 주관사업부와 실사리더는 종합적인 실사보고서를 준비할 책임이 있다. 이 리포트는 경영진 요약보고서와 상세 결과 분석을 포함해야 한다. 실사 결과물은 재무 모델과 위험 평가 조정에 반영돼야 한다.
- 실사요약보고서는 실사참여인력, 접근법, 결과물, 결론, 추가 실사에 대한 계획 등을 강조해야 하며, M&A Committee에 보고될 프레젠테이션에 포함돼야 한다. 요약보고서는 종합 실사보고서에 기재된 모든 중요한 문제에 대해 누락 없이 기재돼야 한다.
- 모든 실사 결과물은 계약협상팀에 전달돼야 한다.

실사요약보고샘플

실사단계, 장소 및 기간 예비실사는 2001년 4월9일 멘하탄에 있는 타깃회사의 본사에서 실시됨
실사 참여인력 -영업, 신용, 리스크관리, 인사, IT, 법무, 세무, 자금, 재무, 회계, 컴플라이언스
실사검토 접근법 -회사 서류(재무제표, 세무조정계산서, 계약서, 소송 등) 검토 -3명의 타깃회사 중역과 타깃회사의 감사인인 KPMG과 인터뷰 -타깃회사의 본사와 1개 지점 및 공장 투어

<table>
<tr><td colspan="2">보고 절차
-매일 실사결과물에 대한 구두보고
-실과결과물의 서면보고</td></tr>
<tr><td colspan="2">미해소 이슈 및 추후절차
-중요한 이슈 : Middle market 대출의 손상유보금, 자금세탁방지법, 진행중인 소송
-타깃회사의 자문사인 골드만삭스에 4월 10일 추가 질문리스트 송부
-만약 최종 입찰자로 선정되면, 확인실사가 5월 7일 주에 있을 예정입니다.</td></tr>
<tr><td>영업과 마케팅
-개인뱅킹과 신용카드가 기존 회사와 유사하여 Middle market 등에 보완역할
-강력한 영업관리 문화</td><td>인사
-CEO, CFO, 주요 중역에 대한 고용계약 제시
-유사한 기업문화 등은 주요인력 들과의 마찰을 최소화
-20%의 인력감축이 예상되며, 주요하게 지원 부문에서 감축될 것으로 예상됨</td></tr>
<tr><td>신용과 채권회수
-개인대출에서 견고한 Loss트렌드 : FICO > 700
-평균이하의 회복수준
-Middle market대출에서의 약간의 문제가 있지만 전반적인 신용의 질과 Loss트렌드가 긍정적임</td><td>재무 및 회계
-회계정책은 GAAP을 준수하나, 일부 손실유보금에 있어 예외사항 발견
-내부회계통제절차는 적절하며, SOX기준을 충족하고 있음. 내부통제에서 발견된 분식은 없음</td></tr>
<tr><td>위험관리
-Middle market 손실유보금이 $25~30M 부족
-통제와 계정 문서화는 적절함</td><td>세무
-과거 3년간 세무신고 및 감사는 충실함
-무형자산은 세금공제가 안될 것으로 판단</td></tr>
<tr><td>시설
-모든 시설물은 리스대상으로 리스조건은 허용가능한 수준임</td><td>자금
-취득을 위한 자금은 내부유보금으로 마련</td></tr>
<tr><td>정보통신(IT)
-개인뱅킹은 회사의 IT 플랫폼으로 이관하고, 기업뱅킹과 Middle market의 경우 독특한 상품성의 특성을 고려하여 개별 시스템에서 운영</td><td>법률 및 규제
-최대 $3M 규모의 중요한 진행 중 소송있음
-자금세탁방지법(AML) 준수여부 확인필요
-FED에 45일 전 공지 및 승인이 필요</td></tr>
<tr><td></td><td>컴플라이언스
-컴플라이언스는 이슈없이 충족하고 있음</td></tr>
</table>

[첨부7] M&A위원회 프레젠테이션

M&A위원회 프레젠테이션

M&A위원회 프레젠테이션은 예정된 정기회의에서 이뤄져야 한다. 만약 정기회의가 예정돼 있지 않다면 SM&A와 또는 M&A위원회의 부의장은 회의를 개최하기 위해 사전에 논의해야 한다. M&A위원회는 최종입찰을 위한 제출이 이뤄지기 적어도 24시간 전에 승인이 필요한 M&A거래의 검토를 위해 대면회의를 진행해야 한다. 최종입찰 전에 사전에 이러한 검토를 함으로써 M&A위원회의 위원들, 특히 의장이 충분히 숙고할 시간적인 여유를 가질 수 있을 것이다.

M&A위원회 미팅에 앞서 프레젠테이션 자료는 준비되어 위원회 멤버들에게 회람돼야 한다. M&A위원회에 발표가 이뤄지기 앞서 SM&A와 주관사업부문에서 모든 기능(세무, 자금, 위험, 법무, 회계 등)의 관점에서 충분히 검토하는 것이 실무적으로 가장 이상적이다. 프레젠테이션 자료들은 적어도 회의 개최되기 전날 오전 11시까지 M&A위원회의 부의장 혹은 지정대리인에게 전달돼야 하며, 그렇게 해야 회의에 앞서 자료가 M&A위원회 회원들에게 회람될 수 있다.

주관사업부문의 시니어 매니저 또는 지점대리인이 M&A 위원회의 프레젠테이션과 토론을 주관하며, 적절하다면, SM&A와 Deal Team의 리더가 지원할 것이다.

거래승인 서명서식

M&A위원회의 미팅이 종료되면, M&A위원회는 양식에 따라 서명을 진행할 것이다.

M&A Review Committee

Committee Chair: ____________________ ____________________ Date

Treasury ______ Date	Risk (Compliance) ______ Date	Strategy & M&A (SM&A) ______ Date
Tax ______ Date	Accounting ______ Date	Legal ______ Date
	Operations & Technology ______ Date	

이슈(Open – Item)에 대한 M&A위원회 검토

M&A위원회는 실사과정에서 해소되지 못한 이슈가 M&A미팅이 개최되는 일자까지 남아있다면 Deal Team 리더 등으로부터 충분히 만족할 만한 결과를 얻을 때까지 회의를 유보하거나 후속회의를 개최할 수 있다.

M&A위원회 프레젠테이션 요약

슬라이드 주제	내 용
거래개요	거래요약과 배경
계약조항요약	거래의 대가, 종결조건, 계약조항 등
타깃회사 프로필	사업설명, 오너쉽, 과거재무성과 요약
국가와 시장	경제, 정치, 규제경향 등을 포함한 국가개요(미국이 아닌 경우)
평가	산업섹터 분석 (수익성, 성장성, 경쟁기업, 위험, 기회)
전략적인 합리성 (Rationale)	거래로부터의 이익 (M&A vs 신규설립, 통합, 시너지, 재무적인 영향 등)
견적 재무제표	타깃회사의 5개년 추정 손익 및 회사에 미치는 영향성 [첨부5] 참고
가치산정 Multiple	구매가격의 합리성 (PER, PBR, PCR, 선행거래 Multiple 등)
실사 접근법	[첨부7] 참고
실사 결과물	[첨부7] 참고
주요 위험과 완화	주요 경제, 사업, 규제, 정치적 리스크 및 완화요인
통합계획	각 주요기능별 개요 주요 위험시나리오의 재무적영향 계량화 (예 : 스트레스 테스트)

첨부

역사적 재무제표	2개년 손익계산서 및 당기 재무상태표
타깃사와 회사의 관계	대여금, 지분관계, 거래 등을 포함한 과거와 현재 존재하는 타깃회사와의 관계에 대한 리스트
예상되는 시너지	수익 및 비용 시너지에 대한 추정 상세내역
회계 요약	조정장부가치로 추정
Deal Team	사업부와 기능부서의 참석자 리스트

[첨부8] 매각을 위한 M&A위원회 메모랜덤 샘플

개요

- 2005년 초에 사업부문은 중단사업인 Credit Insurance을 매각하기로 결정했다.
- 2005년 5월 사업부문은 M&A위원회의 승인을 얻어 Credit Insurance의 상당부분을 매각하였다.
- 사업부문은 Credit Insurance의 나머지 잔여사업에 대한 매각을 하고자 한다.
- 이 거래는 최초의 매각절차에 준하여 가치산정 및 협상에 임하고 있다.
- 회사는 사업의 매각을 대가로 $××× million의 현금대가를 수령할 예정이면, 과세선 내략 $XX million의 차익을 거둘 것으로 예상된다.
- 고정자산과 IT시스템을 포함한 자산과 부채는 매수기업에 이전되지 않을 것이다.
- 무형자산과 이연된 취득비용은 없고, 매각차익으로 인한 세금효과 외에 재무제표에 미치는 영향은 별도로 없다.

매각대상자산 설명

- Credit Insurances는 각 주마다 규제의 위험이 있고, 복잡한 상품의 특성으로 Debt Cancellation에 비해 상품성이 낮다.
- Credit Insurance의 고객군은 지속적으로 상품에 대한 갱신을 하고는 있으나 자발적 혹은 비자발적 사유로 지속적으로 감소추세에 있다.

매각의 합리성(Rationale)

- 중단 및 청산사업에 대한 처분
- 비전략자산의 현금화 및 전략자산으로의 재투자
- 매수대상기업은 다음의 사유로 이상적임
  - 매수대상기업은 사업의 언더라이터이고 포트폴리오에 익숙함
  - 제3자에게 매각시 매수대상기업과 기존 거래계약관계가 종료되어 추가 보상비용 발생

주요 거래조건(Terms)

- 거래종결시 선불조건(Upfront Payment)
  - 거래종결 시점을 바탕으로 $××× million의 금액이 예상되면 확정된 금액임

- 거래종결 이후 차후정산조건(Earn out provision)
  - 향후 6년간 초과수익 (excess profit over base level)에 대해 연간 다음의 조건으로 일정%의 이익을 정산 받음
    Year1 – ××% / Year2 – ××% / Year3 – ××% / Year4 – ××% / Year5 – ××% / Year6 – ××%
  - 반대로 Base level에 수익이 미치지 못하는 경우에는 어떠한 환급(Refund)도 하지 않는다.
- 회사는 매수대상기업에 아래의 사례가 발생하는 경우 매수가격의 일정부분을 보상해야 합니다.
  - 매도자가 매각대상자산을 대체하는 새로운 유사 상품을 매각 이후 판매하는 경우
  - 매도자가 지불의무에 대해 상당히 불이행하는 경우

기타

- 별도의 규제승인이 필요하지 않는다.
- 거래의 유효시점은 ××××이고 종결은 ××××로 예상된다.

[첨부9] BOD 프레젠테이션 샘플

Slide 1

Project Sample

Board Approval

Date, 2XXX

Confidential

Slide 2

Transaction Overview

Purpose

- Request approval to acquire 100% of Company X credit card receivables and 100% of Company Y credit card receivables, as well as enter into a long term (10-year initial term) private label program agreement for existing and new credit card accounts
- The Company X and Company Y portfolios represent the two largest remaining in-house credit card portfolios on the market. Acquiring them will further strengthen Citigroup's #1 position in the private label credit card market

Overview

- Company X and Company Y announced a merger on February 28, 2005. The combined company will have $30Bn in sales and approximately $6.5Bn in receivables. The deal is expected to close in 3Q 2005
  - Company X is currently the nation's 3rd largest retailer with over $15Bn in annual net sales. As of 9/30/04, it had $4Bn of both private label ($3Bn) and general purpose ($1Bn) receivables (GECC owns $1Bn of Company X private label receivables that will be acquired in April 2006) and 7.8MM active accounts
  - Company Y is the nation's 4th largest retailer with $14.4Bn in annual net sales. Company Y's credit card portfolio consists of $2.2Bn in private label receivables and 8.3MM billed accounts
- Company X also exhibits good retail sales growth; April same store sales grew 2.8%, beating analyst estimates of 0.5%

Deal Economics

- Citi's bid is for a 10-year term and includes both the Company X and Company Y portfolios:

Item	Detail	Estimated Value ($MM)
Up-front Premium	11.6% Premium to receivables (10% premium + 1.6% preferred partner payment)	$745
New Account Bounties	$5 per app. processed and $5 per activated PL acct<6MM, $10 per activated PL acct>6MM, $50 per 90 day active Visa	$999
Sales Rebate	130 bps with Company X Sys (Yrs 1-2) and 140 bps with Citi Sys (Yrs 3-10)	$3,731
Sales Rebate over $24Bn	30 bps over $24Bn in annual sales	$123
Profit Sharing	10%-85% of pre-tax profits depending on ROTA thresholds	$714
Total Compensation to Retailer		**$6,313 MM**

Financial Impact (100% Ownership)

- The impact of the transaction to Citigroup (for the purchase of both portfolios) is as follows:
  - $972 million of identifiable intangibles
  - Accretive in Year 1; 12% ROIC (regulatory basis) in Year 3 with $33 million in incremental Citigroup earnings
- Transaction provides ongoing top line growth with receivables expected to grow from $6.2 billion to $9.6 billion by Year 5

Other

- Citibank, N.A. to execute all transaction documents
- Citi to establish new CEBA Bank to acquire the accounts and receivables, Company X to own no more than 19% of the voting stock to facilitate sharing of cardholder information

2

Slide 3

Company X Overview

Company Overview

- Headquartered in Atlanta, Georgia, Company X is one of the largest department store retailers in the U.S. with 394 department stores and 65 furniture galleries in 34 states, Puerto Rico and Guam
- Stores include Brand A, Brand B, Brand C, and Brand D. Company X also operates BrandA.com, Brand B by Mail and a network of online bridal gift registries in conjunction with WeddingChannel.com
  - In 2005, Brand A-hyphenated names will be rebranded to operate exclusively under the Brand A name, further enhancing the brand
  - Company X is primarily a Brand A company (11% Brand B)
- Partner risk assessment is positive (see Appendix)
- Investment over the next two years is forecasted to be $1.8 billion, with the majority for store remodels, expansion and maintenance, and 12% allocated for new stores
- During July 2002, Company X completed the sale of Fingerhut's core catalog accounts receivable portfolio to CompuCredit
- Company X and Company Y Department Stores announced an $11Bn merger on 2/28/05. The combined company will have 950 stores and expected annual sales of $30Bn

Credit Card Business

- Company X has one of the largest in-house private label credit card programs in the US with $2.0 billion in proprietary private label receivables (4.5 million active accounts) and $1.1 billion in GECC owned private label receivables (2.6 million active accounts)
- The Company X portfolio also includes a Visa Program with approx. $1 billion in receivables and approximately 767,000 active accounts
- The GECC contract will expire in April 2006, at which point Citi will acquire those receivables on similar terms to the existing transaction
- Company X's non-GECC proprietary and Visa cards are issued by Company XS Bank, and all credit services are operated through Financial, Administrative and Credit Services (FACS Group), which was founded in 1989
- FACS operates through three call centers located in Mason, Ohio, Clearwater, Florida and Tempe, Arizona and has 3,000 employees as well as 170 seats in India
- Approximately 40% of Company X sales are made using Company X's proprietary credit, and the portfolio continued to improve in 2004 with average proprietary spend up 5%, declining attrition and proprietary card sales up 40 bps

Portfolio Summary

	At or for nine months ending September 30, 2004			
	Proprietary			
	Company X	GECC	Total	Visa
Total Outstandings (000,000s)	$1,966	$1,077	$3,043	$1,002
LTM Purchase Volume (000,000s)	$4,337	$2,359	6,696	$4,329
Active Accounts (000s)	4,485	2,590	7,075	767
Avg Balance per Active Acct ($)	$438	$416	$430	$1,307
Turn Rate	1.9x	1.9x	1.9x	4.8x
Payment Rate	20.5%	20.7%	20.6%	38.9%
Net Finance Charge Yield	17.3%	17.4%	17.4%	10.2%
Net Revenue Yield	23.6%	23.4%	23.6%	20.0%
Net Charge Offs	6.3%	5.3%	6.0%	4.7%
Risk Adjusted Yield	17.3%	18.1%	17.6%	15.3%
60+ Days Delinquencies	3.8%	5.9%	4.5%	3.8%

Historical Price Performance *(Company Y 26, 2005)*

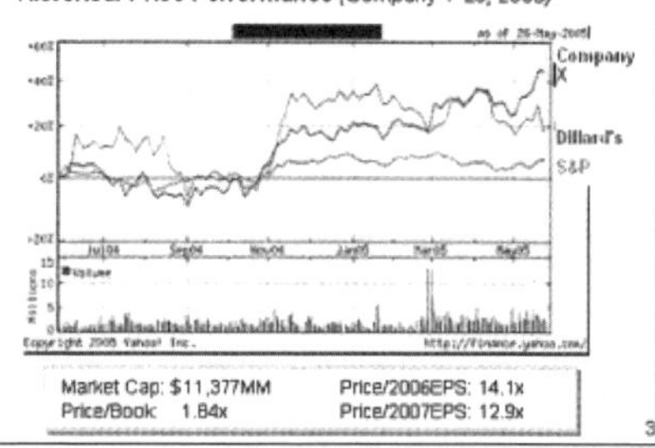

Market Cap: $11,377MM Price/2006EPS: 14.1x
Price/Book: 1.84x Price/2007EPS: 12.9x

3

Slide 4

Company Y Overview

Company Overview

- Headquartered in Sacramento, CA, Company Y Department Stores (Company Y) is one of the largest department store retailers in the U.S. with 484 stores in 39 states and Washington D.C.
- In FYE 2004, Company Y had $14.4Bn in net sales and $15.2Bn in total assets
- Operates seven divisions nationwide under 12 brands which include Brand A, Brand B, Brand C, Brand D, and Brand E
  - Acquired Brand B's Department Store Group in July 2004, which included 62 department stores primarily in the Chicago, Detroit, and Minneapolis metropolitan areas
- In addition to regional department stores, Company Y also operates:
  - Brand F's Bridal Group – The nation's largest retailer of bridal gowns and bridal related merchandise which offers a variety of special occasion dresses and accessories (239 stores in 45 states and Puerto Rico)
  - Brand G, Inc – The largest tuxedo rental and sales retailer in the US (449 stores in 31 states)
  - Brand H, Inc – An upscale bridal retailer in the US (11 stores in 9 states)

Credit Card Business

- Following Company X's acquisition of Company Y, Citi is required to acquire Company Y's portfolio with limited due diligence
- After Company X, Company Y has the largest in-house private label credit card program with $2.2 billion in proprietary private label receivables
  - Within the private label program are 7 core portfolios, which relate to Company Y's twelve department store brands
  - Though not actively promoted, Company Y's systems support cross-shopping at all divisions (Brand B's to be added in June 2005). In Dec. 2004, cross shop sales were $6.3MM, or 0.1% of credit sales
- In 2004, Company Y's credit operations contributed $131 million, or 15% to Company Y's pre-tax earnings (1)
- In general, Company Y's credit philosophy is driven by a focus on customer balances. Company Y offers low credit lines (range from $300-$1,200) and requests a higher minimum payment than industry standards (payment rate of 31% for FYE 2004)
- Credit operations are managed at two regional credit centers: Lorain, Ohio (569 employees which perform front-end customer service, credit granting, and other non credit related functions) and Earth City, MO (1,454 employees which perform collection functions)

Portfolio Summary

($ in millions)

	Fiscal Year			
	2002	2003	2004 Excl. MF	2004 Incl. MF
EOP Receivables	$1,738	$1,691	$1,587	$2,176
EOP Accounts Billed (MM)	8.0	7.2	6.8	8.3
Average Balance Per Billed Account	$217	$236	$232	$261
Credit Sales	4,974	4,704	4,371	5,020
Credit Penetration	37.5%	36.8%	34.8%	35.9%
Turn Rate	3.0x	3.0x	2.9x	2.9x
Net Finance Charge Yield (1)	15.9%	15.6%	15.5%	15.8%
Late Fee Yield (1)	11.0%	12.7%	11.1%	10.2%
Revenue Yield	26.9%	28.3%	26.6%	26.0%
Net Charge-off (2)	6.0%	6.0%	5.6%	5.8%
Risk Adjusted Yield	20.8%	22.3%	21.0%	20.2%
60+ Days Delinquencies	NA	4.87	4.41	4.51

Source: CSFB Information Memorandum. MF represents Marshall Fields
(1) Yields do not reflect any write-offs of revenue lines
(2) Includes revenue write-offs

Historical Price Performance (Company Y 26, 2005)

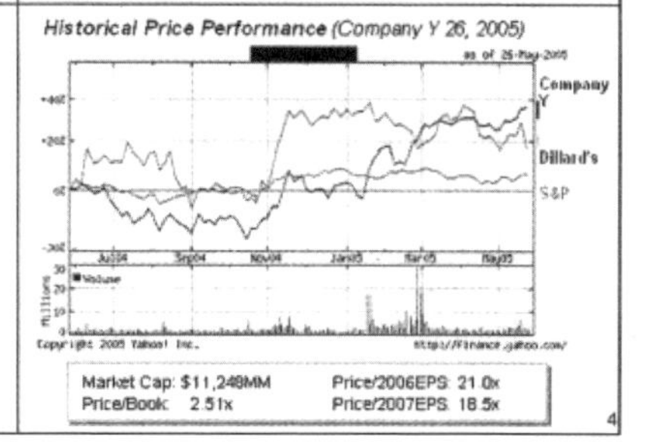

Market Cap: $11,249MM Price/2006EPS: 21.0x
Price/Book: 2.51x Price/2007EPS: 18.5x

4

Slide 5

Market Overview

Private Label Credit Card Market

- Over the past few years, a number of retailers have sold their private label portfolios to third party issuers, resulting in receivables managed in-house declining from 58% in December 1997 to 16% at the end of 2003
- Company X is one of the few remaining in-house private label portfolios and is the largest of the four remaining that have more than $1 billion in receivables (as of 2003)
- In GE's purchase of the Dillard's portfolio (the most recent large private label transaction since Sears), Dillard's received a 14% premium to book receivables and retained close to 90% of its credit income stream
- While typically viewed as their most loyal customer base, for many stores proprietary cardholders represent a shrinking proportion of total sales; Company X has reversed this trend, increasing proprietary card penetration by 400 bps since 1999

Precedent Transactions

Buyer	Seller	Announced Date	Deal Value	Total Rec.	Upfront Premium*
GE Cons. Fin.	Dillard's	8/8/2004	$1,250	$1,093	14%
GE Cons. Fin.	Mervyn's	7/30/2004	475	442	8%
Household Int'l	Saks	7/27/2002	1,243	1,100	13%
Citigroup	Sears	7/15/2003	32,450	29,500	10%

* Most transactions also consist of ongoing payment streams

In-house Store Cards
($ millions)

Company	Outstandings	Charge Volume	Active Accounts (000)
Company X	$3,847	$6,537	14,418
Company Y	2,303	4,710	8,321
Army & Air Force Exchange	1,870	1,211	1,014
Kohl's	1,173	3,704	2,423
Target	924	3,967	5,696
Nordstrom	682	1,397	1,039
Neiman Marcus Group	672	1,747	562
Sterling	498	972	703
The Bon-Ton Stores	357	528	2,397
Charming Shoppes	276	324	1,041
Other in-house	1,236	13,262	6,549
Total in-house	13,710	38,359	43,973

Source: Nilson Report. Data as of 12/31/03

Sources: CSFB Information Memorandum, Morgan Stanley/UBS research, COM

Retail Market

- Industry average operating margins of 7% (Company X's margin has averaged 9.5% since 1998)
- Company X is the third largest department store retailer by total sales behind Sears and J.C. Penney, but with significantly higher sales per store
- Predicted moderate increase in retail sales in 4Q04 despite the impacts of difficult weather in early fall, the presidential election and consumer weakness due to high energy prices and rising interest rates
- In 2005, however, the retail industry as a whole is expected to face challenges including difficult comparisons, apparel deflation and moderating demand
- Department stores have struggled recently due to a customer move towards lower prices, but are responding to the changing environment by cutting expenses, adding private labels and directing marketing towards younger customers
- Overall, department stores appear to be gaining expertise in their private label lines, turning out competitive products at sharper price points than historically superior branded products
  - Company X has done very well in this area, with very strong private label brands competing with more specialty-type stores at significantly lower prices
  - Company X's Label A. and Label B brands account for approximately $2.4bn in annual sales (17%)

Top Department Store Retailers by 2003 Sales
($ millions)

Company	2003 Sales	2003 Stores	Sales per Store	2004YTD Comp Sales
Sears	$41,124	1,970	20.9	(2.1%)
J.C. Penney	17,786	1,077	16.5	6.9
Company X	15,264	459	33.3	2.8
Company Y	13,343	1,124	11.9	(1.6)
Kohl's	10,282	542	19.0	0.0
Dillard's	7,599	328	23.2	(2.0)
Nordstrom	6,492	179	36.3	8.4
Saks	6,055	376	16.1	6.5
Neiman Marcus	3,098	51	60.7	10.6

5

Slide 6

Strategic Rationale

Fits Citigroup Strategy

- Transaction fits into the Cards partnership strategy by significantly enhancing our retail sector portfolio
- Company X and Company Y are two of the largest high-end retailers in the U.S. and the 3rd and 4th largest department store retailers by 2004 sales

Scarcity Factor

- Represents the two largest remaining in-house private label credit card portfolios on the market
- Will solidify Citigroup's position as the #1 player in the private label credit card market

3rd Party Managed Private Label Mkt Share

Rank	Company	Receivables	Market Share
1	Citi+Co.X+Co.Y	$35.3	40%
2	Citigroup	29.3	33%
	GE Card	27.4	31%
3	Household	14.3	16%
4	All Other	5.1	6%

High-quality, seasoned credit portfolio

- Company X and Company Y's credit card portfolios are comprised of prime credit quality accounts. Company X customers have an average FICO score of 700 by balance while 77% of Company Y customers have a FICO score greater than 680
- Over 80% of proprietary customer accounts in Company X's portfolio have been on the books for more than a year, and over 50% are older than 10 years

Significant distribution

- Company X and Company Y have over 950 stores combined in over 39 states
- Company X provides established internet and mail networks to reach customers through macys.com and WeddingChannel.com and through its direct-to-customer mail distribution network (Brand B by Mail)
- Company Y also operates Brand A, Brand B, and Brand C, additional distribution channels to its regional department stores

Large, attractive customer base

- Approximately 16 million active accounts (Company X has 7.7 million (proprietary, GECC and Visa) while Company Y has 8.3 million)
- Customer base is comprised of a wide range of moderate to upscale individuals with attractive demographics: 35-55 years old, married, likely to be professional, working women with income over $75,000

Visa product offers significant top-line growth opportunities

- Opportunities for deeper penetration of customer base, increased spend levels and enhanced services offerings
- Introduction of broader range of customers enabled though expanded risk-based pricing for lower FICO customers

Significant Earnings

- Adds $33 million of incremental earnings in Year 3
- Return on Invested Capital on a regulatory basis is 12% in Year 3; 18% in Year 5

Strategic Relationship

- Company X portfolio is well integrated into the retail model and accounted for 43% of total retail sales in 2004 (and increasing penetration since 1999). Company Y's portfolio is underleveraged but can experience significant growth with Citi's sophisticated marketing capabilities

6

Slide 7

Bid Summary

$ in MM	7 Year Term				10 Year Term	
	March 14 Bid		May 9 Scenario		May 26 w/5 yr Rst @ 4.30%	
	Foxtrot Only		Combined		Combined	
	$ Value	%Sales/ANR	$ Value	%Sales/ANR	$ Value	%Sales/ANR
Partner Compensation						
Premium	$387	0.38%	$746	0.46%	$746	0.28%
New Account Bounties	$320	0.32%	$694	0.42%	$999	0.37%
Sales Rebate	$1,008	1.00%	$2,298	1.38%	$3,731	1.38%
Sales Rebate over $248			$31	0.02%	$123	0.05%
Profit Sharing	$497	0.49%	$553	0.33%	$714	0.27%
Total Partner Compensation	$2,211	2.19%	$4,322	2.59%	$6,313	2.34%
Citi Economics						
NIM	$4,384	11.97%	$7,403	12.08%	$10,873	10.98%
Interchange	$796	2.17%	$1,222	1.99%	$2,142	2.16%
Loyalty/Rebate	($306)	-0.84%	($370)	-0.60%	($748)	0.76%
Other Revenue	$2,030	5.54%	$3,595	5.87%	$5,483	5.54%
Net Revenue	$6,902	18.84%	$11,850	19.34%	$17,752	17.93%
Operating Expenses	($1,464)	-4.00%	($2,916)	-4.76%	($4,067)	-4.11%
Marketing Expenses	($257)	-0.70%	($257)	-0.42%	($379)	-0.38%
Net Credit Losses	($2,173)	-5.93%	($3,603)	-5.88%	($5,716)	-5.78%
Portfolio EBIT	$3,008	8.21%	$5,073	8.28%	$7,589	7.66%
Deal Costs	($2,111)	-5.76%	($1,177)	-0.82%	($6,696)	-0.88%
Deal EBIT	$908	2.46%	$896	1.46%	$903	1.80%
Money Cost Gapping					$163	0.15%
PCE	$567	1.52%	$556	0.91%	$717	0.72%
Year3 ROIC (regulatory)		25%		17%		12%
Year3 ROTA		1.26%		0.72%		0.53%
Year3 ANR		$4,637		$8,042		$9,042
Sales	$100,759		$166,887		$260,313	
ANR	$8,234		$8,755		$9,900	

	March 14 Bid	May 9 Scenario	May 26 w/5 yr Rst @ 4.30%
Premium	0%	11.0%	11.8%
New Account Bounties	$15/activated PL acct	$6/application processed $6/activated PL account $60/90-day active Visa	$5/application processed $5/activated PL account<6MM $10/activated PL account>6MM $50/90-day active Visa
Sales Rebate	65 bps with FDS Syst (yrs 1-2) 105 bps with Citi Syst (yrs 3-7)	130 bps with FDS Syst (yrs 1-2) 140 bps with Citi Syst (yrs 3-7) 30 bps over $248 annual	130 bps with FDS Syst (yrs 1-2) 140 bps with Citi Syst (yrs 3-7) 30 bps over $248 annual
Profit Sharing	35% from 1.5% to 3.0% 50% from 3.0% to 4.5% 70% above 4.5%	10% from 0% to 1.5% 35% from 1.5% to 3.0% 60% from 3.0% to 4.5% 85% above 4.5%	10% from 0% to 1.5% (FDS Svc) 20% to 1.5% (Citi Svc) 35% from 1.5% to 3.0% 60% from 3.0% to 4.5% 65% above 4.5%

- Citigroup structured an attractive economic proposal that fulfilled Company X's expectations and aligns the incentives of both organizations. Citi will share a significant majority of the economics produced by the Program with Company X
- The main differences in the Company Y 26th proposal are:
  1) **Money Cost Assumptions** –5 Yr 4.30% Fixed Rate on all private label receivables (versus 3.08% funding on all receivables in prior proposal)
  2) **Rewards/Loyalty Funding** –Increase in Citi's co-brand loyalty costs by 10 bps of sales
  3) **Profit Sharing to Company X** – For ROTA of 0-1.5%, increase EBIT share to 20% if Citi services portfolio
  4) **New Account Bounty** – Increase in $5 per activated private label account if over 6 million accounts
  5) **Money Cost Gapping** – Due to fixed rate funding assumed above

7

Slide 8

Risks and Mitigants

Risks	Mitigants
▼ Partner viability	▲ See Appendix for contract recommendations
▼ High customer attrition	▲ Highly seasoned portfolio ▲ POS extremely effective at generating new accounts
▼ Ongoing new account volume does not meet expectations	▲ Significant portion of Partner's share of economics is dependent on new account volume
▼ Future acquisition of GECC and Company YCo portfolios	▲ Contract provides indemnity for pre closing actions of GECC and Company Y Co ▲ Citi has executed similar transaction (The Home Depot) ▲ Company Y Co portfolio acquisition subject to confirmatory due diligence by Citi
▼ Adverse findings during Company YCo confirmatory due diligence	▲ Citigroup can renegotiate purchase price
▼ Change of control – Company X is acquired	▲ Company X more likely to be acquirer than target ▲ Contract provides mechanism to protect Citi economics
▼ Decrease in interchange rate or increase in reward program cost	▲ Contractual protection provides financial adjustments if changes occur
▼ Material decrease in retailer in-store credit card sales	▲ Contractual protection provides termination rights for decreases of agreed upon magnitudes ▲ Back end payments are tied to sales and performance
▼ Reputation risks – ongoing regulatory reviews	▲ Business run by Company X is fundamentally sound
▼ Company X will retain control of customer facing operations including early age collections (1 & 2 cycles past due) and Customer Service	▲ Citi has right to audit Company X for compliance. Company X will incur financial penalties for performance failures
▼ Outsourcing of certain servicing functions to Company X	▲ Program Agreement to include appropriate policies, procedures, controls and Citi audit rights ▲ Contractual protection to ensure that Company X makes systems modifications as changes in law and/or Citi policies require
▼ Citi has the ability to change underwriting policies subject to first identifying to Company X the consequences of such changes and revising such changes if the identified consequence is not achieved	▲ Citi has extensive experience in projecting the consequences to changes in underwriting policy

9

Slide 9

Risks and Mitigants

Risks	Mitigants
▼ Program agreement will contain penalties and Company X termination rights for Citi's failure to meet targeted approval rates, credit lines, authorizations, and point of sale referrals. This transaction will require OCC approval and Global Consumer Risk final approval prior to close due to these target rates and penalties among other reasons	▲ Citi has final authority over risk management, fraud, and collections policies and procedures ▲ Citi would agree to reasonable penalties, subject to allowances for shifts in population and performance ▲ Citi has experience managing Risk under a similar structure (Sears)
▼ Impact of bringing Company X & Company Y portfolios into FFIEC compliance (180 day charge-off, re-aging, account aging and minimum payment guidance)	▲ Has been taken into account in the projections and financial models
▼ Integration of three portfolios	▲ Integration to be phased in to Citi over time with limited responsibilities in initial phase ▲ All portfolios ultimately to be managed under same policies, procedures and control guidelines ▲ Both companies obligated to achieve certain servicing standards ▲ Citi has extensive experience in similar transactions (e.g., Sears)
▼ Protection of Citi's initial investments	▲ Except in the event of a breach by Citi, price for portfolio repurchase by Company X covers Citi's initial investments ▲ Citi retains portfolio if Company XS or designate does not purchase
▼ Citi has to obtain Company X's agreement to implement its "best practices" (as otherwise implemented through Citi's other programs)	▲ At their discretion, Company X cannot unreasonably decline to implement Citi's best practices ▲ In addition, Citi's best practices are consistent with Company X's customer focused business strategy
▼ The proposed contract does not contain several partner health provisions that have now become common in Citi's contracts including termination due to a decline in ratings or financial ratios, material adverse change, or change of control	▲ Although not ideal, the proposed contract does contain the following protection for partner health ▲Citi has the right to terminate if Company X's sales decline 33% in any one year, or against a benchmark year
▼ Initial Credit Policy would be the same as currently employed by Company X, and would remain unchanged for one year	▲ Subject to a change required by Applicable Law or is commensurate and proportionate to any negative changes in through the door populations or individual segment performance (as measured by validated scores or generally accepted, data driven credit risk metrics)
▼ Any changes to Credit Policy require approvals by the Operating Committee, Executive Committee and Senior Management	▲ Citi would have ultimate authority over Risk Management Policies provided that prior to exercising its authority, Bank would provide to the Operating Committee information with respect to the expected impact on the portfolio and the Cardholders, and at the request of Company X, Bank would promptly reverse any such change (other than a change required by Applicable Law) that causes an adverse impact on the portfolio that is inconsistent with the expected impact

10

[첨부10] 주요용어사전

조정장부금액 : 일반회계기준 상 비지배지분, 영업권, 무형자산, PPA 등이 조정된 순장부가치

사업부문장 : 주관사업부문의 시니어 매니저

Deal팀 : SM&A의 멤버에 의해 리드되는 팀으로, 주관사업부문, M&A Legal, 회사 M&A기능부서, 그리고 필요 시 기타 전문가 및 자원 등을 포함한다.

재무모형 : 주관부서의 지원 하에 SM&A에서 개발하여 재무예측치를 추정하는 모형으로, 재무예측치를 활용하는 책임은 주관부서에 귀속된다.

총자산가치 : 거래유형에 따라 여러 정의가 있다. 일반적으로 총자산가치는 승인이 이뤄진 거래종결시점에 결정되며, 세부적으로는 다음에 따라 결정된다.

- 계속기업의 100% 취득(매수자가 매도자의 부채 100% 인수 포함)인 경우 총자산가치는 부채 및 조정금액을 상계한 장부자산가액
- JV의 경우 총자산가치는 부채 및 조정금액을 상계한 장부자산가액에 지분율을 곱한 금액
- 부실자산의 경우 총자산은 GAAP인 경우 장부가액이고, Non-GAAP인 경우 시장가액과 장부가액 중 높은 금액

M&A거래 : 회사의 경영, 영업, 재무보고, 전략적 이익에 부합하는 사업 또는 자산과 관련한 합병, 취득, 매각, 조인트벤처와 전략투자(지배/비지배)를 포함한다.

M&A거래는 다음을 포함하지 않는다.

- 당사가 자문사 또는 재무중개자로 참여하는 제3자의 거래
- M&A거래와 연계되지 않는 회사의 주요 비용지출 및 CAPEX로 일반비용관리정책 및 CAPEX정책의 적용을 받는 거래
- 다른 자산 및 종업원을 포함하지 않는 무형자산의 구매로 총자산가치가 $100M 이하인 거래
- 특정 고객의 자산과 관련된 거래

주요섹터 : 국내고객, 국제고객, CIB, GWM, CAI

시니어매니저 : 주요 섹터 안에 독립적인 사업관리에 책임이 있는 매니저로, 최종적으로 거래에 수반된 조건(Term), 통합요건, 재무추정의 책임이 있다.

SM&A : 전략 M&A그룹 (The Strategy and M&A Group)

거래금액 : 거래유형에 따라 여러 정의가 있다. 일반적으로 거래금액은 승인이 이뤄진 거래종결시점에 결정되며, 세부적으로는 다음에 따라 결정된다.

- 계속기업의 100% 취득(매수자가 매도자의 부채 100% 인수 포함)인 경우 총지급금액 은 조정장부가액에 프리미엄이 반영된 금액으로, 지급 형태는 스톡옵션, 현금, 부 채인수 등 다양한 수단으로 이뤄진다.
- 매도자의 부채를 인수하지 않는 자산의 매입인 경우 지급액은 매입총자산가치의 초과금액을 의미한다.
- JV투자의 경우 우발자본지급(Contingent Capital Payment)을 포함한 불입액을 의미한다. 매수기업의 경영진과 임직원에게 지급되는 보상금액은 손익계산서에 비용으로 처리되며, 거래금액으로 간주되지 않는다. 하지만 거래승인프로세스에서 작성되는 보고자료에는 공시가 되어야 한다. Earn Out(기업인수 합병 시, 추후 발생할 이익이나 손실을 매도자와 매수자 간에 배분하기로 하는 매매가 결정방식)과 우발지급도 회사의 자본비용으로 할인한 NPV를 산출하여 거래금액에 포함해야 한다.
  PPA 메커니즘은 승인프로세스의 변동을 야기할 수 있을 정도의 금액적인 변동을 일으키지 않는다면, 거래금액을 추정하는 데 배제될 수 있다. 만약 그러한 변동이 야기되는 경우에 적절한 승인 범위를 확인하기 위해 SM&A의 자문을 구해야 한다.

3장 PMI Best Practice

통합(Integration)은 M&A에 있어 가장 중요한 부분이다. 이 작업은 계획적이고 지속적으로 개선되어야 한다. 통합프로젝트를 위해 우선적으로 다음 사항을 중요한 원칙으로 적용할 수 있다.

- ✓*최대한 조기에 통합계획을 세워야 한다. 특히 실사기간에 계획을 세우는 것이 바람직하다.*
- ✓*통합프로젝트에 책임을 지며 전적으로 통합업무에 전념하는 통합 책임자를 반드시 배정해야 한다.*
- ✓*통합 전체 프로세스의 단계별 결정에 대한 고객의 영향을 충분히 검토한다.*
- ✓*통합에 관련되는 모든 구성원들(고객, 임직원, 주주, 미디어 등)과 원활한 의사소통을 해야 한다.*
- ✓*통합에는 회사 전사적인 경험과 기술을 활용토록 한다.*
- ✓*통합의 우선순위를 선정하고 선정작업이 마무리되는 대로 빠른 결정과 실행이 이루어져야 한다.*

통합에 대한 계획과 실행을 M&A의 모든 과정이 마무리되고 진행되는 것으로 생각하면 안된다. 통합은 실사작업 시에 시작되어 M&A의 전프로세스에 걸쳐 계속되는 중요한 작업이다. 통합은 M&A의 전과정에 걸쳐 이루어지면서 단계별 업무간의 상호작용을 통해서 진행되는 업무이다.

통합프로젝트 진행 시, 내부자원이 없거나 부족할 경우에 외부자원으로 충원할 수도 있지만 성공적인 통합을 위해서는 경험을 축적한 내부자원이 활용되는 것이 최선이다.

통합 리더(Integration Leader)

통합리더는 기업의 최고경영자이어야 하지만 경우에 따라서는 최고경영자그룹이 운용위원회를 구성할 수 있다. 통합리더는 다음과 같은 업무를 수행한다.

- *통합과정의 방향 및 우선순위를 결정한다.*
- *매주 통합팀 리더들과 프로세스를 검토한다.*
- *사업 및 기능팀 리더들에 의해 제시된 제안 및 정책결정을 승인한다.*

통합매니저(Integration Manager)

통합매니저는 통합업무를 전적으로 전담하여 통합작업을 성공적으로 이끌어야 한다. 그래서 통합의 성공에 대해 전적으로 책임을 진다. 또한, 통합매니저는 다음과 같은 업무를 진행한다.

✓*통합프로젝트 진행을 위해 매일 발생하는 업무에 대한 결정 권한을 최고 경영진으로부터 위임받는다.*
✓*통합의 초기계획 및 실사에 관여하여 긴밀하게 통합전략을 조율해야 한다.*
✓*통합관련 이슈에 대해서 중심점 역할을 한다.*
✓*가능하면 통합 경험과 선례를 확보하여 통합상대방과 협의하여 과거의 동일한 실수를 반복하지 않도록 한다.*

통합매니저는 다음과 같은 역할과 책임을 진다.
✓*통합에 참여는 모든 참여자간들의 의사소통을 촉진한다.*
✓*전반적인 통합 프로젝트 계획실행 개발 및 조율을 진행한다.*
✓*통합의 우선순위가 지켜지고 후순위 업무에 의해 통합에 지장이 발생하지 않도록 조율한다.*
✓*통합의 잠재적 문제를 발견하고 해결하여 사전에 통합프로세스에 영향을 미치지 않도록 한다.*

통합매니지먼트리더그룹의 통합팀리더

각 사업부의 통합팀리더를 각 사업부별로 지정한다. 통합매니저와 함께 긴밀하게 통합업무를 진행한다. 통합팀리더는 부서별 통합업무에 대해 전적으로 책임을 지며, 최소대부분의 시간을 통합업무에 할애해야 한다. 통합팀리더는 매주 열리는 통합리더그룹회의에 참석하고 통합체크리스트(High Level)를 완성할 책임을 진다. 은행 통합 시, 통합팀리더들의 기능과 업무는 대략적으로 다음과 같이 정의할 수 있다.

기 능	업 무
의사소통	• 통합 뉴스레터 • 환영 패키지/포스터
인사	• 인원수 • 보상/복지 승계 • 채용 설명회
회계/준법	• 재무적 목표 • 재무 프로세스 • 이전 보고 및 관리
법률	• 미결 이슈 평가 • 국내외 법률적 · 제도적 규정 준수
세무	• 세무 효율화 - 영업권 - 이전가격 - 세액공제
재무 및 자금조달	• 자금조달/유동화 및 외환위험 • 가격 및 시장위험 • 스트레스 테스트
신용위험관리	• 포트폴리오 평가 • 전반적인 위험관리 평가 - 절차 - 지급 시스템 위험 - Cross-Border 위험
마케팅	• 전략적 마케팅 브랜드화 • 판매 운용 • 마케팅 운용
운용 및 기술	• 데이터 센터 통합 • 이전 계획 • E-mail 전환 • Fire-wall 이슈
공유 서비스 (Shared Service)	• 구매 계약 • 음식 공급 계약 • 임시직 계약 • 명함/고정적 전환

내부감사 및 통제그룹

인수한 기업의 통제환경(Control Environment)과 사업 인수 및 진행 중인 통합의 전반적인 성공에 대한 평가 및 영향을 검토한다. 이 그룹의 업무는 주요 M&A 프로세스 상 다음과 같이 정의된다.

- *실사단계 - 사업단위팀은 실사단계에 있어서 관련사항에 대해 책임을 지고, 내부감사 및 통제그룹은 인수하는 기업의 자원과 기능에 대해 전문지식을 제공할 수 있으나 실사단계에서 독립적 분석을 수행하지는 않는다.*

- *사전 종료 검토- 실사 후, 내부감사 및 통제그룹은 인수할 회사의 통제환경에 대해 검토를 수행한다. 또한, 내부감사 및 통제그룹은 통합 계획을 검토하고 인수하는 기업의 통제환경 및 위험을 평가한다.*

- *사후 종료 검토- 상호 협의된 기간 후, 내부감사 및 통제그룹은 인수한 회사의 기준 및 정책, 통제실례, 리스크, 통합계획에 대하여 검토한다. 또한, 파악된 리스크 및 통제취약점에 대한 수정된 실행 계획을 분기별 영업 모니터링을 통하여 수정된 실행 추적 시스템과 추가 Follow-up을 위해 조율한다.*

통합조직이 구성되고 나면 통합에 활용될 도구들을 준비해야 한다. 원활한 통합을 위해서 다양한 도구들이 사용될 수 있는데 상황에 따라 유연하게 도구들을 활용하면 된다. 통합에 흔하게 사용되는 도구는 다음과 같다.

통합프로젝트 계획(PMI Project Plan)

통합팀이 가장 먼저 해야 할 일은 통합 프로젝트 계획을 마련하는 것이다. 통합계획이란 주요업무 및 전체 통합프로세스에 대한 시간 계획에 대한 경영진의 검토를 말한다. 이 계획에는 완료될 주요 업무와 완료를 위한 일반적인 시간계획이 포함되어야 한다.

통합 회의

전반적은 통합 프로세스는 일련의 주간 통합 회의를 통하여 조율된다. 이 회의는 통합리더 및 통합매니저에 의해 진행되며 통합과정에 대하여 영업부서 및 통합팀리더 등 상위의 통합참여자에게 진행 과정 및 상위 경영진의 지침을 받기 위한 포럼을 제공한다.

통합 체크리스트

주간 통합 회의를 준비하면서, 영업부서 및 통합팀리더는 통합체크리스트를 업데이트 하여야 한다. 이 체크리스트의 목적은 다음의 대략적인 개요를 제공한다.

✓최근 종료된 업무

✓현재진행 중인 업무

✓향후 종료될 업무

이 체크리스트는 업무팀에 보내지고 주간 통합 회의에서 취합되고 전송되는 자료를 수령하는 통합 웹사이트에서 공통으로 관리되고 업데이트 된다.

다음과 같은 통합 체크리스트지침을 마련하는 것이 도움이 된다.

통합체크리스트 지침서

1. 영업 및 통합팀리더는 매주 통합매니저에게 업데이트된 통합이슈의 개요를 작성하여 제출하여야 한다.
2. 통합팀리더는 체크리스트를 모니터링 도구로 사용하고 사업 및 기능별 통합 추진도구로 사용한다. 통합업무팀은 각자 통합프로젝트를 위하여 사용하는데, 각 영업 및 기능당 하나의 체크리스트 개요를 제출한다.
3. 서식에 대한 연락정보는 내/외부 통합팀 업무를 용이하게 한다.
4. 통합 업무는 채용, 기술 이슈, 종료된 업무, 지체된 업무 등 주요업무나 완료 여부로 구분되어야 한다.
5. 각 주요 카테고리 내의 세부 업무 항목에 대한 완료 날짜가 기재되어야 한다. '상황(Status)' 열에는 해당 업무가 계류 중인지, 완료되었는지 혹은 연기되었는지에 대한 표시를 해주어야 한다.
6. 해당 업무가 완료되면 완료된 다음 주부터는 체크리스트에서 해당 업무 내역을 삭제해야 한다. 이렇게 하여 체크리스트가 관리 가능한 업무 분량으로 유지되고 있는지 확인할 수 있게 되도록 해야 한다. 각 체크리스트는 3~4페이지를 초과해서는 안 된다.
7. 각 업무의 '비고(Comments)'란에는 해당 업무의 진행상태 및 검토사항이 기재되어야 한다. 해당 내역은 외부인이 체크리스트를 확인했을 때 충분히 이해할 수 있을 정도의 정보분량을 포함하며, 전체 체크리스트의 분량관리상 최대한 간결하게 작성해야 한다.

직원 마스터리스트(Employee Master List)

직원 "Master List"는 통합 프로젝트를 효과적으로 관리하기 위해 매우 중요하다. Master List에는 모든 직원들의 고용 상황과 주요 정보를 포함시킨다. 해당 파일은 관리의 용이성을 위해서 그리고 분류 및 모니터링 목적상 통합팀의 인사담당리더가 관리해야 한다. 모든 직원들의 리스트는 통합 프로세스가 시작된 이후 가장 빠른 시일 내에 인수한 회사의 인사부로부터 전달받아야 한다.

- 직원들의 배치와 관련된 결정을 얻기 위하여, 성명, 부서, 직원 ID, 현 배치 상황, 각 직원들의 전출일이 기록된 엑셀 파일이 각 매니저들에게 전송되어야 한다.
- 각 직원의 신상과 관련된 대부분의 정보들이 확보되어야 하며, 특히 관리 목적상 다음의 정보들은 반드시 확보되어야 한다.
  - 직원 ID
  - 부서배치
  - 인수기업 매니저
  - 현 조직의 매니저
  - 인사부 담당자
  - 서비스 날짜
  - 연령, 인종, 연봉, 전입일, 전출 관리 사항 등
- 연봉과 서비스 날짜의 파악은 퇴직비용 및 유지비용 계산을 위하여 중요하다. 채용일 대신에 서비스 날짜를 사용하는 것은 매우 중요하다. 채용일은 각 직원이 현 직책을 수행하게 된 첫 번째 날을 의미하며, 서비스 날짜는 각 직원이 회사에 합류하게 된 날짜를 의미한다.
- 연령과 인종에 대한 정보 역시 법률 목적상 매우 중요하다.

정보의 보급

통합 관리팀의 핵심적 역할 중의 하나는 정보의 교환이 용이하도록 관리하는 것이다. 이를 위해서, 해당 팀은 아래의 사항이 포함된 다양한 도구들을 활용해야 한다 :

✓일반적인 연락처 목록

✓조직차트

✓통합웹사이트

연락처 목록

통합프로세스의 첫 번째 단계에서, 통합관리팀은 연락처 목록을 하나로 통합해야 한다. 해당 연락처 목록에는 인수기업과 피인수기업의 업무절차와 연관된 각 기능팀과 사업팀 부서장의 성명, 주 책임사항, 위치, 전화번호 & 팩스번호, 이메일 주소가 포함되어야 한다. 이후 해당 연락처 목록은 모든 참여자들에게 전달되어야 한다. 또한 해당 연락처 목록은 주기적으로 업데이트되어야 하고, 수정된 버전은 주기적으로 모든 참여자들에게 전달되어야 한다.

통합웹사이트

인트라넷 웹사이트는 통합프로세스의 수행기간 동안 정보를 모으고 분류하는 데 가장 이상적인 도구로 활용될 수 있다.

통합 사후검토

통합작업의 충분한 시간이 지난 후, 통합관리팀은 통합 사후검토(Post Modern Review)를 수행한다. 검토의 마지막 단계에서, 통합관리팀은 각 사업부와 부서별 팀리더들과 기타 핵심 참여자들에게 다음과 같은 사항의 질의서를 보내 작성토록 한다.

✓통합프로세스와 관련해서 특별히 성공적으로 수행한 점은 무엇인가?
✓통합프로세스 진행에서 성공적이지 못했던 부분은 무엇인가?
✓통합프로세스가 성공적이지 못한 이유는 무엇인가?
✓향후 진행될 통합프로세스의 리더들에게 전달하고 싶은 사항이 있는가?

질문서를 취합하여 향후 진행될 통합프로젝트의 지침서로 활용한다.

M&A 법무가이드라인 업데이트

1. M&A 관련 법률의 특징

M&A 관련 법률의 주요 특징은 다음과 같다.

특 징	주요 내용
M&A 관련 통합 법규 부재	• M&A에 대한 간섭을 최소화 하기 위해 M&A를 위한 별도 법률 未입법 • M&A 전반에 관하여 상법에서 규정 • 자본시장법, 공정거래법, 각종 세법 및 기타 특별법에서 특별 세칙 규정 • 기업의 자율성 보장을 위해 Negative 규제 방식 채택
공정한 게임과 기회균등 보장	• 경영권 방어와 관련한 의사결정 단계 제도를 두어 경영권 일방적 탈취 방지 • 내부거래 엄격히 제한하고 공시제도 적극적 활용
회사정관의 규제기능	• M&A 관련된 주요 절차를 정관에 위임하여 기업의 자율성 보장 • 그럼에도 형식적인 절차 및 기본적인 원칙에 대한 상법의 규정을 어기는 경우 M&A 무효 가능토록 규정

M&A 관련 법률 체계는 다음과 같다.

법 률	주요 내용
상법	합병, 분할, 영업양수도, 포괄적 주식교환 및 이전, 주주권 및 자금조달 관련 제도
자본시장과 금융투자업에 관한 법률	공개매수제도, 의결권대리행사, 대량보유상황보고 및 불공정거래 금지, 자기주식취득, 주식매수청구권 특례, 주식취득 제한 등
독점규제 및 공정거래에 관한 법률	기업결합, 상호출자 및 주식소유, 지주회사, 특수관계인 간 불공정거래 행위 과징금 부과 등
세법	국세기본법, 지방세법, 법인세법, 주세특례제한법
기타	외국인투자촉진법, 은행법, 채무자 회생 및 파산에 관한 법률, 공기업의 경영구조개선 및 민영화에 관한 법률, 전기통신사업법 등

2. 주요 법률 검토

(1) 상법

- 형식적인 절차 및 기본적인 원칙 규정
- 구체적인 절차 등은 자율성을 부여하고 있으나 상법 절차 하자 시 소송을 통한 무효화 가능

  주주총회 결의 취소의 소(제376조)

  주주총회 결의 무효확인의 소(제380조)

  합병 무효의 소(제529조)

  *이사회 의결 하자의 경우 당연 무효(*소외 방법으로 주장 가능)*

| 주요 규정 |

구 분	주요 내용
주주총회 특별결의 사항	• 상법은 주식의 분할(제329조의 2), 주식매수선택권의 부여(제340조의 2), 주식의 포괄적교환 · 이전의 승인(제360조의 3, 제360조의 16), 영업에 중대한 영향을 미치는 영업양수도(제374조), 이사의 해임(제385조), 정관변경(제434조), 자본금 감소의 결의(제438조), 전환사채 · 신주인수권부사채의 제3자 발행(제 513조, 제516조의 2), 해산 및 계속의 결의(제518조), 합병 및 분할 · 분할합병의 승인 결의(제522조, 제530조의 3) 등에 대하여 출석한 주주의 의결권의 3분의 2 이상의 수와 발행주식총수의 3분의 1 이상의 수로써 결의할 수 있도록 규정하고 있다.
반대 주주의 주식매수청구권	• 포괄적교환 · 이전, 영업양수도, 합병 및 분할합병에 대한 이사회의 결의가 있는 때에 그 결의에 반대하는 주주는 주주총회 전에, 또는 각 결의 사항의 공고 또는 통지를 한 날부터 2주 내에 회사에 대하여 서면으로 그 결의에 반대하는 의사를 통지한 경우 그 총회의 결의일 또는 공고 · 통지기간이 경과한 날부터 20일 이내에 주식의 종류와 수를 기재한 서면으로 회사에 대하여 자기가 소유하고 있는 주식의 매수를 청구할 수 있다(제360조의 5, 제360조의 22, 제374조의 2, 제522조의 3, 제530조의 11). • 2015년 개정된 상법은 의결권이 없거나 제한되는 주주를 주식매수청구권 행사할 수 있는 반대 주주의 범위에 포함하여 '무의결권 주식 주주의 주식매수청구권'의 근거를 명확히 마련하고 있다.

구 분	주요 내용
채권자 보호 절차	• 회사는 합병, 분할합병에 관한 주주총회의 승인 결의가 있은 날부터 2주 내에 채권자에 대하여 이의가 있으면 1월 이상의 기간 내에 이를 제출할 것을 공고하고 알고 있는 채권자에 대하여는 각각 이를 최고하여야 한다(제527조의 5, 제530조의 9).
분할 및 분할합병 연대책임	• 분할 또는 분할합병으로 인하여 설립되는 회사 또는 존속하는 회사는 분할로 인하여 설립되는 회사(분할합병의 경우 분할합병에 따른 출자를 받는 존립 중의 회사)가 주주총회의 특별결의로 그 출자 재산에 관한 채무만 부담하도록 정하지 않는 한, 분할 또는 분할합병 전의 회사 채무에 관하여 연대하여 변제할 책임이 있다(제530조의 9).
주식의 상호 보유 규제	• 다른 회사의 발행주식 총수의 100분의 50을 초과하는 주식을 가진 회사의 주식은 그 다른 회사가 이를 취득할 수 없다(제342조의 2) • 회사, 모회사 및 자회사 또는 자회사가 다른 회사의 발행주식의 총수의 10분의 1을 초과하는 주식을 가지고 있는 경우 그 다른 회사가 가지고 있는 회사 또는 모회사의 주식은 의결권이 없다(제369조)

(2) 자본시장과 금융투자업에 관한 법률(자본시장법)

- 기본적으로 투자자, 소수주주의 보호와 특례 규정
- 상법에 우선하는 다양한 특례 규정

| 주요 규정 |

구 분	규 제
실권주 임의 처리의 제한	[자본시장법 제165조의 6] 신주발행에 실권주 발생 시 원칙적으로 실권주 발행 철회하고, 실권주 재발행 시 새로운 신주발행절차 준수
조건부자본증권의 발행	[자본시장법 제165조의 11] 상법에서 규정하는 사채와 다른 종류인 조건부자본증권 도입 : 전환형 조건부자본증권/상각형 조건부자본증권
시장질서 교란행위 금지	[자본시장법 제172조, 175조, 176조, 177조, 178조, 429조의 2] • 내부자거래(단기매매차익거래) : 회사의 임직원 또는 주요주주의 6개월 이내 재매도(매수)차익 반환 책임 • 시세조종행위 : 위장거래, 허위표시, 불법 안정조작/시장조성 등에 의한 시세조종 시 민사 및 형사책임 부담 • 부정거래행위 : 거짓의 기재 또는 표시, 풍문유포, 위계, 폭행, 협박 등에 의한 부정거래 시 민사 및 형사책임 부담

구 분	규 제
시장질서 교란행위 금지	• 시장질서 교란 행위 : 1차 또는 다차 정보수령자가 M&A 등 미공개 중요정보를 이용하여 시세에 부당한 영향을 주는 시장질서 교란 행위를 금지 위반 시 5억 원 이하 과징금 부과 가능
벌칙	[자본시장법 제175조②, 제177조②, 제179조② 및 제443조] • 미공개정보 이용, 시세조종, 부정거래행위 : 위반행위 이익의 2배 이상 5배 이하 벌금을 부과하고 이익이 5억 원 이상인 경우 무기 또는 5년 이상 징역, 5억 원 이상 50억 원 미만인 경우 3년 이상의 유기징역형 가중 • 불공정거래행위 손해배상 시효 : 행위를 안 날부터 2년 또는 행위가 있었던 날부터 5년
합병가액 등 외부평가기관의 평가기능 강화	[자본시장법 제165조의 4] • 주권상장법인 : 합병, 중요한 영업 또는 자산의 양수 등을 하고자 하는 경우 대통령령으로 정하는 요건 및 방법을 준수하고 외부평가기관으로부터 합병 등의 가액 등에 관한 평가를 받아야 한다는 점을 명시 • 비상장법인 : 합병가액은 자산가치와 수익가치를 가중산술평균한 가액으로 하되, 금융위가 정하여 고시하는 방법에 따라 산정한 유사업종 영위 법인의 상대가치를 비교하여 공시
상법 특례	[자본시장법 제165조의 9, 제165조의 20] • 주권상장법인 제3자 배정 시 납입기일의 1주 전까지 주요사항보고서 공시된 경우 상법 제418조 제4항의 주주에 대한 통지·공고의무 면제 • 자산총액 2조 원 이상이 주권상장법인의 경우 이사회의 이사 전원이 특정 성별의 이사로 구성되지 않게 노력하라는 조항 신설

(3) 독점규제 및 공정거래에 관한 법률(공정거래법)

• 지주회사와 기업결합 제한 등을 대표적으로 규정

• 동법이 제한하는 행위를 할 때는 감독기구인 공정거래위원회에 신고하거나 승인 또는 허가要

| 주요 규정 |

구 분	주요 내용
기업결합의 신고	경쟁을 실질적으로 제한하는 행위가 무엇인지 심사하기 위해 사전신고 의무 • 자산총액 또는 매출액이 3천억 이상인 회사가 同기준 3백억 이상인 회사에 대해 기업결합 시 합병등기일로부터 30일내 신고 • 자산 또는 매출액이 2조 원 이상이 회사가 합병당사회사에 포함된 경우 합병계약체결 시부터 30일내 신고
경쟁력 집중의 억제	[공정거래법 제8조의 2, 3, 9조, 제14조] • 지주회사의 행위제한 : 지주회사의 경우 부채비율을 200% 이하로 유지하고, 지회사 일정비율 이상(상장사 30%, 비상장사 50%)을 소유하도록 규제하였다. 또한 금융·비금융사의 동시 소유를 금지하며, 비계열사의 주식취득을 5% 이하로 제한한다. • 채무보증제한기업집단의 지주회사 설립 제한 : 채무보증제한기업집단이 지주회사 설립 시 기업집단 내 회사간 채무보증을 해결해야 한다. • 대기업집단의 규제 차등화 : 자산총액 5조 원 이상 기업집단을 공시대상기업집단으로 지정하고, 이 중 자산총액 등을 고려하여 추가적인 규제가 필요한 기업집단을 상호출자제한기업집단 등으로 지정하여 차등 규제한다. • 상호출자제한기업집단에 속하는 회사는 자기의 주식을 가지고 있는 계열회사의 주식 취득 또는 소유를 제한한다. • 신규 순환출자의 금지 : 2014년 기존 순환출자가 아닌 신규 순환출자 원칙적 금지하고, 일부 사유에 대해 예외적으로 6개월 이내 순환출자를 허용한다.
처벌규정	[공정거래법 제16조①, 제17조①, ④, 제68조의 2, 제69조의 2, 제55조의 3] 기업결합의 제한 등에 대한 시정조치 및 위반행위로 인한 취득 주식의 취득가액 10% 범위 안에서 과징금 부과 가능. 또한 해당 행위를 한 자는 3년 이하 징역 또는 2억 원 이하 벌금, 보고의무를 위반한 자는 1억 원 이하 벌금 등을 부과하는 규정을 둔다. 이러한 위반행위에 대한 과징금 등은 존속회사에 승계된다.
금산분리	[공정거래법 제2조의 제10호] 금융자본의 산업자본 지배 또는 산업자본의 금융자본 지배를 막기 위함. 단, 일반지주회사는 금융업 또는 보험업을 영위하는 회사에서 제외

(4) 기업 활력 제고를 위한 특별법(원샷법)

- 기업의 신사업 진출 등 사업재편 활동을 뒷받침하는 규정
- 사업재편에 수반되는 연구개발, 설비투자 등 기업의 혁신활동 지원 목적

| 주요 규정 |

구 분	주요 내용
원샷법 특징	• 원샷법은 39개조 총 6장으로 구성되고 시행부터 3년의 기간이 정해져 있는 한시법이라는 것이 특징이다. 2020년 9월 기준 원샷법의 유효 기간은 2024년 8월 12일로 연장되었다(부칙 제2조). • 주요 내용은 사업 재편지원제도와 기업애로해소제도로 나뉘는데, 사업재편지원제도는 정상기업의 과잉공급 완화나 해소를 통해 생산성을 향상시키는 것을, 기업애로해소제도는 기업의 애로 사항을 사전에 확인하고 그 해결을 위 하여 각종 규제 절차를 완화, 조력하는 것을 주된 내용으로 한다.
원샷법 적용대상	동법의 적용대상은 과잉공급을 해소하기 위해 사업재편을 하는 국내 기업인데, 사업재편이란 기업이 사업의 생산성을 상당 정도 향상시키는 것을 목적으로 하는 활동으로서 사업의 구조를 변경하는 행위 및 사업의 분야나 방식을 변경하여 사업의 혁신을 추구하는 행위를 의미한다(제2조).
원샷법 신청절차 (제9조 내지 제14조)	사업재편계획을 추진하는 기업이 원샷법에 따른 지원을 받고자 하는 경우, 먼저 사업재편계획 추진기업은 사업재편의 필요성, 과잉공급 상 황의 입증, 사업재편의 추진 내용, 사업재편에 필요한 자금의 규모와 조달방법, 사업재편에 따른 고용 관련계획 등에 관한 사항을 포함한 사업 재편계획을 주무부처의 장에게 제출하여야 한다. 이때 과잉공급 업종 여부의 판단에 관하여는 매출액영업이익률, 가동률, 재고율, 가격/비용 변화율 등이 고려된다(실시 지침 제4조). 이렇게 사업재편계획이 승인되면, 원샷법 적용 대상기업은 상법, 자본시장법상의 절차 및 공정거래법상 규제가 일정 부분 완화되고, 세제 및 자금을 지원받을 수 있는 특례를 적용 받게 된다.
원샷법 특례	• 상법, 자본시장법상 절차 완화 : 주주총회의 이사회 승인 갈음 시 소멸회사의 추식총수 80%기준(제17조)으로 완화 및 상법상 채권자보호 절차 및 주식매수청구기간 관련 이의제출기간 10일 단축 등 완화(제19조, 제20조) • 공정거래법에 대한 규제 관련 특례 : 지주회사, 채무보증제한기업집단 등에 대한 공정거래법상 규제의 적용을 3년 동안 유예하고, 상호

구 분	주요 내용
원샷법 특례	출자제한기업집단에 대해 순환출자로 인한 의무처분기한을 1년으로 완화(제22조, 제28조) • 기업결합 관련 특례 : 주무부처의 장이 원샷법에 따른 기업결합을 보다 원활히 하기 위하여 효율성 증대효과가 있다고 판단하는 경우 공정거래위원회에 의견을 제출할 수 있다(제10조 제7항). • 기타 특례 : 사업재편계획 이행 추진기업의 경우 채무면제이익 분할익금산입, 양도차익 과세이연 등 과세특례를 신설하고(원샷법 제29조, 조특법 제121조의 26, 31) 그外 연구개발비, 경영, 회계 등 자문까지 지원(원샷법 제30조, 제33조)

(5) 기타 M&A 관련 규제

| 주요 규제 |

구 분	주요 규제
기업구조조정 촉진법	• 2018년 10월 16일에 제정, 시행된 기업구조조정 촉진법은 부실징후기업의 기업개선이 신속하고 원활하게 추진될 수 있도록 필요한 사항을 규정함으로써 상시적 기업구조조정을 촉진하고 금융시장의 안정과 국민경제의 발전에 이바지하는 것을 목적으로 한다(제1조). • 이 법은 부실징후기업의 구조조정 절차로서 신용위험의 평가 및 그 결과의 통보 등(제4조, 제5조, 제6조), 부실징후기업에 대한 점검(제7조), 금융채권자협의회에 의한 공동관리절차(제8조 내지 제11조), 기업 개선계획의 작성 등(제13조)에 대하여 규정하였다.
인터넷전문은행 설립 및 운영에 관한 특례법	인터넷전문은행 설립 및 운영에 관한 특례법(이하 "인터넷전문은행법")은 인터넷전문은행이 도입될 경우 빅 데이터 분석을 통해 중금리 대출을 활성화하여 서민·소상공인 등에 대한 금리단층을 해소하고, 은행간 경쟁촉진을 통해 금융소비자의 편의성을 제고하는 등의 목적으로 제정되었다.
근로기준법 : 근로시간 단축	2018년 7월 1일 시행된 개정 근로기준법은 휴일을 포함한 7일을 1주 일로 하여 법정근로시간 한도를 52시간으로 규정하였다(제2조 제1항 제7호). 만일 근로자가 주 52시간을 초과하여 근무하게 되는 경우, 사용자는 형사처벌(2년 이하의 징역 또는 1천만 원 이하의 벌금)을 받을 수 있다.

구 분	주요 규제
상가건물 임대차보호법 : 임차인의 계약갱신요구권	2018년 개정법은 임차인의 안정적인 영업을 보호하기 위하여 상가건물 임차인이 계약갱신요구권을 행사할 수 있는 기간을 10년까지로 확대하였다(제10조 제2항). 동법은 시행 후 최초로 체결되거나 갱신되는 임대차부터 적용된다(부칙 제2조).
회생절차에서의 M&A : 회생회사 M&A 준칙	• 서울회생법원은 2017년 5월 12일 종전 서울중앙지방법원 파산부에서 시행하던 실무준칙을 토대로 최근의 법령 개정 및 실무 변화를 반영함으로써 서울회생법원 실무준칙을 새로이 제정하였고, 제241호 회생 절차에서의 M&A에서 미국 도산법상의 조건부 공개매각(Stalking Horse) 방식의 M&A를 도입하여 기재하였다. • 2020년 개정 준칙의 경우, 조사위원의 조사 결과 청산가치가 계속 기업가치를 상회하는 것으로 산정된 경우, 관리인이 채무자에 대하여 M&A가 이루어질 경우, 계속기업가치가 청산가치를 초과할 가능성이 높다고 판단하는 경우에 한정되지 않고, 관리인이 바로 법원의 허가를 받아 인가 전 M&A 절차를 진행할 수 있게 되었다(개정 실무준칙 제241호 제6절 제26조).
유가증권시장 공시규정	유가증권시장 공시규정 제7조 제1항 2호 나목(3) • 유가증권상장법인은 다음 각 호의 어느 하나에 해당하는 때에는 그 사실 또는 결정 내용을 그 사유 발생일 당일에 거래소에 신고하여야 한다. • 자기자본의 5% 이상(자산규모 2조 이상의 대규모법인의 경우 2.5%)의 출자 또는 출자지분에 관한 결정이 있거나 주권 관련 사채권의 취득 또는 처분에 관한 결정이 있는 경우
노동법	영업양수도의 경우 근로관계에 대한 양도인과 양수인간의 명시적인 합의가 없더라도 원칙적으로 근로관계가 양수인에게 포괄적으로 승계(대법원 2003.5.30. 선고 2002다23826 판결)
환경관련 규제	대기환경보전법, 수질 및 수생태계보전에 관한 법률, 토양환경보전법, 폐기물관리법, 유해화학물질관리법, 잔류성 유기오염물질관리법, 위험물안전관리법, 고압가스안전관리법, 원자력안전법 등 : 대상회사의 환경 관련 이슈 검토 필요

3. M&A 형태에 따른 법률검토

(1) 합병

"합병자유"의 원칙에 의거하여 자율성을 가지나 회사의 종류 및 특성, 정책적인 목적, 자본시장의 건전한 질서유지를 위해 상법, 공정거래법, 자본시장법 상 일정 부분 합병이 제한될 수 있다.

| 주요 규정 |

구 분	주요 규정	규 제
상법	물적회사와 인적회사 간 합병(제174조 ②)	유한회사, 유한책임회사 및 주식회사 등의 물적회사와 합명회사, 합자회사 등의 인적 회사간 합병 시 존속회사는 반드시 물적회사이어야 한다.
	주식회사와 유한회사의 합병(제600조)	주식회사와 유한회사간 합병 시 존속회사가 주식회사인 경우 법원의 인가를 받아야 하고, 존속회사가 유한회사인 경우 주식회사에 존재하는 사채의 상환이 완료돼야 한다.
	해산 후 회사의 합병(제174조 ③)	해산 후의 회사는 존립 중의 회사를 존속회사로 하는 경우에 한하여 합병이 가능하다.
	간이합병(제527조의 2), 소규모 합병(제527조의 3)	• 간이합병은 존속회사 소멸회사의 주식을 90/100 이상 소유하고 있거나 소멸회사의 총주주가 동의한 경우 소멸회사의 주주총회 승인을 이사회 승인으로 갈음할 수 있는 제도 • 소규모합병은 존속회사 소멸회사의 주주에게 발행하는 합병신주가 발행주식총수의 10/100를 초과하지않는 경우 존속회사의 주주총회 승인을 이사회 승인으로 갈음하는 제도 • 반대 주주의 주식매수청구권 적용을 배제할 수 있다.
공정거래법	기업결합의 제한(제7조)	합병을 통해 일정한 거래분야에서 경쟁을 실질적으로 제한하여서는 아니됨. 단, 효율성 증대 효과가 경쟁제한의 폐해보다 큰 경우 등은 예외
	사후신고제로(제12조 ①, ⑥)	특수관계인을 포함하여 자산 또는 매출총액이 3천억 원 이상인 회사가 합병 당사회사에 포함된 경우 신고기준일(합병등기일)로부터 30일 내에 기업결합신고를 하여야 한다.

구 분	주요 규정	규 제
공정거래법	사전신고제도 (제12조 ⑥, ⑦)	대규모회사(자산 또는 매출총액이 2조 원 이상인 회사)가 합병 당사회사에 포함된 경우 합병계약체결일부터 기업결합일 이전까지 기업결합신고를 하여야 하며, 신고 후 공정위 심사결과를 통지 받기 전까지(30일 소요, 공정위 필요시 90일 추가연장 가능) 합병등기 하여서는 아니된다.

| 주요 규정 (유가증권상장법인 vs. 코스닥상장법인) |

구 분	주요 규정	유가증권 상장법인	코스닥상장법인
자본시장법	주요신고사항	주요사항보고서, 증권신고서 등 제출	좌동
	주요신고사항에 대한 벌칙	• 손해배상책임(자본시장법 제125조 내지 제127조 및 제162조) 주요사항보고서 및 증권신고서의 중요사항의 거짓 기재 등으로 인하여 증권의 취득자 등이 손해를 입은 경우 손해배상 책임 발생 • 금융위 조사 및 조치(자본시장법 제131조, 제132조 및 제164조) 중요사항의 거짓 기재 등의 정정명령 및 모집매출 및 거래의 정지, 증권발행제한, 해임권고, 거래정지 또는 수사기관에 통보 등의 조치 가능 • 형사적 책임(자본시장법 제444조 및 제446조) 주요사항보고서 및 증권신고서의 중요사항에 대한 거짓 기재 등은 5년 이하 징역 또는 2억 원 이하 벌금/주요사항보고서 제출하지 아니한 자는 1년 이하 징역 또는 3천만원 이하 벌금 • 과징금(자본시장법 제429조) 거짓 기재 등에 대해 증권신고서상 모집가액의 3%(20억 원 한도) 과징금 부과하고 상장사의 경우 직전 사업연도 중 일일평균거래금액의 10%(20억 원 한도), 비상장사의 경우 20억 원 한도에서 과징금 부과. 단, 각 위반행위 발생 이후 5년 경과 시 과징금 부과 불가	좌동

구 분	주요 규정	유가증권 상장법인	코스닥상장법인
자본 시장법	합병비율 외부기관 평가	[자본시장법 시행령 제176조의 5] 상장법인이 비상장법인과 합병 시 합병비율에 대하여 외부기관의 평가를 받아야 한다.	좌동
	비상장대법인과 합병 시 규정 강화	상장법인과 합병하는 비상장대법인의 합병 요건 강화. 단, 코스닥과 달리 유가증권상장규정은 형식적요건만 적용된다.	한국거래소 우회상장실질 심사 대상
	우회상장 요건 강화	• 우회상장 요건 未충족시 상장 폐지 • 우회상장으로 인한 경영권 변동 시 비상장법인에 대한 한국거래소 우회상장예비심사 실시 및 비상장법인 최대주주 등의 지분 매각 제한	좌동
	합병 후 단기분할 제한	상장법인과 비상장법인이 합병 후 합병등기일로부터 3년 내 분할 재상장 관련 이사회결의 시, 분할신설법인의 주된 영업부문에 합병 당시 비상장법인의 주된 영업부문 포함 시 재상장 요건 강화	상장법인과 비상장법인이 합병 후 합병기일로부터 3년 내 분할 재상장 시 분한실설법인 재상장 요건 강화
	증권신고서 제출 의무	• 자본시장법상 50인 이상의 투자자에게 신주 취득을 권유하거나(모집) 이미 발행된 구주의 매도의 청약을 하거나 매수의 청약을 권유하는 경우(매출) 금융위원회에 증권신고서 제출(제9조 7항, 9항) • 50인 기준을 산정함에 있어서 과거 6개월 동안 모집이나 매출에 의하지 않고 청약의 권유를 받은 자를 합산 규정(시행령 제11조 1항), 50인 미만이라도 전매 가능성 유무에 따라 모집으로 간주하는 경우(법 제11조 3항) 등이 있어 주의 요함	좌동

(2) 분할

기업분할이 용이하게 수행될 수 있도록 상법과 공정거래법에서 규정하고 있는 한편, 자본시장법에서는 분할을 제한하는 규정을 명기하고 있다.

| 주요 규정 |

구 분	주요 규정	규 제
상법	분할의 가능성 (상법 제603조)	합병의 경우와는 달리 인적회사(합병회사, 합자회사)와 유한회사에 대해서는 분할이 인정되지 않고 주식회사만 분할이 가능하다.
	채권자 보호절차 (상법 제530조의 9)	분할신설회사가 분할회사의 채무 중에서 출자한 재산에 관한 채무만을 부담할 것을 정하는 경우(개별책임)에는 이러한 사실을 분할계획서에 명기하고 주주총회의 특별결의를 거쳐야 하며 개별책임의 경우에는 신문공고 등 채권자 보호절차를 반드시 거쳐야 한다.
	겸업 관련 내용 명시 (상법 제41조)	회사의 분할은 독립된 사업부문이 포괄적으로 이전된다는 측면에서 영업양수도와 유사하다. 따라서 존속분할의 경우 상법 제31조에 의거 영업양도인의 겸업금지 조항이 분할의 경우에도 동일하게 적용될 수 있으므로 분할을 통하여 분할신설회사를 매각할 경우에는 분할계획서에 겸업의 허용 또는 금지에 대한 구체적인 사항을 명시하는 것이 분쟁의 소지를 방지하는 방안이 될 것이다.
	무의결권 주식의 의결권 인정 (상법 제530조의3 ③)	합병과 달리 분할의 경우, 상법 제344조의 3 ①에 의해 의결권이 제한되는 종류 주식의 주주도 의결권을 행사할 수 있다.
공정 거래법	분할에 의한 회사 설립(공정거래법 제7조 ① 5호 나목)	기업분할은 단순히 하나의 회사가 2개 이상의 회사로 분리되는 것으로서 기업결합으로 인한 경제력의 집중 가능성이 낮다고 볼 수 있다. 따라서 공정거래법상 신고 의무는 면제된다.
	분할 합병	공정거래법상 신고의무 면제되지 않고 합병에 준하여 신고

구 분	제한규정	규 제
자본시장법	상장법인의 주된 영업부문 분할 시 상장폐지	유가증권상장법인과 코스닥상장법인(이하 상장법인)이 분할(분할합병 포함)을 통하여 주된 영업부문이 신설법인에 이전되는 경우 분할되는 상장법인에 대하여 주된 영업활동의 정지 사유가 적용되어 상장폐지가 될 수 있다. 이는 상장법인의 분할 시 분할신설법인은 일정상 재상장 규정 및 절차를 거쳐 재상장되는 반면 분할법인은 별도의 제한규정 또는 절차 없이 변경상장만으로 상장을 유지할 수 있기 때문에 상장법인이 이와 같은 제도를 악용하여 변칙적으로 상장법인의 수를 증가시키는 것을 방지하기 위하여 도입된 제도라고 할 수 있다.
	상장폐지 회피를 위한 분할 시 상장폐지	상장법인의 분할 등(증자 등을 포함)을 통한 재무구조개선 행위가 상장폐지 기준에 해당되는 것을 회피하기 위한 것으로 인정되는 경우 기업의 계속성, 기타 투자자보호 및 시장 건전성 등을 종합적으로 고려하여 해당 법인의 주식을 상장 폐지할 수 있다.
	비상장법인이 상장법인과 합병 후 단기 분할 시 제한 규정	비상장법인이 상장법인과 합병하여 상장법인이 된 후 비상장법인의 사업부문을 분할재상장(인적분할 및 인적분할합병을 말함)을 하게 되면 비상장법인은 신규상장요건 및 절차를 거치지 않고 상장(우회상장)되는 효과가 발생된다. 따라서 감독당국은 비상장법인이 상장법인과 합병을 한 후 단기간 내에 분할재상장을 통하여 비상장법인이 우회상장되는 것을 방지하기 위하여 각 상장시장에 다음의 요건을 두고 있다. • 유가증권상장법인 : 주된 영업의 계속연수, 기업규모, 주식분산, 경영성과, 감사의견, 사외이사 선임 및 감사위원회 설치, 질적 요건 충족, 규정 • 코스닥상장법인 : 자기자본, 사외이사 요건 등의 기타 요건, 질적 요건 충족, 규정, 결산재무제표, 경영성과, 자본상태, 감사의견, 유통주식수, 규정

(3) 주식교환 및 이전

| 주요 규정 |

구 분	제한규정	규 제
상법	완전모회사의 자본증가 한도	주식의 포괄적 교환 또는 이전 시 부실한 자회사 인수로 모회사 자산의 질이 악화되는 것을 방지하기 위하여 완전모회사의 자본금 증가한도액과 완전자회사의 순자산 등을 포함한 산식으로 아래 각 조항에 제한을 두고 있다. • 주식의 포괄적 교환(상법 제360조의 7) • 주식의 포괄적 이전(상법 제360조의 18)
	상호주 보유 제한	[상법 제342조의 2] 포괄적 주식교환 전 완전자회사가 완전모회사의 주식을 보유할 경우 주식교환 후에는 상호 주식을 보유한 결과가 되므로 완전자회사가 보유한 완전모회사 주식은 취득일(주식교환일)로부터 6월 이내에 처분하여야 한다.
	신주의 제3자 배정 근거	[상법 제418조 2항] 회사는 정관에 정하는 바에 따라 주주 외의 자에게 신주를 배정할 수 있다. [상법 제418조 제4항] 주주가 아닌 제3자에게 신주를 배정하는 경우 납입기일 2주 전까지 주주들에게 발행하는 신주의 종류와 수, 신주의 발행가액과 납입방법 등 신주발행사항을 통지 또는 공고하여야 한다.
	주식양도수의 제한	[상법 제335조 1항, 2항] 주식은 타인에게 양도할 수 있다. 다만, 회사는 정관으로 정하는 바에 따라 그 발행하는 주식의 양도에 관하여 이사회의 승인을 받도록 할 수 있으며, 이사회승인을 얻지 아니한 주식의 양도는 회사에 대하여 효력이 없다.
공정거래법	기업결합신고 (공정거래법 제12조 ①, ⑥)	• 사후신고제도 : 특수관계인을 포함하여 자산총액 또는 매출총액이 3천억 원 이상인 회사가 비상장주식의 20%(상장법인주식의 15%) 이상을 소유하는 경우 주식교환일 또는 이전일로부터 30일 내에 기업결합신고를 하여야 한다. • 사전신고제도 : 특수관계인을 포함하여 자산총액 또는 매출총액이 2조 원 이상인 회사가 비상장주식의 20%(상장법인주식의 15%) 이상을 소유하는 경우 계약체결일부터 기업결합일 이전까지 기업결합신고를 하여야 하고 심사결과 통지 전까지 실제 기업결합을 하여서는 아니된다.

구 분	제한규정	규 제
공정거래법	지주회사의 설립 · 전환의 신고 (공정거래법 제8조)	주식의 포괄적 교환 또는 이전으로 당해 사업연도 결산을 실시한 결과 회사의 자산총액이 5천억 원 이상이고 자회사의 주식가액의 합계액이 당해 회사 자산총액의 50% 이상인 경우에는 사업연도 종료일로부터 4월 이내에 지주회사의 설립 · 전환의 신고를 하여야 한다.
자본시장법	주요 신고사항	주요사항보고서, 증권신고서 등 제출
	주요 신고사항에 대한 벌칙	• 손해배상책임(자본시장법 제125조 내지 제127조 및 제162조) 주요사항보고서 및 증권신고서의 중요사항의 거짓 기재 등으로 인하여 증권의 취득자 등이 손해를 입은 경우 손해배상 책임 발생 • 금융위 조사 및 조치(자본시장법 제131, 제132조 및 제164조) 중요사항의 거짓 기재 등의 정정명령 및 모집매출 및 거래의 정지, 증권발행제한, 해임권고, 거래정지 또는 수사기관에 통보 등의 조치 가능 • 형사적 책임(자본시장법 제444조 및 제446조) 주요사항보고서 및 증권신고서의 중요사항에 대한 거짓 기재 등은 5년 이하 징역 또는 2억 원 이하 벌금/주요사항보고서 제출하지 아니한 자는 1년 이하 징역 또는 3천만원 이하 벌금
	교환비율 외부기관 평가	[자본시장법 시행령 제176조의 5] 상장법인이 비상장법인과 주식교환을 하는 경우 주식교환가약 평가기관에 대한 자격요건 및 주식교환비율 산정방법을 합병의 경우(자본시장법 시행령 제176조의 5)를 준용하도록 법제화하고 있다. 단, 포괄적 주식이전으로서 상장법인이 단독으로 완전자회사가 되는 경우에는 그러하지 아니한다.
	우회상장 제한규정	• 우회상장 요건 未충족 시 상장 폐지 • 상장법인이 비상장법인과의 포괄적 주식교환으로 상장법인의 경영권이 변동(상장법인의 최대주주 변경)되는 경우 비상장법인의 최대출자자 등이 보유한 상장법인의 주식 등에 대한 매각 제한

(4) 자산 및 영업양수도

| 주요 규정 |

구 분	제한규정	규 제
상법	영업양도인의 겸업 금지 (상법 제41조)	영업양도 시 다른 약정이 없으면 영업양도인은 10년간 동일한 특별시 · 광역시 · 시 · 군에서 동종 영업을 영위하지 못하도록 규정하고 있고 영업양도인이 동종 영업을 하지 아니할 것을 약정한 때에는 동일한 특별시 · 광역시 · 시 · 군에서 20년을 초과하지 아니한 범위 내에서 그 효력이 있다.
	영업양수인의 책임 (상법 제42조, 제45조)	영업양수인이 영업양도인의 상호를 계속 사용하는 경우에는 영업양도인의 영업으로 인한 제3자에 대한 채무에 대하여 영업양수인도 영업양도 후 2년간 변제할 책임이 있다. 그러나 영업양수인이 영업양수 후 지체없이 영업양도인의 채무에 대한 책임이 없음을 등기하거나 영업양도인과 영업양수인이 지체없이 제3자에 대하여 그 뜻을 통지한 경우에는 영업양수인은 영업양도인의 채무에 대하여 책임을 지지 않는다.
	영업자산의 양수도	자산의 양수도의 경우 원칙적으로 영업양수도에 관한 규정(상법 제374조) 적용이 배제되나, 예외적으로 영업용 재산의 처분으로 말미암아 회사 영업의 전부 또는 일부를 양도하거나 폐지하는 것과 같은 결과를 가져오는 경우 영업양수도 규정 유추 적용(대법원 1988.4.12. 선고 87다카1662 사건)
공정거래법	사후신고제도 (법 제12조 및 동법 시행령 제18조)	• 자산총액 또는 매출액이 3천억 원 이상인 회사가 자산총액 또는 매출액이 300억 원 이상인 다른 회사의 영업을 양수하는 경우 기업결합일로부터 30일 내에 신고 • 기업결합일 : 영업양수대금 지불완료일(단, 계약체결일로부터 90일을 경과하여 대금지급을 완료하는 경우 90일이 경과한 날)
	사전신고제도 (법 제12조 ⑥, ⑦)	자산총액 또는 매출액 2조 원 이상인 회사(대규모 회사) : 계약체결일부터 기업결합일 이전까지 신고를 하여야 하며, 신고 후 30일이 경과할 때까지 영업양수 계약의 이행 행위를 하여서는 아니된다.

구 분	제한 규정	유가증권 상장법인
자본 시장법	주요사항보고서 (자본시장법 제161조 ① 7호, 동법 시행령 제171조 ②)	사업보고서 제출 대상 법인이 중요한 영업양수도 또는 자산양수도를 경의한 경우 주요사항보고서 금융위 제출
	외부평가기관평가의무(자본시장법 시행령 제176조의 6 ③)	중요한 영업 또는 자산양수도 시 양수도가액의 적정성에 대하여 외부평가기관의 평가의견서 제출
	합병 등 종료 보고서 제출 (증권의 발행 및 공시 등에 관한 규정 제515조)	중요한 영업 또는 자산 양수도 관련 주요사항보고서를 제출한 경우 영업 또는 자산 양수도를 사실상 종료한 때 금융위에 합병 등 종료 보고서 제출
	우회상장 제한규정	[유가상장 제35조/코스닥상장 제22조의 3] 우회상장으로 인한 경영권 변경(상장법인의 최대주주 변경)시 지분매각 제한 [유가상장 제48조 ① 14호 / 코스닥상장 제38조 ① 17호] 우회상장요건 위반시 상장폐지
	주된 영업부문 양도 시 상장폐지	[유가상장 제48조 ② 4호 라목 / 코스닥상장 제38조 ② 5호 라목] 상장법인이 영업양도에 의하여 주된 영업이 매각되는 경우 주된 영업활동의 정지 사유가 적용되어 상장이 폐지된다.

(5) 공개매수

| 주요 규정 |

구 분	제한 규정	규 제
자본 시장법	별도 매수의 금지	[자본시장법 제140조 및 동법 시행령 제151조] 원칙적으로 공개매수자는 공개매수 外의 방법으로 매수 등을 할 수 없으나, 다른 주주의 권익 침해가 없는 경우 [자본시장법 제140조 및 동법 시행령 제151조]의 1, 2의 경우 공개매수에 의하지 않고 매수 등을 할 수 있다. [자본시장법 제445조 19호] 본 규정에 위반하여 공개매수에 의하지 않고 주식 등의 매수 등을 한 자는 3년 이하의 징역 또는 1억 원 이하의 벌금에 처한다.

구 분	제한 규정	규 제
자본시장법	반복 매수의 금지	규정 폐지
	주식수 변동 초래 금지	규정 폐지
	의결권 제한 (자본시장법 제145조)	공개매수 적용대상(자본시장법 제133조 ③)의 거래임에도 불구하고 공개매수 규정에 따르지 아니하거나, 공개매수공고 및 공개매수신고서 제출 규정(자본시장법 제134조 ① 및 ②)을 위반하여 매수 등을 한 경우, 그날부터 그 주식 등에 대한 의결권 행사를 금지한다. 또한 금융위원회는 6개월 이내의 기간을 정하여 그 주식 등의 처분을 명할 수 있다(자본시장법 제145조)
	금융위원회의 조치 (자본시장법 제146조 ②)	금융위원회는 공개매수자에 대해 공개매수의 정정을 명할 수 있고, 공객매수의 정지 또는 금지, 1년의 범위 내에서 공개매수 제한(공개매수자 및 그 특별관계자) 또는 공개매수사무 취급 업무의 제한(공개매수사무취급업자) 등의 조치를 할 수 있다.
	과징금 (자본시장법 제429조 ②)	중요사항 기재, 제출, 공고의 거짓 또는 누락이 있는 경우 공개매수 예정 총액의 100분의 3(20억 한도)을 초과하지 아니하는 범위에서 과징금을 부과할 수 있다.
	공개매수자의 배상책임 (자본시장법 제142조)	공개매수공고 및 신고서 또는 공개매수설명서 중 중요사항에 관하여 거짓, 누락하여 응모 주주가 손해를 입은 경우 배상의 책임이 있으며, 선의 및 상당한 주의가 있는 경우 배상의 책임을 지지 않는다.
	형사처벌	[자본시장법 제444조 15호 내지 17호] 5년 이하 징역 또는 2억 원 이하의 벌금 [자본시장법 제446조 25호, 26호] 1년 이하의 징역 또는 3천만원의 벌금
	과태료	[자본시장법 제449조 ① 37호, 38호] 1억 원 이하의 과태료 부과 [자본시장법 제449조 ② 7호, 8호] 3천만원 이하의 과태료 부과

구 분	제한규정	규 제
공정 거래법	기업결합 신고	공정거래법 제12조(기업결합의 신고)에 의거 특수관계인을 포함한 자산총액 또는 매출총액이 3천억 원 이상인 회사(기업결합신고대상회사)가 특수관계인을 포함하여 자산총액 또는 매출총액 300억 원 이상인 회사(상대회사)에 대해 공개매수를 통해 그 주식을 20% 이상(상장회사의 경우 15%) 취득하는 경우에는 신고기준일(주식교부일)로부터 30일 내에 기업결합신고를 하여야 한다(공정거래법 제12조 및 동법 시행령 제18조). 그리고 이는 공개매수자인 상대회사가 기업결합신고대상회사인 공개매수 대상회사의 주식을 20% 이상(상장회사의 경우 15%) 취득하는 경우에도 마찬가지로 적용된다. 만약 공개매수자와 공개매수대상회사가 특수관계인 간의 기업결합인 경우, 간이신고로 그 의무를 이행히도록 한다. [공정위 고시 제2018 8호 '기업결합의 신고요령' Ⅱ. 2조 가목]
	주의사항	공정거래법상 특수관계인(공정거래법 시행령 제11조)의 범위가 경영을 지배하려는 공동의 목적을 가지고 당해 기업결합에 참여하는 자도 포함될 정도로 그 범위가 광범위하므로 공개매수자 본인은 신고대상에 해당되지 않으나 특별관계자(특수관계인 및 공동보유자) 중에 신고대상에 해당되는 회사가 있을 경우 반드시 기업결합 신고를 하여야 한다. 또한 공개매수자가 회사가 아닌 개인이라 할지라도 위 자산총액 및 매출총액은 그 특수관계인 회사들을 포함하는 것이므로 기업결합 신고의무가 발생할 수 있다.
	벌칙	기업결합의 신고를 하지 않거나 허위로 신고하거나, 대규모회사가 공정위 승인을 받지 않은 상태에서 기업결합을 행하는 경우에는 회사에 대해서는 1억 원, 회사의 임원 또는 종업원 등에 대해서는 1천만원 이하의 과태료가 부과되므로 각별히 유의하여야 한다(공정거래법 제69조의 2).

(6) 지주회사

|주요 규정|

구 분		제한 규정	규 제
공정거래법	행위제한	상호출자제한 기업집단의 지주회사 설립·전환 제한	공정거래법상 채무보증제한 기업집단(공정거래법 제14조, 제10조의 2)에 속하는 회사를 지배하는 동일인 또는 당해 동일인의 특수관계인이 지주회사의 설립·전환을 하고자 하는 경우에는 관련 채무보증을 해소하여야 한다.
		지주회사의 행위제한 및 유예기간	• 행위제한(공정거래법 제8조의 2 ①, ②)부채비율, 자회사주식비율 및 주식소유에 대한 행위제한을 규정 • 유예기간(공정거래법 제8조의 2 ②)지주회사 전환·설립으로부터 일정기간 행위제한 유예를 규정
		자회사의 행위제한 및 유예기간(공정거래법 제8조의 2 ③)	일반지주회사의 자회사는 손자회사를 보유할 수 있으나 지주회사와 같은 부채비율에 대한 제한은 없다. 지주회사와 동일하게 자회사의 경우에도 손자회사 이외의 국내 계열회사의 지분을 소유하는 행위는 금지가 되나, 국내 비계열회사의 주식을 소유하는 행위에 대해서는 그 제한이 없다.
		손자회사의 행위제한 및 유예기간(공정거래법 제8조의 2 ④)	일반지주회사의 손자회사는 100% 보유가 아닌 이상 국내계열회사의 주식을 소유하여서는 안 된다. 만약 주식을 보유할 경우 1~2년의 유예기간이 적용된다.
		증손회사의 행위제한 및 유예기간(공정거래법 제8조의 2 ⑤)	일반지주회사의 손자회사가 발행주식 총수의 100%를 보유하는 증손회사는 국내계열회사의 주식을 소유하여서는 안 되며(그 외의 경우, 손자회사는 증손회사 주식을 가질 수 없음), 만약 주식을 보유할 경우 1~2년의 유예기간이 적용된다.
		유예기간 연장(공정거래법 제8조의 2 ⑥)	행위제한에 대한 유예기간 중 주식가격의 급변 등 경제여건 변화, 주식처분금지계약, 사업의 현저한 손실 등의 사유로 인하여 그 부채액을 감소시키거나 주식의 취득 및 처분 등이 곤란한 경우에는 공정거래위원회의 승인을 얻어 2년간 그 기간을 연장할 수 있다.

구 분		제한 규정	규 제
공정거래법	신고 및 보고 의무	지주회사 설립·전환 신고(공정거래법 제8조, 동법 시행령 제15조)	지주회사를 설립·전환할 경우 지주회사 설립·전환 유형에 따라 설립·전환신고서를 규정된 신고기한에 따라 공정거래위원회에 제출하여야 한다.
		지주회사의 적용제외 신고(공정거래법 시행령 제15조 ④, ⑤ 및 보고요령 제7조, 제8조)	당해 사업연도 내에 소유주식의 감소, 자산의 증감 등으로 지주회사에 해당되지 아니하게 된 경우 공정거래위원회가 정하는 바(보고요령 제7조, 제8조)에 따라 회계감사를 받은 대차대조표 및 주식소유현황을 공정위에 제출하여 적용제외 신고를 하여야 한다. 공정위는 신고를 받은 날부터 30일 이내에 그 심사결과를 신고인에게 통지하여야 한다.
		지주회사 주식소유현황 보고 (법 제8조의 2 ⑦, 시행령 제15조의 6 및 보고요령 제9조, 제10조)	공정거래법상 지주회사로서 직전 사업연도 종료일 기준 지주회사의 요건에 해당하는 지주회사는 공정거래위원회가 정하는 요령(보고요령 제10조)에 따라 직전 사업연도 종료 후 4개월 이내에 주주현황, 계열사현황, 소유주식명세서, 직전사업연도감사보고서 등을 기재한 보고서를 공정위에 제출하여야 한다.
공정거래법	행위제한 및 신고및보고의무 위반에 대한 벌칙	탈법행위의 금지 (공정거래법 제15조 ①)	누구든지 공정거래법상 지주회사 등의 행위제한 규정, 채무보증제한기업집단의 지주회사 설립제한 규정의 적용을 면탈하려는 행위는 하여서는 안 된다.
		시정조치 (공정거래법 제16조)	공정거래위원회는 지주회사 등의 행위제한규정, 채무보증제한기업집단의 지주회사 설립제한 규정을 위반하거나 위반할 우려가 있는 경우에는 당해 사업자 또는 위반행위자에 대하여 시정조치를 명할 수 있다. 또한 공정위는 채무보증제한 기업집단의 지주회사 설립제한 규정을 위반한 합병 또는 설립이 있는 때에는 당해 회사에 대해 합병 또는 설립 무효의 소를 제기할 수 있다.
		과징금 (공정거래법 제17조 ④)	공정거래위원회는 지주회사 등의 행위제한 규정을 위반(부채비율 00% 조항, 자회사주식비율, 자회사의 손자회사 주식보유기준 등)한 자에 대하여 규정된 기준 금액의 10% 한도 내에서 과징금을 부과할 수 있다.

구 분	제한 규정		규 제
		벌칙	[공정거래법 제66조] 지주회사, 자회사, 손자회사, 증손회사의 행위제한 규정을 위반한 자, 채무보증제한 기업집단의 지주회사 설립제한 규정을 위반한 자, 탈법행위를 한 자에 대해서는 3년 이하의 징역 또는 2억 원 이하의 벌금에 처하며, 징역형과 벌금형은 이를 병과할 수 있다.
			[공정거래법 제70조] 지주회사 설립·전환의 신고 규정을 위반한 자, 지주회사의 주식소유현황의 보고 규정을 위반한 자에 대해서는 1억 원 이하의 벌금에 처한다.

에필로그

"통합을 한 지 벌써 5년이 지났네. 세월이 참 빠르지?"

백이사가 말문을 열었다.

"글쎄 말이야. 그 동안 너무 앞만 보고 숨가쁘게 달려온 것 같아. 소중한 경험이었지. 그런데 얻은 것도 많지만 잃은 것도 많은 것 같아."

크리스는 지난 세월을 회고라도 하려는 듯 병원 창문 밖으로 시선을 던지고 있었다. 크리스는 이틀 전에 병원으로 실려 왔다. 통합이란 숙제가 결국 크리스를 쓰러지게 만들었던 것이다. 사무실에서 쓰러진 크리스를 백이사가 병원으로 데려온 것이다.

"그렇게 M&A전문가가 되기를 원하더니 이제 정말 자네는 최고 전문가야."

백이사가 농담 섞인 말투로 크리스를 위로했다.

"그러게. 실컷 해 봤네. 인수부터 통합까지. 나에게는 'Real Deal'이었네. 마치 불구덩이 뜨거운 줄 알면서도 불 속으로 달려 들어가는 불개미 같았다는 생각이 드네."

"Real Deal은 지금부터네."

"무슨 소린가?"

"서울은행이 베트남 하노이은행을 M&A한다는 구만. 이제 국내은행도 Cross-Border M&A를 통해 성장의 길을 모색하는 것 같네. 그 동안 몇 차례 시도는 있었는데 번번이 실패만 한 것 같아. 이제부터라도 제대로 해야 하지 않겠는가? 자네의 고통스런 경험이 국내 금융이 성장하는 데 초석이 될 수 있으면 좋을 것 같아. 이제는 국내금융을 위해 좀 더 의미있는 작업을 해야 되지 않겠나? 그래서 Real Deal은 이제부터란 말이네."

"……."

이제는 Cross Border M&A 시대

미국의 대표적인 상업은행으로 씨티은행(Citibank)과 아메리카은행(Bank of America)을 손꼽을 수 있다. 씨티은행은 미국의 동북부를 거점으로 성장하였으며, 아메리카은행은 서남부를 거점으로 성장하였다. 흥미로운 것은 두 은행은 미국 내 거점을 달리하면서도 비즈니스모델도 양분되었다. 씨티은행은 "Citi Never Sleeps"라는 기치 아래 일찌감치 글로벌금융시장으로 진출한 것과는 달리 아메리카은행은 미국 내 금융시장에 주력했다. 공통점도 있다. 두 은행 모두 글로벌금융시장과 미국 내 금융시장에서 M&A를 통해서 성장하였다. 씨티은행이 막대한 자본력을 바탕으로 글로벌금융시장이 요동치는 상황에서 해외 금융회사들을 하나 둘 M&A하여 몸집을 키워가는 동안 아메리카은행은 기회가 있을 때마다 주(State)를 넘어 미국 내 은행들을 인수 합병했다. 두 은행이 미국 내 금융시장 안에서만 치열하게 경쟁하는 것을 선택하지 않은 것은 미국의 전체 경제관점에서도 바람직해 보인다.

신자유주의 하에 글로벌경제는 아시아 기업들을 글로벌화 흐름의 중심에 서게 했다. 아시아 지역은 지속적으로 다국적기업들의 최대 관심지역이 되면서 Cross Border M&A 시장에서 중요성을 인정받아 왔다. 한편, 아시아의 떠오르는 기업들도 세계적인 기업으로 부상하면서 M&A를 사업 확장에 적극 활용하고 있는 실정이다. 이러한 경향은 글로벌 자본 흐름에 큰 변화를 야기하고 있다. 그런데 아시아의 많은 기업들이 Cross Border M&A를 성사시키면서도 적지 않은 어려움을 겪고 있는 것이 현실이다. 기업을 좋은 가격에 인수만 한다고 M&A를 성공했다고 볼 수 없다. 보다 정교한 기업실사, 통합계획 및 통합실행 등 M&A 전체 프로세스에 대한 통찰력을 제고하여 진정한 시너지효과를 확보해야 M&A를 통한 지속적인 성과를 확보할 수 있을 것이다.

M&A에 대해 부정적인 사회적 인식, 금융기법의 미발달, M&A에 관한 시장정보 부족, M&A 전문가 부족 문제에 대하여 해결 방안을 지속적으로 모색해야 할 것이다. 전체 M&A 중 국가별 해외 M&A 비중의 2003년부터 2010년까지 평균을 산출해 보면 전 세계 평균이 34.6%, 선진국 평균이 36.2%인 데 비해 우리나라는 13.3%로, 미국 34.4%, 중국 35.8%, 일본 23.5%에 비교해 해외 M&A에 대한 실적과 경험이 매우 낮다는 것을 알 수 있다. 향후 M&A 시장의 흐름이 국내형에서 Cross Border형으로 발전하고 외국기업과 동등한 지위에서 경쟁을 하여야 할 우리 기업에게 Cross Border M&A의 미숙, 글로벌

네트워크의 부족은 치명적일 수 있다. Cross Border M&A의 한계를 극복하고자 하는 노력을 통해 국내 M&A 활성화의 문제를 극복할 수 있을 것이다. Cross Border M&A를 활성화시키기 위해서는 무엇보다도 금융시장의 발전이 전제되어야 하는데, 정보제공과 다양한 자본이 필요하기 때문이다.

최근 M&A 시장은 2007년 금융위기 이후 2010년 신흥시장의 부각으로 가장 활황세를 보였는데, 주요 특징은 신흥시장의 부각과 Cross Border M&A 비중의 증가다. 그러나 2012년 거래금액은 2조 5천억 달러 이상이었고 거래건수는 2011년보다 조금 줄어든 2만 8천 건 이상을 기록하였다. 장기에 걸친 경기 침체로 인해 저성장의 극복 전략으로서의 M&A의 중요성이 부각되고 있으며, 최근 들어 기업과 은행의 구조조정 과정에서 저평가된 우량 매물들이 M&A 시장의 매력도를 상승시키고 있다. 신규 수요가 감소하고 경쟁이 심화되면서 본업 중심의 시장장악력을 확대하기 위해 경쟁사보다 신속하게 M&A를 추진하여 업계의 재편을 주도하는 사례도 찾아볼 수 있다.

국가별로 보면 미국의 경우 IT 산업을 기반으로 시장과 고객이 글로벌로 확대되면서 M&A의 대상도 갈수록 확장되고 있어 글로벌화를 위한 특허(기술)나 인재 등의 자산이나 역량확보 등으로 세분화하여 추진하고 있다. 중국은 정부가 앞장서 해외기업의 역량을 중국기업에 흡수하는 데 관심이 높고, 일본은 민간기업이 글로벌화를 추진하는 과정에서 Cross Border M&A 활성화를 통해 기업의 경쟁력을 확보하려는 움직임이 많아 보인다.

그렇다면 치열해진 글로벌 경제환경에서 기업이 어떻게 신성장동력을 확보할 것인가?

한국 기업의 주력 사업들이 성숙기에 접어들고 있다. 과거 한국 기업들이 반도체·자동차 등으로 비관련 다각화를 성공시킬 수 있었던 비결은 내수시장이 철저히 보호돼 있었던 데 있다. 정부의 정책금융과 산업정책을 통한 지원 덕분이었다. 하지만 이제는 모든 상황이 달라졌다. 국내 시장이 개방되고 정부지원은 어려워졌으며 지배구조의 변화로 신사업에 대한 그룹 전체적인 지원이 힘들어졌다. 거기에다가 목표하는 성장을 위해서 가지지 못한 핵심역량을 내부에서 육성하는 것은 중국 기업들의 부상과 치열한 글로벌 경쟁 하에서는 바람직해 보이지 않는다. 한국 기업들에게 새로운 도전이 앞을 막고 있다. 그렇다면 성장을 지속하기 위해서 어떻게 해야 할까?

GE(제너럴일렉트릭), 씨티그룹 등 다국적기업들의 성장전략인 Cross Border M&A가

해답이 될 수 있다. M&A는 기업이 자신에게 필요한 역량과 자산을 가장 빠르고 편리하게 얻을 수 있는 방법이다. 산업에서 필요한 역량을 구축하는 데 긴 시간이 걸리고 모방이 어려울 경우 특히 M&A가 유용한 방법이 될 수 있다. 해당 산업에서 요하는 규모의 경제를 달성하는 데도 기존 기업을 인수하는 방식이 빠르고 유용한 방식이다.

IMF 이후 부실기업의 구조조정 차원에서 해외기업이 한국기업을 인수하는 거래(Inbound Deal)는 활발히 진행되어 금융기관의 경우 외환, 한미, 제일은행이 Lone Star, Citibank, Standard Chartered에 인수되었다. 그러나 우리나라 기업이, 특히 국내금융기관이 해외기업을 인수하는 거래(Outbound Deal)의 실적은 아직 미미하다. 국내 기업들이 M&A를 성장수단으로 고려하기를 주저하는 이유는 경험 부족으로 인한 성공의 불확실성 때문일 것이다.

그렇다면 M&A를 성공적으로 이끌기 위한 열쇠는 무엇일까? 바로 가치평가(Valuation) 작업과 인수 후 통합(Post Merger Integration) 작업을 성공적으로 수행할 수 있는 역량이다.

M&A 실패요인 : M&A에 실패한 경험을 가진 250명의 CEO를 대상으로 설문조사

주요 원인	응답률
통합 어려움의 과소평가	**67**
시너지 효과의 과대평가	66
경영진 통합 어려움과 주요 직원의 이탈	61
실사과정에서의 실수	50
피인수기업의 매력도 과대평가	50
전략적 적합성 판단 실패	45
시장 환경의 변화로 거래 매력도 감소	41
거래의 희소성으로 인한 성사에의 욕심	36

출처 : Bain & Company survey(2002)

M&A 거래의 성공에 결정적인 영향을 미치는 두 가지 요인인 기업가치 평가와 인수후통합은 M&A의 동기와도 밀접하게 연결되어 있다. 즉 경제적 성장수단으로 M&A를 볼 경우 정확한 기업가치 평가가 반드시 전제되어야 하며, 역량확보 수단으로 M&A를 시도

할 경우 역량을 유지 및 흡수하기 위해서는 인수 후 통합과정이 매우 중요하다.

M&A는 경제적인 성장수단이자 자체 개발이 어려운 역량을 얻는 수단으로 대표적인 기업의 성장 방법 중 하나이다. 경영환경의 불확실성이 증대되고 글로벌 과점화 현상이 나타나면서 M&A의 유용성은 더욱 증가하고 있다. 특히 글로벌 경제위기 직전 몇 년간은 저금리로 인한 글로벌 유동성 과잉을 기반으로 한 문자 그대로 M&A시장의 '딜 히트(Deal Heat 과열)'시대였다. 즉, 실수요자만이 아닌 사모펀드들까지 M&A시장에 적극 가세하여 인수합병의 프리미엄이 천정부지로 치솟던 시기였다. 따라서 이 시기에 적극적인 M&A를 시도하였던 기업들은 치열한 인수 경쟁 하에서 과도하게 높은 경영권 인수 프리미엄을 지급함으로써 '승자의 저주'에 빠지게 되었다. '승자의 저주'에 대한 우려로 인해 일각에서는 M&A에 대한 무조건적 비판과 기피현상까지 나타나고, 글로벌 경제 위기로 인해 신용경색 현상이 맞물려서 국내외에서 M&A의 건수와 규모가 급감하기도 했다. 그러나 오히려 경제위기는 M&A를 실행할 수 있는 최적기가 될 수 있다. 내재가치가 우수하지만 일시적 유동성 위기를 겪고 있거나 주가가 과도하게 하락한 기업을 싸게 살 수 있는 기업 바겐세일 기간일 수 있기 때문이다. 따라서 자금 여력이 있는 기업에게는 글로벌 경제위기와 신용경색 위기에 처한 전 세계 M&A 시장이 기업 가치 창출의 호기가 될 수 있다.

M&A를 성공적으로 수행하는 것은 물론 면밀한 전략을 전제로 한다. M&A는 명확하게 정의된 투자논리에서 출발하여야 한다. 즉, 명확한 가격의 한계를 설정하고, 인수에 대한 열망과 분위기로 인해 무리한 입찰을 피해야 한다. 특히 전략적 시너지는 보수적으로 계산하여야 지나친 프리미엄 지불로 인한 승자의 저주에 빠지지 않을 수 있다. 또한 실제 시너지의 발현은 인수 후 통합을 통해 나타나므로, 통합의 가치를 신속하게 구현하기 위해서 통합에 대한 계획을 최대한 조기에 착수할 필요가 있다. 그러나 빠른 통합이 절대선(善)은 아니며, 거래의 성격에 따라 인수 후 통합 분야, 통합 속도 및 정도를 차등화하여야 성공적인 통합을 실행할 수 있다. 피인수기업 임직원들의 수용도에 따라서 통합의 속도와 정도를 결정하여, 문화적 · 화학적 통합을 달성하고자 노력하여야 한다. 특히 선진국 기업 인수 시는 '점령군의 우'를 범하지 말고 임직원들의 마음을 먼저 사야 할 것이다. 성공적으로 통합이 실행될 경우 M&A는 학습과 지식을 확보하고 원가 절감, 매출 증대 등 다양한 시너지를 발생시키는 유용한 성장수단이다. 특히 한국의 선도 기업들은 주력산업이 성숙기에 접어들어 성장성과 수익성 저하로 고민해 왔기에 지금이 인수를 통

해 기존 산업의 지배력을 강화하고 신성장동력을 확보할 수 있는 전기가 될 수 있다. 다만 많은 자금 투입이 필요하고 실패 시 기업에 큰 부담을 줄 수 있으므로 M&A 전 과정에 대한 경험 축적을 통해 성공확률을 높여야 할 것이다. 기업환경의 불확실성이 여전히 높고 인수합병 후 통합과정에 대한 자신이 없으면 일단 지분 출자나 전략적 제휴 형태로 시작하였다가 추후 M&A로 진전시키는 리얼옵션(Real Option)형태의 단계적 전략도 고려해 볼 필요가 있을 것이다.

"국내 사모펀드(PEF)가 Blackstone PEF와 함께 중국기업의 Cross Border LBO (Leveraged Buyout) 경쟁에 참여했습니다."
"국내 IB(Investment Banker)가 Prime Broker로 Goldman Sache와 함께 중국기업 IPO경쟁에 참여했습니다."
"국내 은행(Bank)이 소로스의 Quantum Fund와 KKR의 PEF가 소유하고 있던 중국기업의 50% 지분을 인수했습니다."

이런 뉴스가 나올 날을 상상해 본다. 그리고 그 상상은 현실이 될 것이다고 확신한다. 누가 Samsung이 Sony를 앞지를 것이라고 예상했었는가? 이제 국내 금융산업도 도약하기 위해 그 기틀을 다져나가야 한다.

글로벌그룹의 Cross Border M&A 이야기를 통해서 M&A의 다양한 측면을 글에 담으려고 노력하였다. 지금까지 M&A에 대한 책들은 일부 전문가들이나 접할 수 있도록 어렵게 쓰여진 것이 사실이다. 저자는 이 책이 전문가들만의 참고서적이 되는 것을 지양하고자 하였다. M&A는 이제 피할 수 없는 사회·경제적 현상이다. 따라서 일반인들도 M&A에 대하여 어는 정도 이해할 필요가 있을 것이다. M&A는 단순한 숫자 노름이 아니라 기업을 경영하는 경영자에게는 기업의 새로운 성장동력을 모색하는 최고의 기업전략이 될 수 있으며, 직원들에게는 엄청난 변화의 소용돌이와 성장의 기회를 의미한다. 또한 국가적으로는 국제적 자본의 이동을 통하여 국가경제 정책의 새로운 기조를 만들 수 있는 기회가 될 것이다.

저자는 이 책에서 금융기관간 Cross Border M&A에 대한 내용을 다루기에 앞서 IMF 외환위기를 돌이켜보며 금융의 다양한 환경변화를 관찰해 볼 수 있도록 하였다. 금융환경의 변화는 우리가 피부로 느끼지 못하는 사이 진행되어 왔고, 지금은 우리 생활의 일부가 되어 버렸다. 글을 시작하면서도 애기하였듯이 M&A는 이제 현실이다. 우리는 좋든

싫든 이 변화의 물결을 준비해야 한다. 엄청난 변화의 소용돌이를 헤쳐나갈 수 있도록 준비해야 하는 것은 개인이나 기업이나 마찬가지다. 개인들은 변화하는 기업환경에 유연하게 대처할 수 있는 역량을 키워 나가야 하며, 기업은 M&A를 보다 적극적으로 기업의 성장전략으로 채택하고 성공적인 딜(Deal)을 만들 수 있도록 지속적으로 준비해 나가야 할 것이다. 딜이 성공하기 위해서는 우선 먼저 딜을 이끌 수 있는 인적자원을 키워야 한다. GE나 Citigroup과 같은 글로벌기업들이 M&A팀을 회장의 직속팀으로 운영하고 있는 데는 그만한 이유가 있다.

성공적인 딜은 절대로 하루아침에 이루어지지 않는다. 그리고 더욱이 M&A의 성공은 통합과정에 달려 있는데, 통합의 성공은 축적된 경험에 의해서만 얻어질 수 있다. 유수의 글로벌기업들은 수많은 딜을 통해 M&A노하우를 축적하고 있다. 딜의 구조를 짜고, 실사업무를 진행하고, 합병과 통합을 위한 PMO(Project Management Office)를 운영하면서 축적된 노하우를 체계적으로 M&A매뉴얼화 해 놓은 것은 국내기업들이 갖고 있지 못한 그들만의 경쟁력이다.

국내금융기관과 기업들이 해외시장으로 진출하기 위해 필수적인 것이 해외기업에 대한 Cross Border M&A이다. 그런데 아무리 입맛에 맞는 해외기업이 있다고 하더라도 M&A는 단번에 이루어질 수 있는 작업이 아니다. 국내 금융기관이 카자흐스탄은행을 인수했다는 것이 경제신문에 대서특필했다. 얼마 후에 미국의 서브프라임사태가 터지고 미국계 투자은행인 베어스턴스가 다른 미국계 투자은행에 넘어갔다. 세간에서는 이에 대해 국내은행이 카자흐스탄은행을 인수하지 말고 베어스턴스를 인수했어야 한다고 비난의 목소리가 흘러 나왔다. 물정 모르는 소리다! 좋은 딜이 가만히 앉아 있어서는 내 입 속으로 굴러 들어오지 않는다. 국내 은행이 100년의 역사를 썼다. 하지만 아직 글로벌시장에 나가 경쟁하기는 역부족이다. 글로벌하지 못한 국내 금융기관이 좋은 딜을 발굴하지 못하는 것은 잘못된 것이 아니다. 국내 금융기관들이 성장하기 위해서는 지금이라도 글로벌네트워킹을 공고히 하고 대어를 낚기 위해서 작은 물고기들부터 잡아봐야 한다.

2020년 전례가 없었던 경제위기가 지구촌을 강타하였다. 바로 코로나(Corona-19)발 실물경제 위기이다. 그러나 얼마 되지 않아 이러한 경제적 위기는 곧 기회라는 인식하에 글로벌 기업들이 미래 새로운 먹거리를 발굴하고 회복 탄력성(Resilience)을 키우기 위하여 기꺼이 M&A를 활용하고자 하면서 M&A시장이 활기를 띠기 시작하였다. 코로나로

타격을 받은 기업들조차도 사업을 다변화하는 동시에 더 크고 경쟁력 있는 기업으로 재탄생하기 위하여 M&A에 적극 나서고 있는 상황이 되었다. 특히 첨단 기술을 보유한 알짜 기업에 대한 관심이 커져 이들 기업에 대한 M&A 매력도는 그 어느 때보다 강하다. 어찌 보면 불확실한 경영환경과 예상치 못한 코로나 위기에 대한 불안감이 M&A를 유일한 대안으로 보고 있는 것인지로 모른다.

그런데 지금까지 그랬던 것처럼 경제적 위기가 오면 준비된 기업은 그 위기를 기회로 삼고 공격적으로 M&A를 실행하여 기업의 체질을 변화시키고 새로운 성장을 할 수 있었다. 경제적 위기가 없으면 M&A의 기회도 줄어든다는 것은 이제 상식이 되어 버렸다. 그렇다고 그 기회를 잡는 것은 아무 기업이나 할 수 있는 것이 아니고 M&A를 위한 역량을 지속적으로 키워 온 기업이어야 한다. 이제는 기업이 성장하는데 M&A는 필수적인 선락이 되었다. 특히나 Cross Border M&A는 더 넓은 시장에서 기업이 글로벌 경쟁력을 가질 수 있도록 해 주는 필수 영양소임에는 분명한 것 같다.

한국의 많은 기업들이 탄탄한 M&A 역량을 갖추고 글로벌 시장에서 Cross Border M&A를 멋지게 실행하는데 이 책이 일조할 수 있기를 바란다.

Fighting Corporate Korea!

개정증보판 **The Real Deal**
크로스보더 인수 · 합병 · 통합 지침서

2015년 9월 16일 초판 발행
2021년 6월 7일 2판 발행

저자 김 정 호
발행인 이 희 태
발행처 **삼일인포마인**

저자협의 인지생략

서울특별시 용산구 한강대로 273 용산빌딩 4층
등록번호 : 1995. 6. 26 제3－633호
전 화 : (02) 3489－3100
F A X : (02) 3489－3141
I S B N : 978－89－5942－995－0 93320

♣ 파본은 교환하여 드립니다.

정가 60,000원